读客

读客三个圈经典文库

经典就读三个圈　导读解读样样全

À la recherche du temps perdu

追寻逝去的时光

第二卷　在少女花影下

[法]普鲁斯特　著

周克希　译

读客三个圈经典文库

经典就读三个圈　导读解读样样全

江苏凤凰文艺出版社
JIANGSU PHOENIX LITERATURE AND ART PUBLISHING, LTD

图书在版编目（CIP）数据

追寻逝去的时光．第二卷，在少女花影下 /（法）马塞尔·普鲁斯特著；周克希译．—南京：江苏凤凰文艺出版社，2020.3（2022.2 重印）
ISBN 978-7-5594-4376-2

Ⅰ．①追…　Ⅱ．①马…　②周…　Ⅲ．①长篇小说－法国－现代　Ⅳ．①I565.45

中国版本图书馆 CIP 数据核字（2020）第 002567 号

追寻逝去的时光．第二卷，在少女花影下

［法］普鲁斯特 著　　周克希 译

责任编辑　丁小卉
特约编辑　张楚悦
装帧设计　刘小梅
内文插画　汪　芳
责任印制　刘　巍
出版发行　江苏凤凰文艺出版社
南京市中央路 165 号，邮编：210009
网　　址　http://www.jswenyi.com
印　　刷　河北鹏润印刷有限公司
开　　本　890×1270 毫米　1/32
印　　张　19
字　　数　421 千字
版　　次　2020 年 3 月第 1 版
印　　次　2022 年 2 月第 3 次印刷
标准书号　ISBN 978-7-5594-4376-2
定　　价　50.00 元

Marcel Proust

目　录

第一部

在斯万夫人身旁

母亲听说要请德·诺布瓦先生来吃晚饭，不禁为戈达尔教授还在旅行途中，而她自己又跟斯万断绝了往来感到遗憾，否则初次莅临舍下的前大使阁下想必会对这两位先生很有兴趣。父亲回答说，像戈达尔这样体面的客人、有名的学者，请他作陪绝无不妥之处，可是斯万一向喜欢炫耀，在社交圈有一丁点儿的关系也要到处张扬。对于这种装腔作势的俗人，德·诺布瓦侯爵想必会觉得，按他的说法，腻味。父亲的回答需要解释几句，有人也许还记得当初的戈达尔颇为平庸，而斯万在社交礼仪上的谦恭和审慎，堪称娴雅之极。但他们可能有所不知，这位小斯万，这位骑师俱乐部的斯万、我们家的旧友，后来又添了一重（看来未必是最后一重）身份，那就是奥黛特的丈夫。为了迁就妻子卑微的名利欲，他把自己既有的天性、想望、能耐，无不尽力调整到一种新的状态，一种和那位伴侣合拍的、水平远低于从前的状态，因而他的表现和以前判若两人。既然是和妻子一起在新结识的人们中间开始新的生活（他仍旧和自己的朋友单独往来，只要人家不主动要求，他一般不把奥黛特介绍给他们认识），我们就不难理解，他用以衡量这些新相识身份的标准，或者说衡量他接待他们时自尊心得到满足的愉悦程度的对照基准，当然不是婚前社交圈里的精英，而是奥黛特早先的那批熟人。可是，即便你知道了他想结交的是些举止并不优雅的官员，部里举办舞会的花瓶、心智未必健全的女性，当你听说至今还挺有风度地把特威克纳姆或白金汉宫的请柬悄悄藏在衣袋里的斯万，居然为部长办公室某位副主任的夫人回访斯万夫人而大喜过望，你恐怕还是会大吃一惊的。

有人也许会说，斯万当初的优雅洒脱，在他其实只是名利心的一种比较隐晦的表现形式，所以我家的这位老朋友就像某些犹太人一样，会在自己的举动中渐次演示这个种族所经历的各种生存状态：从没有心计的附庸风雅到毫无遮拦的粗鲁鄙俗，直到无可挑剔的彬彬有礼。然而最主要的原因，在一般意义上适用于整个人类的那个原因，还在于我们的修养并不是自由自在的、随意游动的东西，我们没法儿让它一直保持无拘无束的状态；它最终会和我们认为应让它有所体现的种种举止联系起来，由于这种联系过于紧密，一旦出现看似不同的其他场合，我们就一下子反应不过来，意识不到我们的修养也应当体现在那些场合。斯万周旋于新交之间，忙得不亦乐乎，而且提起他们时颇为自得，这很像那些谦虚、慷慨的大艺术家，他们倘若晚年醉心于烹饪或园艺，就会对别人称赞他们烧菜或拾掇花坛的恭维话表现出一种天真的心满意足，听不得一点批评——这样的批评如果针对的是他们的杰作，他们反倒处之泰然；要不然就是白送人家一幅油画毫不在意，玩多米诺骨牌却输不起四十枚苏，使性子，发脾气。

至于戈达尔教授，我们在较远的后文中还会花不少篇幅提到他，那是在女主人[1]位于拉斯普利埃尔城堡的府上。目前有关他，只要了解下面的情况就可以了。对于斯万，我们不妨说他的变化是让人吃惊的，因为我在香榭丽舍见到吉尔贝特的父亲那会儿，这个变化已经发生，我却一点儿也没看出来——不过，他当时没和我说话，就是要显摆那些政界朋友也没法儿显摆呀（说实话，即便他那么做了，我也未必看得出他的名利心很重。年深日久对一个人形成的看法，足以障蔽我们的耳目；拿我母亲来说，她有个侄女抹口红，有三年之久她视而不见，仿佛那口红全都悄悄地溶解在一种液体里了；后来有一天，也不知是口红抹得太厚，还是别的什么原因，出现了所谓过饱和的现象；原先看不见的口红，一下子凝结起来，母亲突然发现了眼前这浓艳的颜色，就跟在贡布雷时一样，大声说这简直是丢人现眼，并从此跟这个侄女几乎断绝了一切往来）。可是对于戈达尔，情况正相反。其一，他看着斯万初进维尔迪兰府的那段时光，已经相当遥远；随着岁月的流逝，荣誉和头衔接踵而至。其二，一个人尽管没有文化修养，爱玩愚蠢的文字游戏，照样可以富有文化修养所无法取代的特殊才能，比如军事统帅或医学圣手。在同行眼中，戈达尔绝非单凭资历熬成欧洲名医的平庸之辈。年青一代中的佼佼者说得斩钉截铁——至少在若干年内不会变；但凡时髦的东西都诞生于变化的需要，因而时髦的想法早晚也得变——他们一旦患病，唯有戈达尔是自己能以性命相托的名医。当然平时他们更愿意跟那些温文尔雅、有艺术气质的主任医生交往，谈谈尼采和瓦格纳。

戈达尔夫人在家里举办晚会，招待丈夫的同事和学生，指望他

---

1 指维尔迪兰夫人。

有朝一日能当上医学院院长。有人在客厅演奏音乐时，戈达尔先生通常不愿洗耳恭听，宁肯到隔壁的小客厅去打牌。不过，他的目光和诊断之敏捷、深邃和准确，可谓有口皆碑。其三，从戈达尔教授和我父亲这样的人谈话的态度，我们可以注意到，在人生进入中年以后，我们所表现出来的性格特点，尽管常常还是，但未必一定就是年轻时性格的增补或缩减；它有时候会和当初的性格截然不同，完全倒个个儿。戈达尔年轻时那种迟疑不决的神情、那种过分羞怯或亲热的举止，曾使他备受讥嘲，唯有宠爱他的维尔迪兰夫妇家是个例外。后来也不知是哪位好心的朋友帮了他，劝他要让自己的神情看上去冷若冰霜。而地位一变，要做出凛然的态度就更容易了。在维尔迪兰府上，他会本能地重又变成他自己，此外无论在什么场合，他总是一副冷冰冰的模样，轻易不开金口，一旦开口，用的是不容置辩的口气，而且总忘不了说些让人不快的事情。他的这种新的处世态度，对病家来说是不成问题的，他们以前没有见过他，根本无从比较，一旦得知他并非一个生性粗鲁的人，反而会感到惊讶呢。他尽力使自己对什么事情都无动于衷，即便在医院当班时抛出几个谐音文字游戏，把所有的人，从主任大夫到见习医生，都逗笑了，他也照样绷着脸，剃掉了胡子和唇髭而变得让人认不出的脸上，没有一丝肌肉动一动。

最后还得说一下这位德·诺布瓦侯爵是谁。他曾在战前出任全权公使，在五月十六日危机期间出任大使，但令许多人感到意外的是，此后他又不止一次被激进派内阁委以重任，代表法兰西政府执行特殊使命——诸如出任埃及债务稽查专员，他表现出处理金融事务的卓越才干，在任内做出重要贡献；这样一个激进派内阁，持保守立场的人士通常会拒绝为之效力，而以德·诺布瓦先生的经历、观点和社会关系，按说他也不该得到这个内阁的信任。然而这些激进派的内阁部长似乎意识到，这样的任命足以表示事关法兰西民族最高利益时，他们胸襟的坦荡，非一般政客所能及，《论坛报》称他们为股肱之臣，他们是当之无愧的。总之，一个贵族姓氏所具有的威望，一次出人意料的遴选所产生的戏剧性效果，足以让他们从中得益。他们也知道，请德·诺布瓦先生出山绝无后患，完全不必担心他会在政治上有二心，侯爵的出身不但无须戒备，反可看作一种担保。在这一点上，共和派政府没有看错。这首先是因为，一个贵族从小把自己的姓氏看作任何力量都无法褫夺的一种固有优势（与他地位相仿或出身门第更高的人，对这一优势的价值都有相当准确的认识），知道自己无须像诸多布尔乔亚那般，汲汲于发表见解不俗的高论、结交观念正统的人士而落得徒劳无功的结局，他明白那并不会为自己增添半点光彩。另一方面，他又生怕被身份高于自己的亲王或公爵家族看轻，知道唯有在自己的姓氏上增添它所没有的东西，才不至于被他们小觑，而且倘若现在就和他们平起平坐的话，有了这些东西他就高他们一头了：那便是政治上的影响、文学或艺术上的声誉，以及巨额的资产。布尔乔亚乐滋滋想要攀附的过气小贵族也好，一位亲王不会因此心存感激的华而不实的友情也好，他一概懒得去耗费精力，他把自己的精力慷慨地用于帮他谋得使馆职位或竞选赞助的政客（即便他们是共济会成员），用于帮他在不同领域中脱颖而出的艺术家或学者，用于所有能够助他一臂之力，让他赢得新名声或富裕婚姻的人。

不过就德·诺布瓦先生而言，长期的外交官生涯造就了他身上那种消极、保守、因循守旧的所谓政府精神，这种精神体现为所有政府所共有，尤其是政府下属使馆所共有的办事作风。德·诺布瓦先生积多年职业生涯之经验，对反对派那些多少带有某种革命性、再怎么说也是不适当的手段，充满厌恶、恐惧和鄙视。在市井平民和上层社会里都有一些见识浅薄的人，所谓人以群分在他们看来只是说说而已，而对大部分人来说，让他们相互靠拢的并非观点的一致，而是精神上的契合。一位气质和勒古维[1]相近、应该是古典主义信徒的院士，会由衷地为马克西姆·杜冈或梅茨耶尔对维克多·雨果的颂词鼓掌，却宁愿冷落克洛岱尔对布瓦洛的褒扬。凭着对民族主义的共同信仰，巴雷斯足以赢得选民的支持（他们想必并不很了解他和乔治·贝里先生有什么不同），却无法拉近他和法兰西学院同人之间的距离，那些同人和他政见一致，但气质不同，所以宁愿抛下他去为政敌里博和德沙内尔先生捧场，而这两位先生又让铁杆的保皇党人感到比莫拉斯和莱翁·都德更靠近自己，尽管那二位也希望王朝复辟。德·诺布瓦先生说话不多，不仅仅是出于谨慎持重的职业习惯，也是由于每个字词在他眼里自有它的分量，自有它微妙的含义，像他这样的人，为使两国修好花费的十年心血，也就不过——在一篇演讲或一份备忘录中——归纳、体现为一个形容词而已，而在这个貌似平常的形容词中，他们却看到了整个世界的风云变幻。因此，德·诺布瓦先生在外交委员会里素以冷峻著称。而在这个委员会开会时，他总跟我父亲并肩而坐，大家祝贺父亲居然赢得了这位前任大使的友谊。而对于这份友谊，第一个感到吃惊的就是父亲。因为他生性不太随和，平日里除了几个要好朋友以外，

---

1 勒古维（Ernest Legouvé，1807—1903）：法国小说家、剧作家，法兰西学院院士。

不大有人爱和他交往，对此他一向是爽爽快快承认的。他感到大使先生主动接近自己，不是无缘无故的，我们每个人对别人的好恶都基于一种观点，这种观点因人而异，即便一个人智力出众、情感细腻，你照样可以不把他放在眼里，照样可以不喜欢他，另一个人口没遮拦、嘻嘻哈哈，在大多数人眼里显得无聊、浅薄，你却说不定对他大为欣赏。“德·诺布瓦又请我吃饭了；真是怪事。大家都很惊讶，因为他平时在委员会里跟谁都没有私交。我知道他准是又要对我讲一八七〇年战争那些让人激动的往事了。”父亲知道，德·诺布瓦先生也许是唯一提请皇帝陛下关注普鲁士的军备扩张和战争企图的人，俾斯麦曾对他的才智倍加赞许。而且最近，在歌剧院为迪奥多兹国王举行的盛大晚会上，报界人士注意到国王陛下和他交谈了很长时间。“我得打听一下，国王陛下的这次来访是否当真意义重大，”父亲这样对我们说，他向来对外交事务很感兴趣，“我知道诺布瓦平时是个守口如瓶的老头，可他跟我无话不谈。”

至于母亲，也许大使先生并没有她最欣赏的那种才智。不妨这么说，德·诺布瓦先生的谈吐集了一种职业、一个阶层、一个时代——对这种职业、这个阶层而言，这个时代很可能永远不会完全终结——所特有的老式词语之大成，我有时很后悔没把听到他说的那些话原原本本记下来。否则我就可以有一套现成的旧语汇，就像王宫剧院的那个演员可以毫不费力地拿出一顶顶帽子，人家问他这些令人惊奇的帽子是从哪儿找来的，他回答说：“帽子不用去找。我一直藏着呢。”总之，我觉得母亲认为德·诺布瓦先生有些过时，这并不是说他的举止有令她不快之处，而仅仅是指他的言辞——甚至不包括观念，因为德·诺布瓦先生的观念还是很时尚的——并不使她觉得有趣。不过在她看来，既然他对自己丈夫表现出极为难得的情谊，那么在丈夫面前称赞这位外交官，就是体贴丈夫，有意让他高兴了。她对父亲推崇德·诺布瓦先生给予肯定，进而鼓励他对自己也做出较高的评价。她觉得这样做就是尽到使丈夫生活愉快的本分，正如她用心操持家务，让菜肴精美可口、仆人悄没声儿一样。她不会对我父亲说谎，所以她尽力让自己学会看大使先生的优点，以便能真心实意地赞扬他。再说，她自然也感受到了他那谦谦君子的风度、稍稍过时的礼节（考究到近乎刻板，比如他正挺直高大的身躯走在路上，一看见我母亲乘马车经过，会赶紧把刚点着的雪茄扔得远远的，抬起帽子向她致意）、极有分寸的言谈——尽量少谈自己，时时想到说些能让对方高兴的话，而他回信之迅速及时，更是出乎她的意料。往往我父亲刚把一封信寄出，回信就来了。父亲看着信封上德·诺布瓦先生的笔迹，闪过的第一个念头是莫非两封信碰巧错过了：简直就像邮局专门为他增设了收费很贵的开箱时间。母亲赞叹他尽管那么忙依然见信即复，尽管交游广阔依然谦和有礼，她没想到这些“尽管”正是没被注意的“因为”，其实（就像老人的年事之高、国王的平易近人、外省人的博闻强识使人惊讶一样），德·诺布瓦先生处理事务果断干练，作复来信井井有条，社交场上风度怡人，对待我们殷勤有加，这些都是习惯使然。何况，母亲正如所有过于自谦的人，错就错在总把与自己有关的事置于他人之下，也就是置于其他事情之外。她觉着父亲的这位朋友每天要写许多信，还能如此迅速地给我们回信，着实令人赞佩。她把他给我们的回信放在那么多信件之外，没看到这仅仅是其中的一封；同样她也没考虑到，来我们家吃晚饭，在德·诺布瓦先生只是社交生活众多活动中的一项而已：大使先生在外交生涯中已经惯于把饭局看作公务的一部分，展示优雅风度在他也早就习惯成自然，硬要他在上我们家吃晚饭时放弃这种习惯，未免就过分了。

德·诺布瓦先生第一次来家里吃晚饭的那年，我还常去香榭丽舍公园玩耍，这次晚餐至今留在我的记忆中，因为就在那天下午，我终于获准去看拉贝玛日场演出的《菲德尔》[1]，还因为和德·诺布瓦先生的谈话使我突然以一种新的方式意识到，有关吉尔贝特·斯万和她父母的一切在我心中唤醒的情感，跟这一家庭在其他任何人心中激起的情感有多大的不同。

眼看新年假期临近，而吉尔贝特事先告诉过我，假期里我不能见她，我的情绪变得非常低落。母亲大概看到了我无精打采的样子，想让我解解闷，就对我说："如果你仍然那么心心念念要去看拉贝玛的戏，我想你父亲也许会答允的：可以让外婆带你去呀。"

父亲会答允，是因为德·诺布瓦先生对他说过，应该让我去看拉贝玛的演出，对一个年轻人来说那是一种值得珍藏的回忆。父亲在这以前一直反对我在他所谓无聊的事情（这一说法使外婆大为愤慨）上浪费时间，去冒生病的危险，但听了德·诺布瓦先生的话以后，大使推荐的戏剧在他眼里俨然就成了事业取得辉煌成就的秘诀之一。外婆向来认为看拉贝玛的演出对我很有好处，但是为了我的健康，她忍痛割爱舍弃这些好处，自己也做出重大牺牲，现在得知单凭德·诺布瓦先生的一句话，我的健康就变得

1 拉辛著名剧作，以希腊神话为背景。女主人公菲德尔（Phèdre）即希腊神话中的法德拉（Phaedra），其夫雅典王忒赛（Thésée）即神话人物忒修斯（Theseus）。此处剧中人物译名均自"外国文学名著丛书"中《拉辛戏剧选》（华辰译）。

可以忽略了，她不由得大为吃惊。她信奉唯理论，医生嘱咐我多呼吸新鲜空气，每天早睡，在她看来这就是金科玉律，我要违反它们会让她着实不安。她伤心地说我父亲："您太轻率了。"父亲气呼呼地回答："怎么，现在是您不肯让他去！这未免太过分了吧，一直唠叨说这对他有好处的不就是您吗？"

德·诺布瓦先生帮我在一个更重要的问题上改变了父亲的观点。父亲一直想要我当外交官，而我一想到有一天要被派到外国的首都去当大使，吉尔贝特却不会在那儿，就受不了——即使在派遣出国之前还能在外交部待一阵子。我本来可以重温文学的旧梦，把当初在盖尔芒特家那边散步时放弃的计划再拾起来，可是父亲一向反对我以写作为业，他认为这根本称不上职业，远非外交官的前途可比，直到有一天听了德·诺布瓦先生的话才断然改变观点。那天，对新一代外交官员没有好感的德·诺布瓦先生用很肯定的语气对我父亲说，当作家照样能赢得世人的尊敬，照样能做出一番事业，而且比当大使更能具有独立的人格。

"嗨！这我可没想到，诺布瓦先生完全不反对你搞文学。"父亲对我说。他本身是个颇有影响的人物，所以在他看来，只要和有声望的人一谈，什么事都能搞定，什么问题都能迎刃而解："哪天从委员会出来，我把他带来吃晚饭，你和他谈谈，让他对你有个好印象。先写点东西吧，到时候可以拿给他看。他跟《两个世界》杂志社的社长很熟，可以给你引荐，老头挺机灵，会有办法的。确实，他似乎认为如今的社交界……"

不用跟吉尔贝特分离的幸福前景令我向往，可我就是写不出一篇像样的文章去给德·诺布瓦先生看。写了开头几页，我就再也写不下去了。自己竟然这么没用，连德·诺布瓦先生下次来做客，让我可以永远留在巴黎的机会都抓不住，我不禁痛哭流涕。唯有想起可以去看拉贝玛的演出时，心中的悲苦才得以排遣。但是，正如我看暴风雨要去海边看最猛烈的狂风骤雨那样，我看这位出色女演员的戏，要看她饰演古典戏剧中的角色（斯万告诉我，她扮演这些角色堪称炉火纯青）。这是因为，当我们心存能有珍品发现的期盼去感受大自然或艺术给我们的某些印象时，我们不会愿意让心灵中留给这些印象的位置被其他琐细的印象所占据，那些印象唯其琐细，更容易使我们对至美的真正意义产生误解。拉贝玛在《安德洛玛克》《任性的玛丽阿娜》[1]和《菲德尔》中的形象，让我心向往之。我相信，只要一听见拉贝玛朗诵那有名的诗句：

听说您要出走，远离我们而去，
殿下，……[2]

我就会如痴如醉，有如被一艘冈多拉载往佛拉里教堂和斯蒂沃尼的圣乔治学院[3]，不胜渴慕地拜倒在提香和卡尔帕乔的画作跟前。尽管我早已见过黑白版的印刷品，但每当想起（好比想到一次旅行终将启程）我将见到它们沐浴在灿烂的阳光和金色的嗓音之中，我的心就怦怦地跳。卡尔帕乔和威尼斯、拉贝玛和《菲德尔》之间，你中有我，我中有你，对我而言这是充满活力的有机体，也就是说，是不可分割的；所以，纵使我在罗浮宫的展厅

---

1 《安德洛玛克》《任性的玛丽阿娜》分别是拉辛、缪塞的剧作。

2 《菲德尔》第2幕第5场中雅典王后菲德尔对她暗恋的王子说的台词。

3 佛拉里教堂（Frari）和斯蒂沃尼的圣乔治学院（Scuola di San Giorgio degli Schiavoni）都在威尼斯，两处分别有文艺复兴早期画家提香（Titien，约1488—1576）和卡尔帕乔（Carpaccio，约1460—1525）的著名壁画。

里见过卡尔帕乔的画，或者在我从没听说过的一出戏里看过拉贝玛的表演，我也没法儿再感受到那种无比美妙的惊喜，那种犹如在一件不可思议的、我千百次梦见过的东西面前睁开双眼的惊喜。再说，我期待着从拉贝玛的表演中感受到高贵、痛苦的某些真谛，因而总觉得她若能在一部真正的杰作中表现她的高尚、真实，而不是给一部平庸无聊的剧本点缀些许真实、美好的东西，那么她的表演就会更有高度、更真实。

其实，倘若我去看拉贝玛的一出新戏，想必难以对她的表演、台词做出评价，既然我事先没看过剧本，自然就无法辨别哪些是剧本原有的，哪些是她的音调、姿势赋予它的，对我来说，音调、姿势和剧本是结成一体的。而古典作品我烂熟于胸，在我眼里它们是专门为我保留的广阔空间，我可以在里面自由自在地欣赏拉贝玛充满灵感、新意迭出的表演，一如欣赏画笔在墙壁上尽兴挥洒。可惜的是，前几年她离开大型剧院的舞台，到一家通俗剧院去给他们当了台柱，从此不再见到她演出经典剧目。我天天在海报跟前细细寻找，但看来看去只看到新戏广告，那些剧本都是一些时髦作家为她量身定做的；但有一天上午，我在海报上寻找元旦前后的日场剧目，忽然看见——在演出的后半场，前面还有一部大概不值一提的戏，戏名跟剧情有关，我对剧情一无所知，所以不懂那是什么意思——拉贝玛夫人演出《菲德尔》中的两幕，接下来两天还有《交际花》[1]和《任性的玛丽阿娜》，这两个剧名就如《菲德尔》一样，我实在太熟悉了，它们在我眼里是透明的、通体发亮的，而在光亮后面有着艺术的微笑。后来在报上

1 小仲马的剧作。

看到拉贝玛夫人亲自决定重新献演若干保留剧目时，我更感到这些剧目为拉贝玛增添了几分高贵。这么看来，她知道有些角色在一炮打响、演出大获成功过后，依然魅力长存；她知道自己塑造的这些角色好比博物馆的珍品，无论对观赏过它们的那代人，还是对未曾见过它们的下一代，都会有所教益。她就这样不动声色地在供人消遣的那些戏中间，加进了《菲德尔》，这个剧名不比其他的长，印的字体也和其他的一样，犹如晚宴的女主人在邀请客人入席时，向你一一介绍宾客的名字，在那些平平常常的名字中间，你听见她同样徐缓的声音："阿纳托尔·法朗士先生。"

给我看病的医生——当初不许我旅行的那位——劝我爸爸妈妈别让我去看戏；我会生病的，说不定还会拖得很久，总之我会得不偿失，没得到多少乐趣，却要吃许多苦头。倘若我对这次看戏的期待仅仅是欢乐，那么既然事后的痛苦会抵消这欢乐，我很可能就此却步。但是——和我梦寐以求的巴尔贝克或威尼斯之旅同样情况——我在这场演出中期盼的并非欢乐，而是属于另一个世界的人生真谛，那是一个比我生活其中的世界更真实的世界，而我一旦得到这些人生真谛，就再也不会由于这无意义的生命存在中的任何琐事（纵使这些琐事会带给我肉体痛苦）而失去它们了。况且，看演出时所能感受到的欢乐，在我看来就是感悟这些人生真谛可能必不可少的程式；但愿医生预言的身体不适等到演出结束那一刹那才开始，而不至于影响我看演出的效果，那样我就心满意足了。医生来过以后，父母都不想让我去看《菲德尔》，于是我恳求他们。我一遍又一遍地背诵那段台词：

> 听说您要出走，远离我们而去……

而且用了各种各样不同的语调，好让自己在听到拉贝玛让人意想不到的语调时懂得它的妙处。拉贝玛的表演将使我领悟的神圣的至美，有如神祇隐身在后面，帷幕遮住我的视线，在我的想象中它时时变换着形象，而那些形象都来自我记忆中贝戈特书中的词语——吉尔贝特找出来的那本小书里的一些词语：高贵的仪态，赎罪的基督徒身穿的粗麻衣，冉森派教徒苍白的脸色，忒赛的王后和克莱芙王妃，迈锡尼的戏剧，德尔斐的符号，太阳的神话，它们日日夜夜萦绕在我心灵深处长明的祭坛上，而这位女神能否在她未显真身的地方卸去她的面纱，从此把她崇高的美留在我的心间，却要由我那严厉而又轻率的父母来定。我凝神望着那难以捉摸的形象，从早到晚想着如何冲破家里给我设置的障碍。然而一旦障碍拆除，当母亲——尽管日场演出的那天正好就是委员会举行例会，会后父亲要把德·诺布瓦先生带来用晚餐的日子——对我说“呣，我们不想让你难过，你要是觉得看戏很开心，那就可以去呀”，当那场演出对我开了禁，去不去看全由我自己决定之时，我第一次考虑到这究竟合不合适，除了父母不许我去的理由，究竟还有没有其他理由让我放弃这个念头。首先，觉得父母心狠的怨气已经消释，他们的同意使他们在我眼里变得那么亲切，想到我会让他们感到难过，我先自难过起来，生活的目的仿佛不再是寻求人生的真谛，而是维系可贵的亲情，生活得好不好，似乎也只取决于我父母开心不开心。“我想还是不去的好，要不你们会伤心的。”我对母亲说。谁知她却竭力让我打消她会不高兴的想法，告诉我那样去看《菲德尔》会扫兴的，而她和爸爸不再阻止我，正是不想扫我的兴。可这么一来，我感到为拥有那份欢乐而承担的责任太沉重了。其次，眼看假期已近尾声，吉尔贝特马上就要回来，要是我生了病，能很快痊愈去香榭丽舍公园吗？我把这些理由跟拉贝玛隐藏在面纱后面的完美放在一起权衡，掂量孰轻孰重。我在天平的一边搁上"惹得妈妈不高兴，说不定没法儿去香榭丽舍"，另一边搁上"冉森派教徒苍白的脸色，太阳的神话"；可是这些词语对我来说毕竟是朦胧晦涩的，它们没法儿告诉我更多的东西，因而变得没有什么分量。我的迟疑不决渐渐变成了内心的痛楚，所以，如果我当即选择去剧院，那无非是为了终止这份迟疑，了断这桩事情。我听任自己不是被引向睿智女神，却朝着那既无面孔又无名字、在面纱下悄然替换了女神的命运之神而去，也只是为了让自己少受些痛苦，而并非期盼精神上的启示或经不住至美的诱惑。可是突然间出现了新情况，去看拉贝玛表演的愿望变得更迫切了，我满怀喜悦、急不可待地等待这场演出：我每天像柱头修士[1]那样离不开剧院海报圆柱，近来愈站愈苦，这一天却只见圆柱上破天荒贴着一张糨糊未干的《菲德尔》海报（不过说实话，那上面其他演员的名字对我没有丝毫吸引力，和我去不去看戏毫不相干）。我一直犹豫不决，思绪游移于多个目标之间，此刻这张海报让其中一个有了更为具体的形态，而且——由于海报上署的日期不是我看到的当天，而是剧目上演的日期，还写明了开场时间——这个目标已经很迫近，几乎就在眼前了。一想起这一天的这一时刻，我坐在自己的座位上，马上就能看到拉贝玛出现在台上，我兴奋得在圆柱跟前又蹦又跳；我生怕爸爸妈妈来不及给我和外婆预订两个好位

1　指中世纪待在高柱顶上苦修的隐士。

子，就拔腿往家里跑去，一路上疯疯癫癫的，满脑子想的不再是冉森派教徒苍白的脸色和太阳的神话，而是那两句奇妙的话：正厅前座谢绝戴帽女士，两点过后不得入场。

唉！我看的这第一场戏让我大失所望。父亲说好去委员会上班时先把我和外婆送到剧院。出门前，他对妈妈说："晚餐得好点哦；你还记得我要带德·诺布瓦先生来吃饭吧？"母亲当然没忘记。弗朗索瓦兹从前一天起就忙开了，有机会显露一下自己在厨艺上的天赋，她本来就求之不得，等到听说来的是一位新客人，得知菜单上有她的那道秘制冻汁牛肉，她更是兴奋不已，充满创作冲动。她对原料的内在质量要求极高，视之为作品成功的一个重要环节，因此她亲自去中央菜市场选购优质臀尖肉、牛腱子和小牛蹄，好比米开朗琪罗花八个月工夫在卡拉拉[1]山区为教皇尤利乌斯二世的陵墓挑选优质大理石块。母亲瞅着这个老女仆兴冲冲地出出进进，暗自担心她会劳累过度而病倒，犹如当年为美第奇家族雕刻墓碑的大师[2]病倒在彼得拉桑塔采石场。从前一天起，弗朗索瓦兹就差人把裹上面包屑、看似粉红色大理石的腿肉送到面包铺去烘烤，她管这叫Nev'York火腿。她低估了语言的丰富性，对自己的耳朵也不那么相信，所以想必在第一次听人说到York火腿时，以为——在她看来，既然有了New York[3]，就不大可能再有York这个词，否则岂不是太浪费？——自己听错了，对方其实是想说她知道的那个名字。从此以后，但凡瞅见纸上写

1 卡拉拉（Carrara）和下文提到的彼得拉桑塔（Pietrasanta）都是意大利托斯卡纳大区的城镇，以出产优质大理石著称。

2 指米开朗琪罗。1513年，尤利乌斯二世去世，米开朗琪罗应邀为美第奇家族在家族小教堂里修建墓碑。

3 英文：纽约。York可能指英格兰北部城市约克。

着New（她读作Nev'），她就觉得听见或看见后面还有个词儿：York。所以她对帮厨女工说下面的话时，的确是诚心诚意的："你上奥利达的铺子去给我买块火腿。夫人关照过要Nev'York火腿。"且说那一天，弗朗索瓦兹身上洋溢着艺术大师充满自信的激情，我却体验了探索者苦涩难言的焦虑。诚然，在看拉贝玛的舞台演出之前，我还是心情愉快的。站在剧场前的小广场上，我乐滋滋地心想，两个小时后煤气路灯点起，把每根枝丫都照亮，那些光秃的栗树就会泛出金属般的光泽；检票员站在剧场门口，他们的遴选、升迁，他们的命运，都取决于那位伟大的女演员——剧院上下，真正掌权的就她一人，那些任期短暂、有名无实的经理像走马灯似的换来换去，只是虚应故事而已——检票员接过我们的票子，瞧也不瞧我们一眼，心里担忧的是不知拉贝玛夫人的吩咐是否告诉了那些新来的，他们是否明白她在台上时千万不能让雇来的观众鼓掌捧场，她不上场时所有的窗都得打开，而等她一上场就连门也得关好，还得在她旁边观众看不见的地方放一壶热水，让台上的灰尘不会朝上扬：这不，当她那辆套着两匹长鬃辕马的马车停在剧院门前，她裹在裘皮大衣里下得车来，懒洋洋地朝迎候的人们挥挥手，然后差遣随从去过问一下前台包厢的位子是否已给朋友留好，正厅里的温度是否合适，楼厅包厢里坐的是些什么人物，女引座员的服饰是否妥帖。对她而言，剧院和观众只是她将要穿上的另一件大衣，只是她的才华将要在其中通过传导性能或好或差的介质而已。我坐在剧场里也感到很开心；原先我心想，既然——跟我长久以来天真幼稚的想象全然不同——所有观众看的是同一个舞台，那大概就像游乐场里一样人头攒动，没法儿看清舞台上的表演了；但现在我明白情况并非如此，剧场设计的格局，一如全知全觉的象征，让每个观众都觉着自己是剧场的中心。我想起有一次妈妈给弗朗索瓦兹买了顶层楼座的票，让她去看一出情节剧，她看完戏回来说，她的座位是剧场里最好的位子，离舞台一点不远，她反而觉着舞台的帷幕离得那么近，神秘而清晰，让她心生怯意呢。我听到低垂的帷幕后面传来嗡嗡的声音，就像鸡雏即将破壳而出似的，这时我心里更是充满了欢乐。声音渐渐变响，突然间，从那个我们的视线无法穿透、它却能看见我们的世界，传来三下响声，这无比威严的响声无疑是冲着我们来的，犹如火星传来的信号那般振奋人心。舞台上——大幕升起以后——呈现一张书桌和一个壁炉，都挺不起眼，暗示即将上场的人物并非要来朗诵台词，就像我有一回在晚会上见过的那种演员，而是在自己家里平平常常过着日子的普通人，他们看不见我，我却闯进了他们的生活。这时候，我的心里依然是愉悦的。一阵短暂的不安，搅扰了一下愉悦的心情：就在我侧耳静听，等着演出开始的当口，两个男人走上台去。他俩看上去很光火，说话声音很响，坐得下一千多人的剧院里，每人都能听清他俩的话（要是有两个人在小咖啡馆里吵架，那可得问侍应生才能知道他们吵些什么了）；此时，我惊讶地看到观众中居然没有一个人出头叫他俩住嘴，大家都安安静静地坐在位子上听他俩吵，这儿那儿还会响起几下笑声。我恍然大悟，那两个放肆的家伙原来是演员，那出小戏（所谓的开场戏）这就已经开始了。这场戏演完，接下去的幕间休息时间很长，回到座位上的观众等得不耐烦，跺起脚来。这让我很担心；平时在一份庭审公告上看到某人仗义执言，挺身而出为无辜的被告做证，我就会担心人家待他不够亲切，没有表示足够的谢忱，没有好好地酬答他，以致他在心灰意冷之余，转向不义的一方；同样，天才演技和高尚品格相比之下，我担心这些没有教养的观众——我想，要是情况相反，拉贝玛能欣慰地看到观众中不乏她颇为看重他们观感的知名人士，那有多好——无礼的举动会使拉贝玛感到气恼，自暴自弃不好好演戏来发泄对他们的愤懑和蔑视。我用央求的目光望着这些跺脚的粗人，我来这儿孜孜以求的那种脆弱而珍贵的印象，眼看要被他们的放肆毁于一旦了。幸好，我的好心情总算持续到了《菲德尔》的前面几场。菲德尔的角色直到第二幕开头还没出场；可是大幕升起不久，通常有名角上场才用的红色丝绒二道幕也拉了开来，现出舞台深处的场景。一位女演员从里面出来，她的容貌和嗓音都与我听人说的拉贝玛很相像。想必今天她换了个角色，我花了那么多心思琢磨忒赛妻子的角色，算是白费劲了。但这时另一位女演员开了口。我把前一位当作拉贝玛，大概是认错了，因为这第二位的外貌，尤其是念台词的声调，更像拉贝玛。她们俩朗诵台词都伴以高贵的姿势——她们把优雅的系肩扣无袖长裙稍稍提起之时，我看得很清楚，而且明白这些姿势和台词的关系——以及抑扬顿挫的声调，时而激昂，时而揶揄，让我体察到台词中蕴含的微言大义，那是我在家里念这些诗体韵文时不曾意识到的。突然间，门框般的圣殿帷幕拉开，一个女人出现在红色帷幕开启处，我马上变得比拉贝玛本人更担心，生怕有人开窗惹恼她，生怕有人搓弄节目单干扰她的朗诵，生怕观众对别人拼命鼓掌，对她却鼓掌不热烈，让她感到不高兴；我的注意力也变得比拉贝玛更专注，从此刻起，剧场、观众、演员、台上演的戏和我自己的身体，在我心目中都只不过是一种声音介质而已，它的意义仅仅在于有助于传播她的声音。我知道，我先前欣赏的两位演员不能跟我即将聆听她的声音的拉贝玛相比。然而就在此时，我的心一下子凉了下来；我竖起耳朵，凝神定睛望着拉贝玛，唯恐漏掉一丁点儿精彩之处，可是一无所得。在她的对白和表演中，甚至没有那两位演员舒扬的声调和美妙的姿势。听她朗诵台词，有如我自己在念《菲德尔》，或者说，我此刻听到的仿佛就是菲德尔本人在说话，拉贝玛并没有以她出色的演技为这些台词增添任何光彩。我但愿她的每句台词都能在我耳畔停住，每个表情都能在我眼前定格，好让我细细琢磨，体会它们的妙处。至少，我想凭借活跃的思维，调动感官的功能，把注意力集中在每句台词、每个姿势上，一点一滴也不放过，当点点滴滴汇聚起来，全神贯注的我就有了充裕的时间来研究它们。可惜这一点一滴的时间真是转瞬即逝！一个音节刚进入耳朵，另一个音节接踵而至。有一场戏里，背景是大海，拉贝玛举手齐额凝立在舞台上，由于灯光的缘故，全身披着绿莹莹的光，此时全场掌声雷动，我正想好好琢磨这个画面，可是她却已经不在刚才的位置了。我对外婆说我看不清楚，她把手里的观剧望远镜递给我。但是，当你相信事物的真实性时，借助人为的方式来看清它们，跟你感觉到自己就在它们近旁并不完全是一回事。我心想我看到的已不是拉贝玛，而是她在镜头里的影像。我放下了望远镜；可是说不定肉眼看见的因距离而变小了的影像，也未必真切。这两个拉贝玛，究竟哪一个是真实的呢？至于她对伊波利特说的那段话，那是我一直寄予很大希望的，既然其他女演员连挺平常的对白都能念得那么出色，时时让我对剧作的意义有所领悟，那么这段精彩的对白一定会让人听得回肠荡气，拉贝玛朗诵这段台词的语调，想必是我在家里念剧本时根本想象不到的。可是，拉贝玛还不如演厄诺娜和阿丽丝的那两个演员呢，她就那么平铺直叙地念着台词，按说其中强烈的对比，即使不很聪明的演员，甚至普通的中学生，也不会感觉不到的呀。而且她念得那么快，我直到听完她念最后一句，才意识到这种单调的节奏是她一开始就有意采用的。

终于，我的赞佩之情油然而生：是全场观众的狂热掌声激发的。我使劲拍手，想让这掌声持续得更久，但愿拉贝玛出于感激而演得更出色，这样我就能肯定自己看的是她最精彩的一次演出。奇怪的是，赢得观众一片掌声的——我事后知道——恰恰是拉贝玛表演新意迭出的地方。仿佛有某些超验的现实，在这些出彩的表演周围发送着射线，观众感受到了它们。举个例子，就好比发生了一个重大事件，一支军队在边境不知是处于困境，还是遭受败绩，或是全线告捷，传来的消息含糊不清，有识之士无法从中做出判断，对民众的群情激奋颇为惊讶，一旦从专家那儿得知了确切的军事情报，他们又不能不承认民众对重大事件周围的光晕特别敏感，哪怕远在数百公里之外，也能感觉得到。前线是否打了胜仗，当然不妨等到战事结束以后去了解，但从看门人的笑脸其实马上可以知道。要知道拉贝玛哪儿演得最精妙，固然可以等看完戏一个星期再看评论，但当场听听正厅后排观众的喝彩也就有数了。不过这种直接来自民众的认识，常常和许多错误的判断混在一起，掌声往往是盲目的，何况鼓掌会形成一种惯性，前面鼓了掌，后面也就跟着了，好比暴风雨中波涛汹涌的海面，不见风势变猛，浪头却依然愈掀愈高。不过你还别说，我不停地拍手，当真觉得拉贝玛演得更棒了。“瞧，”邻座一个举止有些粗俗的女观众说道，“她这下可卖力啦，拍打自己使的劲够猛，又是满场那个跑呀，这才叫演戏哪。”我庆幸自己找到了拉贝玛胜人一筹的理由，可心里不免犯疑：这岂不就像一个农夫瞅着《蒙娜丽莎》和本韦努托的《珀耳修斯》称赞说：“真不赖！有两下子！瞧画得多细！”我沉湎于俗趣盎然的粗酒了。大幕一落下，想到我梦寐以求的欢乐就不过这么一点，心头依旧一片怅然，但同时又渴望这点欢乐能持续下去。我毕竟在剧场的氛围中待了几个钟头，出了剧场大厅，我就得告别这个氛围，我不想那样。要不是心里还存着听来客多谈谈拉贝玛的指望，一路回家就会像踏上流放之途了——这位今天的来客、拉贝玛的崇拜者，就是让我得以观看《菲德尔》的德·诺布瓦先生。晚饭前父亲把我叫进他的书房，让我见过德·诺布瓦先生。我进门时，大使先生立起身来，向我伸出手，弯下高大的身躯，用一双蓝眼睛盯着我。当年他代表法国政府常驻国外，会见的那些途经的外国人都是——即使著名歌手也算在内——贵宾，他知道将来有一天在巴黎或彼得堡，人家提到这些名字时，他可以说自己还清楚地记得和他们在慕尼黑或索非亚共度良宵的晚会，所以他养成习惯，态度亲切地向他们表示，认识他们他深感荣幸。再说他认为，长期生活在各国首都，在结识来来往往的名流的同时，对当地各色人等也有所接触，这有助于对不同国家的历史、地理、风俗习惯以及欧洲的文化演变进程有一种深入的、从书本上无法得到的理解。所以每当结识一个陌生人，他总要用犀利的目光审视对方，以便立时知晓自己面前是个怎样的人。政府早已不再派他出任驻外使节，但是只要有人给他引见一个陌生人，他就会用那双眼睛——仿佛它们从来不曾看见过任免令——开始细细观察对方，并设法用自己的态度让人明白，虽说是初次见面，但对方的名字他是早有所闻的。他和蔼地和我说着话，神情间显得知道自己是个见过大世面的重要人物，此刻出于洞察世事的好奇心，为给自己丰富的阅历添上一笔，不厌其烦地审视着我，有如我是某种异国风俗、某件有历史底蕴的文物或者某个正在巡回演出的明星。就这样，我在他身上同时看到了智者芒托儿[1]的博大胸怀和青年阿纳卡西斯[2]孜孜不倦的求知欲。

他绝口不提《两个世界》杂志，但对我的生活、学习和兴趣爱好提了好些问题。我这是第一次听人以这样自然的口气提到我的爱好，我一直以为自己该把心收住别去想它的爱好，现在听来却是名正言顺的。我的爱好是文学，所以他就不离这个主题；他谈文学，用的是一种尊敬的口吻，仿佛那是社交圈里一位受人敬重、风度迷人的女士，她在罗马或德累斯顿的芳影令他难以忘怀，遗憾的是后来为生活所累，这位可人儿就难得一见喽。他嘴角带着艳羡的笑容，似乎在说我比他幸运，有个自由之身，还能蒙她垂青共度美好的时光。不过，他谈论文学的措辞，跟我在贡布雷那会儿得到的印象全然不同，我心里明白，现在有双重理由让我放弃文学了。以前我仅仅考虑到自己没有写作的天分；现在德·诺布瓦先生使我打消了写作的愿望。我想向他解释我曾有过的梦想；我激动得浑身发抖，心里发急，担心没法儿说清那些曾经感觉到，但从未表达过的意念，结果说得语无伦次。德·诺布瓦先生不动声色地听我说，这种镇静可能是职业习惯使然，又可能是有身份的人的一种修养，平时谈话对方常常求教于他，他知

1 荷马史诗《奥德赛》中人物，他的形象代表尽职的向导和睿智的保护人。

2 法国作家巴泰勒米神父（l'abbé barthélemy）小说《青年阿纳卡西斯希腊游记》中的主人公，原始美德的化身。

道自己掌握着谈话的主动权，于是听凭对方激动、着急，他始终处之泰然，当然也有可能大使先生是想显示一下头部轮廓的特征（他自称是希腊型的，其实髯须很浓密）。就这样，你和他说话时，他的整张脸一动不动，没有半点表情，你就好比在对陈列馆里一个古代人——还是个聋子——的半身雕像说话。突然间，犹如拍卖师的木槌骤然敲下，又如德尔斐的神谕廓尔降临，大使先生回答你的话音使你着实吃了一惊，正因为事先没法儿从他的脸上看出你的话给他留下了怎样的印象，也无从揣度他将要发表怎样的高见，这突如其来的声音就更有振聋发聩的意味。

"正好，"他开口对我说，仿佛让我面对这双一眨不眨看着我的眼睛结结巴巴说了一通以后，他主意已决，"我有个朋友的儿子，mutatis mutandis[1]就和您一样（说到我们的共同爱好，他用的是一种让人放心的口气，好像我喜欢的不是文学，而是风湿病，他要让我知道那并不会致命），他父亲给他在奥赛沿河街[2]准备好了一切，他却无意于仕途，而且不顾旁人物议，毅然决然投身创作。他也确实没有理由为此感到后悔。两年前他出版了——当然，他比您年纪大得多——一本有感于维多利亚－尼安萨湖[3]西岸无限性而写的著作，今年又写了一本小册子谈保加利亚军队使用的连发枪，篇幅不长，但是文笔灵动，有时甚至很犀利，出版后更令人刮目相看。他已经成绩骄人，而且决不会就此止步。据我所知，尽管还没有迹象表明他会被提名为院士候选人，但伦理科学院在讨论中有两三次提到他的名字，情况对他不可谓不利。

1 拉丁文：除细微的差别外。

2 指法国外交部。

3 似指维多利亚湖。这个世界第二大淡水湖位于非洲东部，与肯尼亚的尼安萨省毗连。

总之，虽然他的名望还不能说如日中天，但他通过不懈的努力，已经赢得了地位和成功，这种成功是对他勤奋的报偿，是那些浮躁、颟顸的庸人，那些装腔作势的家伙（他们十有八九是在吹牛）的所谓成功不能同日而语的。”

父亲仿佛已经乐滋滋地看见几年后我当上了院士，而听了德·诺布瓦先生下面的话，他更是志满意得，兴奋不已。原来德·诺布瓦先生犹豫片刻（似乎在掂量此举的结果）过后，把名片递给我说：“您就拿我的名片去见他，他会给您一些忠告的。”这句话在我心头引起一阵痛苦的骚动，就像我听到通知说明天要被送上一艘帆船去当见习水手了。

莱奥妮姑妈留给我的遗产，除了许多颇难处置的家具物品外，还包括她的几乎全部钱财——她在死后以此表露了对我的爱，我在她生前从没想到她有这么爱我。这笔财产在我未成年时由父亲代管，这会儿他就各种投资门类一一向德·诺布瓦先生咨询。德·诺布瓦先生推荐几个他认为风险较小的低收益证券，尤其是英国统一公债和年息百分之四的俄国公债。“这些绩优证券，”德·诺布瓦先生说，“虽然回报率不很高，但至少本金不会贬值。”父亲还对德·诺布瓦先生大概说了一下已买哪些证券。德·诺布瓦先生露出一丝难以察觉的赞许的笑容：他也像一般的有价证券持有者那样，认为拥有财产是人人想望的，但对别人的富有表示恭维时，还是以不露声色、心照不宣地略作示意较为得体。而且，他本人财力雄厚，所以每每把别人的收入往大里说，心里却为自己比对方富有而陶然自得。但他毫不犹豫地肯定了父亲的投资布局，称赞父亲具有极其敏锐、高雅而细腻的鉴赏力。看来，有价证券的相互关系，甚至有价证券本身，都被他赋予了某种美学价值。父亲对他提到一种很少有人知道的新证券，德·诺布瓦先生的神情看上去就像一个什么书都读过，就连你以为只有你知道的那本书也读过的人。他对父亲说："这不，有一阵我非常注意它的牌价，挺有意思哪，"说着他嘴角泛起一丝沉浸在回忆中的笑容，好似一个杂志订户在有滋有味地回想刚在杂志上看到的一篇连载小说，"我以为，您认购即将发行的股票不失为明智之举。价位很不错，挺有吸引力嘛。"另外有些早期的证券，父亲已经记不清名称，很容易把它们和其他证券相混，所以打开抽屉拿了出来给大使先生看。我一见它们，简直入了迷；券面上装饰着教堂的尖顶、富有寓意的数字，很像我以前翻看过的浪漫色彩很浓的旧书。来自同一时期的东西，总是很相像的；为某一时期的诗歌配插图的画家，同时也受雇于当时的金融公司。有一张河运公司的记名股票，票面上众河神托着一个饰有花边的长方形框框，一下子就让我想起了分册出版的《巴黎圣母院》和热拉·德·奈瓦尔[1]的书，它们挂在贡布雷杂货店橱窗里的样子浮现在眼前。

父亲一向不看好我的智力水平，不过浓浓的亲情足以消解这份小觑，从总体上说，他对我的所作所为采取姑息宽容的态度。于是，他当即叫我去把以前在贡布雷散步时写的那篇散文诗找来。由于写这篇短文章时心中感情激越，我就以为这种激情一定会引起读它的人的共鸣。可是德·诺布瓦先生看来不为所动，他一言不发地把它递还给我。

母亲对父亲的公务活动充满敬畏之情，此刻她怯生生地进来

---

1 奈瓦尔（Gérard de Nerval，1808—1855）：法国诗人，译著《浮士德》非常有名。

问，是否可以开饭了。她生怕打断她不该介入的一场谈话。其实父亲是在提醒侯爵，他们说过下次委员会开会时要提议采取一项有效措施的，他说这话的声气有些特别，用的是两个同行——就像两个初中学生——当着外人的面谈论往事的口吻，两人在同一行当相与多年，有好些共同的回忆，但这些事在外人听来自然不明就里，对此他们只能表示歉意了。

而此时德·诺布瓦先生对脸部肌肉的控制已然达到收放自如的境地，他听人说话时，可以让人觉得他什么也没听见。父亲说着说着慌了神，在冗长的开场白过后，他对德·诺布瓦先生说："我本来是想征求一下委员会的意见……"这时，始终像还没轮到演奏的乐队成员那样表情呆滞的大使先生，这位气度雍容的演奏大师，开了金口，语速一如往常，声音却变尖了，犹如一句话刚才已经开了个头，这会儿他要换一种音调来说完它："那您当然可以召集一次会议，这些委员您都是熟的，招呼一声就行。"这句话本身没有什么特别之处，可是说话前的静穆使它听上去分外清脆而嘹亮，它这么冷不丁地冒出来，几乎带有一种淘气的意味，宛若在莫扎特的一首协奏曲里，沉寂已久的钢琴活泼地回应起了琴声刚落的大提琴。

"怎么样，下午的戏觉得满意吗？"在餐桌前就座时，父亲向我问道，意在让我显露一下，他料想我的狂喜会博得德·诺布瓦先生的好感。他转过头去对大使先生说："他刚去看了拉贝玛的戏，您还记得吧，我们在一起谈论过她。"说这话时，他仍然用那种似有所指的、外人不知其详的、神秘兮兮的口吻，仿佛说的是委员会的一次会议。

"一定很满意咯，如果您是第一次看她的戏，那就更不用说了。起先令尊担心这小小的娱乐会影响您的健康——我看，您是有点文弱，不大壮实。不过我让他放心，今天的剧场跟二十年前已经大不一样。座位不难受了，空气也流通了，当然，跟德国和英国相比还差着一大截，人家在各方面都比我们先进得多。我没看过拉贝玛夫人的《菲德尔》，可我听说她在这部戏里演得很出色。您想必看得很过瘾吧？”

德·诺布瓦先生比我聪明一千倍，我看拉贝玛表演说不出她好在哪里，可他一定了然在胸吧，他会让我开窍的。我要在回答他时请他告诉我其中的真谛；知道了拉贝玛好在哪里，看她的戏也就师出有名了。容我回答的时间挺短，我得想好了，提的问题得说在点子上。可是怎么才能说在点子上呢？我全神贯注于一团乱麻似的思绪，没去考虑怎样让德·诺布瓦先生称赞我，一心只想从他那儿了解我渴望知道的真谛，我顾不上找现成的词句，结结巴巴、词不达意地说着。最后，为了激他说出拉贝玛究竟魅力何在，我向他承认我很失望。

“什么，”父亲气呼呼地大声说，他很怕我承认自己看不懂戏会惹恼德·诺布瓦先生，“你怎么能说你看得不开心呢？外婆不是说你竖起耳朵在听拉贝玛的每一句话，不是说你瞪着眼睛，全剧场数你瞪得最大吗？”

“是啊，我非常专心，想弄明白人家为什么把她说得那么好。当然，她很不错……”

“既然很不错，你还想要怎么样？”

“拉贝玛之所以成功，有一点是肯定不能忽略的，”德·诺布瓦先生说这话时，转过头去朝着我母亲，他不想在谈话中冷落我母亲，觉得这是对女主人应有的礼貌，“那就是选择角色时绝对高雅的品位，所以她经常能赢得名副其实的、真正意义上的成功。她很少接受平庸的角色。瞧，这回她挑的是菲德尔的角色。这种品位也体现在她的服饰和表演上。虽然她常去英国和美国巡回演出，所到之处备受欢迎，但她身上没有沾染庸俗的习气，我不是指约翰牛，至少对维多利亚时代的英国而言，这么说不公正，我是指山姆大叔。没有花里胡哨的装扮，没有夸张的高声嚷嚷。她优美动听的嗓音，和她的表演那么和谐，她的朗诵令人陶醉，我简直想说那是最美妙的乐声！”

我对拉贝玛表演的兴趣，在看过那次演出以后有增无减，因为它已经无须加以克制，也不受现实的局限；但我感到需要为它找到根据，在拉贝玛的表演中，与现实生活密不可分的种种印象扑入我的眼帘，涌向我的耳际，一切的一切都让我感到兴奋不已，这些印象是浑然一体的，既不能分离，也没法儿区别。而在称道这位女演员的表演质朴自然、品位高尚的赞扬声中，这一兴趣为自己找到了合情合理的解释，它像海绵一样把这些称赞吸进去，并为此而陶醉，好比一个醉汉乐呵呵地眯缝着泪眼，看出去觉得旁人的一言一行都让他感动。“可不是，”我心想，“她的嗓音多美，她从不高声嚷嚷，她的服饰何等高雅，选择《菲德尔》又是何等聪明！哦，我没有失望。”

冻汁牛肉配胡萝卜上桌了。在我们家那位米开朗琪罗的张罗下，冷牛肉躺在硕大的冻汁晶体上，晶莹的冻汁宛如透明的石英。

“府上有位第一流的厨师，夫人，”德·诺布瓦先生说，“这可不能小看。我在国外时用餐也得讲究些，我知道要找个好厨师可以说是一将难求啊。今天我有幸享用的是一次真正的盛筵。”

的确如此，弗朗索瓦兹兴致勃勃，有意准备一顿非同寻常的晚餐，在贵宾面前展露一下手艺，平日里懒得用的招数，今天全都施展了出来，在她身上焕发着当年贡布雷的风采。

“这可是饭馆里吃不到的美食，我指的是最好的饭馆：牛肉焖得恰到好处，冻汁没有煳味儿，吃起来牛肉还有胡萝卜的香味，真是很棒！我可以再加一点吗？”他示意还想要点冻汁，“现在我很想见识一下府上的瓦泰尔[1]做别的菜手段如何，比如说，做一道斯特洛加诺夫牛肉[2]。”

德·诺布瓦先生也想给餐桌增添几分情趣，把平时专飨同行的种种掌故拿出来款待我们，一会儿讥刺某个说话云山雾罩的政治家，引用他演讲中一个可笑的复合句，句子冗长而意象夹缠，一会儿模仿某位以清雅著称的外交官简洁的句式。不过说实话，他用以判断这两类句式的标准，跟我衡量文学作品的标准迥然不同。他所说的许多细微差别，我根本感觉不到；他捧腹引为笑柄的句子，跟他大为赞赏的那些句子，在我看来并没有多大差别。德·诺布瓦先生属于这样一种人，对我喜欢的作品，他会说：“哦，您看懂了？我不否认我没看懂，这方面我不在行。”此刻我心里想的，倒和他的说法差不多，他能在一段辩词或一篇演讲词中看出机智和愚鲁、雄辩和夸张的差异，我却感觉不到。我对判断它们孰优孰劣的标准无所适从，因而这种文体对我来说变得很神秘，甚至完全不可捉摸了。当德·诺布瓦先生援引某些报上

1 瓦泰尔（Vatel）：贡代亲王（Grand Oondé）的膳食总管。1671年，贡代亲王宴请国王路易十四，席间一道菜数量准备得不够，他羞愧难当，当场拔剑自刎。同时代的作家德·塞维尼夫人在一封书简中记叙了此事。

2 加奶油烹制的牛肉，俄罗斯名菜。

常见的说法，顿挫有致地复述出来之时，听的人会感到它们一经他援用，就成了一桩不容等闲视之、势必引起舆论关注的事情。

母亲对菠萝块菰色拉抱有很大期望。但大使先生先以他明察秋毫的目光审视片刻，而后保持外交官的审慎态度吃了一些，始终不向我们透露他对这道色拉的看法。母亲坚持要他再吃一点，他照做了，但没有说出期待中的恭维话，而只是说："遵命，夫人，既然这是您的命令。"

"我们在日报上看到您和迪奥多兹国王进行了长时间的晤谈。"父亲向他说。

"是这样。这位对陌生人过目不忘的国王，在剧场里看到我坐在下面正厅，记起在巴伐利亚宫廷里曾接见过我，当时我有幸在宫中小住几天，他那时也还没有考虑东方的王权问题（您知道他是应欧洲代表大会之请即位的，对此他一度非常犹豫，觉得这个名分跟他高贵的血统有点不相称，就谱系而言，他的门阀是欧洲最显赫的）。一位副官来请我去见陛下，我自然是敢不从命。"

"对他此行的成果，您是否很乐观？"

"非常乐观！对一位这么年轻的君主在如此微妙的局势下能否跨出这艰难的一步，有人感到担心是可以理解的。就我而言，我对这位国王政治嗅觉的敏感一向深信不疑。但我不否认，他此行所取得的成功，超出了我预期的效果。我从权威渠道获悉，他在爱丽舍宫的祝酒词，从第一个字到最后一个字都出自他的手笔，舆论好评如潮完全是实至名归。那确实是大手笔；我不否认是大胆了些，但事实证明那是艺高人胆大。外交惯例当然是要尊重的，可是一味按传统行事，已经使我们两国处于一种令人窒息的封闭环境之中。得！要换新鲜空气有一个办法，一个别人没有魄力去做，而迪奥多兹国王毅然将它付诸实行的办法，那就是砸碎玻璃窗。他的这篇祝酒词充满着幽默感，在场的人无不解颐欢笑，而其中用词之精当，又让人立即想起他母亲方面属于文才出众的王室宗族。当他说到维系他的国家和法国的亲缘关系时，这个不见于外交辞令的说法，用在这儿无疑是极为巧妙的。您看，文学并不坏事，事关外交，甚至事关王权也有它用武之地，”最后这句话是对我说的，“我不否认，局势早就趋于明朗，两个强国业已成为睦邻。不过话还是得挑明的。他说的话本在意料之中，但他选择了一个最恰当的说法，你们可以想见现场气氛有多热烈。我当时也一个劲儿地鼓掌。”

“您的朋友德·沃古贝尔先生多年来为促成两国修好不遗余力，这下他一定很高兴了。”

“那当然，何况迪奥多兹国王还给他来了个突然袭击，这是陛下喜欢的行事方式。这不，朝廷上上下下，从外交大臣起个个吃惊不小。我听人说，这位大臣对陛下如此行事颇不以为然。有人对他提到此事，他拔高喉咙有意让旁人听见，回答得很干脆：‘既没人跟我磋商，也没人向我通报。’清楚地表明他对此事概不负责。应该承认，对陛下此举反响确实很强烈，我不敢断言，”说到这儿，他露出狡黠的一笑，“我那些把少做少错奉为信条的同事，有没有因此被搅了好心境？至于沃古贝尔，你们知道，他因力主两国修好遭受过猛烈抨击，对于他这样感情细腻、心地高洁的人来说，这种误解越发让他感到痛心。虽说我比他年长许多，但我俩时相过从，是多年的朋友，我对他很了解，非常能理解他的心情。再说，他有什么心思是别人不知道的呢？他的心是水晶做的。要说缺点，恐怕这就是他唯一可以指摘的地方，外交官的心地原是不必像他那样透明的。不过近来还是有风声传出来，说要把他调到罗马，这当然是一次机会难得的升迁，堪称是被委以重任喽。有句话私下说说，我相信任凭沃古贝尔再怎么没有野心，他心里也是乐滋滋的，不会平白让人夺走唇边的美酒。他在那儿没准可以干出一番事业；他是宪法宫[1]中意的人选，而在我看来，以他的艺术家气质，法尔奈兹宫[2]和卡拉切画廊也是他最合适待的地方。至少，不可能有人恨他吧。不过在迪奥多兹国王身边有一批王党是唯Wilhelmstrasse[3]马首是瞻的，他们千方百计地给沃古贝尔制造麻烦。沃古贝尔不但要招架来自同行的冷枪暗箭，还要对付被人收买的无耻记者的谩骂叫阵。这些受人雇用的记者都是些孬种，到头来最先求饶的总是他们，可是眼下他们气壮如牛，对我们的外交使节大泼脏水，无端指控他们怀有二心。沃古贝尔的对手们围在他身边跳了一个多月的头皮舞[4]。”最后这三个字，德·诺布瓦先生是一字一顿说的，“不过，早有防备，不怕暗算；他一抖落，那些脏水就沾不到他身上。”德·诺布瓦先生越说声音越响，眼里露出的凶光叫我们一时忘了吃饭，“有句阿拉伯谚语说得好：‘任凭群犬乱吠，商队依然前进。’”说到这儿，他打住话头环顾席间，观察这句谚语在我们身上所起的效果。效果是巨大的；我们知道这句谚语：这一年它在名流雅士中间颇为流行，取代了另一句谚语“撒下风的种子，收获暴风骤雨”，那句谚语是该消歇了，它可比不上“为普鲁士国王效

1　宪法宫（le Palais de la Consulta）是罗马的旧宫殿，后成为意大利外交部所在地。

2　法尔奈兹宫（le Palais Farnèse）也是罗马的旧宫殿，时为法国驻意使馆所在地。宫内有神话题材的壁画长廊，出自16世纪卡拉切家族成员的手笔，故称卡拉切画廊。

3　德文：威廉街。德国外交部位于这条街上。

4　旧时北美印第安人从战败的敌人头上割下带发的头皮作为战利品，持之跳舞。

力”的历久不衰、常用常新。这些文化精英的文化修养，其实是休养生息的轮作制，通常三年一轮。德·诺布瓦先生为《两个世界》杂志撰文，经常引用这类用语，当然，如果没有这些用语，他的文章照样显得言之有据、洋洋洒洒。即便少了它们的点缀，德·诺布瓦先生只消适时——对此他有一种敏感——在文章中插进些内行话，诸如“圣詹姆斯宫[1]内阁意识到了危机的临近”，或“诗人桥[2]密切关注双头鹰[3]自私而又巧妙的政策，有关人士对事态发展深感忧虑”，再如“从蒙特奇托里奥宫[4]发出的警报”或“这种Ballplatz[5]一贯使用的两面派伎俩”。如此这般的行文措辞，外行的读者也一看就知道出自职业外交家的手笔，心里顿生敬意。不过他更为人称道的还不止于此，他由于学识修养无不高人一等，所以引用的话都是经过推敲的，现成的佳例就是：“正如路易男爵常说的，诸位给我强悍的政治，我还诸位利好的财务。”（当时还没有从东方引进的妙语：“正如日本人说的，谁多坚持一刻钟，谁就是胜者。”）德·诺布瓦先生就是凭着文才出众的令名，以及在淡泊幌子下的好手腕、真功夫，进的伦理科学院。有人预言他终有一天还要进法兰西学院，因为他在一篇文章中提出要与英国达成互谅，先得与俄国结成密盟的论点以后，一针见血地写道：“奥赛沿河街的先生们应该明白，从今以后所有的地理教科

---

1 原为英国王宫。1837年维多利亚女王改住白金汉宫后，圣詹姆斯宫仍为英国王室及政府象征。

2 圣彼得堡地名，俄国外交部所在地。

3 指奥匈帝国王室。

4 蒙特奇托里奥宫（Montecitorio）是罗马的旧宫殿，曾为意大利司法部所在地，1870年后为众议院所在地。

5 即Ballhausplatz（舞厅广场），维也纳旧宫殿，奥匈帝国外交部所在地。

书都得补充一段内容，凡是不知道下面这句话的中学生，就休想通过会考：条条道路通罗马，但从巴黎到伦敦，彼得堡是必经之路。”

“总而言之，”德·诺布瓦先生对着我父亲说，“沃古贝尔可以说是大获全胜，收获之丰超出了他的期望。他预期的只是一篇通情达理的祝酒词（在笼罩多年的乌云过后，能做到这样已经很值得庆幸），他岂敢有奢望哪？出席酒会的宾客中，有几位都向我证实，这样一篇祝酒词，由国王陛下亲自撰稿，亲自当众宣读，其效果决非我们事后阅读所能比拟。国王陛下的演讲艺术堪称炉火纯青，语气分寸的把握、微言大义的阐发，无不叫人拍案叫绝。我听说的一个细节，相当有意思，让人再一次感到迪奥多兹国王气度非凡，他是以洋溢着青春气息的优雅风度赢得了人心。亲缘关系这个词是整篇祝酒词的点睛之笔，您瞧着吧，今后很长一段时间里，这个说法会频频出现在外交评论中，为人们所津津乐道。而当时的情形，我听人详细地描述过，陛下特地微微转过脸对着沃古贝尔，用奥伊廷根王族摄人心魄的目光凝视着他，一字一顿地说出再三斟酌选定的“亲缘关系”这四个字。咱们大使的欣喜若狂正在陛下的意料之中，他有意让沃古贝尔从中感到自己的努力、自己的梦想（我想可以这么说）得到了褒奖，感到元帅的权杖在向自己靠拢。这确实是个前所未有的、非常新颖的提法，陛下在说这个词的时候，用的是这样一种口气，它让所有在场的人都明白，这个词是他斟酌再三慎重挑选的，其效果如何他也是心里有底的。据说沃古贝尔激动得不能自持，我不否认，在某种程度上我对此是能够理解的。一位绝对可靠的人士还向我透露，晚宴结束后有一个小规模的聚会，国王陛下走到沃古贝尔身边，低声对他说：‘我这个学生您还满意吧，亲爱的侯爵？’毋庸置疑，”德·诺布瓦先生总结说，“对加强两国——照迪奥多兹二世可爱的说法——亲缘关系而言，这样一篇祝酒词胜过二十年的外交谈判。您也能看到，仅仅这么一个词，就给我们带来了巨大的福祉，欧洲的所有报纸都在重复它，它引起了广泛的兴趣，它发出了全新的声音。不过，对国王陛下而言，这是他一贯的做派。我不敢说他每天都会找到成色这么纯的钻石。可是在他仔细推敲过的演讲稿，甚至在他的即兴谈话中，他通常总会以一个色彩浓烈的词儿作为他的标记——或者不妨说他的签名。我对他不可能有回护之嫌，因为对诸如此类的标新立异，我一向是深恶痛绝的。这种标新立异，二十次里有十九次是危险的。”

“可不是。想来德国皇帝最近那封电报[1]也不会合您的意吧。”父亲说。德·诺布瓦先生抬眼望着天花板，那神情仿佛是说：“啊！这家伙！”然后他开口说，“首先，这样做是忘恩负义。这不仅是罪过，而且是错误[2]，在我看来这简直是愚不可及！要是没人出面来制止，赶走俾斯麦的此人就很可能会得寸进尺，把俾斯麦的政策全都抛在脑后，后果不堪设想哪。”

“先生，我丈夫告诉我说，您可能选个夏天带他去西班牙，我太为他高兴了。”

“是的，这是个很不错的计划，我对此很有兴趣。我挺愿意

1　德皇威廉二世因不满宰相俾斯麦过于激进的政策，于1890年2月发电报给俾斯麦，迫使他提交辞呈。

2　1804年，拿破仑一世下令处决波旁王室的德·昂坎亲王，时任执政府外交大臣的塔列兰亲王说：“这不仅是罪过，而且是错误。”这句话从此成为名言。

和您先生做此一游。您呢，夫人，您打算去哪儿度假？”

“我还不知道，也许会和儿子一起去巴尔贝克吧。”

“噢！巴尔贝克是个可爱的地方，几年前我去过。现在那儿在造一批很精致的别墅：我相信你们会喜欢那儿的。但我想冒昧问一句，您为什么选了巴尔贝克呢？”

“我儿子心心念念想看那一带的教堂，尤其是巴尔贝克的。我原来还怕舟车劳顿，特别是住宿不便会让他的身体受不了。后来听说那儿刚造了一个条件很不错的旅馆，我就放心了，住那儿就行。”

“哦！我得把这个消息告诉一位对此不无关心的女士。”

“巴尔贝克的教堂很壮观，是不是，先生？”刚才听说巴尔贝克的魅力居然在于那些精致的别墅，我伤心得很，此刻我忍住心中的失落问道。

“唔，这座教堂是不错，不过跟那些真正雕刻精美的杰作，比如兰斯和夏特勒的大教堂，就没法儿相比喽，在我看来，那些教堂都是光彩夺目的珠宝，而其中最璀璨的瑰宝当数巴黎圣堂[1]。”

“可巴尔贝克教堂是部分罗马式的吧？”

“就是，它的风格是罗马式的，这本身已经够平板的了，从中根本看不到哥特式建筑师优雅而灵动的风范，那些建筑师在厚重的石块上精雕细刻，营造出丰富的层次，就像在刺绣花边。到了那一带，巴尔贝克教堂还是值得一看的，它很有点与众不同；

1 巴黎圣堂（Sainte-Chapelle de Paris）位于司法宫围墙之内，钟楼尖顶高达75米，内有13世纪的彩绘玻璃。

碰上哪天下雨，您一时没地方去，不妨进教堂去看看图维勒[1]的墓。”

“外交委员会昨天的晚宴您去了吗？我有事没能去。”父亲说。

“我没去，”德·诺布瓦先生微微一笑，回答说，“我承认我去了另一个颇为不一样的晚宴。晚宴的女主人想必你们也听说过，就是那位美丽的斯万夫人。”

母亲周身一颤，赶紧强作镇静，她的感觉比父亲灵敏得多，父亲要稍过片刻才能做出反应的事情，她即刻就会惊觉。父亲心里的不痛快，总是她先感受到的，正如有关法国的坏消息往往是国外先得知的。不过她心痒痒的，还是想知道斯万夫妇会邀请何样的宾客，于是她向德·诺布瓦先生打听他遇到了哪些人。

“我的天哪……上那座屋子去的好像都是……男士。有几位男士有家眷，不过昨晚夫人们都不大舒服没能来。”大使先生说这话时一脸正经，可又让人听得出弦外之音，他环视众人的温存目光似乎在告诉人家他口风很紧，但其中自有一种心照不宣的狡黠意味。

“说句公道话，”他又说，“那儿也有女人，不过……她们更像，怎么说呢，更像共和派的活动分子，而不像斯凡社交圈里的女人，（他有意把斯万念成斯凡）谁知道呢？说不定有一天那儿就是个政治或文学沙龙。再说，看来他们也高兴这样。我觉着斯万都已经高兴得有些过分。他一一报出有哪些人邀请他和夫人下个星期去做客，把这些根本不值一提的交情拿来夸耀。那么

1　德·图维勒伯爵（comte de Tourville，1642—1701）：路易十四王朝的海军元帅，以战功显赫著称。据七星文库版注释，图维勒的墓位于巴黎的圣厄斯塔什教堂。

聪明的一个人，居然会这么没有涵养和品位，简直可以说不知分寸，真叫我吃惊。有句话他说了一遍又一遍：‘我们每天晚上都已经排满了，’倒像这是光荣，倒像他是个暴发户似的，可他并不是呀。斯万确实朋友不少，男男女女都有，我不想把话说满，也不想担个信口开河的名声，可我敢说即使不是每个人，甚至不是绝大多数人都如此，但至少其中有一位非常高贵的女士，也许并不至于断然拒绝结交斯万夫人，而只要这位女士一领头，那些巴奴日的羊[1]就会跟在后面。可是斯万在这方面没做任何努力。哎哟哟！还有涅塞罗德布丁[2]！在享用这样一顿卢古鲁斯[3]的盛筵以后，我真得到卡尔斯巴德[4]去洗洗温泉浴才行哪。也许斯万觉着真要做起来会困难重重。不用说，这门婚事是失败的。有人说做妻子的很有钱，那是无稽之谈。总之，实在乏善可陈。斯万有个姑妈非常富有，为人也端方稳重，她丈夫就财力而言，着实不容小觑。她呀，不光自己拒不接待斯万夫人，还动员所有的朋友、熟人都采取同样的态度。我这么说，并不意味着巴黎的上层社交圈里人人都看不起斯万夫人……不是这样！绝对不是！再说她丈夫也不是孬种。不过，反正有件事挺奇怪，就是在精英圈里交游很广的斯万，居然会对这样一帮，至少可以这么说吧，这样一帮闲杂人等表现得如此殷勤有加。我早就认识斯万，我得承认，看见他这

1　拉伯雷《巨人传》第4部中，巴奴日和庞大古埃乘坐小船在大海中遇到一艘羊贩子的商船，羊贩子欲作弄巴奴日，巴奴日不动声色，向羊贩子买了一只羊，随即扔到海里。所有其他的羊争先恐后跟着往海里跳。

2　涅塞罗德（1780—1862）是俄国亚历山大一世和尼古拉一世两朝的外交大臣。以他的名字命名的布丁由栗子、奶油和樱桃酒等混合而成。

3　卢古鲁斯（Lucullus，公元前117—前56）：古罗马统帅，以生活奢靡著称。

4　卡尔斯巴德（Carlsbad）：捷克斯洛伐克境内温泉疗养胜地。这两句话是德·诺布瓦先生在侃侃而谈之际，对上席的甜点说的恭维话。

么一位很有教养，经常出入最高雅沙龙的人物，竟然对邮政部办公厅主任的光临做客谢了又谢，还问他能否俯允斯万夫人前去拜望主任夫人，我实在是又惊讶又好笑。他想必会觉得很不自在；那跟他熟悉的社交圈简直判若两个世界。不过我并不以为斯万很不幸。没错，结婚前的那些年，女方干过不少卑鄙的勾当来要挟他；只要有什么事情没答应她，她就不让斯万见女儿。可怜文质彬彬的斯万天真得很，每回总以为女儿不见了纯属偶然，无意去追究真相。她还动辄向他发脾气，弄得大家都以为，等哪天她目的得逞，当了他的老婆，她更会肆无忌惮，斯万和她一起生活会苦不堪言。哎！结果正相反。斯万说起妻子的口气，让人忍俊不禁，这事儿落下了个笑柄。既然他不可能浑然不知自己是……（莫里哀说的那个字眼[1]，你们都是知道的哦），人家当然也不想要他urbi et orbi[2]去张扬；可是，他竟然说自己的妻子是最好的妻子，那未免太过分了。话又说回来，这也不像有些人想的那么离谱。反正就我们之间说说，我看哪，斯万跟她相识已久，自己又绝非笨人，他不会心里没个底，她对他还有感情，这是不能否认的。我没说她不是个水性杨花的女人，可是外面沸沸扬扬的传闻你们想必也有所闻吧，照那些说法看来，斯万也不见得怎么样。斯万待她不薄，她毕竟是心存感激的，所以出乎大家意料，她在婚后温顺得像个天使。”

这一改变恐怕没有德·诺布瓦先生所说的那么不同一般。奥黛特原来以为斯万最终是不会娶她的；她每次话里有话地告诉他某某也和情妇结婚了，总见他冷冷的，不作一声，即便她直截了

1 指cocu（戴绿帽子的丈夫，乌龟）。

2 拉丁文：到处，满世界地。

当说："嘿，人家这么回报一个为他奉献了青春的女人，你不觉得很感人吗？"他也至多干巴巴地回答一句："我没说这不好，人各有志嘛。"她甚至想，他也许真会像他在气头上说的那样，干脆把她甩了，因为她刚听一个搞雕塑的女士说过："男人什么事情都做得出来，他们都是没心没肺的。"这个悲观主义的警句以其深刻透辟使她受到震撼，她把这句话记在心里，一有机会就加以引用，说话时沮丧的表情仿佛在说："反正什么倒霉事都有可能发生，谁叫我碰上了呢。"于是乎，奥黛特觉得以前被她视为金科玉律的名言一下子就动摇了，那句乐观主义的名言是："对爱你的男人，你想怎么着就怎么着呗，瞧他们那傻样儿。"她说这话时还总要眨眨眼睛，那副表情可以解读为："别怕，他很乖的。"眼下奥黛特挺苦恼。她有个女友，前不久和情人结了婚，其实这个情人和她相处的时间还没奥黛特和斯万的长，她又没有孩子，可现在她挺受人尊重，被邀请参加爱丽舍宫的舞会；奥黛特不知道这位女友对斯万的做派会怎么想，为此而苦恼。倘若有一位目光比德·诺布瓦先生更深邃的医生，他想必能诊断出，使奥黛特变得乖戾尖刻的，正是这种羞辱感，她表现出来的那种让人难以忍受的性格，并非她的本性，并非不治之症，而且这位医生不费吹灰之力就能预卜日后成为现实的事情，即一种新生活——夫妻生活会奇迹般地让这些见天发作，但并非器质性的顽症霍然而愈。对这桩婚事几乎人人感到吃惊，这本身倒叫人吃惊。想必很少有人明白，爱情完全是个主观的东西，它的创造性就在于能把我们身上的大部分性格特征附丽于另外一个人，而那个外加出来的人可以不同于世界上本来叫这个名字的这个人。因而，当世人看到有一个人，他和眼前所见的人并非同一个人，却能对我们有那么巨大的影响，往往会觉得不可思议。然而就奥黛特来说，我们应该看到，她虽然未必对斯万在智力上的长处了解得很透彻，但她至少知道他的研究文章的题目和每个细节，对弗美尔的名字，她就像对自己裁缝的名字一样熟稔。斯万身上为人所不知，甚至为人所取笑的那些性格特点，她了解得很充分，这些性格特点有其可爱的一面，而唯有情妇或姐妹，才能真真切切地看见这可爱的一面；正因为我们执着于自己的这些性格特点，即便是有些自己想改掉的东西，也仍然会敝帚自珍，所以当一个女人对之抱着宽容、打趣的态度，如同我们自己或我们的父母那般看待它们，长久的恋情就有了亲情的意味，变得温柔而坚强。当一个人和我们站在同一个立场来看待我们的缺点时，此人和我们之间的关系就变得神圣了。上面所说的那些特点，在斯万身上有的既是性格的表露，又是才智的体现，但是归根结底还是性格的特点，所以奥黛特不难理解它们。斯万的这些特点在书信或谈吐中随处可见，人家也注意到了，可是当他从事写作、发表研究文章时，反响却那么寥落，奥黛特看在眼里很有些愤愤不平。她劝他把自己的长处表现得更淋漓尽致；这是因为她欣赏他性格上的这些特点，而她之所以欣赏，又是因为这些特点是他所有，而别人没有的，她希望贯穿他的作品的这些特点也能为人所知，也许不能说没有道理吧。也许她另外还有个念头，就是这些作品一旦为人瞩目和称道，就既能为他赢得成功和名望，也能使她得以实现一个梦想，了却平日出入维尔迪兰府邸心心念念放不下的一件天大的心事：有个自己的沙龙。

那些觉得这类婚事可笑的人，事情临到自己头上时会想：“我要是娶了德·蒙莫朗西小姐，德·盖尔芒特先生会怎么想，布雷奥代先生又会怎么说呢？”其实，早二十年斯万和他们原是一路，恪守同样的社交准则；当年斯万想方设法要加入骑师俱乐部，满心想风风光光地结一门亲事，好稳固自己的社会地位，跻身巴黎最显赫的名流之列。不过，这样的婚事在当事人心目中的形象，如同所有内心的形象一样，若要不致黯然褪色乃至消失殆尽，势必需要有来自外界的滋养。比如说有人伤害过你，你心心念念想羞辱他一番，可一旦你去了外国，从此不再听说他的名字，这份宿怨到头来就会变得不值一哂。如果一个人当初一心想进骑师俱乐部或法兰西研究院，为的就是某几位先生或女士，而此后跟这几位不相谋面长达二十年之久，那么无论这个团体还是那个机构，进不进就全都无所谓了。时日长久的恋情，有如退休、疾病或信仰改宗，会以另外的形象取代内心原有的形象。斯万娶奥黛特时，他无须放弃世俗的抱负，因为奥黛特早就已经把他从这些抱负跟前拉开（就这个词的抽象意义而言）。不过，对他来说，没有抱负要比抱负远大更为人称道。不体面的婚姻意味着牺牲相对优越的地位以成全一段美好的真情，因而世人对这种婚姻通常有着一份敬意（所谓不体面的婚姻，并不是指金钱关系的婚姻，凡由买卖关系而结合的夫妻，最终无一不为社会所接纳——因有此传统，有此先例，大家都避免不一视同人）。再说，斯万这人即使说不上放荡不羁，也算是有艺术家气质吧，让他和一个异族的女性（尊贵如奥地利公主也好，低微至寻常轻佻女子也罢）交欢，通过这种跟孟德尔[1]学说或神话传说中的杂交相近的方式与王室联姻，或与小户人家结亲，他说不定都会觉着艳

1 孟德尔（Mendel，1822—1884）：奥地利遗传学家。1856年起在隐修院的小花园里用豌豆进行杂交试验，随后发表的论文《植物杂交实验》奠定了孟德尔遗传学说的基础。

福不浅呢。当初他考虑是否要和奥黛特结婚时，只担心一个人，就是德·盖尔芒特公爵夫人会怎么想，而且这种担心并非出于虚荣心。至于奥黛特，她全然没把这位公爵夫人放在心上，她想得到的只是那些直接在她之上的人，高踞云端之上的人她是不会去想的。每回斯万悬想出神，恍惚看见奥黛特成了妻子之时，他眼前一准会浮现自己带着她，还带着女儿，一起去见德·洛姆亲王夫人的情景，亲王夫人在公公去世以后旋即成了德·盖尔芒特公爵夫人。他不想把她俩带去别的府邸，兀自沉浸在想象出来的场景中，嘴里念念有词，忽而是公爵夫人在对奥黛特说起他，忽而是奥黛特在回答德·盖尔芒特夫人，公爵夫人对吉尔贝特宠爱有加，让他为女儿感到非常骄傲。他把那些场景的每个细节都想象得分外真切，好比一个人买了彩票，自己随意定了个奖金数额，然后想象自己中了奖，像煞有介事地盘算怎样用这笔钱。我们做出某一决定时，内心看见的形象往往会转而成为动机。在这一意义上，可以说斯万娶奥黛特正是为了在没有外人在场，甚至没有旁人知道的情况下，向德·盖尔芒特公爵夫人引荐奥黛特和吉尔贝特。以后我们会看到，他对妻子和女儿仅存的这点世俗的抱负，恰恰在现实中碰了壁，被现实生活行使了绝对否决权，斯万直到临死，都还以为公爵夫人永远不会接见她俩。我们还会看到，事实并非如此，斯万去世以后，德·盖尔芒特公爵夫人跟奥黛特和吉尔贝特有了交往。其实，既然他把区区这么一件小事看得很重，那么，明智的做法也许是别把前景看得过于暗淡，相信她们早晚总会如他所愿相互认识，即使那是在他身后，他已经看不到那一天。因果关系会起作用，所有一切希望，就连原以为最渺茫的希望，应该说都有可能实现，但是这种作用有时候进展缓慢，而我们的意愿——想加快这进程，结果反而阻碍了它——甚至我们自身的存在，又都会使它变得更缓慢一些，要到我们不再有这种意愿，有时甚至要到我们生命停止之时，希望方能实现。斯万难道没有从亲身体验中知晓这一点，他和奥黛特的婚姻难道不就是生活中——犹如身后事的预兆——一种死后方至的幸福吗？这个虽然并没让他一见钟情，但毕竟让他满怀激情爱过的奥黛特，当他娶她之时，他已经不再爱她，那个曾经渴望和她生活在一起，而后又为此陷于绝望的斯万，那时就已经死了。

我担心话题会从斯万身上扯开去，就说起巴黎伯爵，问德·诺布瓦先生他是不是斯万的朋友。“那当然。”德·诺布瓦先生转身对我说，那对蓝眼睛凝视着我这个小人物，纵横捭阖的手段和见微知著的才智闪现在目光中，犹如鱼儿浮游在水面上。“哦，”他对着我父亲说，“我想给您讲一件有趣的事儿，这大概算不得对我一向敬重的亲王殿下有所不恭吧（尽管我的身份并没有官方色彩，可我毕竟碍着这层关系，和亲王之间没有私下的交往），不到四年以前，在中欧某国的一个很小的火车站上，亲王殿下偶尔看见了斯万夫人。当然，他手下的随从没人敢问他觉得这个女人怎么样。那样未免太出格了。可后来在一次交谈中有人提到她的名字，从某些颇为难以觉察而又毋庸置疑的迹象来看，亲王对她的印象还是挺不错的。”

“难道就不能把她引荐给巴黎伯爵？”我父亲问。

“嘿！这可没人知道喽；王公贵胄的事情难说得很，”德·诺布瓦先生回答说，“向来予取予求的显贵，有时又会全然不顾民意，置言之有理的舆论于不顾，就为某人对他表示的爱慕之情，非要赏赐一番不可。不过有一点可以肯定，巴黎伯爵一向对斯万的忠诚赞赏有加，您别说，斯万有时候还真是个讨人喜欢的家伙。”

“那么您对奥黛特的印象如何呢，大使先生？”母亲这么问，既是出于礼貌，也是出于好奇。

德·诺布瓦先生一改审慎有度的语气，以鉴赏行家的口吻断然回答：

“好极了！”

他懂得在谈话间流露自己对某位女性的仰慕之情，只要说得活泼愉快，便属于谈吐风趣，会格外受人赞赏。这位老资格的外交官轻轻笑起来；笑声持续了一段时间，他的蓝眼睛湿润了，布满细细红丝的鼻翼不住地翕动。

“她非常迷人！”

“先生，饭桌上有没有一位叫贝戈特的作家？”我怯生生地问，生怕话题从斯万家岔开去。

“对，贝戈特也在，”德·诺布瓦先生说道，彬彬有礼地朝我点点头，仿佛他有心向我父亲献殷勤，于是与我父亲有关的一切就都不能掉以轻心，就连我这么个孩子提的问题，也要郑重其事地对待，尽管以我的年龄，我还不习惯像他那样的大人对自己这么客气哩。

“我儿子不认识他，但对他很崇拜。”母亲说。

“哦，”德·诺布瓦先生说（他让我对自己的智力产生了极大的怀疑，跟它相比平日里使我感到痛苦的那些怀疑就算不了什么了，因为我发现在我心目中高出我千倍万倍的最高贵的人，在他眼里只是差强人意而已），“对此我可有不同看法。贝戈特是我所说的那种吹笛的人；尽管不自然，尽管很做作，但我得说他吹得还是不错。不过也只是还不错，仅此而已。在他松垮拖沓的小说中，根本找不到能称之为结构的东西。没有情节——即便有也很贫乏——尤其没有深度。他的作品，毛病就在于缺乏根底，可以说是无根之木。这个时代，生活内容愈来愈复杂，一般人很少有时间看书，而欧洲局势风云变幻，也许不妨说正处于剧烈动荡的前夜，危机四伏，问题丛生。因此您想必会同意我的这样一个观点，就是我们有权要求一位作家不光会要要笔杆打打趣，要求他不能让我们沉溺在言不及义、流于形式的夸夸其谈之中，忘记了我们随时都面临来自内外两方面的蛮族入侵的危险。我知道这样说对学院派那些先生为艺术而艺术的主张有亵渎之嫌，可是如今的时代自有比推敲词句、讲究音韵更紧迫的任务。贝戈特的文字有时候颇能打动读者，这一点我不否认，但是从总体上说是柔弱的、纤细的、缺乏气魄的。联想到您对贝戈特过甚其词的赞誉，我觉得更理解您刚才给我看的那段文字了。我应该告诉您，我们确实没有必要再提它了，既然您自己已经说过那只是小孩瞎写写罢了（我是这么说过，可我心里根本没这么想）。人孰无过，何况年轻人呢？其实，别人心里也和你有一样的想法，自以为是一代诗人的绝非您一个人。不过从您给我看的习作里，可以看出贝戈特给了您坏影响。当然，如果我说您没学到他的长处，想必您也不会吃惊，因为他毕竟是某种写作风格的行家里手，尽管那是一种很肤浅的写法，但是在您这个年龄，您还是没法儿把它学到手的。您犯的是同样的毛病，别出心裁地先把一些音调铿锵的词罗列出来，而后才考虑它们的意蕴。这完全是本末倒置。即使在贝戈特的作品中，那种玩弄形式技巧的叠床架屋，那种迂夫子式的钻牛角尖，也让我觉得无聊之极。一个作家刚写了点让人看着顺眼的东西，好些人马上大惊小怪地说那是了不起的杰作。杰作哪有这么容易出现呢！贝戈特写过的所有作品，或者按我的说法他的全部家当里，没有一本小说称得上意气风发，没有一本书值得让人摆在书橱显眼的位置。我看连一本也没有。而他的为人更等而下之，比作品又不知差了多少。哦！有人不无幽默地说过，要认识一个作家，最好还是读他的书，贝戈特正好给这句话当个注脚。您别想找到有谁会比他更人不如文，他的人比他的作品更加自命不凡、故作正经和孤傲不合群。时而还很俗气，说话像一本书，还不是他自己的书，而是乏味的书（他自己的书倒不然）。贝戈特就是这么个人。这种思维紊乱、举止迂阔的人，前人称之为冬烘先生，一件本来就无趣的东西，经他的嘴讲出来，越发让人反感。有人说过，我记不清是洛梅尼[1]还是圣伯夫说的了，维尼[2]就这毛病叫人讨厌。可是贝戈特又岂能写出《森-马尔斯》和《红封蜡》[3]那种有些篇章堪以传世的作品呢？”

德·诺布瓦先生刚才对我请他看的习作发表的意见，使我沮丧之极，想到我平日写篇短文，甚至认真思考一下都觉得那么力不从心，我又一次感到自己智力极为贫乏，生来就不是当作家的料。当初在贡布雷，是曾有过一些很肤浅的印象，读贝戈特的书也有过一些感受，当时自以为它们有着重大的价值。我写的那篇散文诗，就反映了这些印象和感受；但这些为骗人的幻影所迷惑的印象或感受，不可能让德·诺布瓦先生上当，他一眼就能看穿它们。适才他让我明白了自己的身份有多么低微（当一位心地纯

---

1 洛梅尼（Loménie，1815—1878）：法国作家，法兰西学院院士。

2 维尼（Vigny，1797—1863）：法国诗人、小说家，法兰西学院院士。

3 《森-马尔斯》（Cinq-Mars）和《红封蜡》（Le cachet rouge）都是维尼写的小说。

良而又聪明绝顶的内行从外部客观地看我之时）。我满心懊丧，感觉自己在变小；我的头脑有如一种大小依所装容器而定的流体，先前充斥着名曰天才的巨大容器，此刻却被德·诺布瓦先生一下子封死、压紧，顿时变成可怜兮兮的一小团东西。

“我和贝戈特的相识，”德·诺布瓦先生转向我父亲说，“说起来还颇有些跌宕起伏（也不妨说颇为有趣）。几年前，贝戈特到维也纳旅游，当时我在那儿当大使；他经德·梅特涅亲王夫人[1]介绍，来使馆拜会我，想让我邀请他出席招待会。按说他写了这么些书，在某种意义上，或者更确切地说，在一种很狭隘的意义上也算是给法兰西争了光，我作为法国政府的驻外使节，可以不因对他的私生活有所非议而不理他。可是他还有个旅伴，他要我连那位女士一并邀请。我想我并不是个古板的人，况且又是单身，我即使比结过婚、有了家室的其他大使把使馆的门开得稍稍大一些，也未尝不可。但是说实话，我觉着其中有一种近乎耻辱的意味，让我难以接受，联想到贝戈特书里那种凛凛然，或者直说吧，那种教训人的口气，我就更觉得作呕，他在作品中翻来覆去，带着几分——这是我们私下说说——颓废的色彩剖析自己痛苦的疑虑、病态的愧疚，为一丁点儿的过错，可以写出一大通冗长的说教（我们都知道这种说教有多少分量），而在私生活里，他居然行事这么轻率，脸皮这么厚。总之，我没有搭理他，亲王夫人来说项也没用。所以我想这位仁兄对我不会有好感，至于斯万同时邀请了我们俩，不知他心里作何想法。总不见得是他

1 德·梅特涅亲王夫人（la princesse de Metternich，1836—1921）：奥地利驻法大使（1859—1870）理查·冯·梅特涅的夫人。她是拿破仑三世的座上客、欧仁妮王后的密友。

自己向斯万提的吧。不过也难说，他终究是个病人嘛。这恐怕也是他唯一的借口了。”

“晚宴上斯万夫人的女儿也在吗？”我趁着随大人往客厅而去的机会问德·诺布瓦先生，这时我的激动不像端坐在明亮的餐桌跟前时那么容易让人看出。

德·诺布瓦先生似乎在记忆中搜索了片刻：

“对了，是个十四五岁的姑娘吧？没错，我记得主人在饭前给我介绍了他们的这位女儿。她好像没待多久，很早就去睡觉了。要不就是去小朋友家了，这我记不太清楚。看来您对斯万家的人很熟悉啊。”

“我常和斯万小姐一起在香榭丽舍公园玩儿，她真好。”

“哦，明白了！的确如此，我也觉得她很可爱。不过我得承认，她可比不上她母亲，但愿我这么说不至于伤害您炽热的感情。”

“我更喜欢斯万小姐的脸，不过也很崇拜她母亲，我常去布洛涅树林，就盼着看见她从路上经过。”

“噢！我要转告她们，她们一定会很高兴的。”

德·诺布瓦先生说这句话时，有那么一小会儿的神情是我熟悉的，我在很多人的脸上见到过这样的神情，他们听我说斯万是个很聪明的人，他的父辈都是受人尊敬的经纪人，他的住宅很漂亮，便以为只要遇到别的同样的聪明人，同样受尊敬的经纪人同样漂亮的房子，我都会这么讲的；这就好比一个神志清楚的人在和一个疯子讲话，却又不知道对方是个疯子。在德·诺布瓦先生想来，看着漂亮女人觉得赏心悦目是再自然不过的事，所以逢到有人兴高采烈地说到某位漂亮的女士，有教养的人理应有所表示，让人觉得你相信他是堕入情网了，拿这一点开开玩笑打个趣，然后拍胸脯说一定帮他促成好事。当他许诺向吉尔贝特和她母亲提到我的时候（有了这一许诺，我就可以像奥林匹斯山的神祇那样化作一缕轻烟，或者像密涅瓦[1]那样改扮长者，叫人认不出地进入斯万夫人的客厅，引起她的注意，牵动她的思绪，让她感念我的爱慕，认为我是一位要人的朋友，觉得我值得被邀参加她家最亲密的活动），这位将要利用他在斯万夫人心目中的崇高威望来帮助我的要人，骤然在我胸中激荡起一股浓郁的温情，我情不自禁地想去吻他的手，吻那双白皙而起皱、仿佛在水中浸得时间太久的手。但我还是克制住了这阵冲动，心想刚才这想吻未吻的神态，幸好别人没有看到。其实对我们每个人来说，要准确地判断自己的每句话、每个动作给旁人印象究竟如何，是很难的事；我们既怕把自己看得太高，又惯于把别人生活中的种种记忆所占的空间想得太大，所以总以为我们言谈、举止的琐屑碎片未必会进入谈话对方的脑海，更谈不上留在记忆之中。其实罪犯翻供在心理上也基于类似的假设，他们总以为现在这么说了，别人不见得有什么东西可以对证。即便就拿人类千年文明这样一个话题来说，报纸专栏作家认为一切都会被遗忘，一种针锋相对的观点认为一切都会被保存，何以见得专栏作家的观点就一定更接近事实呢？就是同一份报纸，头版的社评在谈某个事件、某篇杰作，尤其是某位红得发紫的女歌星时，对我们说："十年以后，还有谁会记得这些事、这些人呢？"而在第三版上，铭文科学院的研究报告却在津津乐道存世时间可以上溯到法老年代的事件和

1　罗马神话中的智慧女神，即希腊神话中的雅典娜。据荷马《奥德赛》第一歌，雅典娜乔装成长者芒托儿，激励奥德赛的儿子泰莱马克去寻找父亲。

作品，一桩本身无关紧要的事情，一首全然无足轻重的诗歌，那些院士不照样说得出来龙去脉吗？对短促的人生而言，也许情形并不完全如此。若干年后，我有一次去朋友家做客，刚好德·诺布瓦先生也在那儿，我马上把他当作我所能遇到的最可靠的保护人，因为他是父亲的朋友，一向待人宽容，对我们更是乐于帮助，而且由于职业和出身的原因，说话极其谨慎。不料大使先生一走，有人就告诉我说，他方才隐隐约约地提到以前的一次晚宴，暗示他当时看见我想去吻他的手。我一听这话，顿时脸红到了耳朵根，德·诺布瓦先生竟然会这样说到我，他竟然会有这样的记忆，我实在是料想不到，一下子惊呆了。这人的嚼舌，让我明白了在人的精神活动中，走神或专心、记忆或忘却，居然都可以达到令人意想不到的程度；当初我读马斯佩罗[1]的书，第一次看到作者竟能一一写出公元前十世纪随同亚述巴尼拔[2]一起狩猎的那些人的姓名，着实吃了一惊，而此刻我的吃惊，实在不亚于当时的那一惊。

“哦，先生，”当德·诺布瓦先生说他要把我对吉尔贝特和她母亲的爱慕转告她们时，我对他说，“要是您这么做了，要是您对斯万夫人说起了我，我将终生感激不尽，我会永远听候您的差遣！可是我想告诉您，我并不认识斯万夫人，还没人给我引见过呢。”

我略一迟疑补充说了那句话，是不想让他觉着我在吹牛，故

1　马斯佩罗（Gaston Maspero，1846—1916）：法国古埃及学家，著有三卷本《古代东方史》。

2　亚述巴尼拔（Assurbanipal，？—公元前626？）：亚述末代国王，在位时攻占埃兰（Elam），征服叙利亚和腓尼基。

意说成和斯万夫人有过交往。但话没说完，我就感到说了也是多余的，我刚向他表示感谢，他的神情就无异于朝我的满腔热情泼了一瓢冷水。只见他的脸上露出犹豫、不快的神色，眼睑下垂，斜斜的目光（就像一幅透视图中表现某个面的透视关系、直逼视平线而去的斜线）凝视着心目中另一个无形的对话者，而他俩的对话，是此前一直在和他交谈的那位——这儿就是我——无须听见的。我马上意识到自己错了，我原以为自己说的那些话虽说不及表达胸中涌动着的感激之情于万一，但想必能打动德·诺布瓦先生，让他决定过问一桩在他只是举手之劳却会叫我欣喜万分的事情，其实也许唯有那些话（即使放在所有对我怀有恶意的人煞费心机想出来的种种坏话中间）起到的效果恰恰是让我指望落空。这就好比你刚和一个陌生人聊起对身旁过路人的印象，两人谈得挺投机，都觉得那些人俗气，冷不丁那人犯病了，摸摸口袋若无其事地说了句："可惜我没带枪，要不他们一个也甭想跑得了。"这句话犹如一道鸿沟，一下子把你俩隔开了。德·诺布瓦先生知道，结识斯万夫人、去她府上拜访是极其平常、轻而易举的事情，他也看出我的情形大不相同，这件小事对我而言弥足珍贵，因而想必困难重重。于是他心想，在我表现出的看似正常的愿望背后，一定还有某种不可告人的想法、某种令人生疑的目的、某种先前犯下的过失，之所以至今没人替我转达我的心意，原因就是人家知道那会惹斯万夫人生气。我心里明白，德·诺布瓦先生是决不会为我转达这份心意的，哪怕一连几年他天天都看得见斯万夫人，他也不会提到我一个字。稍后几天，有一次他从斯万夫人那儿打听来了我想知道的什么事，托我父亲转告我。但是他认为没有必要说出自己在为谁打听消息。所以她并不知道我认识德·诺布瓦先生，而且渴望去她府上。也许这并不像我想的那么糟；既然我认识德·诺布瓦先生这事本身就不一定管用，那么我渴望见到斯万夫人更未见得能为它增添分量了。对奥黛特来说，她自己居家过日子平常得很，其中没有任何神秘之处，也没有半点值得大惊小怪的地方。一个熟人的过访，在她眼里绝不会有我所感觉的那种传奇色彩。这不，我都恨不能拿块石头写上我认识德·诺布瓦先生，隔着窗子扔进斯万夫人家里去呢：我在心里对自己说，这么做是粗野了些，可是传递的信息会使我在女主人眼里的形象高大起来，她不会因此不高兴的。其实我也知道，就算德·诺布瓦先生转达了我的心意，也不会有什么用，而只会引起斯万家对我的恶感，可是我不可能有勇气对大使先生说一声"无须费心"（倘若他答应了替我转致仰慕之意），也不可能有勇气放弃那份欢乐（无论结果会有多惨），那份因我的名字和我本人同时出现在吉尔贝特面前，同时进入我那么陌生的家庭和生活而得到的欢乐。

德·诺布瓦先生告辞以后，父亲随手翻看晚报；我又想起了拉贝玛。聆听她念台词的乐趣，由于及不上当初的期待而亟望充实，迫不及待地吸收一切可供作养料的东西，德·诺布瓦先生称赞拉贝玛的优点即在此列，我的心灵把这些优点一饮而尽，犹如久旱的草地把洒下的水一下子吸干。父亲把报纸递给我，指给我看上面的一则报道："《菲德尔》演出盛况空前，艺术界及评论家名流荟萃一堂，拉贝玛夫人饰演菲德尔一角大获成功，为她辉煌的演艺生涯添加了浓墨重彩的一笔。对这次堪称轰动戏剧界的重要演出，本报还将做更详尽的报道；值得一提的是最权威的评论家一致认为，此次演出对拉辛笔下最完美、刻画最精细的人物菲德尔做出了全新的诠释，堪称我们时代有幸见到的最纯净、最高贵的艺术表现。”我一见到“最纯净、最高贵的艺术表现”，便觉得这个新鲜的想法跟我在剧场里体验到，但还嫌不够的欢愉很相似，而且补充了它的不足，从而形成某种令人振奋的东西。我脱口喊道：“她真是个了不起的艺术家！”有人大概会觉得我并非完全出自内心，但我们何不想想那许许多多的作家呢，他们对自己刚写出的东西不满意，而当他们去读一篇赞颂夏多布里昂天才的文章，或者想起某个令他们心仪的大艺术家，比如说哼起贝多芬某一乐句的时候，他们会玩味其中忧伤的情思，比照自己想在文章中表现的类似情感，脑子里充斥了天才之想，回头看自己的作品便也觉得其中大有才情，不再是原先想的那般模样，于是撇下“信德”二字对自己说：“毕竟不错啊！”然而他们没有意识到，促成他们最终如此自得的全部因素中，有一个因素是夏多布里昂的华美篇章，他们沉湎于对这些篇章的回忆，拿它们和自己的作品相提并论，可是那终究不是他们写的呀；我们又何不想想那许许多多受尽情妇欺骗，却总相信她爱着他的男人呢；还有，那些悲痛欲绝的丈夫想到自己已经失去但仍然爱着的妻子，那些艺术家想到将来得以享受的荣耀之时，企盼的不都是旁人无法理解的永生吗？而另一些人企盼身后万事皆空，觉得这样才放心，不就因为理智告诉他们，否则死后就得为自己赎罪吗？再想想那些游客吧，尽管已经被日复一日的旅程弄得疲乏不堪，可你要是去问他们这次旅游开心不开心，他们不照样兴高采烈地说好吗？你想，我们头脑中有那么多想法杂处共存，但凡要让自己开心的想法，哪一个不是先像寄生虫一样从邻近的不同想法身上攫取养料，而后才发展壮大的呢？

父亲不再提起我的职业生涯，母亲可似乎不大高兴。她最放心不下的，是没有一套生活准则来约束我的任性。所以我想，感到惋惜的并非我放弃外交官的前程，而是我居然选择了文学。“你就别管了，”父亲大声说，“干什么事都得有兴趣才行。再说，他已经不是小孩子。他知道自己的兴趣是什么，不会再改了，他应该明白怎样才能生活得舒心而有意义。”以后生活得舒心不舒心，先不去管他，反正父亲让我自己做主的这番话，当天晚上折腾得我不得安生。尽管这种出乎意料的亲切让我一时激动得想抱住他，吻他胡子上方红润的脸颊，只是怕他不高兴才忍住了。我就好比一个作者，眼看平时浮现脑际的种种思绪，因其尚未脱离自己而显得并无多大价值的种种遐想，竟然要让出版商费神挑选纸张，用说不定过于漂亮的字体来印刷，心里有些惴惴不安；我自问我的写作冲动是否真有那么重要，值得父亲给予这样的关爱。可是，他说我的爱好不会再改变，说我会让自己生活得舒心，却引起我忧心忡忡的两点猜疑。一是父亲这么说，言下之意是（尽管我每天都觉着还站在全新的生活的门槛前面，它将从明天才开始）我的生活已经开始，而且今后的生活不会再有多大改变。第二点其实只是上面一点换了个形式，那就是我已不再置身于时间之外，而是受它制约，有如小说中的人物一样，当我在贡布雷把身子埋在遮阳柳条椅里读小说，关注着那些人物的生活的那会儿，我曾为他们无法挣脱时间的摆布而伤心过。从道理上说，我们知道地球在转动，可事实上我们感觉不到这转动，我们行走时，脚下的地面看上去根本没在动，让人尽可放心。在生活中，时间也正是如此。小说家为了让读者感觉到时间的流逝，非得把时针拨得飞快，叫人在十分钟里过完十年、二十年、三十年不可。在这一页的开头，某人还是个充满憧憬的恋人，可到了下一页的末尾，我们看到他已是八十老翁，在一座养老院的院子里步履蹒跚地散步，往事已不记得，人家的问话也不搭理了。父亲说的我“已经不是孩子，兴趣不会再变”云云，让我一下子觉得自己置身在时间之中，虽然还不是养老院里智能衰退的老人，也已经是那些小说中的主人公，由着作者以漠然（因而更残忍）的口吻在书末告诉读者：“他离开乡间的次数愈来愈少，就在这儿终老了……”

父亲担心我们会对贵客有所微词，先自对着妈妈说：

“我承认这位诺布瓦老爹是有点，照你的说法，有点背时。他说问巴黎伯爵‘太出格’，我真怕你会当场笑出来。”

“才不会呢，”母亲说，“一个这么有地位又上了年岁的人，还能保持这份童心，我是非常欣赏的，这说明他为人正直而且极有教养。”

“一点不错！他还很机灵、很聪明，这我都清楚，他在委员会里跟在这儿完全不一样，”父亲大声说，妈妈赞赏德·诺布瓦先生，让父亲很高兴，他一心想让她知道，这位先生比她想的还要棒，因为，正如戏弄好贬低、真诚是好拔高的，“他怎么说来着……‘王公贵胄的事情难说得很……’”

“对，就是这么说的。我当时就注意到了，真是很巧妙。看得出他阅历很深。”

“奇怪的是，他居然会去参加斯万夫人家的晚宴，而且在那儿遇见的人个个举止端方，有的还是官员。这些人斯万夫人是从哪儿弄到的？”

“他那句俏皮话‘上那座屋子去的好像都是男士’，你可曾注意到？”

两人追想德·诺布瓦先生当时的神态，就像回忆布雷桑或蒂隆在《女冒险家》或《普瓦里埃先生的女婿》中念某句台词的语调。不过，对德·诺布瓦先生说过的话感到最受用的，当数弗朗索瓦兹，甚至好几年过后，只要有人提起大使先生曾经称她为第一流的厨师，她还会笑逐颜开，这个荣誉称号当时由母亲赴厨房代为颁布，犹如国防部长转达来访君主检阅后的道贺。其实还是我比妈妈先去厨房，因为弗朗索瓦兹这位残忍的和平主义者答应过我，宰杀兔子时不让它太受罪，我得去看看情况究竟怎样；弗朗索瓦兹让我放心，说那一刀干净利落，“我从没见过这么乖的畜生，一句话也不说就断了气，倒像个哑巴似的”。我对动物的语言知之甚少，便对她说兔子也许不像母鸡那么会叫。“不见得吧，”弗朗索瓦兹对我的无知颇不以为然，用不屑的口气对我说，“谁说兔子叫得不如鸡凶啦？它可叫得响多了。”弗朗索瓦兹接受德·诺布瓦先生的称赞时，神情自豪而坦然，目光欣喜而——有那么一瞬间——充满智慧，犹如一个艺术家在听别人谈论他的艺术。母亲曾经送她到几家大饭店去观摩大师傅烧菜。那天晚上我听她管最有名的饭店叫小馆子，觉得挺逗，就像以前听说演员的演技未必和名声相符一样。“大使先生说了，”母亲对她说，“您做的冷牛肉和蛋奶酥，别的地方是吃不到的。”弗朗索瓦兹静静地听着，谦虚的表情中透出受之无愧、根本没在乎大使头衔的神气；德·诺布瓦先生把她当大厨，她也就很友好地说他“是个好心的老家伙，和我一样”。他来做客的那会儿，她挺想看他一眼，可又知道妈妈最恨有人在门窗后面探头探脑，心想别的仆人或看门人会告诉妈妈她在偷看（在弗朗索瓦兹眼里，嫉妒和谗言无处不在，它们无时无刻不在她的想象中作祟，正如耶稣会会士或犹太教徒搞阴谋的念头老在某些人脑子里打转），所以她只敢从厨房里往外瞅，“免得夫人有闲话”。她觉得德·诺布瓦先生挺机灵，“就像勒格朗丹先生”——其实他俩没有一点相像之处。“哎，”母亲问她，“这是什么道理呀，为什么别人做肉冻总比不上你呢？”——“我也不晓得这是什么回事。”弗朗索瓦兹回答说（她不大弄得清，至少在某些场合，什么和怎么用法上的区别）。不过她说的有一半是实话，因为她无法——或者说不愿——揭示她的肉冻或奶油的奥秘，风雅绝俗的女子对自己的装扮、享誉舞台的演员对自己的歌喉，都有类似的情形。她们的解释往往让人不得要领；我们家这位厨娘亦然。“他们用的火太猛，”她在回答中评说大饭店的厨师，“火候又不调匀。烧牛肉哇，得烧得像块海绵，那才能把汁水都收进去。不过有一家小餐馆，我觉得他们还算会烧。肉冻跟我的当然还不一样，可也算不错了，蛋奶酥里奶油也放得挺多。”——“是亨利饭店吗？”父亲刚走过来，他和同事定期去加荣广场的这家饭店聚餐，所以这么问道。“哦，不是！”弗朗索瓦兹说，柔和的话音里藏匿着鄙夷之心，“我在说一家小饭馆呢。亨利当然挺好，可那不是饭馆，那是……一爿饭铺！”——“韦伯饭店？”——“啊！不是，先生，我说的可是个好饭馆。韦伯在王宫街，可那不是饭馆，那是啤酒馆。我不知道他们可曾伺候您用餐来着。我想他们只怕连餐桌布都没有，菜盘就那么往桌上一放，马虎极了。”——“西罗饭店？”弗朗索瓦兹微微一笑：“哦！那儿我看菜不怎么样，倒是有好些交际场（弗朗索瓦兹说的交际场，就是指交际花）。那是小伙子去的地方。”我们看到，不动声色的弗朗索瓦兹，对那些有名的厨师来说是个可怕的同行，就连最嫉妒、最自负的女演员想必也不会比她更可怕。但我们又感觉到她对这门手艺的态度还是端正的，对传统也是尊重的，因为她接着说："不，我说的是个做家常菜的饭馆。人家门面还不小哩，先前生意也红火来着，赚了不少苏呢（节俭的弗朗索瓦兹用苏数钱，不像那些浪荡子用路易数钱）。夫人是认识的呀，过了大街往右，再靠后些……"原来，她半是骄矜半是天真地说了半天，要为它讨个公道的饭馆就是……英吉利咖吧。

新年到了，我先是和妈妈一起跑亲戚家。妈妈怕累着我，事先（由父亲相帮画了张路线图）把要去的人家按地区，而不是按亲等关系分成几批。有个远房亲戚住得比较近，我们就最先去她家，不料刚一进客厅，母亲就大惊失色，原来我有个舅舅的好朋友正在那儿吃着冰糖栗子，这个舅舅最是多疑，听到这位朋友说我们走亲戚没从他那儿开始，一准会生气；照他想来，我们理应先从玛德莱娜大教堂到植物园（他家就在那附近），然后回到圣奥古斯坦街，再过河去医学院街。

走完亲戚家（外婆说她家就不用去了，因为我们要去吃晚饭），我奔到香榭丽舍公园，把一封信交给那个老板娘，请她转交斯万家的仆人，那人每星期要去那儿买几次香草面包。这封信，从吉尔贝特让我感到痛苦的那一天起，我就决意要在新年交给她。我在信中说，我俩从前的友情随着旧岁而消逝了，从元旦这天起，我将忘却我的忧愁和怅惘，我俩将建立起一种新的友谊，它坚实，没有力量能摧毁，它美好，我但愿吉尔贝特能费心呵护，让它永远这么美，也希望她能像我对自己承诺的那样，一旦发觉它可能受到伤害的苗头，就马上告诉我。回家的路上，弗朗索瓦兹让我在王宫街的拐角上停一下，她在那个露天摊铺上给自己挑了两件新年礼物：庇护九世[1]和拉斯帕依[2]的照片，我呢，买了张拉贝玛的照片。这位女演员为成千上万的人所仰慕，却始终只回以这张脸容，千篇一律，一成不变，有如一个没有替换衣服的人身上的那件衣衫，呈现在这张脸上的永远是嘴唇上方那细细的褶皱、那挑起的眉毛，以及别的一些脸部特征，看来看去都是它们，都是些让人担心有一天会经不住火烧或碰撞的东西。这张脸，单独这么看我并不觉得很美，可是它使我有一种联想，从而渴望吻它，不仅因为它想必承受过许许多多的吻，还因为我觉着，在那么些照片中间，它仿佛正以妩媚动人的目光和有意显得清纯的笑容呼唤更多的吻。拉贝玛在菲德尔角色掩饰下袒露的那些欲念，想必对许许多多年轻人都曾有过，而凭她的名声为她增添的美丽、帮她永驻的青春，那些欲念在她原也是轻易就能满足的。天色暗下来了，我驻足在剧院的海报柱前，圆柱上贴着拉贝玛元旦上演剧目的海报。一阵湿润的和风轻轻拂过。这是个我熟悉的时节啊；我心头一动，预感到元旦这一天和其他日子不会有什么不同，它并不是一个新世界的开始，这个新世界有如一尘不染的创世纪初，让我可以重新认识吉尔贝特，仿佛还不曾有过以往，仿佛她有时让我感到的惆怅，连同预示日后惆怅的迹象，都一扫而光：在这个新世界中，所有的一切都是崭新的……唯有一件事是往日就有的：我要吉尔贝特爱我。我明白，我的心企望在它周围重建一片新天地，取代未能满足它的旧天地，是因为我的

1　庇护九世（PiusIX，1792—1878）：罗马教皇（1846—1878）。

2　拉斯帕依（Raspail，1794—1878）：法国化学家，曾积极参加1830年和1848年的两次革命。

心没有变，我想吉尔贝特的心也不见得会变；我感觉到新的友谊依然是那样，正如重新开始的岁月不会和从前隔着一条鸿沟，我们的意愿无法影响和改变新的一年，而只能悄悄地给它换个不同的名称。我枉然把新的友谊献给吉尔贝特，我要按自己的意愿赋予新年这一天特殊的印记，就好比要把宗教理念加给莽莽苍苍、自生自灭的大自然，只会是徒劳无功；我觉着它并不知道人家称它为新年，它毫无新意地结束于霭霭的暮色：在吹拂着海报柱的晚风中，我又认出，又感觉到了以往岁月中那种永恒的、习以为常的况味，那种熟悉的湿润的空气，那种在不知不觉中悄然流逝的意蕴。

我回到了家里。我刚过了一个老年人的元旦，它不同于年轻人的元旦，不是因为它没给他们带来新年礼物，而是因为他们已经不相信有新年这回事了。新年礼物我收到了，可并不是能让我喜欢的礼物，并不是吉尔贝特的信。但我毕竟还年轻，我可以给她写信，向她诉说我孤独的眷眷之情，以期唤起她同样的情感。步入老境的可悲，在于人老了就提不起兴致写这样的信了，他们知道写了也没用。

睡下后，节日入夜仍喧闹的街市声使我无法入眠。我想到将在欢乐中度过这一夜的人们，想到那个情人，想到此刻也许还在剧场门口的人群，他们想必在海报预告的今夜演出结束之时等候拉贝玛出来。我想让不眠之夜被这些思绪搅得乱麻似的心情平静下来，但我没法儿让自己相信拉贝玛也许并没涉足爱河，她念的台词，她久久浸润其中的诗句，随时都在提醒她爱情是多么美妙，她要是不懂爱情，又怎能把观众曾经感受过——但被她演得分外强烈，而又充满匪夷所思的柔情蜜意——的种种激情表现得那么淋漓尽致，打动每个观众的心呢？我重新点燃蜡烛，再一次看着她的脸。想到这会儿她大概正被那些男人拥在怀里，我既无法阻止他们把销魂而朦胧的欢乐给予拉贝玛，也不能阻止她接受这欢乐。我内心的激动比肉体的想望更使我痛苦，我的愁绪在号角声中变浓，从一家小酒馆传来的号声，有如四旬斋后的狂欢日或别的什么节日之夜的号角，但由于没有了诗的意境，听起来比"林子深处的夜晚"更忧郁。此时此刻，我所需要的也许并非吉尔贝特的信吧。我们的愿望会相互干扰，在生活的纷繁中，幸福很难得恰恰降临在企盼它的愿望上。

天气晴朗时，我仍然去香榭丽舍公园，街旁那些粉红色的精致房舍，看似沐浴在（当时正好水彩画展很风行）云朵轻盈飘过的天空中。要是我说当时就觉得加布里埃尔[1]的建筑与周围的楼房属于不同时代，而且比它们美得多，那便是说谎了。当时在我的心目中，工业宫，或者说至少特罗卡代罗宫吧，是更有风格的，而且我自认为它们是更古老的建筑。我的少年时代沉浸在一种骚动不安的睡梦之中，那时漫步经过的街区，也都被披上了梦幻的色彩。我怎么也想不到王宫街上会有一座18世纪的建筑。倘若有人对我说，圣马丁门和圣德尼门，这两件路易十四时代的杰作，跟那些脏兮兮的地区别的房舍不是同一时期的建筑，我准会感到吃惊呢。但有一次，我驻足在加布里埃尔的那座宫殿式建筑跟前，久久地注视过它；当时夜色已经降临，在月光中失去质感的

1　加布里埃尔（Jacques-Ange Gabriel，1698—1782）：法国著名建筑师，主持制订凡尔赛宫（1763）的总体规划。路易十五广场（现协和广场）北侧由他设计的两座宫殿式建筑，被公认为那个时代的建筑典范。少年普鲁斯特曾住在玛勒泽布大街9号，从那儿去香榭丽舍公园要经过这两座建筑。

廊柱仿佛是纸板剪成的，使我想起轻歌剧《俄耳甫斯在地狱》中的布景，第一次给了我美的印象。

吉尔贝特好久没来香榭丽舍了。可我需要见到她，因为我连她的模样都要想不起来了。我们怀着寻觅、焦急、苛求的心情望着心爱的人，期待着她说出答允或拒绝第二天约会的那句话，这句话一旦说出，我们又顿时会或欣喜或沮丧，甚至喜忧参半。正因为如此，我们面对心爱的人时，整个精神状态是战战兢兢、恍恍惚惚的，无法集中注意力从她那儿获取一个清晰的影像。对于千头万绪的形态、形形色色的味道以及一个鲜活的人的（通常我们没怎么想去了解这个人时，往往是听任他静止的）动作来说，要想单凭视觉去了解超出视觉范围的东西（尽管同时启动了所有的感官），也许本身就是一种奢望。我们所爱的人是在动的，我们的记忆中永远只有拍坏的照片。我真的想不起吉尔贝特脸的模样，记起来的只是她把脸向我舒展开来的那些美妙瞬间：我只记得她的微笑。我苦苦回想，就是想不起来她那可爱的脸容，却恼怒地看见两张脸异常清晰地从记忆中浮现出来，那是管木马的男人和卖麦芽糖的老板娘的脸，它们于我一无所用，却印象那么深：就像一个人痛失亲人之后，辗转反侧见不到那亲爱的身影，却老是在梦中遇见那些平时醒着也不想见到的家伙，真叫人气不打一处来。这些人无法在心中再现引起自己悲痛的对象，就歉疚地自责忘记了悲痛。而我，既然回想不起吉尔贝特的容貌，也就几乎以为自己已经忘记她，不再爱她了。幸好她终于又来玩了。她差不多天天都在我心中埋下希望的种子，让我期盼着下一天能从她那儿得到新的惊喜，在这个意义上说，我对她的一腔柔情是天天更新的。然而有一件事，突然一下子改变了每天下午两点我这份爱情的况味。也不知是斯万先生发现了我写给他女儿的信呢，还是事情早就发生，但吉尔贝特一直没说，这会儿为让我多加小心才告诉了我？那天我对她说，我对她的父母充满敬意，不料她的脸上露出一种暧昧的、沉吟的、神秘兮兮的表情，每当有人说起她要做些什么、买些什么或者拜访哪些人家的时候，她总会有这样的表情。稍过一会儿，她突然对我说："您得知道，他们可看不上您！"说完又像个水中精灵——她经常这样——放声大笑起来。她的笑往往和她的说话反差很大，犹如音乐中的不协和音那样，在另一个空间位置画出了一个看不见的层面。斯万先生和斯万夫人并没要吉尔贝特停止和我玩耍，但据她想，他们心里但愿她当初根本不曾遇到过我。他们用怀疑的眼光看待我和她的关系，不相信我的真诚，总觉得我会把他们的女儿带坏。斯万以为我属于那种轻率孟浪的年轻人，在我的印象中，那种年轻人讨厌他所爱姑娘的父母，当面说好话，背后却和她一起取笑他们，叫她别听他们的话，一旦把他们的女儿弄到手，就甚至不许他们见她。这些行径（最卑鄙的家伙也不至于干得出）跟我心里涌动着的对斯万的感情相差十万八千里，我相信他倘若知道我的这片真情，一定会后悔自己对我做出了错误的判断！我壮起胆子写了一封信，把我对他的感情一五一十写了上去，然后托吉尔贝特交给他。她答应了。唉！想不到他居然真的把我看成一个骗子了，我在长长16页信纸上诚心诚意向他吐露的情感，他居然不相信：这封信和我对德·诺布瓦先生说的话同样真诚、同样满怀热情，结果也同样糟糕。第二天，吉尔贝特把我带到一条小径边上的月桂树丛后面，和我各自坐在一张椅子上，然后告诉我，她父亲在看她转交的那封信时，耸了耸肩膀说："这毫无意思，只能说明我看得挺准。”我出于纯洁的动机，满腔热忱向他倾诉的一片真情，他看了竟然无动于衷，不改正自己荒谬的错误，想到这儿我有些愤愤然。我这么想，当然是因为我那时认定了这是一个错误。我觉得我已经把我胸襟磊落的一些不容置疑的特点描述得极其精确，斯万看了以后居然还不能体察我的心迹，马上跑来向我认错，请求我的原谅，那只能说明他从来没有体验过如此崇高的情感，所以无法理解别人的这种情感。

不过，也许仅仅是因为斯万知道，磊落大度往往只是自私的情感在我们没有完全意识到它时所采取的表现形式。也许他看出了我向他表示的好感全然因我对吉尔贝特的爱而起——而且热切地确认了这爱情——我的一举一动，说到底是由这爱情，而不是由我对他的——仅处于第二位的——尊敬所决定的。他这么看我，我觉得委屈，因为我还没能把自己的爱情抽象化，提升为一般意义的爱情，而后通过试验来估测它的结果；我很沮丧。且说当时，弗朗索瓦兹叫我了，我只得离开吉尔贝特一会儿。弗朗索瓦兹要我陪她去一座小亭子，这座装着绿色栅栏的小亭，模样挺像废弃不用的巴黎当年的入市税征收亭，不久前里面安置了英国人所谓的lavabo，到了喜欢说话夹英文词的法国人嘴里，就成了不那么雅的water-closet[1]。我在入口处等弗朗索瓦兹，潮湿而陈旧的墙壁散发出清凉的霉味，我的心头顿时好受了些，不再为吉尔贝特转告我的斯万那番话而忧心忡忡。这气息给我带来的愉悦感，不是那种来去不定、无从保留也无法拥有的愉悦感，而是一种稳定的、可信赖的，美妙而安详、切实而持久、无法解释而又

1 lavabo和water-closet在英文中都有“公共厕所”的引申义，但前者本义为“洗手池”，后者本义为“抽水马桶”。

确定无疑的愉悦感。我真希望能像以前在盖尔芒特家那边散步时一样，竭力去参透骤然攫住我的美好感受，凝神屏气探究这悠远的气息，我感到我将从中得到的不仅是区区的愉悦感，而是它尚未向我揭示的真谛。可是这当口，小亭的管理员，那个脸颊上搽着厚厚的粉、戴着红棕色假发的女人，和我说话了。弗朗索瓦兹说过这个女人是好人家出身。她的女儿嫁了个照弗朗索瓦兹的说法有家底的年轻人，也就是说他在弗朗索瓦兹眼里全然不同于工人，正如在圣西蒙[1]眼里公爵有别于出身低微的平民那般。这个女人在当管理员之前，大概是经过了些坎坷。但弗朗索瓦兹很肯定地说，她是侯爵夫人，属于圣费雷奥尔家族。这位侯爵夫人劝我别待在凉飕飕的地方，还打开一个小间的门对我说："您进去不？这间很干净，您不用付钱。"她这么做，或许就不过像古阿施铺子[2]的女店员，我们上那儿订货，女店员会掀起柜台上的绿色玻璃罩，掏出一块糖塞给我，可惜妈妈不许我拿；或许她也像那个卖花的老妇人一样有点小小的心计，妈妈每回去为家里的花坛添点鲜花，那老妇人总会一边媚笑着转动眼珠，一边递给我一支玫瑰。总之，即便侯爵夫人对男童感兴趣，把一个个男人像狮身人面像那般蹲坐在里面的石墓小室为男童开放，她也并不见得有什么猥亵之想。她想要的，无非是一个女人为自己喜欢的人而挥霍所得到的乐趣，因为在那儿除了一个管花园的老头，我没再见过别的主顾跟她在一起。

1 圣西蒙（Louis de Rouvroy de Saint-Simon，1675—1755）：法国贵族，曾在路易十四和路易十五的宫中供职三十年。著有描述宫廷生活的《回忆录》二十一卷。

2 古阿施铺子（chez Gouache）：一家老牌的糖果店铺。在普鲁斯特少年时代，这家店铺开在玛德莱娜大街17号，离普鲁斯特家很近。

稍过一会儿，我向侯爵夫人告辞，和弗朗索瓦兹一起回去找吉尔贝特。我一眼就瞧见她蜷身躲在月桂树丛后面的一把椅子上。她戴着一顶无边软帽，压得低低的，遮在眼睛上方，看人时有一种偷看的表情，她这迷惘而狡猾的眼神，我是在贡布雷第一次见到的。我问她，有没有办法让我跟她父亲当面解释一次。她说她跟父亲这么提过，他认为我说了也没用。随后，她对我说："喏，把您的信拿回去吧。她们找不到我，我可得过去了。"

要是斯万正好在这时候，在我拿回这封写得如此恳切而没能打动他，让我觉着他奇怪的信之前来到这儿，他或许会发现自己想得一点没错。吉尔贝特只说要我把信拿回去，却不把它递给我，而我在挨近仰面躺在椅子上的她时，感觉到她的身体强烈地吸引着我。我对她说：

"嘿，我可要来抢了，我们瞧瞧谁厉害。"

她把信藏在背后，我把双手伸到她颈后，撩起她肩头的两根小辫。她母亲给她梳小辫，可能是因为她的年龄还适合这么打扮，也可能是做母亲的想让女儿看上去始终像个孩子，好让自己也显得年轻；我俩弓着身子相持不下。我想把她拉过来，她使劲挣扎，颧颊涨得绯红发烫，像樱桃那般又红又圆；她笑着，仿佛我在胳肢她；我用双腿把她紧紧夹住，就像夹住一株小树要往上爬；剧烈的运动和兴奋的嬉闹，使我大口大口地喘气，快感也随之从心里往外涌，我还没来得及辨别它的滋味，它已如身体用力时沁出的汗珠一样，挥洒了开去。很快我就把信抢到了手。这时，吉尔贝特和悦地对我说：

"哎，您要是愿意，我们还可以再这么玩会儿。"

她也许隐约有些觉着我这么跟她闹着玩，还有一个我没明说的目的，她没有看出我其实已经达到目的了。我担心她觉察到这一点（稍后她有个羞怯地往后缩的防范动作，我看在眼里，心想我的担心没错），于是我答应再这么玩一会儿，唯恐她以为我原先就没有别的目的，所以拿到信以后就不想再和她闹了。

回家的路上，我突然发现，我回想起了一直隐匿着的那个形象，有栅栏的小亭清凉的、近于烟炱味儿的气息曾带我接近，但没让我看见它、发觉它的那个形象。它就是阿道夫叔公在贡布雷的小房间呀，那个小房间不也有股清新的潮湿气味吗？可我不明白，暂时也不想弄明白，回想起这么一个微不足道的形象，为什么会使我感到那么庆幸。当时，我只觉得我是活该让德·诺布瓦先生瞧不起：我非但在所有作家中唯独喜欢他蔑称为吹笛手的那位，而且竟然因为对一种霉味儿，而不是某个重要的观念有所会心而兴奋不已。

近来在有些家庭，要是哪位来客提起香榭丽舍的名字，做母亲的都会露出不以为然的神情，仿佛说的是一个颇有名望的医生，而她们不止一次领教过他的误诊，已经不敢再相信他了；她们认定这个公园对孩子没有好处，好些毛病都是它引起的，喉咙痛啦，出麻疹啦，头疼发热就更不用说了。妈妈居然还让我上那儿去玩，对此她的几位女友并没明说她不疼我，但还是埋怨她过于大意。

对神经系统有病的人，很多人都有一种误解，不知道他们恰恰是最不溺爱自己的人：他们先是对自己的身体当心得不得了，后来明白了自己是大惊小怪，最后就根本不操这份心了。往往好端端的没什么事，就不过是天下雪了，或是要搬家了，他们的神经系统就会咋呼："救命啊！"像是病得很重似的，久而久之，他们习惯了，不再在意这样的报警，就好比一个士兵身负重伤以后，唯有在一股战斗激情的支撑下豁出命去，才能像个身体完好的人那样再活上几天。我平时小病不断，不是这儿不舒服就是那儿不对劲，我也习惯了，没把它当回事，对这种体内不适的循环，没比对血液循环操更多的心。有一天早上也是这样，我一路小跑进了餐厅，见爸爸妈妈已经坐在桌前，便也去坐下——心里像往常一样念叨着，发冷不一定是要取暖，说不定是挨了一顿骂的缘故；不觉得饿，也不一定是说不用吃饭，说不定是天要下雨——我切下一小块鲜美的牛排放进嘴里，可就在咽下这口牛排的时候，突然感到一阵恶心和眩晕，这是犯病前的发烧反应，我强忍住不去理它，掩饰并延缓了它的征候，可是面前的食物说什么也吃不进去了。这一瞬间我想到的是，要是让爸爸妈妈看出我犯病，我就别想出去了，这一想我鼓起了一点劲儿，犹如伤员靠着仅剩的自我保护本能，支起身子慢慢离开餐桌，拖着脚步回到卧室，一量体温四十摄氏度，可我还是收拾了一下，往香榭丽舍而去。我的身子软绵绵的，虚弱得很，但思绪透过身躯的外壳绽出笑容，急切地期盼着和吉尔贝特一起玩捉人游戏的欢乐，一小时过后，我几乎连站也站不住了，可我还有劲头来品味在她身边的幸福。

回到家里，弗朗索瓦兹宣布我身体不适，一定是得了冷热病，随即请来的医生则表示，宁可来势凶猛、体温骤升，那是肺充血引起的，成不了气候，怕就怕一些隐伏的非典型病症。我受呼吸不畅之苦，已经很有些时日了，医生对症开了咖啡碱药方，还不顾外婆的反对（她认为我对酒精过敏），劝我在觉得要发病时喝点啤酒、香槟或白兰地。据他说，喝酒引起的兴奋状态，能使呼吸保持顺畅。为了让外婆允许我拿酒喝，我只能不向她隐瞒呼吸困难的窘状，有时甚至还要稍加渲染。不过，每每刚觉得呼吸急促，还不知道会不会发作得很厉害，我就先为外婆会难过而忧心忡忡，我担心外婆为我难过，比对自己发病更担心。而与此同时，我的身体——或是因为过于脆弱，无力单独保守病痛的秘密，或是害怕旁人不知道我马上要发病，会叫我去做我没法儿做或很危险的事情——使我感到需要把我的病痛准确地告诉外婆，这种准确性被我掺入了生理的不安。只要我觉着出现了不适的症状，往往不等自己弄清楚是怎么回事，我就非得先去告诉外婆不可，否则我的身体会被折腾得苦恼不堪。要是外婆假装没看见，我的身体便要我不依不饶地非让她看见不可。有时我实在太过分了；那张亲爱的脸无法再像往常那般控制住情绪，显露出怜悯的表情，痛苦地抽紧了。这时我的心都要碎了，我不忍心看着外婆受煎熬：我纵身扑进她的怀里，仿佛我的吻就能抹去她的忧伤，仿佛我的爱就能像我的幸福一样使她欣悦。既然确信她知道了我觉得不舒服，我也就不再感到心神不安，我的身体也就不再反对我去安慰外婆了。我对外婆说，这点不舒服没什么要紧的，我根本不觉得难受，她可以放心，我开心着呢；我的身体刚才渴望的无非就是让人怜悯，只要有人知道了它的右边在疼，它就不在乎我说什么，即便说这点疼算不了什么，影响不了我的快乐心情，它也无所谓。我的身体不会为哲学去烦恼；哲学不干它的事。在康复期间，呼吸困难的症状差不多每天都要发作。有一天晚饭过后，外婆离开我时我还好好的，可等她晚上到卧室来看我，却只见我憋得透不过气来："哦！天哪，你多难受啊。"她大声说道，脸痛苦得皱紧起来。她马上走了出去，我听见她关上大门的声音，稍过一会儿她回来了，手里捧着一瓶白兰地，这是她刚买的，因为家里没有了。我很快就觉得舒服了。外婆脸色微微有些泛红，表情很尴尬，眼里露出疲惫而灰心的神情。

“我还是让你一个人待着吧，那样也许你会好些。”她说完，抽身就走，我扑上去吻她，觉得她清凉的脸颊上湿漉漉的，不知道是不是刚才在外面沾上了夜晚的雾气。第二天晚上，她没到我卧室来，听说她出门了。我觉着她是要显得并不在意我的病情，我克制住自己，不去责怪她[1]。

肺充血痊愈后，呼吸急促的症状仍不见减轻，于是爸爸妈妈请来了戈达尔教授。碰到这样的情形，请来的医生光有医学知识是不够的。有三四种病都可能出现类似的症状，最后要靠直觉、靠眼力来确诊到底是什么病。具有这种神秘的天赋，并不意味着在智力的其他方面有过人之处，一个喜欢最拙劣的画、最拙劣的音乐，没有任何精神追求的俗不可耐的人，照样可以具有这种天赋。就我的病而言，他观察到的具体症状可能由多种疾病引起：神经性痉挛、初期结核病、哮喘、肾功能不全并发的中毒性呼吸窘迫症、慢性支气管炎，或者是其中几种病的综合征。对于神经性痉挛，最好的办法是别把它当回事，结核病则需要悉心用药并采取过量饮食疗法，可是过量饮食不利于哮喘之类呼吸系统疾病的患者，对中毒性呼吸窘迫症患者更有危险，而适合呼吸窘迫症的食谱又对结核病患者有害。不过戈达尔的犹豫只在片刻之间，他用不容置疑的权威口吻开出了医嘱：“强效泻药，几天之内光喝

1　从后面的叙述可以知道，外婆当时已经病重，她不想让“我”知道自己的病情，所以发病时故意躲着他。这一点，“我”直到外婆去世后很久，他第二次去巴尔贝克时才知晓。

牛奶。禁肉，禁酒。”妈妈柔声说，我身子很虚，得补充营养，又是猛泻又是禁食我会受不了的。只见戈达尔的眼里闪过一丝焦虑，仿佛在自问是否一不小心露出了温润的本性，眼神就像生怕错过了火车那么不安。他在尽力回忆刚才自己有没有想着戴上那副冷冰冰的面具，一如要找面镜子看看自己有没有忘了结领带。他有些吃不准，心想弥补一下总没错，就粗声回答说：“我开处方没有重复第二遍的习惯。给我一支笔。牛奶，牛奶是最要紧的。过几天，等呼吸困难和失眠问题解决以后，先可以喝点汤，然后可以吃点土豆泥，不过还是要喝奶，喝奶。您会喜欢的，现在西班牙不是很时髦吗？噢唻！噢唻！（他的学生都熟悉这个文字游戏[1]，他每次在医院里嘱咐心脏病人或肝病患者多喝牛奶时，都要这么开玩笑。）再往后就可以慢慢恢复到平时的生活了。不过，一旦咳嗽、气急复发，就要用泻药，洗肠，卧床，喝奶。”他神情冷峻地听完妈妈表示的不同意见，不作一声，扬长而去。由于他没有屈尊解释禁食的理由，我父母就认为禁食未必适合我的情况，只会使我变得更虚弱，所以他们没让我禁食。当然，他们不想让教授知道他们没听他的话，为审慎起见，凡是有可能遇到他的地方他们一概回避不去。后来，我的病情愈来愈严重，他们才决定让我严格遵照戈达尔的医嘱禁食；三天以后，啰音消失了，咳嗽停了，呼吸也顺畅了。这时我们才明白，戈达尔正如他后来所说的，注意到了我哮喘挺严重，而且有点疯疯癫癫，但他认准我当时的主要问题是中毒，于是他给我清洗肝和肾，疏通支气管，帮我改善呼吸和睡眠，恢复体力。于是我们明白了这个傻瓜

1　法文au lait（喝奶）和西班牙文ollé！（噢唻！赛场上为运动员助威加油的喊声）发音近似。

是位了不起的医生。我终于可以起床了。但家里不许我再去香榭丽舍了，说是那儿空气不好；我想这只是不让我见到斯万小姐的借口，我逼着自己整天默念吉尔贝特的名字，就像沦为亡国奴的人们坚持使用祖国的语言，为的是不忘再也见不到的故国。有时候，母亲抚摸着我的额头对我说：

“怎么啦，小伙子有了心事不跟妈妈讲了？”

弗朗索瓦兹每天见到我时都说：“少爷脸色不好唉！您自己看不到，像死人一样哩！”这也不奇怪，平日里我有个伤风感冒，弗朗索瓦兹就会哭丧着脸。她的哀矜由她的阶层观念而起，跟我的身体好坏没关系。可那时我实在弄不明白弗朗索瓦兹身上的这种悲观主义，究竟是表明难过还是得意。我只得暂时认为这是一种社会性的、职业性的悲观主义。

一天邮差来过后，母亲拿来一封信放在我床上。我拆信时有点心不在焉，我知道信上不会有那个唯一能让我开心的签名——吉尔贝特的签名，因为我平时只是在香榭丽舍碰到她，此外没有联系。然而，在信纸下方印着一个银色戴盔骑士纹徽，下面是排成半圆形的铭文：Per viam vectam[1]，信上的字写得很大，几乎每句都像加了下划线，其实是因为字母t的一横都没有穿过一竖，划到了上面，等于给上一行加了一道道下划线，我一看，信末的署名正是吉尔贝特。可我知道，我不可能收到她的信，所以即便看见她的签名，我还是不相信，也不感到喜悦。片刻间，我只觉得周围的一切都变得虚幻了。这个难以置信的签名，以令人眩晕的速度打着转，床啊，壁炉啊，墙壁啊，都跟着一起转圈。看出去所

1　拉丁文：刚直不阿。

有的东西都在摇晃，就像一个人从马背上摔下时的感觉。我心想也许真有另外一种生活，和我熟悉的生活迥然不同，格格不入，但它是真实的，它蓦然显现在我眼前，将一种踌躇充塞我的脑际，当初雕塑家在《末日审判》中塑造置身天堂门口的死而复生的人时，曾赋予他们这种踌躇的表情。“亲爱的朋友，”信上写道，“听说您病得挺厉害，不能再去香榭丽舍了。我也不去了，因为那儿生病的人太多。不过我的女友们每星期一和星期五都来我家喝茶。妈妈让我请您病愈后也赏光一起来，我们可以继续在香榭丽舍愉快地交谈。再见，亲爱的朋友，希望您的父母答应让您经常来喝茶。您的朋友　吉尔贝特。”

我读这封信时，神经系统以惊人的奋勉接收了这个信息：巨大的幸福降临了。但是我的心灵，也就是我自己，总之这主要的当事人，却还一无所知。这幸福，由吉尔贝特给予的这幸福，是我心心念念想着、时时刻刻念着的东西，一如莱奥纳多所说的绘画，是cosa mentale[1]。一张写满字的信纸，思想无法一下子吸收它。但从我读完信那一刻起，我就想着它，它成了我思念的对象，它也成了cosa mentale，我对它充满爱恋，每隔五分钟就会情不自禁地再读一遍，再吻一次。这样，我认识了自己的幸福。

对进入爱河的人而言，生活中的奇迹是无所不在的。但这回也可能是母亲安排的，也许她看着我这一阵失魂落魄的样子，就特意去请吉尔贝特给我写封信，正像以前洗海水浴时一样，那会儿我刚洗海水浴，说什么也不肯把头没到水里去，因为那样会透不过气来，母亲为了激发我的兴趣，悄悄关照游泳教练先把精

1　意大利文：精神上的东西。

美的螺钿盒和珊瑚枝放在水底，让我以为是自己找到的。再说，生活中有许多光怪陆离的现象，但凡事关爱情，你最好别指望弄明白，因为这些事既不可抗拒又出人意料，简直像是由魔法在操纵，不受任何理性法则支配的。有个亿万富翁，有钱却仍可爱，一个既没钱又无趣的女人和他生活了一段时间，抛下他走了，他痛不欲生，不惜耗费巨资，动用一切关系，可就是没法儿让她回心转意。这时，与其为这个女人的执拗顽梗去找合乎逻辑的解释，不如把它看成命数，这个男人遭受这样的打击，甚至心碎而死，那都是天意啊。一个男人须要逾越的障碍，他因痛苦而变得异常活跃的想象所无法猜透的那些障碍，有时就在于他失去的情人的个性特点，在于她的愚蠢，在于他所不认识的一些人对她施加的影响，或使她感到的恐惧，在于某种她心向往之的一时之欢——他和他的财富都无法让她得到的一时之欢。无论哪种情况，他都无法了解这些障碍到底是怎样的，不仅他所爱的女人刻意向他隐瞒，他被爱情冲昏了的头脑也妨碍他做出准确的判断。这些障碍就像肿块，医生能消肿，但并不了解起因。这些障碍像肿块一样，很神秘，但时间长不了。只不过它们通常比爱情持续得更久些。而既然爱情并不是无私的激情，当一个男人不再爱的时候，他就不会再想去知道，他曾经爱过的那个又穷又轻浮的女人为什么不肯再让他来养她，让他等了几年就是不回头。

然而，这种神秘不仅遮蔽了视线，让人无法看到灾难的起因，而且当事关爱情时，往往也会弥漫在某些突如其来的圆满结局周围（比如吉尔贝特的信带给我的这个结局）。说圆满，其实不如说看上去圆满，因为如果一种情感的满足仅仅意味着痛苦的移情，真正的圆满从何谈起呢？痛苦有时会暂时停歇一下，这时我们常常误以为它消除了。

这封信下面的签名，弗朗索瓦兹不肯相信是吉尔贝特的，因为G写得挺花，倚在缺了一点的i上，像一个A，最后一笔加了齿状花缀，拖得很长，吉尔贝特对我的态度来了个大转变，让我满心欢喜，倘若一定要对此找个合理的解释，也许就不妨说我在某种程度上沾了生病的光，而我原来还以为一生病，斯万家就会把我忘了呢。此前不久，布洛克来看过我，当时戈达尔教授（我遵照医嘱饮食后，便又把他请了回来）正在我的卧室里给我检查。检查完了，我父母请他留下来一起吃饭，他就没走，而布洛克也进来了。他和我聊着聊着，说到他头天晚上在餐桌上听一位女士说起，斯万夫人很喜欢我，这位女士平时跟斯万夫人是常有来往的。听他这么说，我真想告诉他一定是弄错了，我不认识斯万夫人，从没跟她讲过话，我怕斯万夫人知道了会把我当成一个说谎的人。当初我稍一迟疑过后，向德·诺布瓦先生把事情和盘托出时，也是这么想来着。可是我鼓不起勇气来纠正布洛克的错误，因为我很清楚他是故意的，他杜撰一些斯万夫人没说过的话，是为了让我以为他昨天坐在这位夫人的朋友旁边共进了晚餐，这在他看来是很有面子的——尽管没这回事。不过，德·诺布瓦先生知道了我不认识斯万夫人，却又很想认识她，就绝口不对她提起我一个字，而戈达尔（他是她的家庭医生）听了布洛克的话，以为斯万夫人跟我很熟而且很赏识我，心想下回见到她时，要对她说我是个可爱的男孩。他常见到我，这么说既对我有好处，也让他很有面子，于是他打定主意一有机会就向奥黛特说起我。

就这样，我熟悉了从楼梯口就能闻到斯万夫人的香水味的那几个房间，而更让我心醉的是我在吉尔贝特的生活里所感受到的令人黯然神伤的魅力。无情的看门人成了好心的欧墨尼得斯[1]，每当我问他可不可以上去时，他总会举手抬一下制帽，客气地表示应允我的请求。从外面看过去，一排窗户隔在我和不属于我的那些珍宝中间，不啻是一道明亮、短浅而冷漠的目光，我隐隐觉着这就是斯万夫妇的目光。天气晴朗的季节，当我整个下午都和吉尔贝特待在她房间里的时候，我有时会推开这些窗户透透风，碰上她母亲接待客人的日子，我还会和她并排伏在窗口，看着客人的马车进来，来客下车时抬起头来，常会挥手和我打招呼，他们把我当成女主人的哪个侄子了。这种时候，吉尔贝特的发辫会碰到我的脸颊。我觉得这些纤细的发丝既自然又神奇，富有弹性的发辫犹如天堂之丝编成的绝无仅有的美丽叶饰。如果我能有哪怕很小的一段，要用怎样的天国植物图集才能珍藏它呢？我不敢有此奢望，只盼能得到一张照片，那也比达·芬奇画的小花更珍贵啊！我对斯万家的朋友，甚至对那些照相师低声下气，一心想讨好他们，可非但没能得到我想要的东西，反而就此跟一批乏味得很的人缠在了一起。

吉尔贝特的父母有很长一段时间不许我见她，而现在——我走进幽暗的前厅，想到这儿回翔着遇见他们的可能性，觉着比以前在凡尔赛宫期盼见到国王陛下时更为激动，更充满渴念。当我在前厅里磕磕绊绊地绕过《圣经》中烛台[2]似的七叉衣帽架时，槽

1 在罗马神话中，复仇女神成为厄里尼厄斯，希腊神话中与之相应的神祇则成为欧墨尼得斯，意为善心女神。

2 指耶和华晓谕摩西献在圣坛上的有七座灯盏的金烛台。见《圣经·旧约·出埃及记》第25章。

懵懂懂地对着一个身穿灰色长袍坐在柴箱上的听差鞠了一躬，我把他当成斯万夫人了——吉尔贝特的父母无论谁在前厅遇见我，都非但不会生气，而且会笑吟吟地和我握手，对我说：

“下午好（他俩都把‘下午好’说成‘下儿好’[1]，我觉得挺逗的，一回到家里就忍不住绘声绘色地学他们）。吉尔贝特知道您来吗？好，那我先走了。”

不仅如此，吉尔贝特把朋友请到家里喝茶，原先一直被我看作她和我之间最难逾越的障碍，现在却成了我和她相聚的机会。她会先写封短信给我（因为我们还算是新交），用的信纸每回都换。有一回信纸上凸印着一只蓝色鬈毛狗，下面是一句幽默的英文，后面加惊叹号，另一回印着一只船锚，也有印G.S.[2]的，两个字母拉得老长，撑在信纸上端，还有印吉尔贝特名字的，烫金的签名斜穿信纸的一角，收尾有个花缀，上面还有顶张开的黑色小伞，再就是四周围着一圈花体缩写字母，每个字母都用大写，可是没有一个是认得出的，整个形状像中国人的帽子。不过，吉尔贝特的信纸虽然品种繁多，终究也有穷尽之时，几个星期过后，我又看到了第一封信上的那个亮银色的印章，戴盔的骑士上面[3]写着铭文：Per viam rectam。当时我以为，某种信纸选在这一天用，而不在另一天用，是有一定规矩的，现在我明白了，吉尔贝特这样做是为了记得哪些信纸已经用过了，免得把同样的信纸寄给对方，至少对她觉着值得花这份心思的通信对象来说，好让间隔的

---

1 原文中，他俩把Comment allez-vous（您好）读作Commen allez-vous，亦即在应该联诵（liaison）的地方没有联诵。

2 Gilberte Swann（吉尔贝特·斯万）的缩写字母。

3 按前文应为“下面”。在普鲁斯特的这部小说中，类似的前后文不一致的情况很少出现，所以七星文库本特地在此处加了个注。

时间尽量长一些。吉尔贝特请来喝茶的女友，由于各人上课时间不同，有人刚刚才到，有人已经得走了。我走到楼梯口，就听见楼上前厅传来隐隐约约的说话声，想到马上就要参加我心向往之的聚会，我激动得很，还没走到楼上，就觉着这些说话声突然间切断了我和此前生活的联系，至于进了暖和的房间要除下围巾，谈话时要看看时间别太晚回家，等等，也都抛在了脑后。这座木楼梯是当时在有些宅邸常见的，这种亨利二世时期的风格，奥黛特向来极为推崇，但很快她就要改换趣味了，只见楼梯上挂着一块牌子，上面写着：下楼禁止使用电梯。我觉得这事神秘而不可思议，回家就对父母说这座古色古香的楼梯是斯万先生从很远的地方带回来的。正因为我说事爱有个根据，所以即使知道没这回事，我也会毫不犹豫地对他们这样说，我知道，只有这样说才能让他们和我一样，对斯万家的楼梯肃然起敬。这就好比有个人对好医生医术高明在哪儿一无所知，那就还是别跟他说这位医生不会治鼻卡他为好。我根本没什么眼光，东西放在面前我也说不出名称和品牌，我唯一知道的是，只要是斯万家的东西，一定都是最出色的。我拿不准我对父母把这座楼梯说得这么有艺术价值、历史这么悠久，算不算说谎。好像不一定能算吧；但想必我还是觉着有可能算的，因为父亲打住我话头说下面一番话时，我满脸涨得通红："我知道那几幢房子；其中一幢我去看过，那都是一样的；只不过斯万住了几个楼面。那是贝利埃[1]造的。"他还说曾想租其中的一套，后来觉得不大方便，前厅又不够明亮，就作罢了。他这么说着；可是我本能地感到，我的思维应当为斯万家的

1 贝利埃（Jean-Baptiste Berlier，1843—1911）：法国工程师，气压通信系统的发明人。

名声和我的幸福做出必要的牺牲，内心有个权威的声音叫我别去管刚才听到的话，我毅然摒弃了斯万家我们也能住的鄙俗念头，一如虔诚的信徒摒弃勒南[1]的《耶稣传》。

每次上楼的时候，我一级一级往上走，脑子里已经既没有想法，也没有记忆，我所做的一切都只是最低级的生理反应，就这样一直走到能闻见斯万夫人香水味的地方。我依稀仿佛看见了高大威严的蛋糕，周围排列着一圈点心碟子和绘有图案的灰色缎纹小餐巾，这就是斯万家的气派。而所有这些一成不变的排场，似乎都如康德[2]的必然世界一般，取决于自由意志的最终行动。这不，我们大家都在吉尔贝特的小客厅里，她蓦地瞧了瞧钟，说道：

“哎，吃过中饭好长时间了，我要到八点才吃晚饭呢。我挺想吃点东西，你们呢？”

于是她把我们带进餐厅，在伦勃朗笔下亚洲庙宇的幽暗中，只见一只城堡模样的大蛋糕，威风凛凛而又温厚、亲切，仿佛就那么随随便便地放在桌子中央，只等哪天吉尔贝特起兴掀掉巧克力的雉堞，捣毁黄褐色陡峭的扶垛，这些在烘箱里烤过的扶垛好似大流士宫殿的支柱。更有趣的是，吉尔贝特要摧毁这座尼尼微蛋糕，凭的不光是她自己饿不饿，她还会一边问我饿不饿，一边在倒塌的城堡中取出一堵墙递给我，这堵东方风味的墙壁，缀满红艳艳的水果，亮晶晶的，还嵌着细纹。她甚至还问我家里什么时间用晚餐，倒像我还能说得上来似的，倒像在这激动难抑的当

1　勒南（Ernest Renan，1823—1892）：法国作家。《耶稣传》（1863）是一部力图以科学方法研究宗教历史的著作。

2　康德（Immanuel Kant，1724—1804）：德国哲学家。撰有《纯粹理性批判》《未来形而上学导言》等著作。

儿，我空落落的记忆和失去知觉的胃里，还能有饿不饿的感觉，还能有晚餐的概念，还能想得起家里是个什么样儿。可惜这只是一时的失去知觉。不知不觉吃下的蛋糕，也总得有消化的时候。但那还早呢。眼下，吉尔贝特在把我的茶递给我。我喝了一杯又一杯，其实光喝一杯就够我二十四个小时睡不着觉了。所以母亲老是说："真烦人，这孩子从斯万家回来就得生病。"可是，我在斯万家的时候，难道我知道自己喝的是茶吗？即使知道，我也照样会喝，因为就算我在那一刻明白自己在做什么，我还是既想不起过去，更预见不了将来啊。上床睡觉，那是遥远将来的事情，这会儿我没法儿想得这么远。

这种让人无法做出任何决断的喝醉酒似的兴奋状态，吉尔贝特的女友们并没全都沉浸进去。有几位居然明明白白地说她们不喝茶！吉尔贝特的回答是当时很时行的说法："当然啰，我的茶不成功啦！"她不想让茶会显得太一本正经，入座前先把桌旁的椅子弄乱："要不就像个婚礼了；哎呀，这些仆人真够笨的。"

她侧身坐在一张斜放在桌边的X形椅子上，慢悠悠地吃着手里的蛋糕。斯万夫人刚送走一位客人——她的接待日往往和吉尔贝特的茶会在同一天——不一会儿便快步走了进来，她有时穿蓝丝绒长裙，但更常穿的是镶着几排白色花边的黑缎长裙。看她那神气，仿佛对吉尔贝特没经允许就能有这么多小蛋糕感到挺惊奇：

"咳，你们吃得挺香啊，瞧着你们吃蛋糕，我都馋了。"

"那妈妈您也来嘛。"吉尔贝特说。

"不行啊，宝贝，我那些客人怎么办？特隆贝尔夫人、戈达尔夫人和蓬当夫人还都在呢。你知道，亲爱的蓬当夫人是不会坐一会儿就走的，可她还刚到哪。这些客人看不到我回去，会怎么说呢？要是没人再来，我一等她们告辞就过来和你们聊天（对我来说这要有趣得多）。我想我也该可以歇一下了，今天已经来了四十五位客人，四十五位中有四十二位谈到热罗姆[1]的那幅画！”她正要抽身离去的时候又对我说，“哪天您再来和吉尔贝特一起喝茶，她会特地给您煮您喜欢的茶，就像您在家里studio[2]喝的。”她说这话的口吻，仿佛我到这神秘世界来寻找的，就不过是些我熟稔有如习惯的东西（即使我喝了茶，那能算习惯吗？至于studio，我真说不上有还是没有）。“您什么时候来？明天？我叫他们给您做toast[3]，跟科隆班[4]的一样好吃。来不了？你这个小淘气。”她的口气像维尔迪兰夫人，因为打从她也有了个沙龙，她就学维尔迪兰夫人的样，爱用娇媚中带专断的口气说话。不过我既不知道toast，也不知道科隆班，所以听了她的话我不为所动。还有件事也许更奇怪，我刚听到斯万夫人夸赞我家的老nurse[5]，竟然一下子没弄清是说谁——其实大家不都这么说吗？现在兴许在贡布雷也这么说了。我不懂英文，但我马上明白过来，这是说弗朗索瓦兹哩。以前在香榭丽舍，我一直怕她会留给人坏印象，听斯万夫人说了，我才明白她和她丈夫之所以对我有好感，就是因为吉尔贝特对她讲了我的nurse。“我觉着她对你们挺忠心，真不错。”（我立刻完全改变了对弗朗索瓦兹的看法。而且也不觉得身穿雨衣、头戴羽饰的家庭女教师是非有不可的了。）最后，从

1 热罗姆（Jean-Léon Gérôme，1824—1904）：法国画家。19世纪下半叶学院派代表画家，画风与印象派迥然不同。

2 英文：单间套房。

3 英文：烤面包，吐司。

4 科隆班（Colombin）是康蓬街上一个茶室（salon de thé）的名称。

5 英文：保姆。

斯万夫人说起布拉丹夫人[1]的不多几句话里，我听出了斯万夫人虽然觉得她人挺好，但不希望她来做客，我和这位夫人有交情，并不像我想的那么重要，丝毫不足以提升我在斯万家的地位。

这片一直对我封闭的仙境，想不到一下子向我敞开了通道，我又惊又喜、战战兢兢地开始了其中的探索，虽然如此，我只是作为吉尔贝特的朋友在这样做。接纳我的这个王国，本身处于一个更神秘的王国之中，斯万和他夫人在那儿过着神奇的生活，要是我上楼刚好在前厅迎面碰到他们，他们跟我握过手，会径自往那神秘王国而去。可是没过多久，我就深入了圣所的中心。比如说，吉尔贝特不在，斯万先生或夫人在家。他们问是谁拉铃，知道是我，就让仆人请我上他们那儿去一会儿，有个什么问题，有件什么事情，他们希望我能帮着劝劝他们的女儿。我回想起我写给斯万的那封既详尽又恳切的长信，当时他连回信都不屑于写。思维、推理和心灵无望改变的事情，束手无策的难题，生活居然就在我们不知不觉之中轻而易举地改变了、解决了，想到这儿，我不由得感慨万分。吉尔贝特朋友的新身份，以及对她所能具有的影响，现在都使我备受优待，就好比我是学校里的好学生，又和一个国王的儿子同班，于是我可以出入王宫，在金殿上觐见国王了；斯万和蔼可亲地招呼我走进书房，仿佛没那么些让人引以为荣的事务在等着他似的。我在那儿待了一个小时，他问我的话，我激动得一句也没听明白，我兀自断断续续地说着，时而羞怯地闭上嘴，时而鼓起勇气结结巴巴地说出几句。他把他觉得我会感兴趣的工艺品和书籍一一指给我看，我绝对相信它们比罗浮宫和国立图书馆所有的藏品都更美，可是我

1　第一卷中出现过的人物。经常坐在香榭丽舍公园长凳上看《论坛报》的老妇人。

没法儿去看它们呀。在这种时候，要是斯万的总管请我把表、领带夹和高帮皮鞋交给他，或者让我签个文件同意他当我的继承人，我都会高高兴兴地照做。用那句最妙不过的俗话说，就是“我昏了头”，这句俗话和那些最有名的史诗一样，我们不知道作者是谁，但它也和那些史诗一样有悖于沃尔夫[1]的理论，肯定是有过一个作者的（一个脑瓜好使而又谦虚洒脱的、长年累月出没于街头巷尾的聪明人，这些人创造了诸如往脸上贴名字之类的说法，而他们自己的名字却默默无闻）。而我惊奇地发现，在这迷人的所在度过的几个小时，并没有让我得到什么，并没有让我看到令人高兴的结果。但我感到失望，既不是因为对他给我看的那些杰作不满意，也不是由于我无法按捺心中的激动瞥上它们一眼。使我待在斯万的书房里显得那么神奇的，不是事物固有的美，而是附着在这些事物——哪怕它们是世上最丑的东西——上的奇特、忧郁而甜蜜的感觉，那是一种多年来流连忘返于一个地方，一种渗透到这个地方的每个角落去的感觉。一个穿束膝短裤的仆人前来通报，斯万夫人要在梳洗室接见我，我跟着他走在迂回曲折的过道上，只觉得芬芳的香味一阵阵地从梳洗室里飘来；屋里立着三位容貌美丽、仪态端庄的女子，她们是斯万夫人的第一、第二和第三侍女，正笑吟吟地为女主人精心梳妆打扮，我待在屋里只觉得自己渺小而卑微，而斯万夫人雍容而仁慈，也像在斯万先生书房时一样，这种感觉跟大大小小的镜子、一把把的银刷以及斯万夫人熟识的著名艺术家雕刻的帕多瓦圣安托万祭台的华美并不相干。

斯万夫人回到大客厅后，我们还能听见她的说话和笑声，即

1 沃尔夫（F-A.Wolf，1759—1824）：德国哲学家。在所著《荷马序论》中认为，《伊利亚特》和《奥德赛》都由各时期的史诗汇编而成，并非出自一个作者之手。

使只有两位客人，她也像高朋满座时那样提高嗓门，拖长语调，因为她在维尔迪兰府的小圈子里时常听到女主人这样引导谈话。新近从别人那儿听来的新鲜说法，至少在一段时期里，正是我们最喜欢引用的说法，斯万夫人引用的既有从丈夫出于礼貌给她介绍的上层人士那儿学来的说法（她学他们的样儿，故意在形容一个人的修饰词前面略去冠词或指示代词），也有比较俚俗的说法（例如：小菜一碟！这是她的一位女友喜欢说的），按照在小圈子里的习惯，她不时喜欢讲个段子，这时她会想方设法把这些说法用进去。然后她往往会说："我挺喜欢这段子。""嗨！怎么样，是个精彩段子吧！"这是盖尔芒特家的说法，她不认识他们，但听丈夫说起过。

斯万夫人离开餐厅后，她刚回家的丈夫进来了。"你母亲是一个人在吗，吉尔贝特？"——"不是，还有客人呢，爸爸。"——"啊，还有客人？都七点了！真是要命。你可怜的妈妈准是累坏了。麻烦哪。（在家里我听到大人说麻烦时总把'麻'拖得很长——麻－烦——而斯万夫人就说麻烦，'麻'字说得很快。）"他接着转身对我说，"您想想，从下午两点到现在！卡米耶告诉我，四点到五点一下子来了十二个客人。不是十二个，好像是十四个。不，是十二个；反正我也弄不清。我回家那会儿，没想着今天是她的接待日，瞧见门口停着那么些马车，还以为家里在办婚事呢。我在书房待了一小会儿，只听得门铃响个不停；说实话，我头都疼了。她身边客人还多吗？"——"不多，就两个。"——"你知道是谁吗？"——"戈达尔夫人和蓬当夫人。"——"噢！公共工程部部长办公室头儿的妻子。"——"我只知道她先生在一个什么部里当差，到底干什么就不知道啦。”吉尔贝特故作稚拙地说。

“啊，小傻瓜，你说这话像两岁的孩子。瞧你说的：在部里当差！他是办公室的头儿，那儿全归他管，哎哟，我怎么也糊涂了，不该说什么头儿，他是办公室的主任。”

“我可不知道；这么说办公室主任权挺大啰？”吉尔贝特说，对于能让父母的虚荣心得到满足的事情，她从不放过机会来显示自己的冷淡（再说，她可能觉着这么显得无所谓，反而会让客人的地位更引人注目）。

“啊，权大不大！”斯万一反往常委婉的语气（他要是那样说，我想必会有所猜疑），直截了当地大声说，“部长下面就是他！他的权甚至比部长还大，所有的事都是他在张罗。而且听说他很有才干，是个出类拔萃的政府官员，得过荣誉勋位勋章。他举止优雅，人也长得挺帅。”

他妻子当年就是不顾一切物议嫁给这个美男子的。柔滑的金黄色胡须，挺帅气的脸蛋，齉声齉气的嗓音，浊声浊气的呼吸，外加一只玻璃假眼：也许这就足以勾勒出一位难得一见的妙人儿的尊容了。

“其实呢，”斯万又对着我说，“在现政府里瞧见这些人，我也觉得挺可乐的，要知道他们都姓蓬当，都来自蓬当－谢尼那个思想狭隘、观念保守的教权派家族。您外公跟老谢尼很熟，至少是听说过、见过面吧，这位老爹那时候挺有钱，可他赏马车夫酒钱就给一个苏。还有布雷奥－谢尼男爵，他敢情也认识。普联银行[1]股票暴跌，弄得他们倾家荡产，哦，您还太小，不会知道这

1　普联银行（l'Union Générale）是法国一家与罗马天主教廷关系密切的大银行，1882年倒闭。

事。当然啰，后来他们又重振了家业。”

“他有个侄女在我们学校里，比我低一个年级，她是出了名的阿尔贝蒂娜。她将来一准很fast[1]，可现在瞧上去怪怪的。”

“我女儿可真了不起，什么人她都认识。”

“我不认识她，只是看见她走过，听到这儿有人喊她阿尔贝蒂娜，那儿也有人喊她阿尔贝蒂娜。可我认识蓬当夫人，我也不喜欢她。”

“那你就错了，她既可爱，又漂亮，而且聪明。人也挺风趣。我这就去跟她打个招呼，听听她丈夫对时局的看法，比如会不会打仗啊、迪奥多兹国王会不会帮我们啊。他想必都知道吧，他接触的不都是些上层人物吗？”

以前斯万是不用这种口气说话的。不过，这样的事儿我们也见得不少了：头脑简单的公主先是和贴身男仆私奔，十年过后又想重新回到社交圈，却觉得人家都躲着她不肯去她府上，久而久之说起话来就像个讨厌的老太婆，听到有人提起某位当红的公爵夫人，不是说“她昨儿晚上来看我啦”就是说“我啊，现在不想跟人多来往”。因此，生活习性这东西是不用考察的，根据心理学去推断就都有了。

斯万夫妇这样的人，平时就苦于难得有人登门；所以有人来访、应邀做客，甚至哪位有头有脸的客人说了一句客气话，在他们眼里都是非同小可的事情，唯恐大家不知晓。要是奥黛特某次晚宴堪称成功，而偏不凑巧，维尔迪兰夫妇俩远在伦敦，那么这个消息就会由他们某个共同的朋友发电报送抵海峡彼岸。就连奥

---

1 英文：新潮；放纵。

黛特收到的贺信、贺电，她和斯万也定然会公之于众。他俩会告诉朋友们，让大家传阅这些信和电报。因而斯万府上的沙龙颇像大堂里张贴着电报的海滨度假旅馆。

不过，有些人不是像我这样仅仅在社交圈外，而是在社交圈，在盖尔芒特的圈子里认识当年斯万的（这个圈子要求极严，除几位殿下和公爵夫人外谁也不能例外，进入圈子的男男女女，首先必须风趣机智、风度翩翩，否则即便是某领域的杰出人物，只要大家觉得他乏味、平庸，他也会被宣布为不受欢迎），这些人看着旧日的斯万变得这么多，非但说起朋友熟人时不像过去那么谨慎小心，而且挑选朋友也不那么慎之又慎，他们想必会感到惊讶吧。这么一个粗俗、乖戾的蓬当夫人，他看着难道不觉得讨厌？居然还口口声声说她挺可爱。在我们看来，似乎回忆一下盖尔芒特府上的社交圈，就足以让他不这么着了；可是不然，这样的回忆反而促使了他这么想、这么说。没错，盖尔芒特的圈子跟社交界四分之三的沙龙都不同，这个圈子里是有鉴赏趣味的，甚至趣味相当不俗，然而附庸风雅毕竟是在所难免的，鉴赏能力因此暂时失准也就不足为怪了。一个并非小圈子不可或缺的人物，比如说对于一个外交部长（有点自命不凡的共和派）或者一个多嘴多舌的院士，通常都是和小圈子气味不相投的，听到德·盖尔芒特夫人在某个大使馆和这样一些宾客共进晚餐，斯万对她深表同情，这些人和趣味高雅的人相比，不啻云泥之别。而所谓趣味高雅者，也就是指盖尔芒特圈子里的人，此人可能一无所长，但他身上有盖尔芒特家族的才智，他和他们是同道中人，是一伙的。然而，一位常在德·盖尔芒特夫人府上进晚餐的大公夫人或公主，也会觉着自己是同他们一伙的，即使她缺乏盖尔芒特家族的才智，不合加入圈子的要求。社交场上的人自有其天真的一面，一旦小圈子接纳了她，大家就会想方设法看出她的可爱之处，至于是否当真觉得她可爱才接纳她的，那就不好说了。公主殿下离去以后，斯万来安慰德·盖尔芒特夫人："其实她还是挺好的，也还有点幽默感。我当然不想说她研究过《纯粹理性批判》，可她并不让人讨厌吧。"

"我完全赞同您的看法，"公爵夫人回答说，"她还有点怕难为情，瞧着吧，以后她会出落得很迷人的——再说，跟滔滔不绝向您报出二十本书名的XJ夫人相比，她也算不得叫人厌烦了。"（XJ夫人就是那位饶舌院士的夫人，她本人也很有才学。）——"那是比也不能比啰。"斯万说，谈论这类话题，把话说得很诚恳，斯万在公爵夫人府上练就的这手本领，一直没荒疏过。现在他把这本事用于接待来访的客人，努力发掘、赞赏他们身上的长处，其实只要你不带挑剔苛责的眼光，本着与人为善的初衷去看人，这些长处是人人身上都有的；他说蓬当夫人怎么怎么好，就像当初他称赞帕尔马公主一样，而要是公主殿下没享有某种特权的话，凭她的才智和风度是根本进不了盖尔芒特圈子的。我们也知道，斯万当年就认为（现在只是一以贯之、身体力行而已）一旦在某些场合觉察到自己在社交场上的地位不很合适，就该设法改换一种地位。有些人之所以相信一个人的社会地位是一成不变的，是因为他们没有认识到，乍一看似乎不可分的事物，其实还是可分的。同一个人，在不同的生活阶段会处于不同的社会阶层，而且未必后来居上；在其中的每一个阶段，我们都会感觉到自己受到某个社交圈的眷注，与之建立或重建联系，这样一来，自然而然就依附于这个社交圈，在它中间扎下了根。

至于蓬当夫人，我心想，既然斯万把她说得这么好，那他想必不会反对我把这位夫人去看斯万夫人这回事告诉我父母。说实话，对斯万夫人渐次结识的这些人，我父母虽说颇为好奇，却并不欣赏。听到特隆贝尔夫人的名字，母亲说：

“啊！这个新兵一招，后面还会有人入伍呢。”

她似乎把斯万夫人这种简捷、速决而有点过火的交友方式比作一场战争，说：

“现在特隆贝尔家归顺了，邻近的部落早晚也会投降的。”

有一次她上街碰见斯万夫人，回家就对我们说：

“我眼看斯万夫人雄赳赳地迈着步子，大概去向马塞舒托家、森加莱家和特隆贝尔家[1]展开凌厉攻势了。”

这个有人为凑合之嫌的小圈子中新来的人，原本属于不同的社交圈，往往都是颇费周折才招募来的。我每回告诉母亲小圈子里来了哪个新成员，她马上就猜测此人的出身背景，说起此人的口气仿佛在说一件重金购进做装饰用的战利品：

“出征某某家虏获的呗。”

让父亲感到惊异的，是斯万夫人不知看上戈达尔夫人的什么了，居然连这么个颇为俗气的布尔乔亚也要招募进去，他说：“教授归教授，我实在没法儿理解。”母亲则不然，她很能理解；她知道对一个女人来说，跻身于一个与往日不同的社交圈以后，倘若不能把这个信息让旧日的同伴得悉，没法儿让她们知道她已经有层次较高的同伴取代了她们，那么她从中感到的快乐会大打折扣。因此得有一个见证人也跻身于这个既新又雅的社交圈，有如

1　据新版七星文库本注，马塞舒托（Masséchutos）和森加莱（Cinghalais）可能是作者杜撰的两个家族名称。

一只嗡嗡飞舞于花丛中的昆虫，一会儿飞到东，一会儿飞到西，把这个消息，把这颗采来的妒羡之种传播开去——至少这么指望吧。戈达尔夫人现成放着适合于充当这样的角色，她在来客中属于这么一类人，按妈妈（她在某些方面的思维方式很像外公）的说法，就是"过路人，去告诉斯巴达"里的过路人[1]。此外——除了一个我们要多年以后才知道的原因之外——斯万夫人邀请这位和气、谨慎、谦逊的女友来参加自己的沙龙，不用担心引来的是个叛徒或竞争对手。她知道，这只忙碌的工蜂装备好帽子羽饰和名片匣，就能在一个下午遍访众多的布尔乔亚花萼。她了解这只工蜂散播花粉的本领，而且基于概率的测算完全有理由相信，很有可能不出三天维尔迪兰府上的某位常客就会知晓巴黎警署总监去拜访过斯万夫妇，或者维尔迪兰先生亲自听说赛马协会主席勒奥·德·普雷萨尼先生曾带斯万夫妇去出席迪奥多兹国王陛下的招待会；这两件事对她来说当然是很有面子的，不过她并不存奢望，打量维尔迪兰夫妇除了这两件事还知道什么，因为风光体面到底能落实在哪些细节上，我们再怎么憧憬，再怎么费神去想，也是想不到多少的，这得归咎于想象力的贫乏喽，尽管——说穿了——我们巴望着（哪怕单单就为了我们也应该这样啊）荣耀表现为许许多多的形态，但是我们实在是没有能力去这么想象的。

再说，斯万夫人只不过是所谓官场得意。那些高雅的女士从不来做客——倒也并非她府上有共和派名流出入吓着了她们。在我的童年时代，社交界盛行保守风气，一个稳重的沙龙是不会接

1 公元前480年，波斯国王薛西斯率大军进攻希腊。斯巴达国王列奥尼达（Léonidas）率三百士兵在温泉关阻击波斯军队，最后全部壮烈牺牲。后人立碑铭文："过路人，去告诉斯巴达吧，我们长眠在此地！"说戈达尔夫人像"过路人"，当是指她喜欢传播消息。

纳共和派[1]人士的。对生活在这样的社交圈子里的人而言，不邀请温和派已是天经地义，激进派就更不消说，这个信念会像油灯和公共马车一样绵亘永久。但社会好比一个万花筒，每转一下，看似不变的排列方式就会打乱，变幻出一个新的图案。我还没初领圣体那会儿，举止优雅的犹太女士已然出入于社交沙龙，令观念正统的夫人们吃惊不小。万花筒的新格局源于哲学家所说的标准的变化。我和斯万夫人认识后不久，德雷福斯事件[2]就带来了一个新的变化，万花筒里的彩色菱形小块又一次翻转了过去。只要是和犹太人沾边的，都压到了底下，就连举止优雅的夫人也不能幸免，原本无人知晓的民族主义者翻到了上面。一个奥地利亲王、极端保守的天主教徒府邸，成了巴黎最显赫的沙龙。倘若发生的不是德雷福斯事件，而是对德战争，那么整个万花筒的格局就会颠个个儿，犹太人所表现出的爱国热情会使舆论为之震惊，他们的社会地位会很稳定，那个奥地利亲王家里，非但不会有人问津，而且没人会承认曾经去过。但尽管如此，每当社会处于相对静止状态时，生活在其中的人就会以为不可能再起变化了，这就好比他们看到发明电话以后，就怎么也不会相信还会有飞机那玩意儿。与此同时，舆论界的名人猛烈抨击前一段时期一切的一切，不光种种娱乐消遣方式一概被斥为腐朽没落，就连艺术家和哲学家的作品，在他们眼里也绝无半点价值，无一不与形形色色

1　共和派是相对于君主派而言。而在共和派内部，又分成温和派和激进派两个营垒。

2　德雷福斯（Alfred Dreyfus，1859—1935）：犹太血统的法国军官，1894年被指控向德国使馆武官出卖机密军事文件，以间谍和叛国罪被判无期徒刑。后因案情逐渐明朗，舆论要求重审。1898年巴黎军事法庭仍维持原判，引起社会强烈反响。左拉因在报上发表题为《我控诉》的公开信声援德雷福斯而被判罪。围绕这一事件，各派政治势力斗争极为激烈。1899年德雷福斯由总统特赦获释。1906年最高法庭为他平反并恢复名誉。

轻浮浅薄的社会风尚有着千丝万缕的联系。唯一不变的，是每次他们都会说法国似乎有了点变化。我刚去斯万夫人府上做客的时候，德雷福斯事件还没发生，有些上层的犹太人当时很有权势。其中首屈一指的是鲁福斯·伊斯拉埃尔爵士，伊斯拉埃尔夫人是斯万的姨妈。她和上层社交界的交往不如外甥密切，做外甥的也不喜欢和姨妈多有来往，尽管他很可能是她的遗产继承人。不过，她是斯万所有亲戚中唯一意识到他社会地位的人，而对这一点不仅我们家长期以来一无所知，其他亲戚也始终不甚了了。当一个家族中有某个成员冒出头来，跻身于上层社会——当时看来这是绝无仅有的一桩大事情，其实在后来的十年中间他眼看着不止一个同龄人通过别的途径，凭借不同的办法做到了这份儿上——他就会在自己周围画出一个影子地带，一个terra incognita[1]，对待在里面的人来说，那儿的一切纤毫毕现，但对不曾涉足的人而言，那儿是一片黑暗和虚无，他们哪怕就挨着它边上在走，也不会觉察到它的存在。没有哪家哈瓦斯通讯社[2]播发过消息，让斯万的表兄表姐们得知他平日交往的都是哪些人，所以他们在餐桌上笑吟吟地（当然是在他那桩可怕的婚事以前）提起这位表亲会有明显的优越感，他们谈论星期天怎么赏个脸去看望夏尔表弟，把他当作心存几分妒意的穷亲戚，用巴尔扎克的小说书名来调侃，管他叫傻表弟[3]。而鲁福斯·伊斯拉埃尔夫人却心里雪亮，清楚那些和斯万交情好得让她妒羡的朋友是何等人物。她夫家世

1　拉丁文：未知区域。

2　法国人哈瓦斯（Charles Henri Havas，1783—1858）于1835年创办的世界上第一家新闻通讯社。

3　Cousin Bête（傻表弟）与巴尔扎克的小说Cousine Bette（直译为“贝特表妹”，中译本作《贝姨》）谐音。

代替奥尔良亲王府理财，实力堪与罗斯柴尔德家族[1]相比。伊斯拉埃尔夫人财大气粗，对所有认识的人施加影响，不准她们接待奥黛特。其中只有一人暗中没听她的话，那就是德·马桑特伯爵夫人。不过，合该奥黛特倒霉，有一天她去德·马桑特夫人府上，前脚刚到，伊斯拉埃尔夫人后脚就来了。德·马桑特夫人尴尬得不得了。而像她这样的人是什么事都做得出来的，她别转头，一句话也不跟奥黛特说。从此以后，奥黛特也就提不起精神再闯这个她原本就不爱去的社交圈了。圣日耳曼区对奥黛特抱极其冷漠的态度，在那些贵妇名媛眼里，奥黛特始终是个无知无识的轻佻女子，和家系谱牒烂熟于胸的布尔乔亚不能同日而语，那些布尔乔亚的夫人小姐，尽管在现实生活中无缘亲承贵族的润泽，可还是阅读了不少前朝回忆录聊以解望梅之渴。但斯万的心却似乎依然系在奥黛特身上，旧日情人的种种出格之举，在他看来好像都是讨人喜欢，至少是不讨人厌的，我常常听见他妻子说出非常不得体的话来，而他（由于旧情未了，或没多加留心，或懒得去为她转圜）从不帮她改个口。当初在贡布雷把我们长期蒙在鼓里的，也许正是斯万的这种天真，如今他仍是这样，尽管继续在结交地位显赫的新朋友，却无意让他们在自己妻子的沙龙里显得有什么与众不同。对斯万来说，他们的重要性确实也大不如前了。不过奥黛特对上层社交界的无知，也真是叫人哭笑不得，谈话间话题从德·盖尔芒特公爵夫人转到她的表亲德·盖尔芒特亲王夫人，奥黛特就会说："哟，怎么变亲王夫人了，这不是晋爵了

1 罗斯柴尔德（les Rothschild）家族是欧洲最著名的银行世家。

吗？”要是谁在提到夏特勒公爵[1]时称他亲王，她马上会纠正：“公爵，是夏特勒公爵，不是亲王。”对于巴黎伯爵的儿子奥尔良公爵[2]，她有个说法：“真怪，儿子的爵位比父亲高，”由于崇拜英国，她还会接一句，“这些Royalties[3]的事真让人犯糊涂。”碰到有人问她盖尔芒特家族出生在哪儿，她回答说：“埃纳省[4]。”

事关奥黛特，斯万往往会变得视而不见，不仅对她的缺乏教养如此，对她的智力平庸亦如此。只要是奥黛特说的故事，无论怎么愚蠢，斯万都会礼貌地聆听，那种津津有味、近于歆羡的表情，想必是由感官的欲念激发的；而在同样的场合，当斯万说起一些很机智甚至很深刻的话题时，奥黛特总显得爱听不听的，很快就露出不耐烦的神色，有时还会疾言厉色地反驳。而家庭生活的另一面，却是许多卓越的女子对粗鲁的匹夫倾心相与，这个笨伯横挑鼻子竖挑眼，在她们娴雅的谈吐里存心找碴儿，她们却甘之如饴，以爱的名义纵容俗不可耐的戏谑。想到这儿，我们的结论是：在不少家庭，高雅屈从于庸俗已成为夫妻生活的定例。再回到奥黛特，要说她那时为什么不见容于圣日耳曼区社交圈，其中有一个原因不可不说，那就是社交万花筒最近一次转动是由一连串丑闻定格的。社交圈毫不设防地为之敞开大门的一些女人，竟然是妓女、英国间谍。有一阵，社交圈里看人的标准（至少大家自以为如此）首先是稳重、可靠……有些人和事，是社交场中

1　夏特勒公爵（duc de Chartres，1840—1910）：法国国王路易－菲利浦的孙子，奥尔良公爵菲迪南（1810—1842）的次子，巴黎伯爵的弟弟。作为王室成员，被尊称为亲王是很自然的事。

2　指奥尔良公爵菲利浦（1869—1926）。

3　英文：王族。

4　对方询问出生地时，答以出生省份是不合礼仪的，应该回答出生的城镇。

人刚刚中断、旋即恢复联系（因为这些人不是朝夕之间就能改变的，他们总会在新的处境中寻找旧影的延续）的，奥黛特就是其中一个代表；他们在恢复这种联系时，会赋予这些人和事一种不同的形式，自欺欺人地相信这已不是危机前的那个社交界。奥黛特实在太像社交场上那些丧失信用的女士了。社交界人士都是高度近视的；他们刚和旧时相识的犹太女士们断交，正思忖着怎么填补空缺呢，却只见新冒出来一位女士，也是犹太人，但既然是新的，他们就觉着她不同于往日的女士们，大可不必深恶痛绝。这位女士不要求别人接受她的真主，别人也就接纳了她。我刚去奥黛特家的那会儿，还没有排犹主义这档子事，但大家照样躲着她。

斯万的熟人中间，有些已是社交界名流，这些朋友府上他是常去造访的。而当他向我们说起他去了哪些人府上时，我注意到一点，就是从他选择与哪些人来往上，同样可以看到那种作为艺术品收藏家的既重艺术又重历史的口味。我发现，让他感兴趣的往往是某位光景有些式微的贵妇人，原因在于她曾是李斯特的情妇，或者巴尔扎克曾把一部小说题献给她祖母（正如他因为夏多布里昂提到过一幅画就把它买下），我疑心我们是以一个错误掩盖了另一个错误：当初在贡布雷错把他当作从不涉足社交界的布尔乔亚，这会儿又错以为他属于巴黎最高雅的圈子。和巴黎伯爵是朋友，这并不能说明什么呀。那些亲王的朋友，不是照样在门户较严的沙龙吃闭门羹吗？亲王们明白自己的身份，不去赶那时髦，再说这些亲王自恃血统高贵，非一般的贵族和布尔乔亚所能相比，居高临下地看他们，只觉得他们之间无所谓高低之分。

斯万虽说依恋那些曾经辉煌过，至今也还为人所知的姓氏，但他在时下这个社交界中要寻觅的，并不仅仅是文人、艺术家的雅趣，他还喜欢一种比较俗气的消遣，就是把各色人等像摆弄花束那样搭配起来。这种有趣的（或者说斯万觉得有趣的）社会学实验，没能在他妻子的所有女友身上——至少没能始终如一地——引起共鸣。“我打算请戈达尔夫妇和旺多姆公爵夫人一起来吃饭。”他笑嘻嘻地对蓬当夫人说，那模样就像一个美食家有了个主意，要让人用红辣椒来代替调味的丁香。然而这个想必会让戈达尔觉得来劲的打算，却使蓬当夫人大为气恼。她新近刚被斯万夫妇引荐给旺多姆公爵夫人，尽管说不上受宠若惊，可毕竟是满心欢喜。把这事告诉戈达尔夫妇，在他俩面前炫耀一番，在她可是一份不容小觑的乐趣。正如勋章膺获者受勋甫定便巴不得授勋这档子事就此刹车，蓬当夫人满心指望在她以后，这个圈子里就再也没人被引荐给亲王夫人了。她暗自詈骂斯万趣味低下，原本她在戈达尔夫妇面前说得天花乱坠，现在斯万起了这么个无聊之极的怪念头，满天的香花眼看一下子就要变得无影无踪了。再说，被她说成非她莫属的好事，教授夫妇居然也轮得上，这可叫她怎么向丈夫开口啊？要是戈达尔夫妇能明白，斯万邀请他俩并不是诚心诚意，而只是为了逗个乐子，那倒也罢了！蓬当夫人不知道，斯万请她们夫妇俩，其实也是这么回事，不过斯万毕竟在贵族圈里浸润已久，唐璜那套本事已谙熟于心，足以让两个不相干的女子每人都以为他真心爱的是她，所以他当初对蓬当夫人提到旺多姆公爵夫人时，是说他觉着请蓬当夫人作陪最为合适来着。而几个星期过后，斯万夫人说：“对了，我们想请戈达尔夫妇和亲王夫人一起来吃饭，我丈夫认为这样的组合会挺有趣。”她虽说保留了维尔迪兰夫人小圈子里珍爱的某些习惯，比如大声说话好让每个信徒都听清楚，但也学到了盖尔芒特沙龙所珍爱的某些说法（比如组合），她跟这个沙龙并不接近，却在不知不觉中远远地受到它的吸引，有如大海受到月亮的吸引。“可不是，戈达尔夫妇和旺多姆公爵夫人，您不觉得会挺逗的吗？”斯万问。“我觉得会挺糟糕，你们这是自找麻烦，自讨苦吃。”蓬当夫人气呼呼地回答。这次晚宴邀请的还有她和她丈夫，以及德·阿格里让特亲王；当有人问起，蓬当夫人和戈达尔会视对象不同而分别以两种方式作答。对有些人，蓬当夫人也好，戈达尔也好，对晚宴是否还有宾客之类的问题都轻描淡写地回答说：“不就是德·阿格里让特亲王吗？都是些熟朋友。”可有些人是非要问个明白不可的（有一回甚至问戈达尔：“蓬当夫妇请没请呢？”——“我可没留意。”戈达尔涨红了脸答道，这个不知趣的家伙就此被认为是乌鸦嘴）。对这些人，蓬当夫妇和戈达尔夫妇不约而同采用同一种模式回答，只不过把其中的名字相应地对换一下而已。戈达尔会说：“有男女主人，旺多姆公爵和公爵夫人——（不失时机地微微一笑）戈达尔教授和夫人，哦，天晓得是怎么回事，还有蓬当先生和夫人，他们可真是煞风景。”蓬当夫人的回答如出一辙，只是在旺多姆公爵夫人和德·阿格里让特亲王之间，颇为自得地报出蓬当先生和夫人，末了那对所谓不请自来的不识相的秃驴，则是戈达尔夫妇。

斯万出门做客，常常在晚餐前才匆匆赶回家。在下午六点，这个曾经让他伤心的时刻，他不再心心念念想知道奥黛特正在做什么，也不再在意她究竟是在家招待客人还是出门去了。他有时会想起好多年前有一天，他怎么设法透过信封看奥黛特写给福什维尔的一封信。可是这个回忆令他感到不快，或者说加重了他的羞辱感，为了摆脱这一回忆，他轻轻抽动一下嘴角，或者索性摇摇头，意思是说："这跟我有什么相干？"的确，他觉得以前常用的假设是不对的，根据这个假设，生活弄得一团糟，全是他充满妒意的猜想造成的。奥黛特实际上是无辜的，现在他断定这个假设（它当时是对他有帮助的，在那段因爱情而病的漫长时光中，它让他觉着这病是臆想的，从而减轻了病痛）是不成立的，他的嫉妒才是真确的，尽管奥黛特爱他爱得比他想的更深，但她骗他也骗到了家。当初他在痛苦万分时，赌咒发誓只要有一天不再爱奥黛特，不再怕惹她发火，不再怕她知道他爱她已不能自拔了，他就要扬眉吐气地跟她说个明白（仅仅出于弄清真相的动机，就好比要解释清楚一个历史上的疑点）。当年他拼命拉铃、敲窗，就是没人开门的那天，也就是她写信给福什维尔说她有个舅舅来了的那天，福什维尔到底是不是在跟她睡觉。他一直盼着妒意消停以后能把这个饶有兴味的问题弄个明白，可当他不再嫉妒了，这个问题在他眼里也就索然无味了。当然这不是一朝一夕的事。他对奥黛特这个人已不复感到妒意以后，他在拉佩鲁兹街小屋跟前敲不开门的那个下午，却仍在撩拨着他的妒意。斯万的嫉妒，在这一点上跟有的疾病有些相像，那种疾病的病灶和感染源并不在某些人身上，而是在某些地点、某些寓所，嫉妒的对象与其说是奥黛特，不如说是往昔他敲遍奥黛特寓所门窗的那一天、那一刻。不妨说，斯万曾经有过的爱情消逝前的余音，全都凝固在那一天、那一刻里了，他也只有在那儿还能寻见爱情的余音。他早就不在意奥黛特是否欺骗过他，或者是否还在欺骗他。然而有那么几年，他仍在寻访奥黛特当年的仆人，无法排遣那份痛苦的好奇心，执意要知道很久以前的那天六点钟，奥黛特究竟是不是跟福什维尔在睡觉。尔后，好奇心过去了，但由它引发的调查却没停息。他依然想弄清楚那些他不再感到好奇的事情，他的旧我虽说已极度虚弱，但仍凭借着忧虑的惯性，在机械地运转，尽管忧虑已然消停，他甚至都想不起来自己曾怎么焦虑来着——当初这焦虑是沦肌浃髓的，他觉得这辈子再也别想摆脱它了，除非自己的心上人死去（而在本书稍后的地方，我们会看到一个冷酷的反证，证明死亡丝毫不能消减嫉妒的痛苦），他那堵塞的生活道路才能疏通。

他所企望的，并不只是有一天能弄清楚奥黛特究竟做了些什么，使他生活得如此痛苦；他心底里还埋着一个心愿，那就是在不再爱奥黛特，因而也就不再怕她的时候，要向她报复，而恰巧他也有机会遂这个心愿：他爱上了另一个女人，一个他没有任何理由嫉妒但还是嫉妒的女人。他嫉妒这个女人，仅仅因为他除了这种爱法已不会去爱，他只能用对奥黛特的爱法去爱另一个女人。他的妒意说来就来，不一定非要这个女人对他不忠，而只要有个什么理由，比如说在一个晚会上和他离得远远的，看上去却挺开心，他的妒意就会油然而生。这就足以唤醒他心头旧日的焦虑——爱情的赘疣，抵消爱情机能的可悲的赘疣，泯灭他身上那种难以抗拒的冲动（探明这个年轻女子对他的真实感情，她藏而不露的欲望，内心深处的秘密），这焦虑在他和他所爱的人中间横亘了一个个又冷又硬的疑团，这些因奥黛特或奥黛特之前的某个女人而起的疑团，使老去的情人只能通过激起妒意的女人这个存在于臆想中的泛指的、古老的概念，去了解他如今的情妇，把新的爱情大而化之地纳入这个影子般的概念。诚然，斯万也常觉着自己因嫉妒而把想象中的不忠信以为真，但转眼间他又想起当初就是用这个理由为奥黛特辩解的，而结果证明是错了。因而，他爱过的这个女人不在他身边时所做的那些事，在他看来不再是那么清白的了。他以前起过誓，一旦不再爱这个女人（他不曾想到她日后会成为他的妻子），就要毫不容情地冷淡她，把她晾在一边，以此来为自己长期受辱的自尊心报仇，现在他可以实施报复而没有了后顾之忧（即使奥黛特跟他较真，中止以前对他来说弥足珍贵的单独交谈，那对他又算得了什么？），他却不想这么做了；爱情消逝了，表明自己不再爱的欲望也随之消逝了。他为奥黛特备受煎熬的时候，满心想着有朝一日能让她看看，自己爱上了另一个女人，可是到了这一天，他却火烛小心，生怕妻子起疑知晓他另有新欢。

当初喝下午茶的时分，我怏怏不乐地眼看吉尔贝特离开，提前回家去，眼下我却可以和她一起去喝茶。以前她和母亲一起外出散步或看戏，不来香榭丽舍的日子，我孤零零地在草坪上、木马旁转悠，现在斯万先生和夫人却允许我和他们一起外出，马车上有我的一个座位，他们甚至会问我喜欢去哪儿，去剧场看戏，去吉尔贝特的同伴家上舞蹈课，去斯万夫妇的朋友府上参加一个社交聚会（斯万夫人管它叫小meeting[1]），还是去参观圣德尼修道院的墓地[2]。

斯万夫妇带我外出的日子，说好我去他们家一起用午餐，按斯万夫人的说法就是lunch[3]；约定的时间是十二点半，而那一阵我们

1 英文：聚会。

2 指巴黎圣德尼修道院里的墨洛温历代国王的墓地。

3 英文：午餐。

家十一点一刻就用午餐了，所以我总要等爸爸妈妈都吃好离开餐桌以后，才出门向那时尚的街区而去，那一带平时就很冷清，中午时分街上更是空荡荡的。只要天晴，即使在寒意逼人的冬天，我也在大街上来来回回地走着，不时再系系夏尔韦时装店的那条漂亮领带，瞧瞧脚上的漆皮高帮皮鞋有没有弄脏，直等到十一点二十七分。我远远地朝斯万家的小花园望去，只见光秃秃的树身在阳光里像雾凇似的闪闪发亮。没错，花园里是只有两棵树。但在非同寻常的时刻，景色也都焕然一新了。对斯万夫人家进餐的憧憬，渗入大自然唤起的愉悦心情（日常习惯的打破，甚至肚子饿，都使愉悦感变得更强烈），并没有减弱这种愉悦感，而是控驭了它，使它变成了社交场合的配饰；平日里感觉不到的美，仿佛在这一时刻展现了在我眼前：晴空，寒意，冬日的阳光，好似蛋奶羹上的那层奶油，一如覆在斯万夫人寓所这座神秘殿堂上的古色古香的光泽，淡红，透明，沁着凉意，而殿堂里面却是温暖如春、馨香四溢、鲜花盛开。

十二点半，我终于决定进入这座屋子，心想它就像圣诞老人背上的大袜子，准会带给我意想不到的欢乐。（不过圣诞这个词，斯万夫人和吉尔贝特是不说的，她们都说Christmas[1]，Christmas布丁啦，Christmas礼物啦，Christmas期间外出啦——这样的外出使我倍感痛苦。回到家里，我觉着说圣诞节不够体面，便也说Christmas，让父亲感到可笑之极。）

起先只遇到一个仆人，他领我穿过好几个大客厅，把我引进一个小客厅，里面空无一人，但窗户透进午后蓝莹莹的光线，

1 英文：圣诞节。

已给它蒙上了梦幻的色彩；我独自待在里面，陪伴我的是那些兰花、玫瑰和紫罗兰，它们——就像挨在我身边，却又不认识我的侍女——默默不语的那种情状让人久久难以忘怀，一屏水晶玻璃后面，小小心心地搁着一盆炭火，灼红的炭块在白色大理石火盆里熔融，宛如一颗颗炙热无比的红宝石在塌陷，而那些怕冷的花儿正迎着火盆，接受这暖意的抚爱。

我先是坐着，但听到开门声马上站立起来；进来的是第二个仆人，然后是第三个，他们神色庄重地进进出出，只是来给火盆添点炭，或往壶里加点水。他们都离去后，门关上，我又是独自一人了，但我知道斯万夫人早晚会打开这扇门的。是啊，炭火犹如在克林索尔的熔炼室里[1]那般销熔的这个候见小客厅，比任何神奇的魔宫更令我心绪激荡。又响起一阵脚步声，我没立起身来，大概又是一个仆人吧，不想是斯万先生来了。"怎么，就您一个人？真没办法，我可怜的妻子压根儿不知道钟点。十二点三刻。平时还得晚些。待会儿您瞧她那不慌不忙的劲儿，倒像她来早了似的。"他神经性关节炎又犯了，样子看上去有些滑稽，有这么一位不守时的妻子，去了布洛涅树林就想不着回家，到了裁缝家里就忘了时间，从来不知道准时用餐的妻子，斯万的胃是遭了些罪，可是他的自尊心得到了回护。

他把新添的收藏品拿给我看，告诉我它们的精妙之处，可是我过于激动，加上不习惯到这时候还没吃饭，脑子里虽然兴奋得很，却又像空了似的，我虽然还能说话，却根本听不见他说些什么。况且，斯万收藏的这些精品，既然在他家里，对我而言不啻

1　克林索尔（Klingsor）是瓦格纳（Richard Wagner，1813—1883）的歌剧《帕西法尔》（Pasifal）中的巫师。

午餐前那珍贵时刻的一个部分。即使见着《蒙娜丽莎》在这儿，我也未必会比看到斯万夫人的一袭家居长裙或她的嗅盐瓶感到更欣喜。

我继续等候，独自一人，或者和斯万一起，吉尔贝特也常过来和我们做伴。瞧着一批批神情肃穆的仆人进进出出，我只觉得斯万夫人的莅临是一件隆重的大事。我侧耳静听每一下声响。可是凡事莫不如此，大教堂也好，大海的怒涛也好，舞者的纵跃也好，都是眼见不如心想的；这不，几个身着号衣的仆人如同舞台上的龙套鱼贯上场为王后开道（甚至有和王后亮相抢风头之嫌）过后，斯万夫人穿一件獭皮紧身短大衣，悄没声儿地走了进来，只见她的面纱后面隐隐显出冻得发红的鼻子，全然不如我想象中那般光彩照人。

她要是上午不出门，就会穿一件双绉晨衣进客厅，在我眼里它比哪件长裙都更优雅。

有时候斯万夫妇俩整个下午都待在家里。午餐吃得晚，过不多一会儿，我原以为应当跟平时不同的这个下午居然也就很快过去了，只见一抹斜阳染红了花园的墙面，仆人们擎来大小不一、形状各异的烛台，分别放在半圆桌、独脚小圆桌、墙角柜或茶几上，烛光照得它们好像陌生的祭礼的圣坛。客厅里的谈话没有让人激动的内容，我起身告辞时心头有些怅然，一如儿时望过午夜弥撒后的感觉。

但这仅仅是精神上的失落。在这屋里，当吉尔贝特没和我在一起，而我知道她马上就会进来，接下去几个小时她都会向我报以话语，应以目光（那种专注的、含着笑意的、我曾在贡布雷第一次见到的目光），我心间就不由得充满了欢愉。至多，在看她沿着小楼梯走进楼上房间的时候，会有一丝妒意掠过脑际。我留在客厅，犹如女明星的情人留在正厅的前座，忐忑不安地揣想后台或化妆间里的情景；我就楼上房间的布局向斯万咨询，问题提得含蓄而不着痕迹，但语气中毕竟难抑忧虑之情。他告诉我吉尔贝特是去熨烫衣物的房间，表示可以陪我去看看，还答应下次吉尔贝特再去，他一定让她带我一起上去。听到他后面那句话，我心头如释重负，对我而言，那种使我们觉着心爱的女人变得非常遥远的、瘆人的心理距离，顷刻间就无影无踪了。望着他，心头涌上一股满含柔情的暖流，我觉着这份柔情比我对吉尔贝特的爱情更浓烈。作为女儿的主人，他把她给了我，而我，有时遭她拒绝的我，并不直接拥有斯万间接具有的这种权威。说到底，我爱她，见到她我就骚动不安，渴念某种还没得到的东西，而这时这种骚动和渴念，使我们在心爱的人身边体会不到爱的感觉。

不过，待在家里的时间并不是很多，我们常常出门去。有时斯万夫人在换装出门前先弹会儿钢琴。那双纤美的手，从双绉晨衣粉红或白色，通常色泽明亮的袖口里伸出，抚过琴键的手指间流淌出的，正是平时目光中（而不是心间）流露出的那种忧郁。有一天，她给我弹了一段凡特伊的奏鸣曲，就是有斯万最喜欢的小乐句的那段。可是，第一次听一首较为复杂的曲子，我们往往并没听到什么东西。我也是在后来，第二遍第三遍听人弹奏这首奏鸣曲时，才意识到它原来是我所熟悉的。所以，说“第一次听到”并没错。要是一个人在听第一遍时真如他所觉得的那样，什么也没听出来，那么第二遍、第三遍不就成了第一次吗？没有理由非要到第十次才听出点名堂来呀。第一遍听的时候，问题可能并不在于理解，而在于记忆。我们的记忆，相对于我们聆听时纷至沓来的印象而言，是非常不管用的，就好比一个人在睡梦中想到许多事情，醒来却什么也想不起来，或者说就像一个前听后忘记的老糊涂那么健忘。面对头绪繁多的印象，我们的记忆力无法立刻把它们储存下来。记忆是对于听过两遍或三遍的作品，渐渐地形成的，这就好比中学生把课文念了好几遍，临上床时还觉着没记住，可第二天醒来却全都背了下来。而这首让斯万和他妻子倾心于其中一个乐句的奏鸣曲，在这一天以前我始终没能清晰地感觉它，就像一个名字，你拼命再想，可就是想不起来，脑子里是空白的，一小时过后，你已经不再想了，这个刚才怎么也想不起的名字，却倏地一下跳了出来。真正的艺术珍品，都是不会一下子让人记住的，而且这些作品最先触动我们的，凡特伊的奏鸣曲最先触动我的亦是如此，并不是作品最可贵的部分。斯万夫人为我弹奏那个有名的乐句时，我不仅以为这部作品对我来说也就是这样了（于是有很长一段时间，我没有用心去听它）——在这一点上我跟有些人一样愚蠢，他们看过威尼斯圣马可教堂穹顶的照片，就以为身临其境也没有什么可以惊叹的了——而且，当我从头至尾再听一遍这首奏鸣曲时，我仍感到眼前几乎一片茫然，犹如一座远处或雾中的建筑那般朦胧。因而，对这类作品的了解，是个令人伤感的过程——凡须在时光中展现的事物无不如此。凡特伊奏鸣曲中最隐蔽的东西展现在我眼前的那一刻，我最初听懂并喜欢的东西就开始在不知不觉中被习惯所裹挟，撇下我逃遁而去了。这首奏鸣曲给我带来的东西，我只能在一个又一个相继的时段去爱抚，因而我无法整个儿占有它：它就像生活一样。然而，这些杰作毕竟不像生活那么令人失望，它们并不一上来就把最美的东西展现给你。在凡特伊的奏鸣曲中，我们最先感受的美，也是我们会最快感到厌倦的美，而且由于同样的原因，它往往是与我们已知的美最接近的。而当这样的美离我们而去时，某个短句阒然在向我们迎来，但它的构思过于新颖而奇特，恍惚间我们一时没法儿把它看真切，没法儿靠近它爱抚它；然而此时，它终于过来了——我们天天在它跟前经过而浑然不觉它的存在，它仅凭自身的美不足以为人所见、为人所知，兀自等待了那么多时日的这个短句，终于姗姗地来了。它最后来临，也将最后离去。我们会对它爱得最久，因为我们是过了那么久才爱上它的。一个人要想稍稍深入地理解一部作品——比如我要理解这首奏鸣曲——所需的时间，比之于一部真正创新的杰作从问世到得到公认，其间所历经的那些年头、那些世纪，仅仅是一个缩影、一个象征。天才不愿看到周围的人群无视他的杰作，也许会对自己说，同时代的人缺乏必要的审美距离，为后世而写的作品理当留待后人去读，有些画站得太近没法儿欣赏，不就是这个道理吗？其实，他何必这么软弱，唯恐人家对他评价不公呢？评价不公是不可避免的。天才的作品之所以难以立即为人所推崇，就因为写出这样作品的人是特立独行，和常人不一样的。这样的作品，总是先培育出为数极少的知音，然后才拥有一个人数较众的读者群。贝多芬的四重奏（第十二号、十三号、十四号和十五号[1]）历时五十年才孕育、造就了一批贝多芬四重奏听众，从而（跟所有杰作的情形相似）取得一种突破，即便不说让作曲家的价值为世人所公认，至少形成了一支有欣赏水平，亦即真正喜爱它们的听众队伍——而在作品问世之际，这样的听众是寥若晨星的。

1　贝多芬写了16首弦乐四重奏，后人按创作时间先后编为第一号至第十六号。其中最后5首都写于《第九交响曲》之后，以深刻、内省著称。

所谓后世，就是作品的后世。作品（为简单起见，那些不仅能为自己，而且还能同时为其他天才培养未来的高水平受众的天才，不在考虑之列）应该为自己创造后世。倘若把作品封存起来，直到后世才公之于众，那么就这部作品而言，这样的后世就不是后世，而是同时代的一群人，只不过是生活在五十年以后罢了。所以，艺术家若要让自己的作品走上自身的轨道，就不能把它藏之名山，而必须让它行之于市，直至遥远的将来。这个将来，才是杰作真正的归宿，不高明的评论家，差就差在想不到这个将来，高明的评论家时时把将来放在心上，但有时又因顾虑太多而误事。类比平行线会聚到视平线的透视原则，我们不难想象，绘画、音乐领域迄今为止所有的革命，毕竟都还是有某些规律要遵循的。相继呈现在我们眼前的种种艺术形态——不协和音曲式、中国水墨画法、印象主义、立体主义、未来主义，之所以都显得是对先前形态的颠覆，只是因为我们在看那一形态时，没有意识到时光流逝会产生一种同化作用，一种使雨果和莫里哀变得很接近的同化作用。不妨设想一下，一个对未来、对岁月带来的变化全无概念的年轻人，听到占星家预卜他的中年际遇时会觉得多么荒唐，多么不可思议。当然占卜不一定准，而正如天才未必能促成或阻止可能性变为现实，预言未能实现并不说明预言者智力平庸；同样，对一部艺术作品来说，如果在审美标准中加入时光的因素，我们对它的评价势必会掺进某些带有随机性，因而不再那么真有兴味的东西。一个人可以是天才，却不相信真会有铁路、有飞机，一个人可以是杰出的心理学家，却识别不了情妇或朋友的虚情假意——而最平庸的人也看得出他们在骗人。

虽然我并没有领悟这首奏鸣曲的妙处，但斯万夫人的演奏叫我听得出了神。她的触键，如同她的晨衣，如同那楼梯的芳香，如同她的短大衣和菊花，属于一个独特而神秘的世界，那是我们这个世界，这个可以靠理性来分析才华的世界所远远不能企及的。“凡特伊的这首奏鸣曲很美，是吗？”斯万对我说，“林间的夜晚，小提琴的琶音中沁出丝丝凉意。您说这有多美妙；月光下一片寂静的情景，仿佛就在眼前。既然月色的清辉能让树叶停止摇曳，那么我妻子用月光疗法来松弛肌肉也就不足为奇了。这个小乐句所描绘的，不正是处于催眠状态的布洛涅树林吗？海边又另有一种气象，万籁俱寂，只有海浪轻轻拍岸的声响，在回应着琴声。巴黎就不同啰；您能看见什么呢？诡谲的灯光映在高大的建筑物上，夜空仿佛被无色亦无险的大火所照亮，您感到的只是一种惹人遐想、猜摸不透的茫无边际。而在凡特伊的小乐句，在他的这首奏鸣曲里您看不到这些，那是在布洛涅树林，在gruppetto[1]中可以清晰地听见有个人在说：‘这点亮都够看报了。’”斯万的这番话，并不见得对我日后理解这首奏鸣曲有所帮助，我们听音乐时实在太容易受旁人的影响了，而他很可能是误导了我。但是从他说的另一些话里，我明白了当初他不止一次地在巴黎近郊的餐馆，在夜色朦胧的叶丛下听到过这个小乐句。每回听到，他都亟想领悟其中的深意，可是留在他心头的却是这个小乐句周围静谧、盘绕、色彩斑斓的叶丛（他觉着这个小乐句好似叶丛的灵魂，因而心心念念地想再能见到这些叶丛），那就是他以前没能享受的春天哦。当时他兴奋，他忧伤，他没有宁静的心境去感受春天的气息，而这个小乐句始终为他保留着那美妙

1　意大利文：回音。音乐术语，一种由时值很短的音符组成的装饰音。

的气息（就好比为病人准备的点心，他没有胃口，但点心还为他留着）。布洛涅树林那些夜晚的感受，他在凡特伊的奏鸣曲中得以重温的美妙感受，不能指望奥黛特来向他复述，尽管她当时和那个小乐句一起陪伴着他。奥黛特那时仅仅在他身旁（而不像凡特伊的乐句那样在他心间），因而无从领略——即便她的理解力再强上一千倍——我们任何人都无法（至少我在很长一段时间里这么相信）表达出来的感受。“确实很美妙，”斯万说，“乐声就像湖水，像镜面那样清澈，让人看得见倒影。凡特伊的乐句向我展现的，是我当时没有留意的东西。听着它，那时的忧虑甚至爱情，全都忘在脑后了，它让我想起的不是这些。”——“夏尔，您这么说，我可觉得您是要惹我不高兴了。”——“惹您不高兴！女人可真有意思！我就不过想对这位年轻人说，音乐表现的绝不是——至少对我来说——什么意志自身[1]或无限的综合，而是，比如说，动物园[2]棕榈棚里身穿常礼服的维尔迪兰先生。我身在这个客厅，却千百次地随着这个小乐句神游阿莫农维尔餐厅，哦，这可要比陪德·康布梅尔夫人一起用餐有趣得多。”斯万夫人笑了起来。“人家都说这位夫人对夏尔迷恋得很哩，”她对我解释说，这语气让我想起前不久提到代尔夫特的弗美尔时（她居然知道这位画家，着实让我吃了一惊）她对我说的话：“我想告诉您，我先生当初追我那会儿，对这位画家着迷得很哩。对不对啊，我的小夏尔？”——“别把德·康布梅尔夫人说

1　这里显然是影射叔本华对音乐的观点。叔本华在《作为意志和表象的世界》第3篇第52段中写道：“音乐不同于其他艺术，它不是理念的写照，而是意志自身的写照。”

2　这里提到的动物园和下文所说的阿莫农维尔餐厅，都位于布洛涅树林内。参见第1卷《去斯万家那边》卷末。

得这么不堪吧。”斯万嘴里这么说，心里乐滋滋的。——“大家都这么说，我才这么说的嘛。再说，我虽然不认识她，可听人家都说她聪明。我相信她一定很pushing[1]，一个聪明女人有这德行，真叫我吃惊。不过人家说她喜欢您，您听着不会不受用吧。”斯万装作没听见似的一声不响，这是一种默认，也是暗自得意的一种表现形式。“既然我弹琴让您想起了动物园，”斯万夫人半嗔半笑地说，“这位小伙子要是也乐意，我们待会儿就去那儿得了。天气这么好，您又该有许多妙不可言的感想喽！说到动物园，我顺便想起一个人，这位年轻人一直以为我们挺喜欢布拉丹夫人，其实我对她躲还躲不及呢！把她当作我们的朋友，我听着觉得丢份。您想想，连从来不讲别人坏话的戈达尔大夫都说她讨厌极了。”——“有这么糟吗？其实她也就不过长得像萨伏那洛拉[2]罢了。就是巴托洛米奥[3]画的萨伏那洛拉。”斯万有这癖好，爱在画像和真人之间寻找相似之处，这个癖好无可厚非，因为即使被认为最具个性特点的表情，也有——比如恋爱中的情人原以为心上人的一颦一笑只是他独有的，结果却伤心地发现并不是这么回事——某种共性，在不同的时代都能看到类似的表情。可要是真听斯万的，那三王来朝行列里就不光有戈佐利[4]颠倒年代画进壁画里去的美第奇家族，还有一群并非戈佐利，而是斯万

1　英文：有韧性；一意孤行。

2　萨伏那洛拉（Savonarola，1452—1498）：意大利宗教改革家、殉教者。

3　巴托洛米奥（Fra Bartolomeo，1472—1517）：意大利画家。他画的《萨伏那洛拉》侧面肖像现在佛罗伦萨圣马可教堂的修道院内。

4　戈佐利（Benozzo Gozzoli，1420—1497）：意大利文艺复兴早期画家。在佛罗伦萨美第奇－里卡尔迪宫的壁画《三王来朝的行列》中，有两个人物是以当时的美第奇家族成员为原型画成的。这幅壁画作于1459—1462年，距传说中耶稣降生的时代有15个世纪之遥，“颠倒年代”指此而言。

的同时代人的肖像，也就是说，壁画上不仅有耶稣降生十五个世纪以后的人，而且有画家本人降生四个世纪以后的人。按斯万的说法，巴黎的头面人物，没有一个不在那队行列中露脸的，就像萨尔杜那出戏[1]的有一幕里，巴黎有头有脸的人，名医、政客、律师，全都冲着剧作家和女主角的面子，受着时尚的驱使，轮流客串，粉墨登场。"可她跟动物园有什么相干呢？"——"当然有喽！"——"敢情您以为她的背部也跟猴子一样，是天蓝色的？"——"夏尔，您越说越不像话了！我没想猴子，我在想那个森加莱人[2]对她说的话。您告诉他吧，那可真是句妙语。"——"这事挺蠢的。您知道，布拉丹夫人跟任何人打招呼，都喜欢用一种她自以为潇洒的、居高临下的口气。"——"我们泰晤士河畔的邻居管这叫patronizing[3]。"奥黛特插嘴说。——"她最近去动物园，那儿有几个黑人，我妻子说是森加莱人，她对人种学可比我在行得多了。"——"得了，夏尔，别开玩笑。"——"我没在开玩笑。得，布拉丹夫人招呼其中一个黑人说：'您好，黑佬！'"——"她是随口一说！"——"可是那黑人不喜欢人家这么喊他，'我是黑佬，'他生气地冲着布拉丹夫人说，'你就是白佬！'"——"可真逗！我就爱听这故事。是不是挺妙啊？我想得出布拉丹大妈那模样。'我是黑佬，你就是白佬！'

---

1 剧作家萨尔杜（Victorien Sardou，1831—1909）的《菲朵拉》第1幕中，女主角菲朵拉的丈夫死于非命，菲朵拉伏在尸体上号啕大哭。在巴黎上演时，萨拉·伯恩哈特饰演女主角，丈夫一角由巴黎的名流们轮流客串饰演。

2 据七星文库本注释，森加莱人（Cinghalais）可能是普鲁斯特杜撰的一个名称。英译本作Singhalese，与Sinhalese（僧伽罗人）相近。僧伽罗人是斯里兰卡的土著种族，一般在种族内通婚。下文"混血儿"当指那个森加莱人，他身上只能说有僧伽罗人的影子而已。

3 英文：屈尊俯就。

妙！”我表示非常想去看一下那个喊布拉丹夫人白佬的森加莱人和他的同伴。其实我对他们根本不感兴趣。可我心想，去动物园就能走过当年让我对斯万夫人心仪不已的刺槐小道，柯克兰（我一直没有机会让他看到我向斯万夫人鞠躬致意）的那位混血儿朋友没准会瞅见我和她并排坐在马车的后座上。

吉尔贝特离开客厅去换衣裳的当口，斯万夫妇向我夸赞女儿身上许多难得的优点。我的所见所闻，似乎也恰恰证实了他俩所说的话：我注意到，正如她母亲所说，吉尔贝特不仅对朋友，而且对仆人、对穷人都悉心呵护，体贴入微，以予人快乐为乐，以令人不快为忧，在许多小事上都可以看出她的一片苦心。有一回她给香榭丽舍卖麦芽糖的那个女人绣了点东西，连一天也不肯耽搁，冒雪送了过去。“您都没法儿知道她的心地有多么善良，她是不说出来的。”做父亲的说。吉尔贝特这么小小年纪，看上去却比父母都要理智。斯万说起妻子那些有头有脸的朋友时，吉尔贝特扭过头去一声不响，但脸上没有丝毫责怪之色，因为对她而言，父亲是不可以批评的，即使稍有微词也是容不得的。有一天我跟她讲起凡特伊小姐，她说：

“我不想认识她，原因很简单，她对自己的父亲不好。人家都说她伤透了他的心。对此您也和我一样没法儿理解，是吗？我爸爸要是死了，我是活不下去的，我想您也会这样，这是再自然不过的感情。一个人怎么能忘记自己一直爱着的人呢？”

还有一次，她对斯万特别亲热，等斯万走开了，我对她说起我的感觉。她对我说：

“是这样，可怜的爸爸，今天是祖父的忌日。他心里不好受，我相信您是会理解的，在这些事情上，您和我们的感情是相通的。就为这，我想尽量比平时乖一些。”——“可他从没觉得您不乖呀，您在他眼里是十全十美的。”——“可怜的爸爸，那是因为他太好了。”

斯万夫妇对女儿的称赞，让我想起第一次看见她之前，她在我心目中的形象就出现在巍峨的大教堂前，融入了法兰西岛的景色，而后她在我身上唤起了青春的梦，也给我带来了回忆，她的倩影时时映现在我去梅泽格利兹那边的斜坡小路上，粉红色的山楂树篱跟前。我禁不住问斯万夫人，吉尔贝特在同伴中间最喜欢谁，我尽力让自己的口吻显得漫不经心，仿佛家里的一个熟朋友随口问问小女孩喜欢什么似的。斯万夫人回答说：

“她的心意您应该比我更清楚啊，您是她最信得过的朋友，用英国人的说法就是她身边的crach[1]。”

看来，现实一旦与长期梦寐以求的想头吻合，就会从我们的视野中消失，藏匿到那个想头下面，犹如两个全等的图形叠合在一起，而我们由于要使自己的欢愉有其意义，会在所想望的事物变得看得见摸得着的那一刻，情愿这些想望——为了确信那的确是它们——都只是可望而不可即的幻象。思维甚至无法恢复原来的状态来让我们重做比较，因为它已不再有活动空间：在那以后所获得的信息、所听到的话语，以及对最初的、出乎意料的时刻的回忆，全都堵塞在意识的入口，非但扼住了前往想象的通道，而且扼住了前往记忆的通道，它们阻碍我们展望尚未定形的未来，更使我们在追溯既往时无法摆脱它们的影响。这些年来，我一直以为去斯万夫人府上做客是一种不可能实现的朦胧的幻想；

1　英文：红人。

而在她的宅邸里刚待上一刻钟，那些未曾见到她的年月，就都变得那么朦胧、那么缥缈，仿佛一种可能性由于另一种可能性的实现而消失了。我置身餐厅里，只觉得刚吃的美式龙虾所发出的经久不衰的光芒，穿越思绪的所有端口，照亮了邈远的过去，这时我怎么还会把这餐厅想象成一个不可思议的去处呢？而斯万，他想必也有类似的感触：此刻我们所在的这个宅邸，不仅和我想象中的那个美轮美奂的宅邸融为一体，而且和斯万爱情的妒意，犹如我的想望那般充满渴求的妒意反复向他描述过的那个所在也融为一体了，那就是奥黛特带他和福什维尔上她家去喝橘子水的夜晚他感到渺不可及的他和她的两人世界；在他，融入这餐厅的正是从前不敢奢望进入的天堂啊，当初他几乎连想都不敢想将来有一天会问他们的总管："夫人准备好了吗？"想到自己这么问，就禁不住心头怦怦直跳，而现在，他问这话的口气中，不但有点不耐烦，还带着点自尊心得到满足的意味。斯万如此，我何尝不是一样无法认识自己的幸福呢？吉尔贝特有一次大声说："当初谁能想到，您默默地瞧着她玩捉人游戏的那个小姑娘，有一天会成为您最好的朋友，她的家您只要想去天天都可以去呢？"而她所说的这种变化，我虽然从外表上也看到了，但并没有在心里感受到，因为组成这一变化的两种状态，我无法放在一起看清，只要我同时想到这两种状态，它们就彼此混在一起了。

这座曾让斯万如此忘情、如此渴念的宅邸，想必在他心中留下了一段柔情，我从自己对它仍存有的神秘感可以推想及此。长久以来我一直悬想斯万夫妇置身其作用场中的这股奇异魔力，并不因我进入他们的屋子而消弭，但它已被我这个陌生人——现在斯万小姐正拿一把精致的扶手椅（不管它有多么不乐意、不情愿）亲切地朝他挪来的这个旧日的贱民——所驯服，往后退却；然而我在回忆中，仍能感觉到这股魔力萦绕在我四周。莫非在我独自等候的当儿，我把斯万夫人或者她丈夫或者吉尔贝特就要进来这一镌刻脑际的念头，用目光印在这些桌毯、圈椅、半圆桌、屏风和画作上了？莫非这些物件一直在我的记忆中与斯万夫妇相伴相随，终于染上了他们的气息？莫非我由于知道他们生活在这些物件中间，就把这些物件当成我久久无缘得见，以至有幸参与其间后仍感陌生的这种日常生活、起居习惯的象征了？每当我想到这个在斯万看来（其中并没有贬低妻子鉴赏力的意味）很不协调的客厅——因为他对初识奥黛特时这个套间半是暖房半是画室的格调余情未了，而奥黛特却已经着手撤下她现在认为有点土、不再时髦的一批中国摆设，换上一大堆路易十六时期古风的绸面小家具（当然还得加上斯万从奥尔良沿河街旧宅邸搬过来的艺术珍品）——对记忆中这个混合型的客厅，我有一种与斯万正好相反的印象，只觉着它既和谐，又齐整，处处透着个性的魅力，这种魅力是任何一套历经岁月磨洗仍保存完好的家具所阙如，也是任何一套带有制作者鲜明特色的饰物难以具有的：因为我们（也唯有我们才能如此）相信所见的这些物件自有其独立的品格，因而赋予它们以灵魂，它们就此拥有了灵魂——我们感觉得到它的萌动。在我想来，斯万夫妇在这儿度过的时光与任何人都不同，这宅邸比之流经他们日常生活的时光，犹如躯体比之于灵魂，既然如此，宅邸里的东西理应有其异乎寻常的表现，我对这些时光的种种联想弥散开去，融合进家具的布局、地毯的厚薄、窗户的朝向、仆人的举止，一切都显得那么难以言说，那么令人动情不已。餐后，我们坐在客厅长窗前洒满阳光的圆亭里喝咖啡，斯万夫人问我咖啡要放几块糖，说着把绸面踏脚凳朝我推来，这小凳散发着当年吉尔贝特的名字让我——先是在粉红色的山茶树前，而后在月季花丛边上——领略过的令人伤感的魅力，以及她父母一度对我抱有的敌意，眼看这小凳俨然敌意未消，我不禁心生怯意，不敢造次去踩它娇弱的软垫；与这小凳灵犀相通的午后两点的阳光，别样地照在港湾般的圆亭里，只见金色的浪花在我们脚边翻滚，一片光灿灿中显出海青色的长靠背椅和花影朦胧的地毯，犹如魔幻的小岛；就连挂在壁炉上方的鲁本斯的画也另有一番气象，与斯万先生的系带皮鞋和长披风一般无二，具有几乎同样神奇的魔力；我多么希望有一天也能穿一件这样的长披风呵，可奥黛特此刻却在关照斯万另换一件大衣，说是有幸由我做伴外出，应该穿得更雅致些。她自己也要去更衣，尽管我在旁再三说哪条出客穿的长裙都远远比不上她吃饭时穿着，这会儿想去换下的双绉或丝绸面料的家居长裙，那些或绛色、或樱桃色、或提埃博罗粉红[1]、或白、或紫、或绿、或红、或黄、或单色或饰纹的家居长裙，才是无与伦比的，我对她说她就该这么出门，她笑了起来，也不知是笑我不懂事，还是对我的恭维感到满意。她为常穿晨衣表示歉意，说她觉得那样最舒服，接着她离开客厅去换了一身雍容华贵的装束，大家看了禁不住说好，这样的出客衣裳，她有好多套，而且她还叫我帮她选一套我最喜欢的来穿呢。

到动物园下了车，我走在斯万夫人身边，心里甭提有多得意了！她悠闲自在地往前走，任凭斗篷的裾边翻飞轻扬，我充满爱

1　提埃博罗（Tiepolo，1696—1770）是意大利威尼斯画派代表人物，其画作笔姿流畅、色彩绚烂。他常用的一种粉红色，后人称为提埃博罗粉红。

慕地望着她，她向我报以妩媚之极的深深一笑。此时此刻，若是吉尔贝特的哪个同学，姑娘也好，男孩也好，远远地朝我们打招呼，我在他们眼里就是我曾钦羡不已的角色，就是吉尔贝特家的世交，就是得以涉足她生活中的另一部分，即与香榭丽舍公园无关的那一部分的朋友了。

在布洛涅林区或动物园的小径上，常会遇到斯万认识的某位贵妇人和我们打招呼，有时斯万自己没看见，斯万夫人就对他说："夏尔，您没瞧见德·蒙莫朗西夫人吗？"于是斯万嘴角漾起对熟朋友特有的微笑，脱帽躬身致意，这份优雅是别人学都学不像的。有时候，那位夫人会停下脚步，赏脸和斯万夫人寒暄几句，她知道斯万夫人已经让丈夫调教得很谨慎，不会到处乱说，给自己添麻烦的。斯万夫人对上流社会的做派确实已经很熟悉，要说举止的优雅、仪态的高贵，她不会比任何一位贵妇人逊色；驻步给吉尔贝特和我介绍斯万的女友时，她态度从容得体，殷勤中透出洒脱和娴雅，看着这位斯万夫人和出身世家的对方，还真难说哪一位更像那么回事呢。我们去看森加莱家的那天，回家路上迎面碰见一位上了年纪但仍很美的夫人，裹着深色的斗篷，头戴系带褶裥女帽，身后跟着两位随从模样的夫人。"得！这一位准会让您感兴趣。"斯万对我说。老妇人此时距我们仅三步之遥，在亲切温柔地对我们微笑。斯万脱帽致意，斯万夫人屈膝作礼，俯身要去吻这位酷似温特哈尔特[1]肖像人物的老夫人的手，老夫人扶她起身，顺势拥吻她。"哎，瞧您，还不把帽子戴上。"她对斯万说，嗓门粗大，微带嗔意，全然像对熟朋友似

1　温特哈尔特（Franz Winterhalter，1805—1873）：德国画家，1834年起在巴黎生活多年，画作在第二帝国时期风靡一时。曾为欧仁妮皇后作肖像画。

的。“来，我把您介绍给公主殿下。”斯万夫人对我说。斯万夫人和公主殿下聊起天气有多好、动物园新添了哪些动物，趁这当口，斯万把我拉到边上对我说：“这位是玛蒂尔德公主[1]。您知道，她是福楼拜、圣伯夫和小仲马的朋友。您想想，她是拿破仑一世的侄女！拿破仑三世和俄国皇帝都向她求过婚。是不是很有意思？去和她说几句吧，可我不想陪她站上一个钟头。”他转过去对公主说：“我碰到泰纳[2]，他告诉我公主殿下和他有点过节。”——“他做事像头猪，”她嗓音粗哑地说，猪这个字在她念来就像贞德同时代那位主教的名字，“打从他写了冒犯皇帝的那篇文章，我就跟他拗断了。”她的话让我感到的惊讶，与初读奥尔良公爵夫人（即巴拉丁公主[3]）书信集时的感觉差堪相比。其实，玛蒂尔德公主的法国式情感更为充沛，而这些情感她有如早年德国人那般粗鲁地直截了当表现了出来，这种粗直想必是从那位符腾堡母亲[4]身上继承的。但她只要一笑，那种意大利式的慵困神情，立时就使有几分粗野、相当男性化的直率变得不那么刺眼了。这一切都包裹在一身第二帝国味道十足的行头之中，诚然，公主殿下这般穿戴大概只是出于对当年心爱的时尚的眷恋，但她

---

1 玛蒂尔德公主（princesse Mathilde，1820—1904）：拿破仑一世的幼弟、威斯特伐利亚国王杰罗姆·波拿巴之女。曾是未来的拿破仑三世未婚妻，因未婚夫被囚，婚事作罢。后嫁俄国杰米多夫亲王。

2 泰纳（Hippolyte Taine，1828—1893）：法国文学评论家、史学家。主要著作有《英国文学史》《艺术哲学》等。1887年2月，他在《两个世界》杂志发表《拿破仑－波拿巴》一文，称拿破仑是无所顾忌的冒险家。

3 指拜恩的夏洛特－伊丽莎白（Charlotte-Elisabeth de Bayern，1652—1722），莱茵的巴拉丁伯爵（选帝侯）夏尔－路易之女。她于1671年嫁给法国国王路易十四的弟弟奥尔良公爵，存世的书信以用语粗俗著称。

4 指玛蒂尔德公主的母亲符腾堡的卡特琳娜（Catherine de Wurtemberg）。

似乎也挺注意种种细节，务使历史感上不出差池，以不辜负指望她唤回一个时代的人们的期望。我悄声要斯万问她是不是认识缪塞。“一面之交吧，先生，”她似乎有些不悦地回答说，其实，她和斯万熟稔之极，这会儿称他“先生”是和他开个玩笑，“他来吃过一次晚饭。请柬上写的是七点钟。到七点半他还没来，我们就先入席。八点钟他来了，向我欠了欠身，往餐桌旁一坐，一声不吭地又吃又喝，直到晚餐结束他离去，我都没听见过他的声音。他喝得酩酊大醉。这以后我可发不起兴再去请他了。”说话间，斯万和我稍稍跟她们拉开了点距离。“但愿她俩别再聊下去了，”他对我说，“我脚掌心疼了。真不明白我妻子干吗老扯出些新话头，过后她又得抱怨说吃力了。再这么站下去，我可受不了。”这时，斯万夫人正根据从蓬当夫人那儿听来的消息，问公主殿下政府是否终于意识到对公主殿下的态度有失偏颇，决定邀请她出席后天为尼古拉沙皇参观残废军人院举行的典礼了。不想公主殿下尽管外表羸弱，尽管平日往来的多为文人、艺术家，骨子里却仍是拿破仑一世的侄女，遇有大事就尽显本色了：“对，夫人，今儿早上我是收到请柬来着，我给退回去了，这会儿部长想必也该接到了。我告诉他，我要去残废军人院，无须任何邀请。如果政府希望我去，那我也不会出席什么典礼，我要去的是我们的地下墓室，皇帝陛下的棺椁在那儿。我去那儿用不着许可证。我自己有钥匙。我想去就可以去。政府只消让我知道它希望我去还是不去。我要是去，就去地下墓室，否则哪儿也不去。”这当儿，有个年轻人朝斯万夫人和我打招呼，他向斯万夫人问好，但脚步没停下：此人是布洛克，我没想到斯万夫人也认识他。见我问她，斯万夫人回答说他是蓬当夫人引荐给她的，他在部长办公室当差——这我可不知道。不过，她大概不常见到他——要不就是她嫌布洛克的名字有点俗，不想提到它——她管他叫莫勒尔先生。我对她说她准是记错了，他叫布洛克。公主殿下抻了抻垂在身后的拖裾，斯万夫人瞧了说好。“这是俄国皇帝送我的皮桶子，”公主说，“刚才我就这么去见他，让他瞧瞧做斗篷挺合适。”——“听说路易亲王[1]要到俄国去从军，公主殿下没他在身边会感到伤心。”斯万夫人管自往下说，没瞧见丈夫不耐烦的表情。——“他需要去历练历练！我对他是这么说的：别因为家族里有过一个军人就不想去，那不是理由。”公主的回答，赤裸裸地影射了拿破仑一世。斯万实在待不住了：“夫人，恕我在殿下面前请求告退，我妻子刚生过病，恐怕不宜站立太久。”斯万夫人又行了屈膝礼，公主朝我们大家嫣然一笑，这奇妙的笑容仿佛来自遥远的过去，让人想起她优雅的年轻时代，想起贡比涅[2]城堡的舞会，笑容甫绽，脸上的愠色霎时间化作了亲切动人的神情。公主随即离去，身后跟着那两位夫人，方才大家谈话时，她俩扮演了译员、看护和乖孩子的角色，不时插进一些没有意义的短句和毫无用处的说明。“这星期您得抽一天去她府上把您的名字写下来，”斯万夫人对我说，“英国人说的这些皇族还不兴用名片，不过您只要在名册上登记了，她会邀请您的。”

冬末时节，我们有时在散步前先去参观一个画展。在这种小型画展上，素有收藏家美誉的斯万颇受画廊画商的敬重。寒意犹浓，可我去南方和威尼斯的夙愿已被唤醒。展厅里一派春光，炽

1 路易亲王（prince Louis-Napoléon，1864—1932）：玛蒂尔德公主的侄子。

2 贡比涅（Compiègne）位于巴黎以北，这儿的城堡曾是拿破仑三世的行宫。

热的阳光照在浅红的阿尔皮伊山[1]上，映出微微带紫的反光，威尼斯的大运河染上了晶莹透亮的蓝绿色。遇到阴天，我们就去听音乐会、看演出，然后去茶室喝茶。每当斯万夫人要对我说什么事，不想让邻桌或侍应生知道，她就和我说英语，仿佛只有我们两人懂英语。其实就我还没学过，别人可都懂英语，我只得提醒斯万夫人别再议论喝茶或端茶的人，我虽然听不懂她说什么，但我知道她说的不是好话，而且人家支起耳朵一字不漏地听着呢。

有一次，为了看一场戏，吉尔贝特着实让我吃惊不小。那天碰巧是她祖父的忌日，这她先前告诉过我。她和我说好了，和她的家庭女教师一起去听一场歌剧选段音乐会，吉尔贝特早早换好了衣服，但神情很冷淡，平时我俩要去做什么，她总会显出这副神情，意思好像是说，只要我高兴，她父母也乐意，她就什么都无所谓。午餐前，她母亲把我俩叫到一边对她说，她父亲看到我们在这个日子去听音乐会，会不高兴的。我觉得这话说得在理。吉尔贝特脸上漠无表情，但心头的怒气压抑不住，脸色变白了，可她还是一言不发。斯万先生一回家，斯万夫人就把他引到客厅的另一头，对他低声耳语。他唤吉尔贝特过去，带她走进旁边的房间。只听得房间里传来很响的说话声。我简直不能相信吉尔贝特，那么听话、那么温柔、那么乖觉的吉尔贝特，竟会在这样的一天，为了这么小的一点事情和父亲顶嘴。最后斯万一边走出来一边说：

“我说的话你都听明白了。现在，你自己看着办吧。”

用午餐时吉尔贝特始终绷着个脸，餐后我们去她的房间。尔

---

1 法国南方一座藏有铝矿的小山脉。

后，蓦然间她喊道："两点啦！音乐会两点半就要开场了。"她的声音里没有一丝犹豫，而且好像从来都不曾有过似的。她叫那个家庭女教师赶快准备。

"您父亲，"我对她说，"他不会不高兴吗？"

"不会。"

"可是今天是您祖父忌日，您这么做他会觉得不妥当吧。"

"别人怎么想，关我什么事？为别人的感情去操心，我觉得挺可笑。自己觉得好就行了，何必去管旁人怎么样。这位小姐难得有机会消遣一下，这场音乐会她可是盼了好久了。我不想为讨好别人而不让她去。"

说着她拿起帽子。

"吉尔贝特，"我拉住她的胳膊说，"这不是讨好别人，这是让您父亲高兴。"

"不用你来教训我。"她用力甩开我，尖声对我喊道。

斯万夫妇对我优渥有加，不但带我一起去动物园、听音乐会，还慷慨地让我分享他们和贝戈特的友谊。当初还在和吉尔贝特相识之前，我就认定，凭她和这位富有传奇色彩的老人的交情，她就是我最值得看重的朋友，我心存指望，但愿她不致因对我不屑而拒绝带我和贝戈特一起去游历他心爱的城市，早在那会儿，他们和贝戈特的友谊就使他们在我眼里有了独特的魅力。且说有一天，斯万夫人邀请我去参加她家的午宴。我不知道她另外还请了哪些客人。到了那儿，在前厅遇见的一件事，让我顿时心生怯意，有点不知所措。斯万夫人属意风雅，对一时蔚为时尚（过后却往往难以为继，再也无人问津）的新鲜玩意儿，向来接受得很快（比如在好多年前购置过一辆hansom cab[1]，又比如在午宴的请柬印上席间将要meet[2]的大小名人）。这些时尚一般并没什么奥妙，挺容易学。奥黛特赶近年英国传进的时髦，给丈夫订制了一批名片，夏尔·斯万的名字前面印着Mr.。我初次拜访斯万夫人家以后，她来我家回访，留下一张她所谓的名帖。从来没人给过我名片；我在得意、兴奋、感激之余，拿出全部积蓄订了一个非常漂亮的茶花花篮，送给斯万夫人。我央求父亲也去她家留一张名片，不过先得赶快在名字前面印上Mr.。对我的两项请求，父亲都置之不理。我伤心了好几天，慢慢才觉得他可能也有道理。Mr.的时尚，即使没什么用处，毕竟还是清楚明白的。另一种时尚，午宴那天我眼见而不明就里的那种时尚，却并非如此。当时我正从前厅往客厅走去，府邸总管上来递给我一只狭长的信封，上面写着我的名字。我感到很意外，谢过他以后，愣愣地瞅着信封，就像一个外国人瞅着中国人酒席上各式各样的餐具，不知怎么做才不失礼。我见信封是封口的，心想当场启封恐怕不妥，于是故作洒脱地往衣袋里一塞。斯万夫人几天前在信上只说请我和几位熟朋友共进午餐。不想来了十六位，而这时我还不知道贝戈特也来了。斯万夫人替我，按她的说法，向几位来客通名，突然，紧接在我的名字后面，就跟刚才说我的名字时一般无二（仿佛午宴就请了我们两个客人，我们愿意彼此认识一下是理所当然的事情），她说出了那位一代宗师的名字。骤然听到贝戈特这个名字，犹如听见一响冲我而来的枪声，我吓了一大跳，但

1　英文：（御座高居车后的）双轮双座马车。因设计者英国建筑家Joseph Hansom（1803—1882）得名。

2　英文：碰到。

出于本能，马上强自镇定躬身作礼；只见面前站着一个人，犹如枪声响起、枪口飞出鸽子过后，烟雾中显出身穿常礼服而且毫发无损的魔术师，此人向我欠身作答。他看上去一点不老，粗壮，矮小，敦实，眼睛近视，长着一个蜗牛壳似的红鼻子，留着一撮黑黑的小山羊胡子。我沮丧之极，方才刹那间化为一缕轻烟的，不仅是我心目中忧郁善感的长者的形象，而且是他的作品闳中肆外的至美，我特地为这至美构筑了一副羸弱而神奇的机体——如同神庙那般，让这至美寓于其中。而此刻站在我面前的这个塌鼻梁、留着黑黑的山羊胡子的矮胖子，他那血管、骨骼、淋巴结到处都是的身躯，哪像至美的栖身之所呢？我费心尽力慢慢塑造起来的，犹如钟乳石那般一滴一滴凝结而成的贝戈特形象，自有他作品中的那种晶莹剔透的美，可是这个贝戈特忽然间变得毫无意思了，因为我必须保留那个蜗牛壳似的鼻子，还有那撮黑黑的山羊胡子；这就好比刚求出一道数学题的答案，却发现漏看了一个已知条件，没注意到各项之和必须是某个已知数，于是那个答案也就变得毫无意思了。这鼻子和胡子，绕不开躲不过，让人觉得心烦，在我决意重塑贝戈特形象时，它们仿佛在源源不断地孕育、滋生、分泌一种既躁动不宁又扬扬自得的意趣，这可真有点胡来，因为这种意趣跟充盈那些作品字里行间的智慧是风马牛不相及的，而那种智慧才是我所熟稔的，渗透着平和、至圣的哲理的智慧。从这些作品出发，我永远也到不了这个蜗牛壳的鼻子，而从这个看上去全无愧色，自我陶醉到了匪夷所思地步的鼻子出发，则会和贝戈特的作品南辕北辙，说不定就会像哪个步履匆匆的工程师一样，碰到有人跟他打招呼，不等人家问他近况如何，便自以为理所当然地说："很好，谢谢。您呢？"要是对方说很高兴认识他，他便直统统地回答："彼此彼此。"在他看来，这样回答现成、聪明而且时髦，犯不着浪费宝贵的时间去寒暄。名字这东西好比是个任性的画家，率性涂抹的人物、地方根本不是那么回事，一旦我们面对的不是想象的世界，而是可见的世界（不过，可见的世界并不就是真实的世界，就描绘得像不像而言，感官和想象同样不经用，眼睛看见的世界，完全可能比想象出来的世界更离谱，跟真实的世界离得更远）。然而，让我感到为难的其实并非贝戈特这个名字，而是我所熟悉的那些作品，我不得不把一个留着山羊胡子的男人系在那些作品上，犹如系在一只气球上，悬着心生怕它承受不了这分量，升不到半空中去。诚然，令我倾心的那些书，看来确实出自他的笔下，因为当时斯万夫人觉得有责任告诉他，我很喜欢其中的某一本，而他听她这么说一点也不惊讶，好像她特地对他，而不是对别的客人这么说，是再自然不过的事；但是，裹在赴宴礼服里的这身胖肉是冲着美味佳肴来的，此刻他脑子里想的是别的更重要的事情，他笑吟吟地回想起那些书，就好比回想起往昔的一个生活片断，仿佛人家提起的是他当年在化装舞会上打扮成德·吉斯公爵的往事。就在这一刻，我心目中的那些作品（连同我对美，对宇宙、生命的信念）一起往下坠，沦落为某个留着山羊胡子的男人的平庸消遣。我心想，他大概也曾真把它当回事，但是，倘若他生活在一座盛产珠蚌的小岛上，他一准是生财有道的珍珠商。我不再觉得他是为写作而生的了。于是我在心中发问，原创性真能证明大作家就是他那个王国中的神祇吗？或者这压根儿就是无稽之谈？不同作品之间的差异，又是否并非写作风格不同所致，而是不同个性之间的本质差异的表现呢？

主客纷纷入席了。我的餐盘旁边放着一枝康乃馨，茎秆用锡纸裹着。它使我想起前厅的那个信封，不过这回我没怎么发窘。虽说是第一次遇见这场面，但我瞅见其他男客的餐具边上都有这么一枝花，他们拿起来插在了礼服的扣眼里，于是我心里明白了八九分。我神态自若地学着他们的样，犹如一个无神论者到了教堂，浑然不知弥撒是怎么回事，但瞧见大家起立，他也起立，大家跪下，他略一迟疑也跪下。另外一个陌生的、历时较长的情况却让我颇不自在。我餐盘的另一边，有一碟黑乎乎的东西，当时我不识这是鱼子酱。我不知道该怎么做才好，但打定主意不去吃它。

贝戈特坐得离我不远，他说话我听得很清楚。这时我明白德·诺布瓦先生何以会有那种印象了。贝戈特的嗓子确实很奇怪；嗓音的物理属性会随思维而变，转换极为自如：二合元音的轻响、唇音的力度对此有影响，语调也有。我觉得不仅他的语调和他的笔调完全不同，而且他说话的内容也和作品的内容迥然有异。他的面部表情犹如一层面罩，话音从那后面发出，让人一时间认不出下面的那张脸，那张曾在他笔下与我们坦诚相见的脸。在谈话中，贝戈特有时会不由自主地融入一种让德·诺布瓦先生（仅仅是他）觉着矫揉造作、令人不快的语调，从中我能慢慢地体会到，他的这些话与作品中的某些诗意盎然、富于音乐感的段落是完全相对应的。这时他在自己的说话中看到的，是一种独立于话语含义而存在的造型美，然而话语虽然也与心灵相通，表达毕竟不如文字自如，所以贝戈特看上去好像有点词不达意，有时他仿佛要捕捉话语背后的那个意象，不停顿地一口气往下说，没有抑扬顿挫，没有声调变化，听上去就像一串冗长的拖音。结果，一种矫饰、夸张而又单调的表达方式，似乎成了他的谈话在审美意义上的特征。他在写作中展示一连串意象，让音调显得和谐的才能，也就这样地反映在了他的谈吐中。我之所以一开头没能看出这一点，原因就在于他此时的谈吐——恰恰由于当真出自贝戈特之口——乍一听不像是贝戈特的。如此丰赡而精确的思想，在许多自诩贝戈特风格的专栏作家身上是见不到的；这种不同，也许从另一个角度——在谈话中可以隐隐约约感觉到这一点，那况味有点像戴着墨镜看东西——印证了一个事实，就是只要读上一页贝戈特的文章，就会发现那些平庸的模仿者是根本写不出这样的文字的，尽管他们在报上、在书中为自己的文章点缀了那么多贝戈特式的意象和观点。文风上的这种差异，根源在于贝戈特美文首先是某种珍贵而真实的东西，它本来藏匿在每个对象的深处，这位才气纵横的大作家把它们开掘了出来。大师的目标，是向深处开掘，而不是做得像贝戈特。但既然他是贝戈特，那么无论他怎么做，他都是贝戈特，从这个意义上说，他的作品中每一点具有新意的美，就是蕴藏在某个对象中而由他开掘出来的那一点贝戈特。虽然每一点美都与其他的美有共通之处，从而是可以辨认的，但它正如这一特定的开掘过程一样，有其特殊性；它新颖，因而不同于人们所说的贝戈特风格，那其实只是贝戈特本人已然开掘出来并见诸文字的点点滴滴的贝戈特浮泛的综合体，资质平平的读者是无法据此预料他还会有什么发现的。但凡大作家，他们笔下的文句之美都是不可预料的，这就好比一个美人到底有多美，在见面之前是无法预料的；作家的身心沉潜于外界对象——而非本人——之中，而后才表达出这种美，因而美是创造。换了今天的作者来写《回忆录》，倘若他想暗下模仿圣西门，他自然能够写出描绘维拉尔[1]肖像的第一行文字："他个头高高的，棕色头发……脸上的神情活泼、开朗而友好。"但何以见得他一定也能找到以"骨子里有点痴头怪脑"开头的第二行呢？真正意义上的文体的多样性，寓于大量真实而意想不到的要素之中，寓于从春意闹猛的树篱冷不丁蹿将出来的缀满蓝花的枝条之上，而对文体的多样性（推而广之，对文体的其他特性亦然）纯粹形式上的模仿，必然空洞无物而又千篇一律，因而是与多样性背道而驰的，只有看不出大师作品妙处的人，才会以为这种模仿就是文体的变化，佩服得不得了。

于是——正如语调的情况一样，倘若贝戈特仅仅是做出一副所谓贝戈特的模样，而不是边思索边斟酌措辞，让听者觉得一下子难以适应，那么他的语调大概也会很让人着迷——由于他尽力使自己的所思所感准确地贴合他所感兴趣的现实，他的语言就自有一种讲究实际、质胜于文的意味，让那些企盼他只说些"现象的永恒湍流""美的神秘战栗"之类清词丽句的读者感到失望了。文字上这种不同凡响、富有新意的特点，在谈吐中的表现就是不顾众所周知的常识，以一种非常微妙的方式切入问题，看上去就像是在钻牛角尖，在步入歧途，在让自己处于两难的境地，整个思维状态往往也就显得很混乱——须知我们每个人都是只把混乱程度与自己思维相当的混乱思维称作清晰思维的。再说，充满新意有个先决条件，即摒弃我们所习惯而且以为那就是现实世界的老一套的东西；富有新意的谈吐正如富于独创性的绘画、音

1 德·维拉尔公爵（duc de Villars，1653—1734）：法国元帅。圣西门在《回忆录》（1702）中是这样写的："他棕色头发，个子高高的，身材匀称，有点发福，但还是挺灵活，脸上的表情活泼、开朗而友好，骨子里有点痴头怪脑，于举手投足间可见……"

乐作品，往往会显得晦涩而难懂。新意之新，就在于我们所不习惯的那些意象，说话者似乎总是在说些隐喻，让人听得很厌烦，而且有一种不真实的感觉。（实际上，旧时的语言，当听者还没认识它所描绘的世界之时，也曾是一些难以捉摸的意象。但久而久之，大家就觉得这是真实世界了，相信它了。）所以当贝戈特说戈达尔是个——这个比喻在今天看来是再简单不过的——随时保持平衡的浮沉子[1]，而布里肖“在发式上花的工夫比斯万夫人还多，因为他有形象和声誉的双重考虑，发式必须看上去既像雄狮，又像哲学家”，听的人听着这样的语言，很快就会感到累，只想能听些所谓更实在，其实也就是听起来比较习惯的东西。从我眼前这面罩下面发出的令人费解的话音，毫无疑问就出自我仰慕的这位作家之口，但我无法像做拼图游戏那样，把它们镶嵌到他的作品中去；两者处于不同的层面，必须通过一种转换，才有可能在某一天，当我回想起听贝戈特说过的这些话时，骤然领悟到它们的基调是与其文体一致的，从而在原以为跟他的文字全然不同的话语形式中，不仅认出而且说出与文体相通的那些特点。

有一个附带的情况，那就是他在谈话中偏爱某些字眼、某些形容词，而且往往在发音上有意强调，以一种很特别的，显得过于刻意、着力也略嫌太过的方式，把每一个音节读得很清楚，最末的音节则拖得很长（比如不说figure，总用visage[2]来代替，v、s和g都发音特别有力，仿佛是从他此刻张开的手心中迸发出来的），这种发音方式，恰恰对应着他在散文中遣词造句的方式，他爱把

1　浮沉子：在一种演示气体可压缩性的物理仪器中，置于贮水筒内的小瓶体。随着筒内空气体积的变化，这个瓶体或浮或沉。

2　figure和visage都有脸、面孔的含义。

喜欢的词放在突出的位置，前面有所谓的空白，而这些按文句总体韵律精心安排的词，读者必须注意到它们的时值，才能感受到它们的节奏。在贝戈特的说话中，却觉察不到他本人和别的作家作品中的那种闪光点，那种每每使这些词在文句中变得熠熠生辉的闪光点。这大概是因为它来自极为幽深的所在，当我们在谈话中向别人开放，从而在某种程度上向自我关闭之时，它无法把光亮带到我们的话语上来。就这一点而言，他的文章比他的说话更顿挫有致，更有语调感：这种无关文体美的语调，与最隐秘的自我密不可分，因而作者本人也未必意识得到。当贝戈特在写作中进入自由挥洒的境界时，正是这种语调使他笔下那些看似毫无意义的词句有了节奏的律动。这种语调在文章中并未特地注明，全无标记可寻，然而它是词句所固有的，你不能换一种方式去读这些词句，这是作家身上稍纵即逝却又最深刻的东西，它印证了他的真性情，我们能透过峻刻的笔触看到内心的温柔，透过佻薄的行文看到细腻的情感。

在贝戈特的说话中隐约可见的某些发音特点，并非他所专有，我稍后认识他的弟妹后，在他们身上更明显地看到了这些特点。欢快的语句，最末几个词会吐字很突然，有种嘶哑的味道，忧伤的语句末尾，则声音微弱，给人一种有气无力的感觉。斯万从小就认识这位大师，他告诉我说，当年贝戈特和他弟妹们一样，从兴奋得无法自已的大声叫喊，到愁绪难以排遣的喃喃低语，都带着这种钤有家族印记的声调变化，兄弟姐妹一起在客厅里玩耍时，在时而震耳欲聋时而低声细语的声浪中，贝戈特的声音总听得很清楚。出自任何人之口的声音，无论怎么特别，总是转瞬即逝，人一走就消失的。但贝戈特家族则不然。虽说我们难以明白，比如说《工匠歌手》中，作曲家何以能听着鸟儿鸣啭就谱出曲子来？然而贝戈特确实把那种拖长的语音，把欣喜时一遍又一遍的欢叫，或忧伤时绵绵不尽的吁叹，都转换成文字，在他的散文中保存了下来。在他的书里，句末铿锵的音调反复出现，犹如歌剧序曲曲终时那般欲罢不能，在乐队指挥放下指挥棒之前，最后那几个和弦已经重复了好几次。我后来注意到，这些句末的音调有一种意味，和贝戈特家族富有铜管乐色彩的语音恰好是呼应的。不过就贝戈特而言，他把这种人声铜管乐带进作品中以后，就下意识地不再在说话中使用它们。从他开始写作之日起——我认识他在那以后，情形更其如此——铜管乐色彩就从他的嗓音中消失了。

这些年轻的贝戈特——未来的作家及其兄妹们——未必比别的年轻人出色，那些更为文雅、更有才情的年轻人，会觉得贝戈特这家子人吵吵嚷嚷，甚至有点粗俗，开玩笑不知分寸则是这家人特有的既自负又傻气的做派。然而天分，甚至了不起的天才，并不来自优于他人的智力因素或社交修养，而来自改造、转换这些智力因素的能力。要把电灯泡用来加热液体，所需要的不是亮度特大的灯泡，而是能不射出光线，让电能转换成热能而不是光能的灯泡。要在空中翱翔，所需要的不是功率特大的发动机，而是能让运动范围不囿于地面，能把往前行进变为竖直向上、把水平速度转换成升力的发动机。作品中横溢的那些作家，未必生活在最高雅的环境里，也未必是咳唾成珠、博学强记之士，他们只是有一种特殊的能力，能骤然间不再为自己而生活，把自己的人格力量当作一面镜子，让生活在其中映照出来——尽管这样的生活可能从世俗的观点，甚至在某种意义上说从智力的观点来看，都是非常平庸的。天才，在于映照的能力，而不在于被映照对象的内在品质。青年贝戈特让读者看到了自己度过童年时代的那个品位不高的客厅，以及在那儿和兄弟们不很有趣的谈话，而从他这么做的那一天起，他就已经高于那些更风趣、更高雅的朋友了。那些朋友乘坐豪华的罗尔斯－罗伊斯回家，对贝戈特家的粗俗颇有微词之际，贝戈特靠着他那看上去不起眼，但终于腾空而起的发动机，飞越了他们的上空。

他讲话时的另一些特点，并不是和家庭成员，而是和同时代的某些作家共通的。更年轻一些的作家，起先都想撇清，声称和他没有任何相承关系，但这种关系却在他们不经意间表露出来，一样的副词，一样的介词，都是他平时喜欢一用再用的，一样的遣词造句，一样的冲淡而迂缓的语调——这是对上一代作家雄辩、圆熟的语言风格的反拨。这些年轻人也许（我们下面会看到情况确实如此）并不认识贝戈特。可是他的思维方式对他们有着潜移默化的影响，在他们笔下引发了句式和语调的变化，而那是与观念的创新有必然联系的。对这种联系，下文还会做进一步的解释。如果说贝戈特在文体上并无师承的话，他的话语方式却深受一个老同学的影响，他不知不觉地在谈话中模仿这个谈锋极健的老同学，而此人才华并不如贝戈特，从未写过真正出色的作品。所以，单就叙述手法的独创性而言，贝戈特只算得上一个学徒，一个用二手货的作家。然而，就在谈吐上受惠于这个朋友之际，贝戈特已经是开一代风气、充满创造力的作家了。也许是要和耽于抽象概念与老一套表述方式的前辈作家有所区别，贝戈特想说一本书好的时候，提到的一般都是某个诉诸形象的场景、某个并无理性含义的画面。“瞧您说的，”他会说，“很好啊！

这个围着橘红披巾的小姑娘，真的很好。”或者，“可不是！这支军队行进在小城街上的场景，写得真好！”他的文体，与时代并不完全合拍（而且他有一种法国情结，不喜欢托尔斯泰、乔治·艾略特、易卜生和陀思妥耶夫斯基），他赞扬一种文体常用“柔和”这个词。“可我，在夏多布里昂的《阿达拉》和《朗赛传》里，还是更喜欢《阿达拉》，我觉得它更柔和。”他说这话，就像医生听病人抱怨说喝了牛奶胃不舒服，回答病人说：“可它挺柔和的。”确实，贝戈特的文体中有一种和谐之美，跟古人称颂的某些演说家庶几近之，但现代语言不讲究这一点，我们习惯于现代语言，也就难以领略此中的情趣了。

人家称赞他作品中的某些篇章时，他会腼腆地笑着说：“我觉得这写得比较真实、比较准确，大概还有用吧，”但这只是谦虚，正如有人称赞一位女士裙子漂亮或女儿可爱时，她回答说“它挺合身”或“她性格很好”。然而，建筑师的本能在贝戈特身上根深蒂固，他不可能不知道，唯一能表明他建造的东西有用、真实的，就是他的作品首先给自己，而后给别人带来了欢乐。可是多年以后，他的才思枯竭了，每当写出一部自己并不满意的作品，本该付之一炬却又不舍得，还是拿去发表的时候，他一而再、再而三地对自己说：“不管怎么说，写得还相当准确，为国家想想，也不至于全无用处吧。”以前对崇拜者柔声说这些话，是略有心计的谦虚，到头来在心底对自己这么说，却透着一种内心纷扰的骄傲。对早期作品的辉煌来说大可不必的谦辞，对晚期作品的黯然而言，成了聊以自慰的浮词。

当年他对文学作品的鉴赏眼光近于苛刻，对自己的东西也务求够得上“很柔和”的评价，因此多年来一直被看作一个无病呻吟、流于雕琢而不出成果的作家。其实他的作品之所以有力，其奥秘就在于这种鉴赏眼光，因为，习惯既造成个人的性格，也造就作家的风格。倘若一个作家屡屡满足于按某种现成套路来表达思想，用不了多久他就为自己的才能设定了一道从此难以逾越的藩篱，这就像一个人在抑制不住享乐、懒惰的诱惑，害怕吃苦受累的同时，已经为自己的人品勾勒出行止有亏的概貌，并划定了德行操守的限度。

虽说我是在后来才看出作家和普通人之间的许多共通之处，最初在斯万夫人府上见到贝戈特时，我委实不相信我面前的这位先生就是贝戈特，就是我惊为天人的大作家，但或许这也算不上是多大的过错，因为连他自己也不相信（就这个词的本义而言）自己。若不是不相信自己，他何至于对那些社交场中人物如此殷勤（按说他并不爱赶时髦呀），又何至于对才识远不如他的文人、记者这般热忱呢？诚然，现在他从别人的赞扬中知道了自己是有天才的，而与之相比，社会地位和官职都是算不了什么的。他知道了自己有天才，但是他还是不相信自己，依然对那些平庸的作家做出谦恭的样子，为的是不久以后能当上法兰西学院院士，而其实，法兰西学院也好，圣日耳曼区也好，都跟贝戈特著作中一以贯之的永恒精神毫不相干，正如它们跟因果律和天主的信念毫不相干一样。这他也知道，但就像有偷窃癖的人知道偷东西不好，却管不住自己的手。这个蓄着山羊胡子的翘鼻子男人，自有雅贼席间偷餐叉的本领，在他向觊觎已久的院士交椅，向若干张选票在握的某位公爵夫人挪动挨近之际，鄙夷这般狗苟蝇营的人，根本觉察不到他有所动作。他只成功了一半。在听他说话时，我们会听到两个不同的贝戈特，时而是真实的贝戈特，时而是另一个自私的、有野心的，为了让人看重自己，只想着谈论一些显要、权贵或有钱人的贝戈特，而在他的著作中，当他真正是他自己时，却曾满怀深情地向我们描述过，穷苦人的纯洁如何像一眼清泉那般可爱。

至于德·诺布瓦先生暗示过的其他那些丑行，那种近于乱伦的情爱（据说其中还有钱财上的猫腻），它们显然都与贝戈特最近那几本小说的价值取向南辕北辙。那些小说的字里行间，处处可见作者对美好事物执着而痛苦的思考，主人公哪怕一丁点儿的欢乐，也无不蒙上这样一层阴影，而当读者感染上这种忧郁的情绪以后，最安适的生活也会让他觉得难以忍受。然而，即便这些丑行在贝戈特身上都能坐实，我们也不能因此断言他的文学创作是说谎、他的艺术敏感是作秀。按照病理学的观点，某些相似的病症，其病理机制全然不同，有的是血压过高、分泌过多所致，有的却是血压偏低、分泌不足引起的；同样，行为不检既可能是过于敏感所致，也可能是不够敏感造成的。也许，道德问题只有在真正道德沦丧的生活中才会更严峻地凸现出来，令人感到焦虑和不安。对这一问题，艺术家并不从他个人生活的层面来给出回答，而是给出一个具有普遍意义和文学色彩的回答——对他来说，唯有文学中的生活才是他的真实生活。品格端方的教堂圣师，往往还得经历世间的磨难，品尝罪孽的滋味，方能最终修得圣洁之身；同样，大艺术家的无德无行，往往并不妨碍他从中构想人人适用的道德准则。作家在生活中的种种丑行（或者仅仅是不足之处、可笑之事），孟浪荒唐的谈吐、女儿的轻浮、妻子的不贞、本人的失检，这些都是他每每在文章中痛斥的现象，但他决不会因此改变自己的生活方式，弥漫在周遭的恶俗情调也不可能有所改变。这种对比，在贝戈特的时代要比以前更为醒目，这是因为，一方面随着社会的日趋腐败，道德观念变得愈来愈高尚；另一方面公众比以往任何时候都更了解作家的私生活了。有些夜晚，我当年在贡布雷不胜仰慕的这位作家会在剧场中露面，他坐在包厢后座，而和他同时出现在包厢里的其余那几位，不啻对他在最新作品中所持观点的一种极其可笑，或者说极其可悲的讽刺，一种恬不知耻的背叛。我听到的说法，对贝戈特有褒有贬，可以说是莫衷一是。他的一位近亲举证斥责他绝情，有位陌生人却说了一件事（由于贝戈特本人无意为人所知，越发令人感动），表明他其实心肠很软。他对妻子很冷漠。但是有一回他夜宿小镇旅店，却彻夜陪在一个跳河轻生的穷苦女人床边，临动身时，特地留给店主一笔钱，叮嘱他别撵走那女人，好好照料她。也许，在贝戈特身上，那个留着山羊胡子的男人正演变为大作家，在这一过程中，他的个人生活日渐淹没在他想象出来的形形色色生活之中，他觉得自己无须再去承担任何具体的责任，因为，它们已经被想象种种别的生活的责任所取代。与此同时，由于他想象他人情感时感同身受，遇到要和一个不幸（至少是此刻受着痛苦煎熬）的人相处时，他就不是站在自己的立场，而是设身处地把自己想作这个遭遇不幸的人儿。从这一立场出发，他受不了那些不顾他人痛苦，一味盘算个人蝇头小利的人，他们的说话让他反感。这样一来，他招来了理所当然的怨恨，也赢得了铭记心头的感激。

他这个人真正喜爱的，其实是某些意象，是用文字（犹如制作首饰匣里的细密画那样）来构想和描绘这些意象。如果有人送他一件不值钱的小东西，而这件小东西恰恰引发了他的某些联想，他会一遍又一遍地表示他的谢忱。但对贵重的礼物，他却会毫无表示。倘若有一天他得出庭为自己辩护，他大概也不会考虑怎样措辞能给法官留下一个好印象，他想要表达的只怕仍是一些法官肯定无法窥见的意象。

在吉尔贝特父母家第一次见到贝戈特时，我告诉他，我前不久刚看了拉贝玛演的《菲德尔》；他对我说有一场戏里拉贝玛举手齐肩，在舞台上凝立不动——这是全场掌声最热烈的场景——这时拉贝玛以其卓越的演技再现了古典杰作的意蕴，而这些杰作想必是她不曾见过的，例如奥林匹斯圣殿中楣的间饰上有着这个姿势的赫斯珀里得斯[1]，以及古老的厄瑞克修姆神庙[2]的那些美丽圣女。

“这可能是一种直觉，我想她去过那些博物馆。探究这一点是挺有意思的（探究是贝戈特惯用的一个词，很多年轻人没见过他，但仿佛受了远程催眠术的影响，说起话来也像他一样爱用这么个词儿）。”

“您是指女像柱？”斯万问。

“不，不，”贝戈特说，“除了她向厄诺娜[3]袒露心中激情的那场戏，也就是她姿势很像凯拉美科斯的赫盖索墓碑雕像[4]的那场戏，她整个儿让人想起的是一种更为古老的艺术。我刚才提

1 赫斯珀里得斯（les Hespérides）是希腊神话中夜神赫斯珀洛斯的三个女儿的统称。她们日夜看守着该亚作为结婚礼物送给赫拉的金苹果树。

2 公元前420—前406年间建于雅典卫城上的爱奥尼亚式神庙。

3 厄诺娜:《菲德尔》剧中菲德尔的乳母。

4 凯拉美科斯（Céramique，希腊文Kerameikos）是古代雅典的一个城区。贵族女子赫盖索葬在此处的墓地，其墓碑上刻着女奴向她呈上首饰匣的雕像，贝戈特指的是女奴伸直手臂的姿势。

到古代厄瑞克修姆神庙的少女像柱，我承认那也许跟拉辛的戏剧没什么相干，可是《菲德尔》已经有那么丰富的内涵……再添一点儿……哦，再说，六世纪那位可爱的菲德尔有多美，垂直的胳膊，大理石般的鬈发，对，她想必从中汲取了灵感，这真是了不起。比起今年出的好些所谓古典著作来，拉贝玛的古典味儿要浓得多。”

对这些古老的雕像，贝戈特在一本书里写下过著名的颂词，因此他此刻说话的含义，我心领神会，而且心里添了一个喜欢拉贝玛表演的理由。我努力回想拉贝玛的那场戏，还记得起她举手齐肩的形象。我对自己说：“这就是奥林匹斯的赫斯珀里得斯；这就是雅典卫城美妙陵墓雕像的姐妹；这就是崇高的艺术。”但拉贝玛在台上的姿势所蕴含的美，贝戈特要是能在我看演出前告诉我，那有多好。那样的话，当拉贝玛的造型确确实实在我眼前，当正在发生的场景还有着全部真实性的那时候，我就能从中提取出古代雕像的概念了。而现在，对那个场景中的拉贝玛，我保留的只是一种无可变更的记忆，那是一个很单薄的图像，缺乏实时实地作为它的底蕴，因而无从往深处探究，无从切实地从中得到一个新的东西，对这个图像的任何解释都已无法得到客观的证实或认可，这个图像也就无法被追加新的解释了。斯万夫人想加入我们的谈话，便问我吉尔贝特有没有想到让我读一读贝戈特评论《菲德尔》的小册子。“我有个粗心的女儿，”她对贝戈特说。贝戈特谦虚地微微一笑，说那东西没多大意思。“瞧您说的，这部小作品，这本tract[1]，写得迷人极了，”斯万夫人这么说，是尽

1　英语：小册子。

沙龙女主人的职责，是让人知道她读过这本小册子，也是她不喜欢一味恭维贝戈特，而要在他写的东西中做个选择，对他有所引导。其实，她对他是给了启发的，不过她自己并不知道那是怎样的启发。不过说到底，斯万夫人沙龙的优雅，贝戈特作品的某一侧面，这两者之间确乎有着种种联系，对今天的老人而言，也许不妨说它们是互为诠释的。

我在兴头上，一个劲地说着我看戏的印象。贝戈特往往并不赞同我的看法，但还是耐心地听着我往下讲。我告诉他我喜欢菲德尔举起手臂时那绿莹莹的光线。“哦！布景师听您这么说会很高兴，他是个很出色的艺术家，我会转告他的，他对这样的灯光处理很得意呢。可我得说，我并不很喜欢，整个舞台蓝蒙蒙的一片，可怜的菲德尔站在那儿，就像水族缸里的珊瑚枝。您会说这是营造悲剧那种超尘脱俗的气氛。说得没错。不过，要是换成一出发生在奈普顿[1]宫殿的戏，那会更合适些。我知道，戏里有央求奈普顿报仇[2]的台词。哦，我并不指望有人老想着波尔–罗雅尔[3]，可是拉辛写的毕竟不是海洋生物的爱情。话说回来，这是我朋友的主意，确实很有效果，也挺漂亮。这不，您就喜欢这光线，您也明白，呃，我俩在这一点上是一致的，他的主意有点离奇，呃，可还是挺聪明的。”贝戈特的看法即便像这样与我不同，也绝不会打住我的话头，让我待在那儿发愣——就如德·诺布瓦先生于我。并不是说贝戈特的见解不如前任大使高明，情况正相

---

1 奈普顿（Neptune）：罗马神话中的海神，即希腊神话中的波塞冬。

2 《菲德尔》第4幕第4场中，忒赛对菲德尔说：“奈普顿答应了我，他将为您雪耻报仇。”菲德尔回答说：“奈普顿答应您！什么？您竟要狠心央求……”

3 《波尔–罗雅尔修道院史》（Port-Royale）是圣伯夫（Sainte-Beuve，1804—1869）的六卷本著作。圣伯夫在书中论述了欧洲思想运动对拉辛等古典作家的影响。

反。在辩驳的过程中，一个有真知灼见的想法，或多或少会使对方受到它的感染。作为智力活动全部价值的组成部分，它越过众多相近的观念，楔入并融入对方的头脑，而对方借助于那些相近的观念，又扳回一些局面，补充并修正自己的想法；因此，最后的结论在某种意义上说是辩论双方的共同成果。只有那些确切地说算不上思想的东西，那些无所依傍，在对方脑子里找不到任何支点，找不到可容栖身之处的所谓思想，才会让对方——与纯粹的虚无在搏斗的对方——感到无从应答。德·诺布瓦先生（有关艺术）的论点是无可辩驳的，因为它们给人一种不真实的感觉。

看贝戈特并不排斥我的不同看法，我就坦率地告诉他，这些看法曾被德·诺布瓦先生嗤之以鼻。“他是个头脑简单的老头，”贝戈特对我说，“他还以为面前是块松糕，或者是条墨鱼呢，所以一个劲地啄您。”——“怎么！您认识诺布瓦？”斯万问我。——“哦！这老头有股让人讨厌的霉味儿。”斯万夫人插进来说，她对贝戈特看人的眼光信任有加，再说她大概也怕德·诺布瓦先生对我说了她什么坏话，“那天吃过晚饭，我想和他聊聊，可也不知道他是上了年岁呢，还是吃饱了没消化，我觉得他脑子很糊涂。看来真得让他服点兴奋剂！”——“可不是，”贝戈特说，“他得时时顾着闭上自己那张嘴才行，要不然，等不到晚会结束，藏在衬衫襟饰和白背心当中的那点蠢话早就说光了。”——“我觉得贝戈特和我妻子都太苛刻了。”斯万说，他在家里充当的是通情达理男人的角色。“我承认，诺布瓦不会使你们很感兴趣，不过从另一个角度来看（斯万喜欢采撷生活中的美），他还挺有意思，是个挺有意思的情人。在罗马使馆当秘书那会儿，”他往旁边看了看，确准吉尔贝特听不到才接着往下说，“他在巴黎有个情妇。他爱她爱得发狂，想方设法每星期回两次巴黎，就为和她待上两个钟头。那女人端的是又聪明又迷人，可现在是老太太啰。那段时间他还有好些别的情妇。换了我，要是我爱的女人住在巴黎，而我待在罗马，我准得疯了。那些情绪容易激动的男人，应该去爱，照普通平民的说法，够不上他们的女人，这样，他心爱的女人就会出于利害得失的考虑，事事都听从他们。”这当儿，斯万觉着了这话我也可以用在他和奥黛特身上。他对我来了气；因为，即使很优秀的人物，即使在看似和你一起翱翔于生活之上的时刻，事关面子他们毕竟还是斤斤计较的。但他的不快只在心神不定的目光中有所流露。当时他对我什么也没说。这并不奇怪。当年拉辛，照一则逸闻的说法——故事可能是后人编排的，但类似的事情在巴黎的生活中日复一日地重演着——那天晚上拉辛在路易十四面前提到斯卡隆[1]，这位世上最有权势的国王当场对他什么也没说。第二天，拉辛就失宠了。

但凡理论总需要完整的阐述，于是斯万在片刻的不快，在擦拭单片眼镜的镜片过后，对自己的思想做了补充，他的这番话日后在我的记忆中有如预言一般珍贵，可我当时什么也没意识到。“这种爱情的危险性，在于女人的驯顺一时间平息了男人的嫉妒，但与此同时，却使嫉妒升了级。到头来他会让情妇生活得有如女囚，日夜亮着灯生怕她逃跑。结局往往是悲剧。”

我把话头拉回到德·诺布瓦先生身上。“他这人您信不得，

1 斯卡隆（Paul Scarron，1610—1660）：法国诗人、剧作家。他去世后，其妻弗朗索瓦兹·德·奥比涅受宠于路易十四并以德·曼特侬侯爵夫人之称行世。圣西门的《回忆录》第1卷中写道，1697年路易十四与拉辛交谈时，拉辛提到斯卡隆的名字。从此以后，路易十四和德·曼特侬夫人不再理睬拉辛。

老是讲人家坏话。”斯万夫人对我说，听这口气好像德·诺布瓦先生真说过她的坏话，斯万以一种责备的神气瞧着她，仿佛是不让她再讲下去，这就更让人觉得确有其事了。

吉尔贝特已经让人催了两次，叫她去换衣服准备出门，可她依然坐在父母中间听我们交谈，脑袋撒娇地靠在父亲肩上。乍一看，这个姑娘和她母亲毫无相像之处，斯万夫人的头发是深色的，吉尔贝特却是一头浅发，皮肤依稀闪着金色的光亮。但稍一细看，便能在吉尔贝特身上认出她母亲的面容——例如，仿佛由一位看不见摸不着的雕刻家用雕刻刀果断、利索刻出的那个鼻子，这位不可见的艺术家用这把雕刻刀，业已塑造了好几代人的面貌——和表情、动作；若以另一种艺术做比喻，她就像一幅画得有些离谱的斯万夫人的肖像，画家涂抹色彩一时兴起，把她画成了正要赴化装晚宴的威尼斯女人。她不仅戴上了金黄色的假发，而且肌肤上连一丁点儿的深颜色都不让留下；除尽深色的肌肤，仿佛显得更裸露，而一无遮拦地照射这裸露的肌肤的，正是内心的阳光，于是，这就不再是外表的化妆，而是近乎脱胎换骨了。吉尔贝特看上去像在扮故事中的某种动物，或是神话中的某个人物。亮里透红的皮肤来自父亲，似乎造物主在创造吉尔贝特时，面对如何一点一点重塑斯万夫人的问题，手边可用的材料却只有斯万先生的皮肤。造物主把这材料运用得尽善尽美，犹如一个中世纪的能工巧匠，刻意在精美的制品上留下了木料的纹理和节疤。在吉尔贝特的脸上，复制得惟妙惟肖的奥黛特的鼻子边上，皮肤相继隆起，一丝不苟地重现了斯万先生点缀面容的那两颗痣。坐在斯万夫人旁边的，是她的一个新品种，犹如紫丁香旁边的一株白丁香。但这并不是说，两种不同的相像之间就有了一条泾渭分明的分界线。有时吉尔贝特笑起来，你会在这张酷似母亲的脸上，看到父亲的那张鹅蛋脸，仿佛有人将这两张脸放在一起，想看看混合的效果；鹅蛋脸如同胚胎成形那般，渐渐变得清晰，呈椭圆形伸展、膨胀，少顷便消失不见了。吉尔贝特的眼睛里，有她父亲坦诚的目光；她当初把仿玛瑙的弹子给我，对我说“留着做个纪念吧”，那双眼睛里闪动的就是这样的目光。但是，只要有人问起她刚才或头几天在做什么，在这双眼睛里看见的就是尴尬、犹豫、躲闪、沮丧的神情，以前斯万问奥黛特去了哪儿，奥黛特回答斯万时说了谎，她的眼神就是这样。但当年伤心欲绝的情人如今成了小心谨慎的丈夫，瞧见妻子这眼神他马上会把话头岔开了。在香榭丽舍公园玩的那会儿，每当看见吉尔贝特的这种眼神，我心里就不踏实。不过在大部分情形，我是多心了。对吉尔贝特而言，这眼神——至少是这眼神吧——来自母亲身上的遗传，仅此而已。当吉尔贝特要去学校，或者得回家上钢琴课的时候，她瞳孔里露出的眼神，正是从前奥黛特白天接待了某个情人，或者急着要去赴一次幽会，却又藏藏掖掖生怕斯万知道时的眼神。就这样，我看见了斯万先生和斯万夫人的两种性格、气质在这个梅吕齐娜[1]身上荡漾，涌动，此起彼伏地交相叠印。

当然，一个孩子总是像父母的。不过，孩子所继承的父母的优缺点，往往搭配得很奇怪，在父母一方身上看似不可分的两个优点，到了孩子身上会只剩下一个，而且和父母另一方某个看似扞格的缺点搭配在一起。精神层面的优点物化为几难相容的相貌缺点，差不多成了子女与父母如何相像的一条规律。两姐妹中，一个有父亲令人骄傲的身形，头脑却像母亲一样褊狭；另一个，内秀得自父

1　梅吕齐娜（Mélusine）：中世纪传说中人物，被罚每星期六变为半人半蛇的怪物（femme-serpent）。歌德曾以这个传说为题材写过小说。

亲，世人看到的却是得自母亲的相貌，母亲硕大的鼻子、瘪陷的胸部，乃至说话的声音，都给女儿的禀赋罩上了一层外衣，全无人们想见的精致优雅。反正两姐妹都有充分的理由说自己最像父亲或母亲。没错，吉尔贝特是独生女，但是至少有两个吉尔贝特。两种禀性分别得自父亲和母亲，在她身上混合了；非但混合，它们还时时在争夺她——这样说还是不够确切，会让人以为在这过程中，有第三个吉尔贝特由于受到那两个吉尔贝特争夺而痛苦。其实，吉尔贝特轮流是这一个或那一个，每一时刻只是其中的一个，也就是说，当她是较不好的吉尔贝特时，她并不会因此感到痛苦，因为较好的吉尔贝特暂时还不存在，根本无从瞧见这德行。同样，较不好的那个也心安理得地享受着那些格调不高的乐趣。当较好的吉尔贝特怀着父亲的心胸说话时，她的识见让人乐于和她一起，去做一件既有意义也能获益的事情，你这么告诉了她，可就是事情要拍板的当儿，轮到她母亲的脾性上场了；和你搭腔的是这个时分的吉尔贝特。她褊狭的思路和狡黠的傻笑，都叫你失望而愠怒——就像发现面前的人突然被调了个包那般困惑而惊讶——而这种思路、这种傻笑，吉尔贝特却是安之若素，因为它们正出自此时此刻的她。两个吉尔贝特的差别，甚至可以大到让人暗自发问（不过问了也是白问），自己到底哪儿得罪她了，她居然一下子就变了嘴脸。她自己提出的约会，非但到时候不去，事后也不打个招呼，而且，甭管她究竟是出于什么原因临时改变了主意，她随后就完全变了个样儿，让你觉得自己就像《双胞胎》[1]里认错孪生兄弟的剧中人那样出

1 《双胞胎》（Ménechmes）：古罗马喜剧作家普拉图斯（Plautus，约公元前254—前184）根据古希腊后期剧作家米南德（Ménandre）作品改编的喜剧。1705年法国剧作家勒尼亚尔（Regnard，1655—1709）整理修改为同名喜剧。

了洋相，她一旦觉着自己被人错认却又不想做任何解释，因而向你使起性子来，那也只是因为你面前的她并非原先彬彬有礼表示要见你的那个她。

“好啦，去吧，别让我们等你了。”她母亲对她说。

“我在爸爸旁边挺好的，我还要待一会儿。”吉尔贝特边说边把脑袋藏进父亲的臂弯里，斯万用手指温柔地捋着她金黄色的头发。

斯万这类的男人长期生活在爱情的幻想中，他们眼看众多的女人受惠于己，却听不到她们一声感激的话语，看不到一个深情的表示；而在子女身上，他们相信自己感觉到了一种亲情，这种体现在名字上的亲情，能使生命在他们身后仍得以延续。有一天这世上会没有夏尔·斯万，但仍有一位斯万小姐或娘家姓斯万的某某夫人，她依然爱着已经远去的父亲。此刻，斯万说不定已经在担心女儿的这份爱太深太浓了呢，他充满柔情地对吉尔贝特说：“你真是个乖女儿。”当我们知道一个人必定要在我们身后继续活下去，担心他或她对自己的感情过于深挚之时，我们的话音是会这么充满柔情的。他不想让人觉出他内心的激动，便加入进来一起谈论拉贝玛。他对我讲起拉贝玛的台词——用的是一种冷漠的、无所谓的口吻，仿佛要和自己所说的话保持距离——要我注意她对厄诺娜说“你一定知道！”[1]时的语调是多么准确细腻、多么惟妙惟肖，其中自有一种让人意想不到的魅力。他的话有道理：拉贝玛说得确实既清楚又明白，我崇拜拉贝玛，心心念念想为此找到无可辩驳的理由，按说这一下我的心愿实现了。可是不

1 《菲德尔》第4幕第6场中，菲德尔责备厄诺娜没把依包利特爱着阿丽丝的实情告诉她：“你一定知道！你怎么让我蒙在鼓里？”

然，恰恰因为它太清楚、太明白了，我反而感到不满足。拉贝玛的语调如此美妙，台词的含义乃至弦外之音又是如此明显，倒像它本来就在那儿，每个有灵气的女演员都可以得到它似的。这样念台词是很高明，但又好像只要细细揣摩，任谁都能想到这个点子上去。当然，它毕竟是拉贝玛发现的，可是，当我们在谈论发现某样东西，而这种所谓发现跟现成地接受并没有区别，而且，既然这样东西别人也能得到，实际上它就跟当初的这个人并没有关系，这时我们还能用发现这个词儿吗？

“哟，今天您一来，谈话档次就高了！”斯万对我这么说，像是在向贝戈特表示歉意似的；斯万沿袭盖尔芒特府上的习惯，接待大艺术家一如招待熟朋友，主人只顾尽心让大家吃好、玩好，要是在乡间就加上运动好。“这不，我们大谈其艺术。”斯万说。——“这挺好，我就喜欢这样。”斯万夫人说这话时，朝我投来感激的一瞥，这既是出于好心，也是因为她当年向往层次较高的谈话，至今余兴尚浓。接下去，贝戈特就和别人交谈，和吉尔贝特谈得最多。我方才居然把我的所思所感一股脑儿向他倾诉了出来，这种无拘无束的态度连我自己都感到吃惊，这种态度其实跟我多年来养成的习惯有关，这些年（在那些无以胜数的孤零零独自看书的时刻，他对于我来说不啻我自己最好的那部分）我已经习惯了对他真诚、坦率和信任，所以当他出现在我面前时，我不觉得是在跟一位初次见面的客人交谈，不觉得局促和胆怯。然而，正因为如此，我就特别在意自己留给他的印象，我总以为他会看不起我的这些想法，这种忧虑并不是今天才有，它可以追溯到我刚开始读他的书，在贡布雷花园里的那会儿。也许我该提醒自己，既然在听任思绪放松的情况下，我一方面对贝戈特的作品心驰神往；一方面又在剧场里感觉到一种莫名的失望，二者都是发自内心的，那么，这两种本能的反应想必并不是互不相干，而是有共同规律的；我读他的书而心向往之的这位长者，应该不会对我的失望，对我无法解释这失望的惶惑感到非常陌生，感到不屑一顾。因为我想，我的领悟力（intelligence）应该是一种——抑或这东西本来也就只有一种，天下人之于它，犹如同一寓所的房客之于寓所——一种这样的领悟力，各人自不同的身躯注目于它，好比剧场中人各有座，舞台却只有一个。诚然，我心心念念想要弄清楚的那些问题，未必是贝戈特平日在书中探讨的问题。但是，如果他和我，我们共有的是同一种领悟力，那他在听我解释自己的想法时，一定会回想起这些想法，喜欢它们，微笑着倾听它们。而且，无论我设想他在做什么，想必他会让心灵的慧眼注视着领悟力的另一组成部分——与曾在他的作品中留下痕迹的、我据以想象过他整个精神世界的那部分全然不同的另一部分。神父有最丰富的心灵体验，对并非身经的罪愆就最能原谅；同样，天才有最丰富的悟性经验，对与自己著作的基本观念赫然对立的观念就最能理解。这些都是我本该想到的（不过，想到了也并不怎么叫人愉快：才情出众之人的好意，到头来只会引起平庸之人的不解和敌意。而大作家在他的作品中显示的情谊，即便让我们感到高兴，这高兴也是有限的；一个我们不曾考虑她是否聪明而身不由己爱上的女人，会以她的敌意使我们痛苦，那种高兴的程度，远非这种痛苦可比）。这些都是我本该想到的，可是我没想到，我因此觉着自己在贝戈特眼里一定显得很蠢；却不料吉尔贝特凑在我耳边轻声说：

“我真是太高兴了，您把我的老朋友贝戈特给迷住了。他对妈妈夸您绝顶聪明呢。”

“我们去哪儿？”我问吉尔贝特。

“哦！去哪儿都行，您是知道的，对我来说……”[1]

自从发生了她祖父忌日的那件事以后，我就一直在寻思，吉尔贝特的性格，是否跟我想的并不一样。她的那种审慎、那种沉静、那种始终如一的温良恭顺，背后是否恰恰隐藏着恣肆奔放的欲念，她只是出于自尊，不想让人觑见它们罢了，而当它们偶或受到压抑，她骤起反抗之际，它们还是会灵光一现的。

因为贝戈特和我父母住在同一个街区，我们就一同回家；马车行驶途中，他和我谈起我的身体："斯万夫妇告诉我，您的身体不大好。对此我感到很遗憾。不过我也并不感到太遗憾，因为我看得出，您有一种思考的乐趣，对您和所有品尝过这种乐趣的人来说，这可能是更为要紧的。”

唉！贝戈特说的话，我感到实在对我不合适；我这人就怕思考，深入的思考让我望而生畏，对我来说，最开心的就是悠游自在到处闲逛的时候；我觉得我在生活中所想望的，都是些纯粹物质的东西，对智力活动我是敬而远之的。要说乐趣，我既辨别不出它们的不同来源，也说不清它们到底浓不浓、持久不持久。所以我在回答贝戈特的时候，心想我巴望过的大概就是那样一种生活吧，一要可以和德·盖尔芒特公爵夫人来往；二要闻得到香榭丽舍那座废弃小亭里的气息，那股让我想起贡布雷的阴凉气息。

1　这三句跟上文并无呼应，对此2003年企鹅版英译本加注说明如下：这一转接很不合理，叙述者突然将贝戈特撇在了一边。按普鲁斯特手稿的写法，上面一段的结尾是叙述者陪吉尔贝特和贝戈特一起去圣克卢大教堂，想必普鲁斯特看校样时在此处做了修改而最终有所疏漏。

我没敢向贝戈特说，这样的生活理想跟思考的乐趣根本就沾不上边。

“不，先生，我没有什么思考的乐趣，我想要的并不是这个，这究竟是什么味道，我只怕都说不上来呢。”

“您真这么想吗？”他说，“嗯，您听我说，我相信您最喜欢的就是这个，我想应该如此，不会错的。”

他的话我并没当真；但我高兴起来，不那么局促了。德·诺布瓦先生说的那番话，让我感到以前那些充满憧憬、遐想和自信的时刻纯粹是主观臆想的、完全不真实的。而按贝戈特——他看来很了解我的情况——的说法，被我自己所忽略的病征恰恰是犹豫不决和自暴自弃。尤其是他说德·诺布瓦先生的那些话，让那位先生对我的判决（我原以为那是无可变更的）不再那么沉重地压在我心头了。

“您身体好些了吗？”贝戈特问我，“谁在给您看病？”我告诉他是戈达尔给我看的病，往后大概也是他吧。“他怎么能看您的病！”他说，“他的医术如何，我不了解。但我在斯万夫人府上见过他。此人是个笨蛋。有人说笨蛋也能当个好医生，我可不相信；退一步说，就算是这样，那么碰上病人是艺术家、聪明人，他也就当不成好医生了。像您这样的人，要有对路的医生，甚至要有专门的食谱和药剂。戈达尔会让您觉得厌烦，这样一来治疗就无法奏效。再说，对您的治疗，不能混同于一般的治疗。聪明人的病因，有四分之三在于他们的智力活动。当医生的，起码得明白这一点。您想想，戈达尔怎么治得好您的病呢？他想得到的，无非就是消化不良，就是胃功能障碍，他根本想不到读了莎士比亚会……所以他对您做的诊断肯定是不正确的，平衡被打破了，那个浮沉子始终是浮起的。他的诊断是胃扩张，无须再做任何检查，诊断已经写在了他的眼睛里。这您也能看得见，它在夹鼻眼镜后面闪烁着呢。”听他这么讲话，我觉得很累，我自作聪明地思忖：“胃扩张不会在戈达尔教授的夹鼻眼镜背后闪烁，就像蠢话不会藏在德·诺布瓦先生的白背心里面一样。”可贝戈特在接着往下说：“我想还是给您推荐迪·布尔邦大夫吧，他非常聪明。”——“他是您的大作的热心读者。”我说。我看出贝戈特早知道了，我也由此明白了一个道理，就是互有好感的人总是很快就会走到一起的，真正的不相识的朋友是少而又少的。贝戈特说戈达尔的这些话，跟我原先想的完全相反，所以我很吃惊。我不在乎自己的医生是不是叫人讨厌；我指望他能靠一种我不明就里的本事，在检查我的脏腑的时候，就我的健康状况做出无可置疑的权威论断。我并不要求他凭借自己的智力（在这方面，我也许可以弥补他的不足）来试图理解我的智力活动，在我看来智力本身并无意义可言，它只是一种可以用来探知外界事物真相的手段而已。聪明人的饮食方式是否得有别于傻瓜，对此我颇为怀疑，我更容易接受的倒是后面那些人的饮食方式。“有个人确实需要有个好医生，那就是我们的朋友斯万。”贝戈特说。我问斯万先生是不是病了，贝戈特回答说：“他呀，娶了个风尘女子，就此不得安生，想着那些不愿接待他妻子的女人，还有那些跟他妻子睡过觉的男人，他的嘴角就耷拉了下来。下次您留心看看，他回家瞅见客厅里那些客人的当口，眉头皱得有多紧。”贝戈特会在一个并不熟悉的人面前这样说自己朋友的坏话，而且是多年来一直把他奉为上宾的朋友，这使我感到很意外，同样，他在斯万家和他们夫妇俩说话时用的那种近于温柔的语气，也让我觉得很不习惯。的确，我听见贝戈特对斯万说的那些动听的话，一个比如说像我姑婆那样的人，是不可能说出口的。姑婆即便对自己喜欢的人，也爱说些不中听的话。可是当这些人不在场时，她决不会说任何不能让他们听见的话。没有哪个社交圈，比我们贡布雷的那个社交圈更不像上流社会了。斯万的社交圈已然向上流社会，向波澜起伏的大海靠近了一些。它还不是大海，但已是潟湖[1]了。"这些话到你我为止。"马车到了家门口，贝戈特在我下车时对我说。换在若干年以后，我会回答说："我一个字也不会说出去。"这是上流社会的套话，对方讲了人家坏话，你这么说是虚应故事，让他觉得放心。我本该这么回答贝戈特的，按社交场合的规矩，好些话都是现成的，你照说就行。可那时我还不懂该怎么说。而要是让姑婆遇上这种场合，她准会说："您既然不想让我说出去，那干吗要对我说呢？"当然，这么回答的人有孤僻、乖戾之嫌。我不是那样的人：我欠了欠身，没作声。

一些在我眼里俨然是庞然大物的文人，为能结交贝戈特，苦苦攀附多年只攀了个文字上的泛泛之交，贝戈特出了书房就想不起他们。而我却毫不费事地一下子跻身于这位大作家的朋友之列，这就好比很多人在排队，能买到的只是些位置不佳的票子，我却获准从一条写着"闲人止步"的通道进了剧场，坐在了最好的位子上。斯万让我进入这条通道，也许就像一个国王把子女的朋友请进王室包厢或王家游艇，是再自然不过的事情；吉尔贝特的父母犹如那位国王，把女儿的朋友请到家里，让他们置身于自己所拥有的珍贵的藏品，以及更为珍贵的私谊中间。但当时我心

1 潟湖，多指海湾因泥沙淤积堵塞而形成的湖泊。有的潟湖在海水涨潮时仍可与海洋相通。

想——没准还想对了——斯万对我这么好，间接是他想对我父母好的缘故。我记得在贡布雷那会儿听说过，斯万见我挺崇拜贝戈特，就向我父母提议带我去他家吃晚饭，可他们没答应，说我还太小，说话不知轻重，不宜出门做客。我父母在有些人，而且往往是在我认为最了不起的那些人心目中的形象，大概是跟我对他们的印象全然不相干的，所以当初粉衣女郎把父亲说得那么好，我只觉得他根本承当不起[1]。现在的情况则是，我巴望父母能明白，我适才收受的礼物有多珍贵，我但愿他们能对这位慷慨殷勤的斯万先生送给我，或者不如说送给他们的礼物表示谢忱。尽管斯万看来并没有意识到这份礼物的珍贵，一如卢伊尼壁画上金发钩鼻的东方博士[2]那般可爱，而那位博士，早就有人发现活脱脱就是个斯万先生。

回到家里，我来不及脱外套，就忙着把斯万给我的这份厚意大声告诉父母，只盼他们也能像我一样感动，果断地做出答谢斯万夫妇的重大决定，可惜他们好像对斯万这么做并不怎么看重。“斯万把你介绍给贝戈特了？介绍得好啊，你结交大人物了！”父亲大声揶揄说，“这下够过瘾了吧！”唉，偏偏我又说了贝戈特不喜欢德·诺布瓦先生。

1　参见第一卷《去斯万家那边》第一部II。

2　据《圣经·新约》记载，耶稣出生时，“有几个博士从东方来到耶路撒冷，说：‘那生下来做犹太人之王的在哪里？我们在东方看见他的星，特来拜他。’……在东方所看见的那星，忽然在他们前头行，直行到小孩子的地方，就在上头停住了。他们看见那星，就大大地欢喜；进了房子，看见小孩子和他母亲马利亚，就俯伏拜那小孩子，揭开宝盒，拿黄金、乳香、没药作礼物献给他。”（见《马太福音》第2章第1—12节）卢伊尼（Bernardino Luini，1480？—1532）为意大利文艺复兴时期伦巴第画家，壁画《东方三博士》（Les Rois Mages）是他的代表作。普鲁斯特在这里所指的，当是壁画上三博士中的一个。

“那当然！”父亲马上说，“这就表明他判断失当、心术不正。孩子啊孩子，你本来就容易犯浑，现在眼看你愈来愈不像话，我心里真不好受。”

我常去斯万家，本来就让父母觉得心里不痛快。和贝戈特结识，在他们看来就是第一个错误必然的苦果了，那个错误是他们一时不检犯下的，按外公的说法叫失足。我心想，要是再告诉他们，这个看不起德·诺布瓦先生的人居然说我非常聪明，那无疑是给他们的气恼火上浇油。这不，就拿父亲来说，他要是觉着有人，比如说我的一个同学，走上了歧途——就像我现在这样——偏巧某个让父亲反感的人称赞此人，那他就会认为，这种赞许恰恰证实了他那令人遗憾的判断。在他眼里，此人因此反而罪加一等。我好像已经听见他在嚷嚷：“没有什么好说的，都是一丘之貉！”这使我影影绰绰地感到有一个巨变正在逼近，他这就是在宣称巨变马上要降临我恬静的生活，想到这儿，我不寒而栗。可是，无论我是不是把贝戈特说我的话讲出来，父母心中的印象反正是抹不掉了，既然如此，就让这印象再坏一点，也没多大关系。况且，我觉得他们太不公正、太不肯认错，要让他们转变态度回到公正的立场，我不单不存希望，几乎是不做此想。我在把话说出口的当儿，感觉得到父母听了我的话会多么震惊，因为我竟然得到这样一个人的赏识，这个人把聪明人说成笨蛋，他的举止为正直的人所不齿，他对我的夸奖虽然我听着很受用，其实是让我在歧途上愈走愈远。所以我在说完前面那些话后，是低声地、带着几分羞愧地说出煞尾那句话的：“他对斯万他们说，他觉得我非常聪明。”这就像一条中毒的狗在田里乱啃野草，碰巧那草汁就是它身上毒素的解药，我刚才说出口的，想不到竟是唯一能消除父母成见的那句话，就这一句话，就让他们对贝戈特的成见，那任凭我做出多么雄辩的论证，任凭我把他说得花好桃好都打消不了的成见，消弭在无形之中了。顿时，局势全然改观：

“哦！……他说他觉得你聪明？”母亲说，“这让我很高兴，因为他是个很有才华的人。”

“怎么！他这么说了？”父亲接口说，“……我并不否认他在文学上的造诣，那是人人敬佩的，让人惋惜的是他生活上有失检点，诺布瓦老爹很隐晦地提到过这一点。”父亲这么说的时候，没有意识到我刚才那句话自有一种魔力，神效所至，无坚不摧，别说贝戈特判断错误，就连他道德败坏的说法也不攻自破了。

“哦！亲爱的，”妈妈接着父亲的话头说，“何以见得就真是那样呢？传言未必可信。德·诺布瓦先生虽说为人挺和气，但有时候也有些尖刻，尤其是对那些跟他不是一路的人。”

“这倒是，我也注意到了，”父亲说。

“再说，贝戈特既然说我的儿子好，许多地方我们都该原谅他才是。”妈妈边说边抚摸我的头发，耽于梦幻的目光久久地停留在我的脸上。

母亲其实在知道贝戈特对我的评价以前，已经对我说过，我有朋友下午来吃点心的时候，可以把吉尔贝特也一起请来。可是我不敢这么做，原因有二：一是在吉尔贝特家大家只喝茶，而我们家则不然，妈妈执意还要有热巧克力。我怕吉尔贝特会觉得这很粗俗，从心底里瞧不起我们。另一原因是有个礼仪上的问题，我始终解决不了。我每次到斯万夫人府上去，她总会问我：

“您母亲好吗？”

我在妈妈面前提过几次，想弄明白万一吉尔贝特来了，她会不会也这么问她。在我眼里，这要比路易十四宫廷里那声“殿下”的称呼更为重要[1]。可是妈妈根本不想听我的。

“那怎么行？我又不认识斯万夫人。”

“她不也不认识你吗？”

“我没说她认识我。可我们也不一定非得和人家一模一样呀。我要换个方式来接待吉尔贝特，斯万夫人是想不到的。”

但我信不过，宁可不请吉尔贝特来玩。

离开爸爸妈妈以后，我去换衣服，摸衣袋时冷不丁摸到一个信封，那是斯万夫人府上的总管在把我领进客厅前递给我的。现在旁边没人。我打开信封，里面是一张请柬，上面注着我应该把她搀到餐桌跟前的那位女士的姓名。

就在这段时间里，布洛克把我对周围世界的看法给搅乱了。他为我展现了获得幸福的全新的可能性（但它早晚有一天会变为给人带来痛苦的可能性）。他非常肯定地对我说，女人最想做的事，其实就是做爱，这跟我去梅泽格利兹那边散步那会儿的想法，是截然相反的。尔后，他又一次言教身带地开导我（我很久以后才真正领悟此举的意义）：他带我去了一家打炮屋[2]，这是我生平第一次去这种地方。他早就对我说过，在那儿有许多漂亮妞儿等着人去享用。可是这些女人在我的印象中始终是模模糊糊的，直到去了打炮屋，她们的脸才一张张地变得分明起来。我感激布洛克——他给我带来了喜讯，让我得知我们的幸福，我们对美的占有和享受，并不是可望而不可即的，因而是不应该放弃的——

1　路易十四下令臣民对王太子一律应称殿下，开此先例。

2　打炮屋（maison de passe）和幽会屋（maison de rendez-vous）都是变相的妓院。幽会屋可参见第一卷第434页注。

这很像感激某位医生或哲学家，他的乐观使我们不仅对人世间抱有希望，相信自己能长寿，而且对另一个世界也无所畏惧，相信即便去了那儿，也不会全然与人世隔绝。若干年过后，我已不是幽会屋的生客，这个场所——为我提供了幸福的样本，让我得以在女性美的观念中加入一种无从揆度的成分，它不仅仅是我们所熟知的美的精粹，它是神奇美妙的馈予，是唯一我们无法从自身领受、无法凭逻辑思维得到，只能求之于现实生活的贻赠：那就是鲜活的个人的魅力——对我而言，这个场所完全可以和另一些起源较近而功效相仿的东西，和那些让我们受益多多的东西（在它们出现之前，我们只能凭借别的画家、别的音乐家、别的城市来想象曼坦那[1]、瓦格纳和锡耶纳[2]，那种想象是缺乏激情的）相提并论：插图版的历史书、交响音乐会和《艺术城市》[3]。但布洛克带我去的那家打炮屋（他后来有很长一段时间不再去那儿）档次太低，里面的姑娘姿色平庸而又难得更换，对我来说既满足不了旧有的好奇心，也催生不了新萌的好奇心。人家点名要的妞儿，老鸨一概不认识，她手边现成的尽是些人家不想要的货色。其中有个妞儿，她在我面前把她吹得天花乱坠，脸上堆着包你满意的笑容（好像那是件珍品，是盘佳肴似的）说："她是个犹太妞儿！您不感兴趣？"（大概就为这缘故，她管这妞儿叫拉谢尔。）她傻里傻气地装出极度兴奋的样子，指望能就这样打动我，最后居然像性交达到高潮时那样喘起气来："年轻人，您倒是想想，一个犹

1 曼坦那（Mantegna，1431—1506）：意大利文艺复兴时期帕多瓦派画家。参见第一卷译本第358页注。

2 锡耶纳（Sienne）：意大利中部城市。

3 指洛兰出版社在20世纪初出版的画册《著名艺术城市》（Les Villes d'art célèbres），其中有威尼斯、罗马、佛罗伦萨等分卷。据七星文库版注，普鲁斯特经常翻看这本画册。

太妞儿，会让您销魂的呀！哦！”这个拉谢尔我见过，但她不知道。这个褐发的妞儿长得并不漂亮，但看上去不笨，时不时还用舌尖舔舔嘴唇，老鸨把她领去见嫖客，人家跟她搭话时，她放肆地笑着。参差不齐的黑色鬈发，围在瘦削的脸蛋四周，犹如中国水墨画晕染的效果。老鸨不依不饶地缠住我，说她如何聪明、如何有教养，我答应改日一定专程来结交她——我已经给她取了个绰号叫“拉谢尔当从主”[1]。不过，就在我去那儿的第一天晚上，我听见她临走时对老鸨说：

“那么说定了，明儿我有空，您这儿来了人别忘了叫我。”

听着这些话，我无法感觉到这是一个活生生的女人，因为她一下子就被我归入了某个类型，这类女人都有个共同之处，就是每晚过来瞧瞧，有没有一个、两个路易好赚。她只是有时换个说法而已，比如换成“如果您需要我”或者“如果您需要有个人”等。

那老鸨没看过阿莱维的歌剧，不懂我为什么老是说“拉谢尔当从主”。然而，不懂意思并不妨碍她觉得这说法特逗。每回她都乐不可支地对我说：

“得，今晚就跟‘拉谢尔当从主’成个双怎么样？瞧您说得多可乐：‘拉谢尔当从主！’哈！这话真妙。我来给您牵个线。您瞧着，包您不后悔。”

有一次我都下决心了，可她在“接活儿”，另一次是在听那

---

1 斯克里伯（Scribe，1791—1861）编剧、阿莱维（Haévy，1799—1862）作曲的歌剧《犹太姑娘》（La Juive）第4幕中，有个著名的唱段：“拉谢尔！当从主那儿 / 你的摇篮被交付到我颤抖的双手 / ……”小说主人公取“拉谢尔当从主”这么个“破句”的绰号，当然有开玩笑的意思。

个发型师摆布，这个糟老头儿跟姑娘什么也不干，就是往她们披散的头发上倒生发油，然后给她们梳头。虽说有人过来给我冲药茶，陪我说话，我还是等得不耐烦了。这几个自称女工的婆娘，从不见她们去上班，倒是整天泡在打炮屋里，身份自然比那些姑娘更低；她们半裸甚至全裸着身子，我和她们为时不短的谈话因此——尽管谈的事挺严肃——染上了一层颇有讽刺意味的轻佻色彩。不过为了那些家具的缘故，后来我也就不去这家打炮屋了。起先，我看那老鸨需要家具，就做个人情，把莱奥妮姑妈留给我的几件家具——其中有一张长沙发——给了她。这些家具我父母嫌家里放不下，一直堆在储藏室里，我原本都没怎么见过。这会儿在打炮屋，看见它们在供这些女人役用，眼前却不由得浮现出姑妈在贡布雷的卧室，依稀又闻到那些从美德中散发出来的气息。然而，这些气息被眼前这粗暴的场景所玷污，这些家具因我而沦于孤苦无助的境地，备受痛苦的折磨！我此刻的心情，真比眼看一个死去的女人遭受凌辱更为悲愤。我不再去这家打炮屋，那些家具在我心中是活着的，它们在向我哀求，它们有如波斯神话故事中看似没有生命的东西，里面囚禁着骚动不安的灵魂，在受着折磨，在祈求解脱。而我们的回忆，往往不是按时间顺序逐一呈现的记忆，而是时序错乱的灵光闪现，因而我直到很久以后才想起，好多年以前，正是在这张长沙发上，我和一位小表妹初涉爱河。当时我不知找哪儿才好，这位表妹出了这个挺悬的主意，趁姑妈出门的一个小时，跟我一起在长沙发上尝了禁果的滋味。

我没听父母的劝告，把剩下的家具，包括莱奥妮姑妈那套精美的旧银餐具全都卖了，为的是有更多的钱，可以给斯万夫人送更多的花。斯万夫人收到装满兰花的大花篮时，常对我说："我要是令尊的话，一定会给您找个指定监护人[1]。"将来有一天，我会为卖掉这套银餐具而感到歉疚，会觉得向吉尔贝特父母献殷勤远非另一些乐趣可比，简直可以说不值一哂，可我当时怎么想得到呢？我为了吉尔贝特，为了不离开她，甚至决定不去驻外使馆任职。促使一个人做出最后抉择的，往往总是某种持续时间并不长的情绪。吉尔贝特身上有一种奇瑰的东西，那是她固有的，而又从她父母身上流露出来，在她的住所居室闪闪发光，这种令我痴迷到忘却周围一切的奇瑰的东西，我简直无法想象它会离她而去，转移到另一个人身上。而且，即使转移了，即使那还是同样的东西，它对我的作用也会迥然不同。因为，就拿一种病来说吧，病情是会加剧的：随着年岁的增长，心脏的承受力变弱以后，一种对健康有害的食品哪怕再美味可口，也非得禁食不可了。

不过，我父母自然指望贝戈特认定我具备的那份智力能有一番惊人的表现。我还没认识斯万夫妇的那会儿，总以为自己无心写作是由于想见而见不到吉尔贝特，心绪不宁的缘故。而在他们家的门向我打开以后，我却往往刚在书房坐下，就迫不及待地跳起身来向他们家跑去。每次和他们分手回到家里，看似孤独的我，思绪依然无法抵挡刚才一连几小时沉溺其中的那股汩汩不绝的话语之流。尽管只有我一个人，我还是不断设想出一个又一个能取悦于斯万夫妇的话头，玩到意兴浓处，我干脆同时扮演不在场的对话者，自己向自己提一些假想的问题，而所选的问题都是便于自己施展辩才、巧妙作答的。一切都在静默中进行，但那

1 意指由指定监护人监督"我"对莱奥妮姑妈遗赠的用度，不让"我"乱花钱。

不是默想，而是对话；在我，这样的独处是一种精神上的沙龙生活，左右我所说的话的，不是我本人，而是想象中的对话双方。我并不觉得我说的就是自己的真实想法，它们只是些随口而出、不会有反馈的话语，我在其中领略到的乐趣，正是一个吃得太饱，独自静静待着让食物消化的人所感到的那种滞胀的乐趣。

要不是我下了决心要像模像样地写作，我说不定倒会马上开始写了。可既然我是很明确地做了决定，而再过二十四小时（明天是一个空框架，我还没进去，所以里面一切都是井然有序的），我的计划就可以顺顺当当地付诸实行，那何必选这么个心情不好的夜晚来开头呢——遗憾的是，接下去的两天仍然不是吉日。但我是个懂事的人。几年都等下来了，如果再等三天就等不了，那岂不太孩子气啦？我确信三天以后我准能写出几页东西来，所以关于我的计划我不再对父母提起一个字；我要再耐心等几天，到时候拿出手头正写着的作品去给外婆看，让她感到安慰，同时也心服口服。可惜，下一天并不是我所热切企盼于框架外的那个宽舒明亮的日子。过完一天，无非是惰性又延续了二十四小时，也无非是为克服内心的障碍又苦苦挣扎了二十四小时而已。一连几天过去，事情毫无进展，我已经不指望计划能立即实现，也不敢再把一切希望都寄托在这上面：我又开始睡得很晚，因为重要工作必定始于某一天早晨（因而头天晚上必须早睡）的信念有些动摇了。在热情重新激发之前我先得好好放松一下。外婆看我这样，有一次实在忍不住，责备了我一句。她语气很温和，但失望之情形之于色："怎么，写作的事儿你连提也不提了？"我对她满心怨气，心想她怎么看不到我是决心已定、无可改变了？她这么说对我很不公正，这会使我神经紧张，无法开始工作，结果计划实行的时间只好往后拖，说不定还得拖很久呢。外婆意识到她的疑问无意中伤了我的自尊心，连忙道歉，把我搂在怀里说："对不起，我再也不说了。"为了让我别泄气，她语气肯定地说，哪天我身体好了，马上就能写出东西来。

"再说，"我心想，"我整天泡在斯万夫妇家里，贝戈特不也这样吗？"在我父母眼里，我虽说有惰性，但能和一位大作家待在同一个客厅里，也就差不多是在过一种对天才最合适的生活了。可是，以为一个人无须靠自身淬砺，就可以从别人那儿沾来一份才气，那是完全不切实际的，就好比一个人平时饮食起居全无规律，经常暴饮暴食，却以为常和哪个医生一起下个馆子，就能不生病了。这种幻想，害了我，也害了我父母，而它最大的受害者却是斯万夫人。当我对她说我得留在家里用功，不能去她家的时候，她那神气仿佛她看出了我在装腔作势，觉得我那么说既有点傻气，又有点做作。

"可贝戈特要来的呀，"她说，"难道您觉得他写得不怎么样？他的书是有些拖沓，不如他在报上的文章来得尖锐和精练，可我想，他会写得更出色的。我已经安排好了，让他以后给《费加罗报》写leader article[1]。这才是the right man in the right place[2]。"

她停了停又说：

"您还是来吧，要说怎么写作，那可谁都没他说得好。"

这听上去像邀请一个志愿兵来和上校共同进餐，斯万夫人为我的文学生涯着想，叫我第二天别忘了到她家和贝戈特共进晚餐，倒像好作品就靠拉关系产生似的。

---

1 英文：报纸上的重要文章；社论。

2 英文：最合适的人选安排在最合适的地方；人尽其才。

就这样，斯万夫妇和我父母，这两拨似乎先后妨碍过我享受甜蜜生活的人，都不再对我有任何阻难，我随时可以见到吉尔贝特——心中怀着欣喜，但并不宁静。爱情中是无宁静可言的，原因在于你所得到的永远只是你的欲求的一个新起点而已。当我不能去她家的时候，我的眼睛盯在这份可望而不可即的幸福上，我甚至无法想象还能有怎么样的新的烦恼在前面等着我。但是，来自父母方面的阻力一旦撤销，这个问题一旦得到解决，新的问题就会不断冒出来，而且每次都变换着形式。从这个意义上说，我和吉尔贝特的关系每天都在更新。每天晚上回家，我都会想到有些问题，有些对我俩的感情至关重要的问题，我必须告诉吉尔贝特，而这些问题每次都是不一样的。我暗自庆幸不会再有任何东西来威胁我的幸福了。可是，威胁还是悄然而至，而且恰恰来自我毫无防范的方面，来自吉尔贝特和我自己。那些使我觉得欣慰，使我相信这就是幸福的事情，按说是该让我感到烦恼的。因为幸福在爱情中是一种不正常的状态，一些看似最简单的、随时可能出现的突如其来的事情，本身往往都是些小事，但当我们处于那种状态时，它们顷刻间就变得事态很严重。爱情让我们感到兴奋快乐，是因为我们心中存在某种不稳定的东西，我们不停地设法保持它的稳定，而在它暂时稳住不动的那会儿，我们是几乎感觉不到它的存在的。其实，爱情中有一种永恒的痛苦，欢乐冲淡了它，使它显得虚缈、遥远，但是它随时有可能以本来的面目狰狞地出现在你面前——要不是你一度得到过你所想望的东西，你早就该看见它了。

有过好几次，我觉着吉尔贝特不希望我去得太勤。可也是，她父母对我能给她好影响这一点愈来愈深信不疑，所以每当我挺想见她的时候，我只要跟他们说一声，他们就会邀我去玩。我心想，有了他们，我的爱情就安然无虞了；他们对吉尔贝特拥有绝对的权威，有他们给我做靠山，我还有什么可担心的呢？可是情况并非如此。碰到她父亲请我去，而她对此有些不高兴的时候，她所流露出来的不耐烦的神情，让我不由得心生疑窦，不知道被我当作幸福保证的事情，会不会恰好是幸福无法延续的隐秘原因。

我最后一次去看吉尔贝特，正好下雨，人家邀请她去上舞蹈课，但她和这家人不熟，不能把我也带上。我看天气潮湿，就比平时多喝了点咖啡。斯万夫人不知是天下雨的缘故，还是对聚会的那家人抱有某种成见，在女儿正要出门的当口，很生气地叫住她："吉尔贝特！"一边还向我指指，意思是说我特地来看她，她应该留在家里陪我才是。她说——确切地说是喊——这声"吉尔贝特"，是出于对我的好意，但瞧见吉尔贝特放下东西耸耸肩膀的样子，我马上意识到，做母亲的无意间促成了我和吉尔贝特的疏远，其实直到那时为止，这种疏远说不定还是可以止住的，而如今吉尔贝特却渐渐离我而去了。"你也不必天天都去跳舞呀。"奥黛特对女儿说，口气之文静想必是当年从斯万那儿学来的。随后，她又变回到奥黛特，对女儿讲起英语来了。顿时仿佛有堵墙对我遮蔽了吉尔贝特的一部分生活，仿佛有个邪恶的精灵把我的女友领得离我远远的。在说一种大家都懂的语言时，我们可以用透明的思想来取代不透明的声音。而一种并非大家都懂的语言犹如一座幽闭的宫殿，哪怕我们心爱的人在里面变了心，我们在外面忧心如焚也无济于事，只能干着急。她俩一动不动地站在两步开外用英语交谈，这事放在一个月以前，我会一笑置之，可如今听着谈话中间透出的一些法文专有名词，我影影绰绰猜到了些端倪，心里越发沉不住气，只觉得自己孤苦伶仃、无人理睬，就是被人劫持也不过就这么惨吧。最后斯万夫人总算走开了。这一天，也不知是吉尔贝特怨我无意间让她没能去跳四人舞呢，还是由于我猜到她在生气，有意比平时冷淡的缘故，她的脸上全然没有了平日的笑容，表情木然而略带愠色，仿佛整个下午都在为我的来访扫了她的兴而叹惜，为身边的人，首先是我，不能懂得她钟情于波士顿舞的深意而从心底里看不起我们。她只是偶尔和我搭个腔，说些天气不好、雨愈下愈大、座钟走得快了之类的话头，冷冷地吐出几个字，便停住不响，留下一片冷场，而我在绝望之余，也执拗得像她一样，听凭这些原本应该献给友谊和幸福的时光悄悄地过去。我俩说的每句话，都显得生硬而无聊，但我却从中感到一种宽慰，因为吉尔贝特想必不会把我想法的委琐和语气的冷漠太当真了。我虽然在说"那天倒好像钟慢了一点"，她却马上知道这意思是："你可真难弄！"而尽管我别着股劲儿，非要在这阴雨绵绵的下午说些像天气一样无聊的话，可我知道我冷淡的态度并不像我装的那么决绝，把白天愈来愈短的话头说了三遍以后，倘若我再说第四遍，吉尔贝特一定会看出我已经难以抑制，眼看就要泪流满面了。她的这副模样，眼里没有半点笑容，嘴角不再漾起一丝笑意，真让人说不出她那忧郁的眼神和阴沉的脸有多么单调，有多么让人扫兴。这张几乎变丑的脸，此刻犹如海水业已退去的落寞乏味的海滩，亘古不变的地平线匝住那片始终一模一样的反光，让你看得发腻。等了好几个钟头，吉尔贝特的脸色总也不见转晴，我忍不住对她说了她不好。"是你不好。"她回嘴说。"我没不好！"我自问有什么地方做得不好，实在想不出，就去问她。"你当然觉得自己好喽！"她说这话时笑个不停。我无从知道她这么个笑法，心里到底在想些什么，只觉得她的心思难以捉摸，不由得感到很苦恼。这笑声听上去像是说："不，不，我才不信你的话呢。我知道你爱我，可我不在乎，我根本没把你放在眼里。"我对自己说，笑声毕竟不是一种确切的语言，我说不定没弄明白它的含义。吉尔贝特的语气还是挺亲热的。"我哪里不好？"我问她，"请你告诉我，我一定按你的意思去做。"——"没用，我跟你说也说不明白。"我顿时冒出一个念头，生怕她以为我不爱她，这于我是另一种痛苦，同样揪心，但适用的是一种不同的推理。"你要是知道你让我有多伤心，你就会跟我说了。"按说她如果怀疑我对她的爱，我的伤心应该让她高兴才是，可是她却生气了。我明白我想错了，于是下决心不管她说什么，都不再相信她了，所以当她对我说"我真的爱你，早晚有一天你会明白的"（被问罪的人总声称自己的清白早晚有一天会得到证明的，但由于种种隐秘的原因，这个"有一天"不会是人家问他的那一天），我一发狠劲，猝然决定以后不再见她，但先不想跟她说，因为说了她也不会相信。

心爱的人给我们带来的忧伤，也会是苦涩的，有时候我们手头正忙，心思扑在了一件事儿上，或者特别开心（所有这些都和我们所爱的人毫不相干），几乎无暇顾及别的事儿，只是偶尔跑神想一下那心上人，这当口忧伤依然会倏然而至，依然会那么苦涩。而倘若这份忧伤来到之时——有如这次我和吉尔贝特的情形——我们心头正洋溢着和这个人儿在一起的幸福，那么原先那片充满阳光、明媚宁静的天空，会突然间变得阴云密布，一场猛烈的暴风雨眼看要向我们的心灵袭来，这时我们不免会怀疑自己能否经受得住这场狂风骤雨。回家路上，我被心间刮过的风暴吹得晕头转向，步履踉跄，只觉着非得原路折回，找个随便什么借口回到吉尔贝特身边不可，要不然简直透不过气来。可真要是那样，她一定会说："瞧他这不又回来了！从今往后我爱怎么着就怎么着吧，他走的时候愈痛苦，回来的时候就愈听话。"但我的思绪还是把我不由分说地往她那儿拽，一路上腿往这边挪，思绪往那边拽，内心罗盘的指针就这么不停地乱转，我随后给吉尔贝特写了几封没送出的信，那些信的前后自相矛盾，也活像乱转的指针。

我面临一个艰难的局面，人生中我们会不止一次地遇到类似的局面，这种时候，尽管我们的性格、气质——我们的气质生成我们的爱情，而且几乎生成我们所爱的人，甚至她们的缺点——并没有改变，态度却每次都会有所不同；态度是随年龄而变的。这样的时候，生活会被一分为二，犹如分置在一架天平两端的秤盘上面。天平的一端，是我们的心气，我们不愿让自己心爱却又没法儿理解的人儿不高兴，也不愿在她们眼里显得太卑微，比较聪明的办法就是对她们稍稍冷落一些，让她们不至于滋生一种我们离不开她们的感觉，不会对我们的热忱感到腻烦。天平的另一端是痛苦——一种并非局限于一处、似乎无处不在的痛苦——这时情况完全不同，只有当我们已经决意不去讨这个女人的欢心，让她相信我们离了她照样能行，然后再去找她的时候，痛苦才能有所缓解。如果从装着高傲的秤盘里稍稍拿掉一点年齿增长自然会磨灭的傲气，往装着忧伤的秤盘里加上一份眼看日渐加剧的后天性病痛，那么二十岁的心气让天平这一头沉下去的情形不会再出现，而另一头则变得沉甸甸的，天平再也打不住，就会像五十岁上那样坠了下去。而且，情况在不断重复的同时，也是在变化的，完全有这种可能，一个人进入中年或老年阶段以后，会萌生一种非常要命的自以为是的心态，把爱情等同于一些习惯，一些在为过多的职责所累、身心不那么自由的年轻时代所没有的习惯。

我在刚给吉尔贝特的一封信中尽情宣泄我的怒气，但也还是安排了几句仿佛不经意间写下的话，她要是有心跟我和好，这几句话就是她的救命稻草；过了不一会儿，风向转了，我写的尽是些充满柔情蜜意的话儿，而且用了“永远不再”之类凄婉的说法，却不料写的人自以为含情脉脉，看的人却全然不放在心上，她要不是认为这是说谎，把“永远不再”读成“如果你真想我，就今儿晚上吧”，就是相信这是真话，是有意告诉她我俩就此一刀两断，而因为彼此已经不再相爱，分手也就无所谓了。可是既然我们在爱的时候和不爱的时候是完全不同的两个人，我们不可能在爱的时候就像后来那样去想事情，那么我们又怎么能充分地想象一个女人——一个我们即使知道她对我们无动于衷，但为了用一个美好的幻象安慰自己，或者让自己从一种巨大的悲痛中解脱出来，在梦中仍然执意让她跟相爱时一样说着甜蜜话儿的女人——的精神状态呢？面对心爱的女人所想的东西、所做的事情，我们大概就像早期的物理学家面对种种自然现象（在自然科学创立并能对未知事物做出些许解释之前）那般茫然失措。或者，更糟的情形是像一个脑子里几乎不存在因果关系的人，这样的人无法在一个现象和另一个现象之间建立起联系，他看到的万事万物都如梦幻那样不确定。当然，我竭力想摆脱这种漫无头绪的混乱，找出事情的缘由。我甚至尽量想做到“客观”，为此我认真考虑了吉尔贝特在我心目中的地位，以及我在她心目中乃至她在除我以外的旁人心目中的地位——看到了两者之间的落差之大，才不至于把吉尔贝特的和颜悦色当作爱情的表露，把自己可笑可鄙的举止当作应对明眸流盼的殷勤。但是，我又担心自己会走到另一个极端，由于吉尔贝特某次没按约定的时间准时来到，由于她一时使性子、发脾气，就以为她对我怀有根深蒂固的敌意。我竭力在这两种都有所扭曲的观点之间寻找另一种观点，指望它能让我看清事情本来的面目；为此我冥思苦想了一通，这种思索稍稍减轻了我的痛苦。或许是思索的答案让我知道了该怎么做，或许是我让这些答案反映了自己的意愿，总之我决定第二天去斯万夫妇家。我对自己的决定感到高兴，就好比一个人一直不想去旅行，为此犹豫、苦恼了很长时间，好不容易挨到去了火车站，才拿定主意回家放掉行李，松了一口气。当你犹豫不决时，你每想到一种可能的决定，这个想法（除非你打定主意不做决定，让这想法僵死完事）就会像一颗生意盎然的种子那样滋长，实施这个决定所能引起的种种情感状态，先是呈示一个雏形，而后就会纤毫毕现地展露出来。所以，我对自己说，打算不再和吉尔贝特见面，只不过是一个想法，现在我就像真有其事那样心生苦恼，这岂不是很愚蠢吗？再说，既然我早晚还得回到她身边，那又何苦拿这么些未必付诸行动的愿望、难以真正兑现的承诺来折磨自己呢？

和吉尔贝特重归于好的念头一路上都回旋在我脑际，但一进斯万夫妇家的门，它就戛然中止了。这倒不是因为府上那位挺喜欢我的总管告诉我说吉尔贝特出门去了（当天晚上我从遇见过她的朋友那儿知道，她白天是不在家），而是由于他说这话的口气：“先生，小姐出去了，我敢向先生保证我没说谎。要是先生还想问问清楚，我可以把小姐的贴身女仆叫过来。请先生相信，我当竭尽全力务使先生感到满意，倘若小姐在家，我一定马上把先生领去见她。”这番话在不经意间（其全部意义正在于此）对一通字斟句酌的说辞所要掩饰的事实做了至少是粗略的曝光，证实了在吉尔贝特周围的人眼里我是个爱纠缠的人。所以，总管话音刚落，他的话就激起了我的愤怒，当然我这怒火的对象是总管，而不是吉尔贝特。我对这位女友所能有的全部愤懑，此刻都倾注在了他身上；我的爱情因这番话而摆脱了愤懑，单独存留了下来；而这番话同时也使我明白，我得有一段时间别去看吉尔贝特。她一定会写信向我道歉。可就这样，我还是不能马上就去看她，我得以此来证明，没有她我照样能行。再说，一旦收到她的信，有些事我就不会那么在意，在一段时间里不去见她在我算不上难事，因为我心里很清楚，只要我想见她，我是能去见她的。但要让自己能不很伤感地承受这种有意的小别，我必须感觉到自己的心摆脱了可怕的疑虑，不再为我俩是否会就此绝交，她是不是会订婚、出走或被劫持之类的猜疑担惊受怕。接下来的几天，跟那年元旦我不得不和吉尔贝特分开的一个星期很相似。不过当初那会儿，一方面我明白，那个星期结束以后，吉尔贝特就会回到香榭丽舍公园，我又可以像以前一样和她见面，这是我确信的；另一方面我知道，只要元旦假期没结束，去香榭丽舍也没用，但对此我不那么肯定。于是在这个已经远去的忧郁的星期里，我平静地承受着我的忧伤，既不担心，也不期盼。现在却不然，那后一种情感，几乎和担忧一样，使痛苦变得难以忍受。当天晚上没收到吉尔贝特的信，我想她准是疏忽了，她一定很忙，第二天早上会有信来的。我每天心头怦怦直跳地等着邮班，但看到来的信不是吉尔贝特的，或者根本没有信来，我的心就沉了下去。倒还是没有信来好些，看着别人表示的情谊，她的冷漠只会更让我觉得无情。我把希望寄托在下午的邮班上。即便在两个邮班中间，我也不敢外出，生怕她会差人把信送来。天色暗了，眼看邮差也好，斯万家的仆人也好，谁都不会再来了，我又寄希望于下一天的早上，相信到时候一定会有的。就这样，唯其知道自己的痛苦维持不了很久，我只得不断地，不妨这么说吧，不断地更新它。悲伤也许还是那样，但它不同于以往，不再一味延续最初的感情骚动，而是一日数次地从头开始：频繁的更新使这种骚动——原本是生理上的、极其短暂的——稳定了下来。于是，前一轮的期待引起的烦恼还没来得及消释，新一轮的期待已然萌生，我每天无时无刻不处于焦虑不安之中——尽管这种状态让我连一个小时也待不下去。这次的痛苦，远比元旦假期的那次难挨得多，因为那一次我在承受痛苦的同时，每时每刻都存着看到它结束的希望。

但我终究接受了这痛苦，我明白它是无可回避的，即便只是为自己的爱情着想，我也得拿定主意远离吉尔贝特，因为我绝不愿意让她对我留下蔑视的印象。从这以后，但凡她约我见面，我总是先答应下来，免得她以为我还在跟她赌气，直到最后才临时写信给她，说我有事去不了，但感到很遗憾，完全像在跟一个关系疏远的朋友说话似的。我觉得，通常用于陌生朋友之间的这种表示歉意的客套话，要比对自己所爱的人故作冷淡的口气，更能让吉尔贝特感受到我的冷漠。这要比告诉她我怎么想，一而再、再而三地做出种种姿态更能表明我不想见她，而说不定她倒反而要见我了。可惜，这些想法落空了：要想用不见她的办法激将，挑起她要见我的兴头，结果只能是从此失去她；首先是因为，她的兴头萌生之初，我要是想让它保持下去，就不能立即去迎合它。其次，到那时候，最痛苦难忍的时刻已经过去了；我只是现在少不了她，我真想提醒她说，过不了多久她再见到我，她所能平息的就是一份早已不再像现在这样折磨我的，减轻到几乎算不得痛苦的地步的痛苦了，而到那时，我也就不会为结束这痛苦而去考虑怎么做出妥协，怎么设法跟她和好、重新相见了。以后也许会有那么一天，吉尔贝特真的很想见我，我也终于可以向她表明心迹，所有的一切都但说无妨，但到那时，我对她冷了这么久的感情，只怕再也热不起来了；我不会再对吉尔贝特很在乎。这一点我心里明白，可我不能对她说；她会以为我声称久久见不着她，我就会不爱她，目的只有一个，就是要她让我快点回到她身边。眼下，我之所以能坦然处之，不以分离为苦，是因为（意在让她明白，我虽然嘴上不是这么说，可是我不去见她既不是有事脱不开身，也不是身体不好，我就是不想见她）我总是趁事先知道吉尔贝特不在家，和女友外出不回家吃饭的机会，去看斯万夫人（对我来说她又是当初的那个斯万夫人了，那时候我难得能见到她的女儿，而吉尔贝特不去香榭丽舍公园的那些日子里，我就会到刺槐林荫道去散步）。这样，我就能听人说起吉尔贝特，也能确信她随后会听人说起我，而且从中知晓我对她并不在意。我和所有心灵受着折磨的人一样，觉得自己的处境还不是最悲惨的。因为我毕竟还可以随意出入吉尔贝特住的屋子，我总对自己说，虽然我打定主意尽量不采取这么断然的做法，但倘若这痛苦真的让我忍无可忍了，我随时可以终止这痛苦。诚然我天天都感到不幸，但也仅此而已。就这样说也还过分了些。吉尔贝特总有一天会给我寄来，甚至说不定亲自带来的那封信，我有哪一天不是一个钟头要对自己念上好几遍的呢！想象的幸福时时浮现在眼前，真实的幸福纵使毁了，我也觉得能够忍受。对于我们所爱的女人，犹如对于失踪者，即使知道一切都已无望，我们还是会等待下去。人可以悬着心、竖着耳朵生活；儿子出海探险，做母亲的早已得知儿子遇难的噩耗，依旧时时刻刻盼着他奇迹般地生还，毫发无损地回转家园。这种等待，按记忆强弱和官能退化的不同程度，或者让母亲在多年以后接受儿子已经不在的事实，渐渐忘却死者，自己再活下去——或者让她死去。再则，想到我的忧伤于爱情有益，我也就感到了些许安慰。每次都在见不到吉尔贝特的时候去拜访斯万夫人，让我很难受，但我觉得吉尔贝特对我的看法因此有所改变。

我每次去拜访斯万夫人，都要先弄清楚她女儿是否真的不在家，这是因为我决意不和她见面，但或许也因为我还心存希望，重归于好的希望遮掩了弃她不顾的意愿（在一个人的内心深处，一切都不是绝对，至少不是始终绝对的，因为内心活动遵循的规律之一，就是间断性，纷至沓来的回忆正证实了这一点），我也就看不出这意愿有多绝情了。这个希望，我知道其实是空想。可我好比一个穷人，要是在啃粗硬的面包时对自己说，待会儿说不定会有个陌生人来把家产倾囊相赠，就不会伤心得涕泪涟涟了。我们要让现实变得可以接受，脑子里总得有些小小的荒唐念头才行。所以，只要不碰到吉尔贝特，我的希望就会安然无恙——跟她分开的初衷亦然如愿以偿。而倘若在她母亲家面对面地遇见她，我俩就没准会说出一些事后无可挽回的话，弄到关系决裂、希望破灭的地步，而这些话在让我生出新的烦恼的同时，又会唤醒我的爱情，使我难以抑制心中的骚动。

很久以前，早在我和她女儿还没不和的时候，斯万夫人就对我说过："您来看吉尔贝特当然好，可我也希望您有时候来看看我，最好别在我的舒弗勒里日[1]来，人太多，您会烦的，挑别的时候吧，下午稍晚些我都在家。"因此，我去看她不妨说是在事隔很久以后应她之请前去践约。往往时间已经很晚，天色暗了下来，我父母都快要吃晚饭了，我才出门去看斯万夫人，我知道在那儿不会遇到吉尔贝特，可我一心想着的还是她。这个街区在巴黎算是有些偏远的，那时的巴黎不如现在明亮，即使在市中心，不仅路上没有电灯，屋里也很少有人点灯。坐落在底层或低矮的中二层的一间客厅（斯万夫人通常就在这儿接待客人）透出的灯光，足以照亮街道，让行人驻足观望，将它的明亮和停在门前的那儿辆鞍辔华美的马车联系起来，暗自琢磨这背后是否有什么隐情。行人看见有辆马车驶动，便颇有几分激动地以为这一神秘的因由陡然起了变化；殊不知那只是车夫怕辕马冻着，让它们遛个弯儿。车轮箍了橡胶，行进时悄没声儿，嗒嗒的马蹄声格外显得清脆而疏朗。

那些年走在街上，只要路旁的宅子筑得不太高，通常总能瞧见宅子里的室内花园，而这种花棚如今只有在斯达尔[2]新年礼品丛书的照相版图片上才得一见了。与时下路易十六式客厅少用鲜花——一只细颈水晶玻璃瓶里就那么一支玫瑰或鸢尾，再多一支也插不进——的装饰风格相比，那时候客厅里花花草草的琳

1 舒弗勒里是奥芬巴赫的轻歌剧《舒弗勒里先生》（1861）中的主人公。舒弗勒里日，指上层人士的社交接待日。

2 斯达尔：法国出版家、作家皮埃尔－儒尔·埃泽尔（1814—1886）的笔名。他曾主持出版"教育与娱乐文库"。

琅满目，以及布局上的全无章法，似乎都让人感受到女主人醉心于生意盎然的花卉，而对了无生气的装饰并不怎么热衷。这种花棚还让人想起当年那些宅邸里可以搬动的盆栽，元旦那天，盆景被放置在灯下——孩子们等不及天亮了——周围堆满着新年礼物，但盆栽是其中最美的，这些可以侍弄的花卉，给萧索的冬日带来了蓬勃的生机。这些室内花园，比盆栽更像我在一本漂亮的书上看到的花坛，在那本也是新年礼品的图画书里，紧挨着盆栽的另一个花坛，虽说不是给孩子们，而是给书中的主人公莉莉小姐的，但是孩子们看得心醉神迷，直到几十年后的今天，他们在步入老境之际，仍把那些幸福岁月的冬天想成最美的季节。室内花园里栽着品种不一的乔木状植物，从街上看过去，亮着灯的窗户犹如画中或真实的儿童花房的玻璃幕壁。路上的行人踮起脚，通常能瞧见花园深处站着一个身穿常礼服的男子，纽孔里插一朵栀子花或康乃馨，他面前坐着一个女子，身影都有些朦胧，犹如一座黄玉凹雕里的两个人形，客厅里俄式茶炊——那年头时尚的进口货——飘着香，这种茶雾也许至今仍在飘散，但大家已经习焉不察，视而不见了。斯万夫人很看重下午茶，觉得对一个男人说“您晚点来总能见到我，来喝下午茶吧”既有新意，又显得可爱，所以她带着英国口音说这话的时候，总伴着优雅而温柔的微笑，听这话的男子则敛容正色，欠身致意，仿佛这话不同凡响又大有深意，令人肃然起敬而不敢怠慢。斯万夫人客厅里的花儿不仅仅有装饰性，其中原因上面说到了，但另外还有一个最重要的原因，一个并不涉及时代，只与奥黛特以前的生活有关的原因。一个名声在外的交际花（一如当初的奥黛特）大部分时间是和情人在一起，也就是在自己家里过的，因此她得精心为自己打造一种生活。我们在一个品行端方的女子家中看到的、在她心目中确实也可能有其重要性的那些物件，往往正是一个交际花看得更重的东西。一天中最辉煌的时刻，不在她为众多的仰慕者着装打扮之时，而在她为了某一个他宽衣解带的瞬间。对她而言，身穿便袍、睡衣应当和身着盛装一般优雅。别的女人戴着首饰还生怕人家看不见，她却独自伴着名贵的珠宝怡然自得。这样的生活方式，要求一种不为人知的，也就是说一种近乎漫不经心的奢侈，久而久之，这种奢侈就成了鉴赏口味。

斯万夫人的奢侈延及花卉。她座椅旁的那只大玻璃盆里，随时都有一大捧帕尔马紫罗兰或雏菊——摘下的花瓣撒落在水面上[1]，这些花儿仿佛在向来访者证明，女主人刚才正有事来着，可惜被外客打断了。她做的是她爱做的事儿，有点像独自喝杯茶散散心，但唯其更私密、更神秘，贸然进屋的客人瞧见她身旁的花儿，会不由得道声歉，一如无意间瞅见桌上摊着的一本书，看到了书名，知道了奥黛特这会儿在看什么书，因而说不定也就知道了她正在想些什么。而且花儿不同于书，它是有生命的；某人来看斯万夫人，瞧见屋里不是她一个人，或者陪她一起回来，发现客厅不是空着的，那些花儿令人迷惑地占着一席之地，与人所不知的女主人的那部分生活息息相关，这时候，他会感到不自在。这些并非奥黛特为来客准备，而是被她忘在那儿似的花儿，曾经而且还将和她互诉衷肠，外人不好意思打扰这谈话，可是心痒痒的，想知晓其中的秘密，不由得望着堇色如洇、水灵妖冶的帕尔

1　摘雏菊花瓣猜爱情是一种欧俗。恋爱中的一方边摘边反复说："他（她）有点儿爱我，真的爱我，非常爱我，爱得发狂，一点儿也不爱我。"每瓣对应一种情况，最后一瓣对应的就是他（她）的态度。

马紫罗兰出神。十月底以后，奥黛特尽可能按时回家喝茶——当时还叫five o'clock tea[1]，因为她听说（而且喜欢告诉人家）维尔迪兰夫人家之所以成了沙龙，就是大家知道到时候准能在那儿碰到她的缘故。奥黛特觉得自己现在有了个沙龙，一点不走样，气氛却更自由，用她的话说，senza rigore[2]。就这样，她自比莱碧纳丝[3]，自信已经另立门户创立沙龙，从迪黛芳侯爵夫人那儿夺来了一伙最讨人喜欢的男士，尤其是斯万。有一种传闻，说斯万在奥黛特脱离维尔迪兰夫人沙龙，决意退让的过程中始终不渝地追随着她，奥黛特成功地让周围那些对过去情况一无所知的新来者相信了这一传闻，但她自己当然知道并不真是那么回事。有的角色，我们就是喜欢，在人前反复扮演不说，私下也时时拿来比况，结果很容易对一些虚拟的场景信以为真，而将几近忘却的真实情况置之脑后。斯万夫人全天不出门的日子，穿一件双绉的晨衣，有如初雪那般洁白，有时也穿薄纱的褶皱筒裙，乍一看全身都是粉红、白色的花瓣。放在今天，有人会觉得这身打扮跟冬天不协调，其实并非如此。这些质地轻盈、色彩柔和的衣料，赋予女人——须知在那个时代，门帘挂得密不透风的沙龙本已非常闷热，何况座椅又时行衬厚厚的垫料，在当时出入沙龙的小说家笔下，“软垫又饱满，又软和”才坐着舒服——与她身旁玫瑰一般无二的怯冷娇态，虽说是冬天，这些玫瑰依然和春天里一样，裸露着淡红色的身体。与如今不同的是，地毯吸去了脚步声，女主人又隐坐

1 英文：五点茶。

2 意大利文：宽松，不受拘束。

3 莱碧纳丝（Julie de Lespinasse，1732—1776）：出身贫寒，22岁时被迪黛芳侯爵夫人（la du Deffand，1697—1780）接纳进入侯爵府上著名的沙龙。后与侯爵夫人交恶，自立门户设立沙龙接待文化界名流。

在角落里，所以她没有注意到你进客厅，你几乎已经走到她跟前了，她仍然在看书，这就平添了几分浪漫的气氛和一种悄悄地给人惊喜的情趣，我们今天回想起斯万夫人身穿的长裙时，还能感受到这种气氛和情趣。斯万夫人的长裙，在当时已经并不时兴，也许别人都早已不穿了，看到这种长裙，我们很自然地会想到某部小说的女主人公，这是因为我们中的大多数人只有在亨利·格雷维的小说中见过这样的长裙。现在奥黛特的客厅里在初冬时分也有色彩缤纷的大朵菊花，跟斯万当初来的时候大不一样了。我赞赏这些菊花——当我神情忧郁地来到斯万夫人府上时（吉尔贝特的这位母亲，会在第二天对女儿说："你的朋友来看过我。"也许是我的满面愁容让她动了恻隐之心，她的神态中有一种神秘的诗意）——想必是由于这些菊花以路易十五式缎面扶手椅般的粉红、双绉晨衣般的雪白、俄式茶炊般的铜红，为客厅增添了一层装饰，它和客厅原有的装饰相比，色泽同样丰富、同样雅致，却自有一种只持续几天的生机。而让我感动的是，与十一月临近黄昏时分在薄雾中显得绚丽无比的夕阳，与这些玫瑰和铜红色相比，菊花的色泽并非那么转瞬即逝，它持续的时间相对来说更长一些。我还没踏进斯万夫人家门时，瞥见夕阳的余晖在天际渐渐暗淡下去，随后却只见它们延伸过去，融入菊花浓艳似火的色彩之中。这些菊花，犹如一位水彩画大师从瞬息万变的大气和阳光中汲取的装饰居所的明亮色彩，在我身旁闪耀着亲切而神秘的欢乐的光辉，邀我抛却心中的忧愁，趁这午茶时刻尽情地享受初冬短暂的欢乐。可惜的是，我从客厅里听到的谈话中是感受不到这种光辉的，它跟这些谈话毫无相像之处。纵然是对戈达尔夫人，即便时间已经不早了，斯万夫人还是会柔声说："啊不，还早呢，别看这钟，还没到点呢，这钟不准。您有什么事要急着走呀？”说着又把一块小甜饼递给手里拿着名片匣的教授夫人。

“我们跟府上可有点难舍难分哟！”蓬当夫人对斯万夫人说。戈达尔夫人惊喜地发现这正说出了她的感受，大声说：“区区不才，心里也常常这么想！”这话赢来骑师俱乐部男士们的一片赞同声。当这位并不可爱的布尔乔亚小女人进入客厅，斯万夫人把她介绍给这些男士的时候，他们忙不迭地跟她打招呼，仿佛不胜荣幸之至似的。而戈达尔夫人面对奥黛特这些风头正健的朋友，表现得非常谨慎，用她自己的话来说，就是非常矜持——她就喜欢把最简单的事情也说得文绉绉的。“您瞧瞧，一连三个星期三您都没来哟！”斯万夫人对她说。“可不是，奥黛特，我们可真是阔别很久啦，我得给您赔礼。不过，您也知道，”戈达尔夫人的神情变得很羞涩，话也说得含糊起来（她虽然是医生夫人，说起风湿病或肾绞痛之类的毛病，还是不敢直呼病名），“这一阵我有点小麻烦。这种事谁也免不了。我们家的男仆出了点问题。其实我并不比别的主妇更挑剔，但我不能让仆人学坏样，就把那个膳食总管给辞了，再说他看来是想找一个报酬更高的位置呢。不料他这一走，差点儿引发了一场辞职风波。连我的贴身女仆也说要走，事情真的闹得不可开交。最后我总算稳住了局面，这个教训真叫我获益匪浅哪。您瞧我，尽说些仆人的事情来烦您，可您知道，要实施一项人事改组措施，真是伤脑筋透了。怎么没见您那位漂亮女儿呢？”她问道。——“哦，我的漂亮女儿在一位女友家里吃饭呢，”斯万夫人回答，随即转身对我说，“我想她是给您写过封信，让您明天来看她吧。”“您的宝宝怎么样啦？”她又向教授夫人问道。

我长长地舒了口气。斯万夫人的话向我表明，我只要想见吉尔贝特，就可以来见她。而我到斯万夫人府上来，不就是为了寻求这份慰藉？上这儿来，成了这段时间里必做的功课，不就是因为我时时在期盼这份慰藉吗？“不，我不来，今晚我会给她写信的。再说，吉尔贝特和我也不可能再见面了。”我说后面那句话的口气，仿佛我俩的分手有一个神秘的原因似的，这就让我还能留有爱情的憧憬，而且这一憧憬只要凭我说起吉尔贝特时，或者她说起我时的温柔口吻，就可以维系下去。“您知道，她非常爱您呢。明儿您真的不来吗？”斯万夫人对我说。一阵喜悦突然涌上我的心头，我暗自对自己说：“为什么不来？是她母亲在请我呢！”可是很快我又变得心绪黯然了。我怕吉尔贝特见了我，会以为最近我的冷淡是在故作姿态。与其这样，还不如别见面呢。

这时，只听得蓬当夫人在抱怨政治家的太太有多烦人，那些女人在她眼里全都既可厌又可笑，遗憾的是丈夫的职位让她没法儿不和她们打交道。“可您，居然可以一口气接待五十个医生夫人，”她对戈达尔夫人说，这一位跟蓬当夫人不同，她觉得人人都很可爱，只想事事都做得中规中矩，“啊，您真是个圣人！当然啰，在部里我也只能耐着性子。可你们知道，那些官太太真叫人受不了，我简直忍不住要朝她们吐舌头。我的外甥女阿尔贝蒂娜跟我是一个样。你们还不知道这小丫头有多厉害呢。上星期我的接待日那天，财政部副国务秘书的夫人说她对烹调一窍不通。我那外甥女却露出甜甜的笑脸冲她说：‘可是，夫人，您应该知道烹调是怎么回事，因为令尊大人在餐馆里学过手艺。’”

“哦！这故事我爱听，真是妙极了。”斯万夫人说。她随即对戈达尔夫人说：“至少在您丈夫出诊的那些天里，您该有个舒心的窝儿，有花有书，有自己喜欢的东西做伴。”

“就这样，她老实不客气，把话甩了过去。这个小家伙，事先连我也没说一声，精怪得像个猴儿。瞧您多好，能克制得住自己。我挺羡慕你们，能把心里的想法掩饰得严严实实。”

“我并不需要这样，夫人，我这人生性随和，”戈达尔夫人轻轻地说，随即略为抬高了嗓音，“首先，我没有您这样的地位，”每当她要在谈话中塞进一些巧妙的恭维，不着痕迹地献点小殷勤，来取得对方的好感，助丈夫一臂之力的时候，她都会用这种嗓音，“再说，只要是对教授有好处的事情，我都乐意去做。”

“可是夫人，那也得做得到呀。您大概不是个神经质的人。可我，一看见国防大臣夫人的怪模样，就忍不住要学她的样。我这脾气真是糟糕透了。”

“噢！对，”戈达尔夫人说，“听说她的脸经常会抽搐。我丈夫也认识一位高层人士，当然，这些先生私下谈论的时候……”

“瞧，夫人，再说那位驼背的礼宾司司长吧，每回见到不出五分钟，我就忍不住要去摸摸他的背。我丈夫说我会叫他丢了差事的。噢！让他的部见鬼去吧！对，让他的部见鬼去！我真想把这句话印在信签上。我这么说，您一定觉得刺耳了吧，您太善良了。我承认，我喜欢弄点小小的恶作剧。要不然生活就太乏味啰。”

她不停地谈论丈夫的那个部，仿佛那儿曾是众神聚集的奥林匹斯山似的。斯万夫人想换个话题，转身对戈达尔夫人说：

“您的裙子看上去挺漂亮。在雷德芬[1]做的？”

“不是，您知道，我是认定罗德尼茨[2]的。再说这是改的。”

“是吗？挺别致的！”

“您猜猜我花了多少……不，头一个数字就不对。”

“怎么，这么便宜，简直就是白送嘛。我听人家说的价钱要比这贵三倍呢。”

“历史就是这么写出来的[3]。”医生夫人总结说。她又指指斯万夫人送她的围巾说：

“瞧，奥黛特。您还认得吗？”

门帘微微掀起，有人探头进来，恭敬如仪的脸上，滑稽地装出一副唯恐打扰她们的表情：是斯万。“奥黛特，阿格里让特亲王在书房，他让我来问问能不能过来看你。我怎么回话？”——“就说我在此恭候。”奥黛特说，她心里美滋滋的，但脸上不露声色，这在她并非难事，早在当交际花的那会儿，她就接待过好些高雅的男士。斯万回去转达了她的意思，陪着亲王过来，要不是维尔迪兰夫人刚才进了客厅，他是会把亲王带到妻子跟前的。

当初他和奥黛特结婚的时候，曾要求她以后跟小集团少来往（他这么做，有好多条理由，但即使没有理由，他也会这么做，因为过河拆桥是人之常情，任何人概莫能外，这也证明了一点：凡是给人牵线搭桥的人，不是毫无远见就是毫无私心）。他只允许奥黛特每年和维尔迪兰夫人互访一次，小集团的某些忠实信徒

1　雷德芬（Redfern）：巴黎一家有名的服装店。1890年前后，这家服装店以供应英国新款的女式服装著称。

2　罗德尼茨（Raudnitz）：巴黎另一家服装店，1883年开张。

3　语出伏尔泰1766年9月24日的书信。

觉得这太过分了，他们义愤填膺地为女主人[1]打抱不平，多年来她一直待奥黛特和斯万如亲人一般，如今他俩却居然这么回报她。诚然，小集团里也有虚情假意的哥们儿，他们撂下维尔迪兰夫人家的晚会，偷偷去奥黛特家赴约，万一事情败露，便借口说是出于好奇，想去见见贝戈特（尽管女主人声称贝戈特很少去斯万夫妇家，而且此人毫无才情可言，但她依然对他采取——用她的话说——怀柔政策），但是小集团里毕竟有一批激进派。这些人无视社会习俗，全然不知晓社会习俗的作用之一，就在于规避导致亲者痛仇者快的过激行为；于是他们巴不得（却又无法如愿）维尔迪兰夫人能和奥黛特一刀两断，让这个女人没法儿再臭美，没法儿再得意扬扬地说什么“打从另立门户以后，我们就难得去女主人家了。我丈夫单身那会儿还去得了，可成了家，再要去就难喽……实话告诉你们，斯万先生觉得维尔迪兰大妈让他受不了，不喜欢我常和她来往。我呢，是个责任心很强的妻子……”。

斯万陪妻子去参加维尔迪兰夫人家的晚会，但当维尔迪兰夫人上门来看奥黛特时，他却避而不见。所以，但凡有女主人在场，阿格里让特亲王就得独自进客厅。他也是唯一被奥黛特介绍给维尔迪兰夫人的来宾，因为奥黛特不想让维尔迪兰夫人听到一些无足轻重的姓氏，她宁可让对方觉得客厅里有好些陌生面孔，从而留下一种置身于贵族名流之中的印象。奥黛特的算计果然奏效，维尔迪兰夫人晚上回家，用鄙夷的语气对丈夫说：“一帮宝货！反动势力的精英都在那儿了！”

奥黛特对维尔迪兰夫人沙龙的印象则截然不同。我们日后会

1 指维尔迪兰夫人。

看到的女主人的沙龙，当时还没显出雏形。维尔迪兰夫人甚至还没进入酝酿期——在此期间通常不举办大型聚会，因为主人不愿让新近招致的少数精英分子淹没在芸芸众生之中，宁可等待十位好不容易收罗到的精英有一天繁殖到七十倍。正如奥黛特稍后的做法一样，维尔迪兰夫人给自己定下的目标也是上流社会，但她的进攻区域有限得很，而且与奥黛特有望突破的防线相距很远，所以奥黛特对女主人精心拟订的战略计划浑然不知。听到有人在她面前说维尔迪兰夫人附庸风雅，奥黛特粲然一笑，真心诚意地说："不是这么回事。首先，她没这条件，她谁也不认识。其次，我得为她说句公道话，现在这样她就挺满足了。哦，她喜欢的是星期三的聚会，是那些愉快的谈话。"她在心里妒羡维尔迪兰夫人对艺术的眷恋（不过后来，奥黛特耳濡目染，慢慢地也学到了手），尽管这些艺术只不过是表达不存在的微妙差别，赋予虚空不同的形状，确切地说只是虚无的艺术：对一个沙龙女主人而言，那就是善于组织、巧于安排、懂得如何活跃气氛、如何适可而止、如何充当枢纽的艺术。

来斯万夫人府上做客的其他女宾，见到维尔迪兰夫人都非常惊讶，这位夫人的形象，通常是和她自家的客厅，和聚集在她身旁的小集团成员联系在一起的，如今见到这位女主人成了访客，集整个小集团于一身，端坐在斯万夫人客厅的扶手椅上，大家心里暗暗称奇；而维尔迪兰夫人裹着像墙上挂的白色毛皮一样毛茸茸的皮大衣，坐在客厅深处，俨然是沙龙中的沙龙。女客中最腼腆的那几位，觉得该是告辞的时候了，起身对沙龙主人说："奥黛特，我们先走了。"用的是复数人称，这就好比去看望一个刚能下床的病人，当着其他人的面告辞时，暗示大家不能让病人累着。大家都羡慕戈达尔夫人，因为女主人亲昵地对她直呼其名。“我带您走吧？”维尔迪兰夫人对她说，这位女主人只要想到她的信徒会宁可留下而不跟她一起走，就受不了。不想戈达尔夫人却回答说：“可蓬当夫人已经邀我坐她的车了呢。”医生夫人不愿让人觉得自己是为了讨好地位更高的维尔迪兰夫人，而把蓬当夫人邀请她同乘那辆饰有部徽马车的好意当成耳边风。

“有朋友邀我搭车回家，我从心底里感激不尽。对于我这样一个没有奥托梅东[1]的人来说，这真是三生有幸啊。”——“何况，”女主人回答说（她不敢说得太多，因为她和蓬当夫人也有些认识，而且刚邀请她参加每周三的聚会），“您住得离德·克雷西那么远。哦！天哪，我总是不习惯说斯万夫人。”在小集团里，对于那些头脑比较简单的人来说，佯装不习惯说斯万夫人也算是一种玩笑。维尔迪兰夫人接着说：“我说惯德·克雷西夫人都改不过来了，刚才不留意又说错了。”其实她跟奥黛特说话时，都是存心有意，而并非不留意说错的。“奥黛特，您住的地方这么偏僻，您不害怕吗？换了我，晚上回家准会提心吊胆的。再说这儿挺潮湿，对您丈夫的湿疹也不好啊。总不至于有耗子吧？”——“当然没有！瞧您说得多吓人！”——“这就好，我是听人说的。知道没这回事，我也就放心了，您知道我特别怕耗子，要真有耗子我可不会上您家来啰。再见，亲爱的，过两天再来看您，您知道，瞧见我有多高兴啊。您这些菊花可插得不对，”她边走边说，斯万夫人起身送她，“这些是日本菊花，得像日本人那样插才对。”

---

1 奥托梅东：《伊利亚特》中阿喀琉斯的车夫。此处调侃地泛指车夫。

"尽管我要说维尔迪兰夫人在我心目中像先知一样了不起，可她刚才的看法，我还是不敢苟同。要说插菊花，奥黛特，谁也比不上您插得漂亮——照时兴的说法，好像得说有型吧。"戈达尔夫人等女主人的身影消失在客厅门外，赶紧大声说。

"亲爱的维尔迪兰夫人对别人的花总爱说三道四。"斯万夫人慢悠悠地说。

"您平时去哪家花店，奥黛特？"戈达尔夫人问道，她可不想让人继续批评女主人，"是勒梅特吗？那天我在勒梅特花店门前见到一盆高高的粉色灌木，一时心热，就犯了傻。"但她不好意思说出那个大立盆的确切价格，只是说"平时不发火"的教授冲着她大发雷霆，说她花钱大手大脚。

"不是，我最爱去的还是德巴克的花店。"

"我也一样，"戈达尔夫人说，"不过我得承认，有时候我也会见异思迁，去拉肖姆的花店。"

"哈！您撇下他去拉肖姆的店，我要去告诉他。"奥黛特接口说，想尽量显得风趣幽默，能够调节谈话的气氛。在自家的客厅，她感到要比在维尔迪兰夫人的小圈子里自在得多。她笑着往下说："不过拉肖姆的花店实在太离谱，价钱卖得这么贵，我觉着真有点不像话了！"

蓬当夫人说过上百次她不想去维尔迪兰夫人家，这次却为收到星期三聚会的邀请兴奋不已。此刻她正在盘算怎么尽可能多去几次。她不知道维尔迪兰夫人最不喜欢有人缺席；何况，她本就属于那种没有人缘、不会讨人喜欢的类型，这种类型的女人收到某家女主人每周一次的聚会邀请时，态度跟那些只要有空，有心情出门便会准时赴约的女客大不相同，她们压根儿不喜欢给人助兴，她们会，比如说，不去参加第一次和第三次的晚会，而只参加第二次和第四次的，用意就是让那两次缺席引起大家的注意。但倘若有人告诉她们第三次的聚会特别精彩，她们就会把次序颠倒过来，借口说“可惜上一次我没空”。

蓬当夫人就这么盘算着在复活节前还有几个星期三，怎样才能不着痕迹地多去一次。待会儿和戈达尔夫人一起回家的路上，她得打探些情况。

“哦！蓬当夫人，我看见您站起来了，敢情您是要开溜，这多不好呀。上星期四您没来，还欠着我一次呢……好啦，再坐一会儿。晚饭以前，您总不见得还要上别人家去吧。您不来点儿？”斯万夫人边说边递过去一碟点心，“您知道，这些小东西味道不错呢。虽说看上去不怎么样，可您只要尝一口，准会喜欢。”

“哦，看上去就好吃，”戈达尔夫人回答说，“奥黛特，您家里吃的东西真是应有尽有。我都不用问是哪儿买的了，您一准是去勒巴代的店里。说实话，我可不如您专一哟。买花式蛋糕和甜食，我常去布尔博内的店。不过我承认，这家店做的冰淇淋不怎么样。勒巴代在这方面可是行家，他们做的果冻和冰糕，都是一流的。就像我丈夫说的，nec plus ultra[1]。”

“这些点心可是自家做的。您真的不要？”

“要不我就吃不下饭喽，”蓬当夫人回答说，“不过我可以再坐一会儿；您知道，我就喜欢跟您这样的聪明女人聊天。您也许觉得我有些多嘴，奥黛特，不过我挺想知道您对特隆贝尔夫

1　拉丁文：好得不能再好。

人的那顶帽子是怎么看的。我知道，现在时兴戴大帽子。可您不觉得她有点过分吗？比起上回她去我家戴的那顶，这还算小的喽。”

“噢不，我可不是聪明人，”奥黛特说，她觉得这样回答比较得体，“我骨子里是个容易轻信的人，人家说什么我都会当真，为一点小事就会心里难过。”她这是暗示嫁给斯万这样一个不仅有自己的生活，而且跟别的女人仍有来往的男人，当初她曾经很痛苦。

阿格里让特亲王听见“我可不是聪明人”这句话，觉得自己义不容辞，得出来为她打抱不平，可是他没这份急智。

“瞎说，”蓬当夫人喊道，“您还不聪明？”

“可不是，我刚才在问自己：‘我听到什么来着？’”亲王赶紧顺着杆子往上爬，“莫非我耳朵出毛病了？”

“真的，我不骗你们，”奥黛特说，“我其实就是个爱大惊小怪的小市民，满脑子偏见，眼界又小，特别没见识。”接下去她把话头转到德·夏尔吕男爵身上，“您最近见到过这位亲爱的男爵吗？”

“您还没见识？”蓬当夫人大声嚷道，“那您倒说说，那些只知道谈论衣着服饰的官太太，那些部长夫人又算什么呢？……这不，奥黛特，就不过一个星期以前吧，我和公共教育部部长夫人说起《罗恩格林》。她回答我说：‘罗恩格林！噢，不就是牧羊女剧院[1]最近上演的歌舞剧吗？听说挺逗乐的呢。您瞧，奥黛特，有什么法子呢，这种话叫人多冒火。我恨不得给她一记耳光。您

1　牧羊女剧院：1869年在巴黎创立的一家剧院。

知道，我还是有点脾气的。您说呢，先生，”她转向我说，“我说得有没有道理？”

“依我说，”戈达尔夫人说，“人家冷不丁问你一个问题，你事先毫无准备，回答得有点出格，那也是情有可原的。对此我是有体会的，因为维尔迪兰夫人总爱对我们搞突然袭击。”

“说到维尔迪兰夫人，”蓬当夫人问戈达尔夫人，“您可知道下星期三她家有哪些客人？……哦，我刚想起蓬当先生和我星期三已经跟人约好了。您下星期三到我家吃晚饭怎么样？我们可以一起去维尔迪兰夫人家。让我一个人去，我还真有点发怵呢，也不知为什么，这位高贵的夫人总让我感到有些害怕。”

“我告诉您啊，”戈达尔夫人说，“维尔迪兰夫人家让您感到害怕的，是她的嗓音。有什么法子呢？不是每个人的嗓音都像斯万夫人这么动听的呀。不过正如女主人说的，只要谈得投机，冰雪也会融化。其实，她是个很好客的人。但我完全理解您的感受，头一回上一个陌生地方去，总会感到不自在的。”

“您来和我们一道吃晚饭吧，”蓬当夫人对斯万夫人说，“吃好饭咱们一起上维尔迪兰家，过把维尔迪兰瘾；一到她那儿，我们仨就自管自说悄悄话，哪怕女主人对我瞪眼睛，以后不再邀请我，我也不在乎，我就觉得这样好玩儿。”不过这话的真实性颇可怀疑，因为她接着就问：“依您看，下星期三那儿会有哪些客人？聚会有哪些内容？客人不至于很多吧？”

“那天我肯定不去，”奥黛特说，“我们要到最后那个星期三才去露露面。您要是可以等到那时候……”可是蓬当夫人对这种延宕时日的提议似乎不感兴趣。

一个沙龙的智力水平和它的风雅与否，通常不成正比，而是成反比的，但话虽如此，我们眼看斯万居然觉得蓬当夫人很可爱，还是不由得会想，一个人一旦接受了自贬身份的事实，就会对他甘于为伍的那些人不再苛求，就会对他们的才智连同其他的一切都采取包容的态度。而如果这个想法不错的话，那么，个人就和民族一样，在丧失独立的同时也就丧失了文化甚至语言。这种包容的态度，其后果之一就是从某个年龄开始，越来越喜欢听好话，整日沉湎于人家称赞自己气质、才情出众的恭维话里。到了这个年龄，一个大艺术家就不愿再跟禀赋特异、富有创见的同行交往，而宁愿跟自己的学生泡在一起，这些学生和他之间的共通之处，仅仅是他们也服膺他的艺术见解，但他们对他是顶礼膜拜，唯他马首是瞻的。到了这个年龄，一位沉醉在恋情之中的杰出男士或女士，会在聚会上觉得那个看似平庸的来客其实是最聪明的，原因在于此人说了一句话，从中透露出对这种爱情至上的生活态度的理解和赞赏，迎合了这位欲火正旺的情人或情妇的口味。而斯万到了这个年龄，作为奥黛特的丈夫，他听见蓬当夫人说一个沙龙只接纳公爵夫人太荒唐，会觉得她说得挺在理（并一改当初在维尔迪兰夫妇家中的看法，认为蓬当夫人是个好女人，有才智，有情趣，又不附庸风雅），乐于给她讲些有趣的事儿，让她笑得直不起腰来——一来她以前是没听过，二来她这人特别拎得清，爱给别人凑趣，也爱给自己找乐。

“这么说，戈达尔大夫可不像您这么爱花爱得发痴喽？”斯万夫人问戈达尔夫人。

“哦！你知道，我丈夫是个哲人，他做什么事都是适可而止。噢，有一件事他还是很着迷的。”

蓬当夫人眼中闪烁着狡黠、快乐、好奇的光芒，问道：“什么事，夫人？”

戈达尔夫人回答得很爽气：“看书。”

“哦！这可让做妻子的太放心喽！”蓬当夫人克制住一阵恶魔般的狂笑，大声说道。

“您知道，他只要手里有本书……”

“那好呀，夫人，您还有什么好担心的呢……”

“有啊……我担心他的视力。他大概已经到家了，奥黛特，我得回去了。一有空我就会来看您的。说到视力，您听说了吗？维尔迪兰夫人要在新买的宅子里装电灯呢。我这可不是小道消息，消息渠道正式得很：是电气公司的米尔岱亲口对我说的。您瞧，我连消息来源都告诉您了！那些卧室也都要装上电灯，还要配上灯罩让光线柔和些。这当然很美妙，可也够奢侈的。不过，这年头大家都图个新鲜，什么东西都越新越好。我有个女友的小姨，在家里装了部电话机！她不用出门，就可以向供应商订货了！不瞒您说，我已经找了个借口，说定有一天要上她那儿去打个电话。我真的挺想对着电话筒说说话，可我宁愿在朋友家，也不想在自己家里这么做。我真的不怎么喜欢在家里装电话。新鲜劲儿一过，这玩意儿就成累赘喽。好啦，奥黛特，我告辞了，蓬当夫人要用车送我，您也别留她了。我真的得走了，糟糕，我丈夫要比我先到家了！”

我还没品尝到冬天的欢乐——我依稀感到这些乐趣被亮灿灿的菊花围裹在里面——但我也得走了。是的，这种欢乐还没有显现出来，但斯万夫人看上去并没有等待的意思。她看着仆人收拾茶具，那神情仿佛在说：“关门喽！”最后，她终于开口对我说：“怎么，您真的要走了？那好吧，good bye！”我觉着，即便我留在这儿，也未必能等到这种陌生的欢乐，而且原因并不仅仅在于我的忧伤。这种欢乐，莫非它并不在这条我们熟悉的、转眼之间就到告辞时刻的时光之路上，而是在一条我所不知而又本该拐进去的岔道上？不过，至少我去造访的目的达到了，吉尔贝特会知道我趁她不在的时候去过她父母家，会知道我在那儿，正如戈达尔夫人一再说的，“从一开始就一下子吸引住了维尔迪兰夫人的注意”（医生夫人声称她从没见过维尔迪兰夫人如此主动跟人接近，说“你们俩肯定生来有缘”）。她会知道我恰如其分、不失温柔地提起过她，她也会知道我们不见面我照样能生活下去，而她近来之所以对我感到厌烦，我想就是因为她以为我没有这样的能力。我对斯万夫人说过我不能再和吉尔贝特在一起，仿佛我已经下决心永远不再见她似的。我要给她写的信里，也会有同样的意思。而其实，我要不是对自己说，这就不过是几天工夫，再最后挺一下就行了，我是鼓不起这份勇气来的。我心想：“我这是最后一次拒绝她的约会，下一次我就一定答应了。”为了让这分离变得不那么难以忍受，我对自己说，它并非没有回旋余地的哦。但我心里感觉得到，事情眼看就这么定了。

这一年的元旦让我感到格外痛苦。对一个不幸的人来说，记忆中的特殊日子、纪念日，都会使他倍感痛苦。不过，倘若起因是，比如说，失去了一个亲人，那么痛苦仅仅来自今昔之间的强烈对比。而我的情形不然，其中掺杂着这样一种没有说出来的希望，那就是希望吉尔贝特其实是指望我跨出和解的第一步，现在眼看我没有这样做，她就会趁元旦的机会写信给我说：“到底出什么事了？我想您都想疯了，您快来吧，我们可以当面把事情解释清楚。见不到您我是没法儿活下去的。”上一年年底以来，我一直觉得有可能会收到这样一封信。事实也许并非如此，但是，我们只要渴望、需要这样一封信，就足以相信会有这封信了。士兵在被打死以前，总以为前面还有一段可以无限延长的时间，小偷在被逮着以前，一般而言每个人在死亡以前，情况都是如此。这个信念就是护身符，可以让人——有时甚至是民族——免除对危险的恐惧（而不是危险本身），实际上也就是不相信真有危险存在，在某些情形下，他们会因此而无需勇气便能无视危险。诸如此类的缥缈信念，往往支撑着恋人，让他寄希望于和解，寄希望于对方的来信。其实，只要我不再寄希望于来信，我也就不会心焦地等信了。事情往往就是这样，尽管你知道你还爱着的那个女人对你很冷漠，你还是会以为她心里毕竟有着种种想法，她想表达这些想法，而且内心世界是很复杂的，自己虽然是她反感的对象，但同时也是她无时无刻不在关注的对象。而反过来，倘若我能预先体验到往后几年元旦那天自己的感受，我也就能明白吉尔贝特在这个元旦心里到底怎么想了。因为到那时候，吉尔贝特对我关注也好、不睬也好、温柔也好、冷淡也好，我都不会太放在心上，对于那些在我已不复存在的问题，我不会，甚至不可能再去寻找它们的答案。当我们恋爱时，爱情会变得非常庞大，以至无法全部包容在我们自身之内；它会发散开去，射向我们所爱的人，遇到对方的阻挡后，反射弹回起点，感情的这种反射，却被我们误认为对方的感情，而且反射往往比发射更令人着迷，因为我们看不出它来自我们本身。

元旦一小时一小时地过去，吉尔贝特没有来信。但那两天我收到过几张迟发或因邮路堵塞延误的贺卡，所以直到三日、四日，我还在盼着这封信，不过心里明白，希望是愈来愈渺茫了。

接下去的那些天，我哭了好几次。诚然，这正表明了我和吉尔贝特断交时，并不像自己想的那么心意已决，心里还留有一线希望，指望新年会收到她的来信。眼前希望破灭了，新的希望却还没来得及形成，于是就像一个服完了一瓶吗啡，手头却没有第二瓶的病人那样倍感痛苦。不过，也许还可以有另外一种解释——两种解释彼此并不排斥，因为在一种感情中，往往可以包含两种截然不同的因素——那就是最终会收到一封信的期望，让我跟吉尔贝特的形象接近了一些，当初渴望见到她的企盼，以及到了她身边，由她的一笑一颦所唤起的激情，此刻都让她的倩影浮现在了眼前。现在有一种可能性，似乎只要我去争取的话，我和她即刻就有可能和解，于是我不去考虑另一种情况，也就是干脆不去争取的情况。事实上，有所不为的行事态度所蕴含的巨大能量，往往是被我们忽视的。要是有谁对神经衰弱的病人说，只要躺在床上静养，不看报，他们的病状就会渐渐缓解，他们是不会相信的。在他们看来，那样只会加剧他们的病情。恋人的情形亦如此，他们先就抱着一种对立的态度，还没去试一下，就断然不肯相信有所放弃必能大有裨益。

我心跳一直太快，遵嘱少喝咖啡以后，情况正常了。于是我想，我之所以在疏远吉尔贝特时会感到焦虑苦恼，是不是多少也跟咖啡因有点关系呢？而以往每次出现这样的情况，我总以为这是因为见不到女友，即使见到也看不到好脸色，我才感到痛苦的。不过，我当时凭着想象给出了一种错误解释的种种痛苦，倘若根子真就是咖啡因的话（这也不足为奇，恋爱中的男人精神上所受的最残酷的折磨，往往是由共同生活的那个女人在生理上的习惯造成的），那么它就像特里斯当和伊瑟在喝下很久以后效用还在持续的药酒了[1]。减少了咖啡因的摄入量，健康状况几乎马上有所好转，然而心中的忧伤却有增无减，咖啡因或许并不是直接诱因，但至少加剧了这份忧伤。

到了一月中旬，对新年来信的期盼已经落空，失望引起的痛苦也渐渐平息了，节前的忧伤却重又向我袭来。这份忧伤更让我感到锥心刺骨地疼痛难当，因为它正是我自己打定主意，铁着心，耐着性子，一点一点酝酿出来的苦果呀。跟吉尔贝特的关系，是我唯一珍惜的东西，可是处心积虑要毁掉它的，恰恰是我自己，我用长久不见她的办法，来生成我的冷漠——而不是她的冷漠，但说到底，这两种冷漠是同一回事。对自己身上爱恋吉尔贝特的那个我，我不遗余力、持续不断地使其处于一种痛苦的慢性自杀的境地，而与此同时，我不仅明白现在自己在做什么，还清楚地意识到这样做会给将来造成怎样的后果：我不仅知道再过一段时间我就会不再爱吉尔贝特了，我还知道她会割舍不下，会想方设法要见我，但正如今天她这样做只会碰壁一样，到那时她的努力也将是徒劳的，这并非因为我还像今天这样实在是太爱她，而是因为我那时肯定已经爱上了另外一个女人，一个让我分分秒秒都在想念她、等待她，无法再为我已经毫不在意的吉尔贝特腾出哪怕一丁点儿时间的女人。而现在，我是真的失去了吉尔贝特（我已经下了决心不再见她，除非她正式要求我做出解释，或者向我充分表明她的爱情，而这两种情况都是不会发生的了），但我却更爱她了（我比去年更强烈地感到她对我有多么

1 特里斯当和伊瑟是欧洲骑士文学的不朽杰作《特里斯当与伊瑟》（Le roman de Tristan et Iseut）中的男女主人公。他俩误饮效用类似媚药的药酒后，突发一种不可能的爱（l'amour impossible），被迫不断聚散，直到最后双双殉情，合葬在一起。

重要，尽管那时候每天下午我都能称心如意地和她在一起，心里想着我俩的友谊是任何东西都拆不开的）。现在，我没法儿允许自己有爱上别人的念头，想到有一天我居然会对另一个女人产生同样的感情，我就感到很厌恶，因为这个念头不仅会夺走吉尔贝特，也会夺走我的爱情和痛苦：我曾含着泪试图在自己的爱和痛中了解真实的吉尔贝特，现在却必须承认，这份爱和痛并非她所专有，我迟早会把它给另一个女人的。因此——至少我当时这么想——我们始终是超脱于具体对象之外的：当我们恋爱时，我们会觉得这份并不曾刻上具体对象名字的爱情，是在将来，甚至在过去，都有可能为另一个女人（不是这个女人）而萌生的；当我们不在恋爱时，我们之所以能很达观地看待爱情中的矛盾，正是因为我们可以随口说说的这份爱情，我们当时并没有体验过，因而对它并不了解，对它的认识是断断续续的，一旦感情真的来了，认识也就中止了。我知道，有一天我会不再爱吉尔贝特，即使我还无法清楚地想象，但痛苦已经帮助我猜到了这一天的存在。诚然，我现在还有时间去警告吉尔贝特，告诉她这一天正在渐渐趋近，它的来临即便不是迫在眉睫，至少也是无法避免的——倘若吉尔贝特不来帮助我，不来趁我日后的冷漠现在还处于萌芽状态时摧毁它。有过好几次，我差点儿要提笔给吉尔贝特写信，或者想跑去当面对她说："当心啊，我已经下决心了。现在是我做的最后的努力了。这是我俩最后一次见面，很快我就会不再爱你了！"可是又何必呢？我有什么权利指责吉尔贝特冷漠？难道我不是对除吉尔贝特之外的一切都表现出这种冷漠，却又从不自责的吗？说什么最后一次！在我这儿当然是天大的事情，因为我爱吉尔贝特。可对她而言，这好比朋友在移居国外之前写信说要来访，这种来访的要求，岂不就像那些偏偏爱上我们的讨厌女人一样，让人避之唯恐不及吗——因为，还有那么些充满乐趣的事情在等着我们呢。我们每一天的时间，都是有弹性的；我们感受的激情拉伸它，我们引发的激情压缩它，而习惯则填满它。

何况，就是对吉尔贝特说了，她也不会明白的。我们总以为听我们说话的就是自己的耳朵、自己的脑子。其实，我的话是岔着道儿，犹如必得穿过一道瀑布的水帘，变得没法儿听懂，变成一种毫无意义的、可笑的声音，才能到达她的耳边。人们借话语所表明的事实或道理，没法儿直接取道而行，没法儿具有一种不可抗拒的确凿性。这样的事实或道理，非得经过相当长的一段时间以后，才能在话语中真正成形。比如，在论战中，某人置对方的种种论证于不顾，执意将观点相左的对手斥为叛逆，而后来，等当初他曾深恶痛绝的立论终于引起他的共鸣之时，原先为之摇旗呐喊的对手却早就不弹此调了。又比如一部力作，在高声朗读的崇拜者眼里，毫无疑问它自然是杰作，但有些在场听的人只觉得这是一部毫无意义的平庸之作，而等到这些人也承认它是杰作之时，可惜作者已经听不见他们的颂扬了。同样，爱情中的障碍，是在它面前灰心丧气的人再怎么努力，也无法从外面去摧毁的；只有等到他不再想它的时候，它才会由于一种来自另一方、来自曾经不爱他的那个女人的内心感情的努力而轰然倒塌，但对他来说，这已经没有意义了。倘若我去对吉尔贝特说，我往后要对她冷漠了，再告诉她有什么办法不让我这么着，她一定会觉得这就表明我对她的爱、我对她的需要，比她预想的更深更多，她会因此更讨厌和我见面。这份爱情，让我经历了前后矛盾的种种精神状态，从而也就让我比她更清楚地预见到了它的结局。我原本也许倒会写信，或者当面告诉吉尔贝特的，因为已经有一段不算很短的时间过去了，没错，这段时间使我在她眼里变得不是那么不可或缺了，但同时，它也向她证明了，她在我眼里也不是那么不可或缺了。不巧的是，有些人有意无意地在她面前谈到我，用的语气却让她以为是我央求他们这么做的。每当我得知由于戈达尔、我母亲，甚至德·诺布瓦先生的笨嘴拙舌，我刚做出的牺牲又白费了，我一再克制所取得的收获又全给毁了（而且让吉尔贝特误认为我不再想克制了），心里就有两重烦恼。首先，我的克制好不容易有了点成效，这些讨厌的人就在我全然不知的情况下，把事情弄得一团糟，我前功尽弃，一切又得从头开始。另外，即使见到吉尔贝特，我也开心不了，因为在她看来，我现在既不安分又不老实，偷偷摸摸地暗中活动，图的就是这么个她不屑给予的见面机会。我诅咒这些无聊的说长道短，它们在关键时刻深深地伤害了我，其实这些人往往既不是想拆台，也不是想补台，他们说那些话并无深意，就是随口说说而已，也有时候，只是因为我在他们面前多了个嘴，而他们又没管好自己的嘴（跟我一样）。当然，在终结这段爱情的整个可悲的过程中，有两个人起的作用远非这些人可比，这两个人，总是在事情眼看就要解决的当口，突然另起事端，一个是由于心肠太软，另一个则是太硬。然而我不会像对不合时宜的戈达尔那样，去埋怨这两个人，因为，他俩一个是我所爱的人，而另一个，就是我自己。

不过，几乎每次去看斯万夫人，她都会邀请我去和她女儿一起喝下午茶，还要我直接给她写信，告诉她我去不去，所以我常给吉尔贝特写信。我在信里有意不写那些我觉得最能说动她的话，我只是在为自己的泪水寻找一个温柔的河床。因为，感伤和欲望一样，是无须分析，只求一逞的；当你进入爱河时，你不会花时间去研究什么是爱情，你关心的是第二天能不能见到心爱的人。当你走出爱河时，你也不会去细究你的忧伤是怎么回事，你想着的是怎么用最温情脉脉的方式把这忧伤告诉她。你说的是你感到非说不可，而对方并不会理解的话，你是在为你自己说这些话。我在给吉尔贝特的信上写道："我原先以为这是不可能的。可是现在，唉，我知道这并不很难。"我还说："也许我再也不会见您了。"我说这话时，仍然避免用那种冷漠的语气，生怕让她觉得我是在装样子，但其实我是流着泪写这些话的，因为我觉得这些话所表达的，并不是我所愿意相信，而是实际上真的就要发生的事情。我知道，下次她托人来说要和我见面时，我仍然会像这次一样鼓起勇气不做让步，而且在一次又一次的拒绝过后，由于一直不见面，我慢慢地就会不再想到和她见面了。我是流泪了，但我觉得自己有勇气（而且感到心里甜滋滋的）牺牲跟她相会的幸福，以求有一天能让她觉得我挺可爱——可惜到那一天，我已经不会在乎她是否觉得我可爱喽。我假定（尽管知道可能性很小）此刻她是爱我的，上次我去看她，她不就是这么说的吗？我当作厌倦的情绪，其实只是一种带着妒意的敏感，一种和我相似的装出来的冷漠，这个假定，反而使我下的决心变得不那么冷酷了。我想象过了几年以后，我俩已经彼此相忘了，回首往事时我对她说起，我此刻在写的这封信完全是言不由衷的，她回答我说："是吗，你当时爱着我？你知道我多么盼着这封信，多么盼着和你见面，这封信又叫我哭得多么伤心吗？！"我从她母亲家一回来就动手写信，我一边写一边想，也许我这正是在制造误会，而这个想法由于它带来的忧伤，也由于它带来的快乐（我想象吉尔贝特爱着我），却促使我把信写下去。

我在斯万夫人家喝过下午茶，告辞回家的时候，脑子里想的是怎么给她女儿写信，可戈达尔夫人想的却是另一些全然不同的事。她照例要做一番小小的巡视，要对斯万夫人的新家具，对摆在客厅里很显眼的最新藏品称赞一通。而且，她总能从中找出几件（为数很少的几件）东西，是奥黛特当初在拉佩鲁兹街的寓所就有的——尤其是那几尊材质很珍贵的动物图腾。

不过，斯万夫人从一位她很尊敬的朋友那儿学到了赝品这个词——这为她开辟了一片全新的视野，因为这个词所指的，恰恰是若干年前她觉得别致的那些东西——那些相继与镀金的菊花托架、吉鲁小店的银制糖果盒，以及印有花饰的信纸一起靠边的东西（还不算那些装饰壁炉架的、做成金币模样的硬纸片）。而且，那一间间墙壁颜色还漆得很深（与斯万夫人稍后的白色客厅不可同日而语），让人感觉到艺术家的丢三落四和画室的凌乱芜杂的房间里，东方的风格面临18世纪欧洲风格的进逼，正在节节败退。斯万夫人为让我坐得更舒服而拍松的椅垫上，绣的不再是中国龙，而是路易十五时代的花纹了。她最爱待在那个四周摆满萨克森瓷器的房间里，她常说："没错，我喜欢这个房间，我爱待在这儿。我没法儿生活在充满敌意、装腔作势的东西中间；在这儿我才能工作。"（可她没说是在画画还是在写书，那会儿，写东西的风气刚传入那些小有抱负、不甘寂寞的夫人小姐中间。）她喜欢萨克森瓷器，说起这种瓷器名称总带点英国口音，有时看到别的东西也会说：这可真漂亮，就像萨克森瓷器上的花儿。对这些瓷器，她看得比先前的那些瓷人、瓷缸还要贵重，下人哪怕只是随手摸摸，她也会火冒三丈，生怕让他们给碰坏了。而斯万，这位温文尔雅的男主人，瞧着妻子大发雷霆却不露一丝愠色。要知道，清醒地看到某些缺点，丝毫无损于感情，反而会让这些缺点显得可爱起来。现在奥黛特很少穿日本晨衣接待熟朋友了，她喜欢穿一袭色彩鲜艳的绉纱浴袍，用手抚摸着胸前泡沫状的花纹，或躺或坐，有如沐浴在这些可爱的泡沫中。她的神情是那么怡然，让人依稀感觉到她的皮肤是那么清凉，呼吸是那么舒畅，仿佛这浴袍在她已然不是普通的衣饰，而是如同tub和footing[1]一样，对保持容颜完美和肌肤健康而言是必不可少的了。她常说自己宁可没有面包，也不能没有艺术和整洁，倘若看着《蒙娜丽莎》被烧毁，会比看见那一大帮子熟人给烧死更伤心。这些高论虽然让女友们觉得有些反常，却使她显得卓尔不群，比她们都更出色，比利时大使因此每周要来拜访她一次。所以，在以她为中心的这个社交小圈子里，倘若有人听说在别处，比如说在维尔迪兰府上，斯万夫人是被看作蠢女人的，此人一定惊愕万分。由于思维敏捷，她更喜欢和男士交往，而不爱混在女人扎堆的地方。不过当她评论女人时，她用的却是风流女子的眼光，专门挑剔她们身上不讨男人喜欢的缺点，手腕和脚踝太粗啦，面色不佳啦，拼写有错啦，腿上汗毛太重啦，身上气味难闻啦，眉毛是假的啦，等等等等。然而对当年曾以宽容的态度对她友好相待的某位女士，尤其是在这位女士陷于窘境之时，她会表现得比较温柔，甚至会机敏地为这个女人辩解说："人家对她不公平，我可以保证，她是个好女人。"

对于戈达尔夫人和德·克雷西夫人府上的那些常客而言，要

1　tub：英文，浴盆。footing：英文，健身散步。

是已经很久没见到她，那么不仅她客厅里的家具，就连她本人，都会让他们认不出来了。她看上去比以前年轻了好多！当然，这一方面是因为她发福了，身体更好了，神情更安详，情绪更饱满，整个人更容光焕发了；另一方面则是由于她的新发型，光滑平整的头发，使敷了玫瑰色粉底、神采奕奕的脸看上去似乎宽了些，以前显得棱角过于分明的眼睑和侧面轮廓，现在都变得柔和了。而这种变化的另一个原因在于，奥黛特人到中年，终于找到了，或者说领悟到了一种个性化的脸部表情、一种确定的性格特征、一种类型化的美，为她那张原先未经设计的脸上——长久以来它一直为脸部肌肉率性鲁莽、全无控制的活动所累，片刻之间的些许疲劳，往往会造成一时性的衰老效果，让人一下子仿佛老了好几岁——配上了这种固定的、看似青春永驻的脸部表情。

斯万的房间里，没有摆放人家新近给他妻子拍的照片——这些拍得很美的照片上，奥黛特无论穿什么裙子、戴什么帽子，总是一副故作神秘、喜形于色的表情，把她得意扬扬的身姿和脸容展现在你眼前。斯万放在屋里的，是一张简朴的老式照片，当时奥黛特的脸还没有配上那个固定模式，所以从照片上还看不到日后才找到的青春和美。斯万一贯忠于，或者说又恢复到一种迥然不同的观念，在这个目光深沉、脸色倦怠、姿态似动又静的瘦弱少妇身上，想必欣赏到了一种更有博蒂切利韵味的优雅。确实，他依然喜欢在妻子身上看到博蒂切利画中的形象。奥黛特则不然，对于自己身上这些她不喜欢的东西，这些在一个画家眼里或许正是她的特征，而她作为女人，却觉得都是些缺点的地方，她并不刻意去强调，而是设法去弥补、去掩饰，她甚至不愿听人说起这个画家的名字。斯万买过一块蓝色和粉红色相间的很精致的东方披巾，当初他买下来，是因为《圣母赞歌》[1]中的圣母也戴这样一块披巾。可是斯万夫人不肯戴它。只有一次，她听任丈夫给她定做了一套衣服，上面缀满了雏菊、矢车菊、勿忘草、风铃草，和《春》[2]里的花神一模一样。有时，傍晚时分她有些疲乏了，斯万会悄悄地叫我注意看她那双犹如在沉思的手，她无意间摆出的姿势，看上去既很灵巧又有几分不自然，跟圣母在圣书（书上已经写着“圣母赞歌”这几个字）上写字前，往天使端着的瓶里蘸墨水的姿势非常相像。不过斯万接着说：“您别去跟她说，要不她听了准会换个姿势。”

除了这个下意识地流露出几分倦意，让斯万试图从中找到博蒂切利的忧郁韵味的动作外，奥黛特的整个身影是浑然一体的，身体的曲线自上而下，勾勒出女性的轮廓，旧日时兴的那些高高低低、凹凹凸凸、纵横交错、凌乱散落的装饰，统统被舍弃不用。而且，一旦身体曲线偏离了标准曲线，无论是太过还是不及，它都会痛痛快快地修正大自然的失误，就整个一段线型做出调整，以弥补肉体和织物的缺陷。那些衬垫，那个可怕的裙撑的束结，连同带垂尾的紧身上衣，全都消失得无影无踪了。长久以来，这种由硬硬的鲸须撑着，盖住裙腰的上衣垂尾，给奥黛特平添了一个假肚子，让她看上去像是用一些零散的构件拼凑起来似的。蓬边的垂直线条和褶裥饰边的弧形线条，都让位给了身体的曲线，丝绸的面料随着身体曲线一起律动，就像美人鱼轻轻地拍击着海浪，闪烁着丝光的衣裙宛若一个有生命的机体，从长期

1 《圣母赞歌》是博蒂切利的彩绘玻璃画作。画中的圣母戴着一块蓝色、粉红色和金色相间的披巾。

2 《春》是博蒂切利的画作（1477—1478）。

的混乱和昔日时尚的阴影中挣脱出来，有了一种充满人情味的表情。然而，斯万夫人喜欢而且善于在新款式中保留某些旧款式的痕迹。有时，我晚上无心工作，又知道吉尔贝特和女友们上剧场去了，就临时决定上斯万夫人家去。这时我常会见到斯万夫人穿着一身雅致的便装，裙子是一种很好看的深颜色，这种深红或橘红由于已经不流行，仿佛就有了某种特殊的含义，裙子上斜斜地绣着一条宽宽的、镂空的黑丝带，让人想起早年的荷叶边。我没跟她女儿断交那会儿，有一天，春寒还带着阵阵凉意，斯万夫人邀我一起去动物园。她走得有些热了，就稍稍解开上装，露出了衬衣的锯齿状饰边，这种饰边，看上去就像她过去穿的背心的卷边，尤其跟她几年前穿的一件带蓬边的背心很相像；她的领巾——她对苏格兰格子花呢图案的喜好是一以贯之的，不过颜色用得很淡雅（红色成了粉红，蓝色成了淡紫），看上去简直就像最新款的闪光塔夫绸——灵巧地系在颏下，叫人纳闷在哪儿打结的同时，会不由得想起已经不再时兴的女帽系带。只要她再这样持续一段时间，那些年轻人在评论她的服饰时就会说："斯万夫人，你不觉得她代表了整整一个时代吗？"优美的文体表现为多种叙述方式的叠合，以及从中透出的内在传统的底蕴，斯万夫人的服饰也是如此，它们会勾起你对背心或带扣的朦胧回忆，让你看到短披风的灵光一现，甚至从你心中唤起女帽飘带那遥远而模糊的印象。就这样，它们让昔日的服式局部地再现于眼前的具体服式之中，这些旧款式，如今的裁缝或制帽女工都已经做不出来，但它们留在了人们的记忆深处。这种再现，赋予了斯万夫人一圈高贵的光晕——这或许是因为这些服饰既然毫无用处，就理应有一种比实用更高尚的目的，或许只是由于岁月流逝留下的痕迹，甚或只是由于这个女人所特有的一种衣着个性（正是这种个性，使那些各不相同的穿戴有了统一的格调）。你会感觉到，她的着装打扮，不仅仅是为了身体的舒适或美观；她的衣着，犹如整个一种文明的精致而充满灵性的表露，笼罩着她的全身。

吉尔贝特在母亲接待客人的那天，通常也会请朋友喝下午茶，所以，只有趁吉尔贝特碰巧不在家的舒弗勒里日[1]，我才能去斯万夫人府上。到了那儿，总见到斯万夫人身穿漂亮的长裙，有塔夫绸的，也有绫罗绸缎、丝绒双绉的，款式不像平日里的便装那么宽松，精心的搭配颇有些像出客的衣裳。这种装扮，使这样一个下午在居家的悠闲中平添了几分机敏、活跃的意味。奔放简洁的款式，既合身也和动作相配。而衣袖赋予这些动作的色彩，每次都在变换；蓝色丝绒让人看到突然下定的决心，白色塔夫绸表示愉快的心情，往前伸出胳臂这个动作所包含的雍容华贵的矜持，则由黑色的双绉衬托得光彩照人，有如做出崇高牺牲时的微笑那般摄人心魄。与此同时，那些既无使用价值又无显摆理由的繁复的饰件，也给色彩明艳的长裙增添了几分淡然、几分沉思、几分神秘，那是跟斯万夫人的忧郁，至少是她的黑眼圈和指关节所蕴含的忧郁相吻合的。蓝宝石吉祥物、彩釉四叶车轴草、银圣牌、金挂件、绿松石护身符、红宝石细链、黄玉坠子，在这么多饰物下面，长裙本身的彩色图案，在镶贴的裙腰上延续着自己的存在。那排小小的缎子纽扣并没有扣合衣裳，而且也无从解开，那条精致的饰带则似乎在含蓄地暗示着什么，它们跟那些饰物一样，仿佛就为了——除此而外它们没有任何存在的理由——显露

1　指上层人士的社交接待日。参见第179页注1。

一种意图，展示一件爱情信物，保守一段隐情，应和一种痴迷，保留对一次复原、一个誓愿、一段爱情或一场双仁核游戏[1]的回忆。有时，丝绒胸褡上依稀显出亨利二世时期的缝衩，黑色缎子长裙近肩处微微隆起，有些像1830年的灯笼袖，鼓起的裙裾则让人想起路易十五时期的鲸骨撑，长裙因而无端有了一种戏装的模样，不动声色地将往昔一丝淡淡的回忆渗入时下的生活，赋予斯万夫人某些历史上的女英雄或小说中女主人公的魅力。而倘若我这么对她说，她就会说："我跟我那些朋友不一样，她们要打高尔夫球，穿运动套装是师出有名，我凭什么呀！"

斯万夫人送一个客人到门口返回，或者给一个客人端去一碟蛋糕，从我身旁经过时，看周围乱哄哄的，就趁机对我说："吉尔贝特特地叫我请您后天来吃午饭。可我吃不准您今儿来不来，要是不来，我还得给您写信呢。"我仍然坚持不见吉尔贝特。这种坚持，在我已经变得不怎么费劲了，因为，尽管你对一种伤害你的毒药心有所好，一旦形禁势格，你已经有一段时间不服用了，你就不会不珍视这份久违的宁静，这种既无激动也无痛苦的状态。一个人对自己说再也不想见到那个心爱的女人，固然并不一定完全出于真心，可要是他对自己说想再见到她，那也未必就是真话。我们能忍受与爱人的分离，往往是由于我们相信分离是短暂的，是由于我们想到的是重聚的那一天，而与此同时，我们却又深切地感受到，相聚十有八九会导致嫉妒，跟我们日复一日对相聚时刻（这个时刻近在眼前却一拖再拖）的渴念相比，这种嫉

1 原文为philippine，源自德文Vielliebchen（意为心爱的人）。此处指一种民俗。聚会上有核果，若某人巧得双仁核，与另一人分吃，则过一段时间再相遇时，两人中先说Bonjour Philippine者得胜，对方要送他一件礼物。

妒更让人揪心，因此，即将与心爱的人儿重逢的消息，给我们带来的激动未必是愉快的。我们一天天地拖宕着；我们并非不想早日摆脱分离所引起的难以忍受的焦虑，但是我们害怕那些不会有任何结果的感情重又泛起。我们喜欢的不是这样一次相聚，而是充满温情的回忆，在回忆中可以随意加进自己的幻想，那位在现实中并不爱你的人儿，会在这孤独的幻想中对你表白她的爱情！将自己的愿望一点一点地掺入回忆，使回忆变得非常甜蜜——跟被你拖宕的会面相比起来，这样的回忆要令人愉快得多。因为，在会面中你非但没法儿让对方说出你想听的话，而且必须忍受对方新的冷遇和意想不到的粗暴对待！当我们不再恋爱时，我们都知道，不幸的爱情要比遗忘，甚至比模糊的回忆都痛苦得多。尽管我没向自己承认，但我盼望的正是这种提前的遗忘所带来的宁静恬适。

这样一种从心理上漠视对方的隔离疗法，它所引起的痛苦之所以会逐渐减弱，是另有一个原因的，那就是它在治疗爱情病症（说到底，爱情是一种顽固的念头）的过程中，渐渐削弱了这种顽固的劲头。我的爱情仍然很炽热，执意要赢回我在吉尔贝特眼中的全部信誉，我觉得，既然我主动跟她分手，我在她眼中理当信誉日隆才是，我不再见到她的那些日子，那些一天接一天、既无间断亦无时限（倘若没有哪个不知趣的家伙插手干预的话）的日子，我是有一天赚一天，只赢不亏。不过，也许赢也赢得没意思，过不了多久，我就会被宣布痊愈了。忍让，作为一种习惯模式，可以使某些力量无限增强。刚和吉尔贝特闹别扭的那个晚上，我对忧伤的承受力还是很脆弱的，如今它却已强大到无可估量的地步。然而，让现状持续下去的趋势，有时会被突如其来的冲动所打断，这时我们会听任这种冲动爆发出来，因为我们心里明白，这种冲动我们曾经日复一日、月复一月地克制过，而且还将继续这样克制下去。我们会在储蓄罐就要存满时，一下子将它倒空，我们也往往会在已经习惯上述疗法时，来不及等待治疗的结果，就突然中断治疗。有一天斯万夫人旧话重提，又跟我说起吉尔贝特要能见到我，一定会很高兴，这话犹如把我已经克制了那么久不去想它的幸福，一下子放到了我的手边，我一时千头万绪涌上心头，突然意识到幸福的滋味我仍然是可能尝到的；我简直都等不及了；我决定第二天晚饭前一定要去斯万夫人家，突如其来地出现在吉尔贝特面前。

幸好我有个计划要实施，这一天才不至于那么难熬。既然我想抛开一切往事，跟吉尔贝特重归于好，我当然要以恋人的姿态出现在她面前。她每天都会收到我送她的世上最美的鲜花。要是斯万夫人——尽管她其实无权做一个如此严厉的母亲——不许我天天送花，我就隔三岔五给吉尔贝特送些更珍贵的礼物。父母给我的钱，是不够我买贵重东西的。我想到了莱奥妮姑妈给我的那只中国花瓶，这只瓷花瓶已经很旧了，妈妈每天都等着弗朗索瓦兹来告诉她："这玩意儿完了。"意思就是花瓶裂成碎片了。既然如此，何不干脆把它卖了？卖得的钱尽够我去讨吉尔贝特欢心的。我心想，它大概能卖到一千法郎吧。我让人把它包起来；以前我都习惯了，从来不去看它，这下子要把它出手了，我倒禁不住好好看了它几眼。我带上花瓶，打算先顺路把它卖了，然后再去斯万夫人家。我对车夫说了斯万家的地址，关照他走香榭丽舍大道，街角那儿有家挺大的中国古玩店，我父亲认识店里的老板。让我万万没想到的是，老板当场买下花瓶，给我的不是一千，而是一万法郎。我欣喜万分地收下这笔钱；今后整整一年，我可以天天送吉尔贝特很多玫瑰和丁香了。马车驶离古玩店；车夫觉着斯万家离布洛涅树林挺近，就很自然地没走平常的那条路，沿香榭丽舍大道一直往前了。马车驶过贝里街拐角，在离斯万家很近的地方，我在暮色中好像瞥见了吉尔贝特的身影，她没往家里走，脚步缓慢而沉着地沿着相反的方向走去，在她身边的是个年轻人，我看不清他的脸，但看得出他俩在边走边谈。我从马车上竖起身来，想叫车夫停车，但犹豫了一下，还是没叫。只见两人渐行渐远，缓慢的步履画出两条柔和的平行线，没入香榭丽舍的浓荫。马车随即到了吉尔贝特家门口。斯万夫人招呼我说：

“哎呀，她可得后悔了，我真不知道她怎么会不在家的。刚才上课那会儿，她觉得很热，对我说要跟一位女友去透透气儿。”

“我好像在香榭丽舍大道见到她来着。”

“不会是她吧。不管怎么说，请别对她父亲说起这事儿，他不喜欢她在这时候还外出。Good evening[1]。”

我告辞出来，吩咐车夫原路返回，可是没再见到两人的踪影。他们到哪儿去了？天都暗了，他俩那么神秘兮兮地在谈些什么呢？

我回到家里，绝望地想着那出乎意料的一万法郎，有了这笔钱，我原本是可以好好向吉尔贝特献献殷勤的，现在，我却弄得下决心不再去见她了。没错，这趟去中国古玩店使我非常欣喜，我期待着从此以后吉尔贝特会高高兴兴，对我心存感激。可要是

---

1 英文：晚安。

不去古玩店，马车就不会走香榭丽舍大道，我也就不会遇见吉尔贝特和那个年轻人。就这样，同一件事情派生出了两个截然对立的枝丫，它生成的痛苦，完全抵消了它原先形成的欢乐。我此刻的际遇，刚好跟通常发生的情况相反。一般人企求欢乐，往往是苦于缺乏物质手段。拉布吕耶尔[1]说过，“家产菲薄而堕入爱河，是可悲的”。唯一的出路，就是设法一点一点打消这种寻求欢乐的念头。我的情况正相反，物质手段已经具备，可是，这第一步成功所引出的——不说是合乎逻辑的结果，至少可以说是出乎意料的结果吧，却是欢乐消遁得无影无踪。而且，仿佛还注定该是这样似的。当然，一般而言，这种消遁，并不是在我们拥有足以期许幸福的手段的同一天晚上发生的。我们往往还会抱有希望，还会努力奋争一段时日。可是幸福决不会就此降临。如果有一天，外界的障碍都被排除、被克服了，我们的天性就会将斗争由外部转向内部，我们的内心会渐渐地起变化，直到变得另有所好，不再属意眼看就要到手的东西。要是情况变化得过于迅速，我们的内心来不及跟上的话，天性也不会就此放过叫我们就范的机会，它会用别的办法——没错，那种办法会比较迟缓一些，会更微妙一些，但照样会奏效。于是，就在最后那一秒钟，眼看要到手的幸福倏然离我们而去，或者说，天性靠着一股邪劲儿，让我们到手的东西生生地毁掉了我们的幸福。当天性在一桩又一桩事情，在生活的一个又一个领域中连连受挫之时，它就会使出撒手锏，使幸福具有一种心理上的不可能性。幸福这件事，是无法实现的；与它互为表里的，是极度的苦涩。

1　拉布吕耶尔（La Bruyère，1645—1696）：法国作家、伦理学家。这句话出自他的代表作《品格论》。

我手里攥着这一万法郎，可是一点也派不上用场。不过我还是很快就把这笔钱花完了，即使当真每天送花给吉尔贝特，也未见得会花得这么快。原因是一到黄昏时分，我就愁绪无法排遣，休想在家里待得住，非得到那些我并不爱的女人怀里去哭个痛快不可。向吉尔贝特献殷勤这茬儿，我现在根本不去想了；一想到去吉尔贝特家，我就痛苦万分。头天我还觉得重见吉尔贝特是美妙无比的事情，现在我却觉得这远远不够了，因为，即使见了她，总还有那么多不在她身边的时间，我怎么放心得下呢？一个女人就是这样，往往在她自己并不知晓的情形下，凭借她给我们带来的新的痛苦，强化了她对我们的控制，而同时也强化了我们对她的要求。这个女人用这份痛苦，给我们套上又一重链索，把我们缚得愈来愈紧，而与此同时，我们原先觉得挺放心，以为足以拴住她的那根链索，这下也勒紧了。上一天我还可怜巴巴的，只消偶尔能见几次吉尔贝特就心满意足，唯恐惹她不高兴，现在我却不满足了，恨不得再提好些别的条件。因为，恋爱和战争情况恰恰相反，在恋爱中吃了败仗，反而会态度更强硬，提的条件更苛刻，不过当然，前提是他还有提条件的资格。我和吉尔贝特的情形并非如此。所以，首先我不想再上她母亲家去。我一个劲儿对自己说，吉尔贝特不爱我，这我早就知道了，她呀，我想见就能见，不想见，就慢慢把她忘了。可是这些想法好比一张治不了病的药方，跟不时浮现在眼前的那两条平行线，跟吉尔贝特和那个年轻人缓步融入香榭丽舍大道的情景相比之下，这些想法显得苍白无力，丝毫不起作用。那是一种新的痛楚，它早晚也会消退，那幕情景终有一天会滗除毒质再出现在我的脑海中，正如我们可以摆弄致命的毒药而并不涉险，可以用少许火药点烟而无须担心引爆。在我身上，有一股力量在向我反复显示吉尔贝特黄昏散步的情景，而此刻，有另一股力量在奋力跟那股乖戾的力量抗争：为粉碎记忆的轮番进攻，想象力正朝相反方向成功突破。是的，前一股力量仍在向我展示香榭丽舍大道上的那两个身影，以及过去的一些让我不快的场景，比如吉尔贝特在母亲要她留下陪我时耸肩的镜头。但是，第二股力量却勾勒出了一幅充满希望的蓝图；动辄受制的过去，跟前景诱人的未来相比，显得格外可怜。神情阴郁的吉尔贝特在眼前浮现一分钟，就会有许多个一分钟冲淡这气氛，我看到的她仿佛在想方设法跟我重修旧好，甚至要跟我订婚！诚然，诚然，由想象力引向未来的这股力量，其源头毕竟还是过去。吉尔贝特耸肩膀带给我的烦恼渐渐淡去，我对她的魅力的回忆——使我盼望她重新回到我身边的回忆，也随之消退。然而对我来说，过去还远远没有消逝。我仍然爱着我当真以为自己恨着的人。每回有人称赞我发型好、脸色不错，我总想她要是在场有多好。这段时间里有好些人表示想要接待我，可我讨厌这种交往，拒绝上他们家去。我还曾和父母赌过一回气，原因是我不肯陪父亲去参加一个晚宴，这天晚上蓬当夫妇和他们的侄女阿尔贝蒂娜说好也要去，当时，阿尔贝蒂娜还是个刚刚长大的孩子呢。生活中的不同时期，就是这样彼此交叠的。我们为了今天正爱着，而有一天会对她无所谓的女人，可以倨傲地拒绝去见一个我们此刻没放在心上，而明天却会爱上的女人，可要是我们同意了去见她，也许早就会爱上她，现在也就不会这么痛苦了，不过当然，没有这份痛苦，也总会有另一份痛苦。我的痛苦也是要变的。我惊奇地发现，在我内心深处今天是这种感情，明天却是另一种感情，它们通常都跟吉尔贝特有关，不是由这种对她的希望，就是由那种对她的惧怕引起的。跟我心目中的吉尔贝特相比，我得承认，另一个吉尔贝特，那个真实的吉尔贝特也许是全然不同的，她不会理会我是否为她感到遗憾，她大概根本不会想到我，不仅远远不如我想她想得那么多，而且比我臆想中的她想得还要少——当我独自一人面对想象中的吉尔贝特，我总会假想她在想念我，总会探究她对我的真实情感，幻想她一直有意于我。

有时，忧伤虽说程度在减轻，却始终没法儿从心头排遣开去，在这种时候，应该对两种情况加以区分，一种忧伤起因于对她不停地思念，另一种则是某些回忆唤起的，比如说一句伤人的话，或者收到的信里所用的某个动词。一场爱情会带来形形色色的忧伤，对此我们留待后文再说，在此我要说的是，这两种忧伤中，第一种远远不如第二种那般痛彻肺腑。这是因为我们对所爱的人的总体印象，始终栩栩如生地保存在心间，我们会给它蒙上光环，不失时机地美化它，因此它留下的印痕，不说是期盼的阵阵甜蜜，至少也是一种绵绵忧郁的宁静吧。（还应该注意到，爱情的忧伤往往因并发症而病情加重，病期拖长，久久难以痊愈，而使我们受折磨的那个人的形象，在其中没有起什么作用。这就好比在某些疾病中，病的起因可能微不足道，跟持续的高烧、迟迟不能康复的病情进展相比，显得并不相称。）不过，如果说我们对所爱的人的整体印象往往反映了一种乐观主义的精神，那么具体而微的回忆——那些刺人的话语、充满敌意的来信（从吉尔贝特那里，我只收到过一封这样的信）——却并非如此，你不禁会有这样一种感觉，仿佛她整个人都融入这些回忆的琐屑，有了一种咄咄逼人的意味，跟我们平时对她的总体感觉大不相同。这是因为我们看信时，不会像凝神望着心上人那样胸中充满宁静而忧郁的惋惜之情；我们按捺不住心头的骚乱，急于知晓到底有什么意想不到的不幸要降临到我们身上。这种回忆唤起的忧伤，成因自有不同；它来自外部，沿着一条最折磨人的路径抵达我们的心灵。我们以为心爱的女友的形象向来如此，一直没变，其实这个形象是经过我们一再更新的。残酷的回忆则早于这个更新的形象，它属于另一个时代，见证了令人不堪回首的往昔，如今这样的见证已经是少而又少了。这个往昔依然存在，但我们却似乎在心头抹去了它的痕迹，用一个美好无比的时代、一个人人相亲相爱的天堂取代了它，而这些回忆，这些信，把我们拉回到现实，使我们的心痛楚地揪紧，感觉到我们日复一日怀在心里的那种缺乏理智的希望，离现实有多么遥远。这并不是说现实就该永远不变，尽管有时候情况确实如此。在我们的生活中有许多这样的女人，我们没想再见到她们，而对我们并非故意的冷淡，她们也自然而然地报以同样的冷淡。不过，由于我们不爱她们，我们便不会去在意已经有几年不见她们了，而且在论证彼此不相见能产生怎样的效果时，我们会忽略这个反例，正如相信预感的人会忽略预感没有实现的实例一样。

但是，彼此不相见毕竟是会有效果的。总有一天，重见我们的欲望、兴趣会在此刻无视我们存在的那颗心中重新萌生。只是得要有时间。而我们对时间的需求，正如心对改变的需求一样过分。首先，时间恰恰是我们最不愿付出的东西，因为我们所受的折磨已经够残酷了，我们急于看到它快点结束。其次，另一颗心改变所需要的时间，我们的心也会用来改变它自己，所以在我们原定的目标眼看要实现之际，它很可能已经不再是我们的目标了。不过，说目标会实现也好，说只有通过等待才能得到幸福（这时我们已经感觉不到幸福）也好，虽然都说得没错，但都只说对了一半。幸福总是在我们已经对它无所谓的时候来临的。正是这种漠然的态度，才使我们变得不那么苛求，才使我们相信它当初应该会让我们欣喜若狂的（其实当时我们说不定觉得它很不圆满）。一个人对于自己并不关心的事情，是不会苛求，是缺乏判断力的。我们所不爱的人的言笑盈盈，相对于我们的冷漠而言可能已经是过分了，但对我们的爱情而言，却也许还是远远不够的。温柔的话语、约会的提议，我们如今想到的只是它们可以带来多少欢乐，而不是我们当初是怎样急于看到下文，以及这种猴急是怎样说不定毁了一切的。因此，当我们已经无法享受它，当我们已经不爱时才姗姗来迟的幸福，究竟是否就是我们曾为得不到它而痛心疾首的那同一个幸福，这确实是个问题。这个问题只有一个人能回答，那就是当时的那个我们；那个我们已经不复存在；而且，即使那个我们还能回转，幸福——无论是不是那同一个幸福——大概也会马上消失得无影无踪的。

我一边等着看一个梦（尽管后来我对它也不在意了）里的事情是否真会发生，一边想入非非，就像当初刚认识吉尔贝特时那样，想象她当面或在信里请求我原谅，向我表白她只爱过我一个人，执意要嫁给我，一幕幕缠绵的场景相继浮现在我眼前，吉尔贝特和那个年轻男子的形象，由于得不到养料的补给，终于在脑海中渐渐淡出了。要不是做了一个梦，我那时也许就会到斯万夫人府上去了，在梦里，一个朋友（我认不出是谁）对我背信弃义，还把我也看成那样的人。梦中痛苦不堪的我猝然醒来，只觉得痛苦依旧，我努力回想梦中见到的这个朋友到底是谁，他有个西班牙名字，可我已经记不清了。我着手释梦，同时扮演约瑟和法老的角色[1]。我知道有许多梦里人的外貌是不足信的，那是可以伪装，甚至可以把脸换掉的，就像不学无术的考古学家在修复大教堂残缺的圣像时，把一尊圣像的头安在了另一尊的身体上，而且连它们的特征和名字也弄混淆了。梦中人物的外表是可能让我们上当的。对心爱的人，我们只能凭自己所承受的痛苦认出她来。我凭梦中的痛苦知道，那个刚才对我背信弃义，此刻还令我心头作痛的姑娘，就是吉尔贝特。我回想起最后一次见她的那天，她母亲不许她去上舞蹈课，她不知是成心，还是装出来的，模样怪怪地笑了起来，不肯相信我对她的一片诚意。这个回忆使我联想起另一段往事。那是很久以前了，斯万不相信我是当真的，认为我不会成为吉尔贝特的好朋友。我给他写信也无济于事，吉尔贝特跑来把信交还给我，脸上也带着这种让人难以捉摸的笑容。她没有一下子把信给我，我还清楚地记得繁密的月桂树后面的那幕场景。一个人痛苦时，思维就会转向精神的层面。吉尔贝特此刻对我的反感，我觉得就像是生活对我的惩罚，惩罚我那天做错的事。我们总以为，躲过了危险，比如说穿马路时避开了车子，就躲过了惩罚。其实，惩罚来自内部。事故往往来自意想不到的方向，来自我们自身，来自心灵。吉尔贝特的那句“您要愿意，我们就耗下去”，使我不寒而栗。我想象她在家里的储物间里，跟香榭丽舍大道那个年轻男子在一起时，兴许也是这样的吧。我曾（在前一段时间）以为自己宁静地置身于幸福之中，如今我放弃了幸福，又以为至少得到了平静，而且可以就此保持下去，其

1 据《圣经·创世记》第41章，埃及法老做了两个梦，约瑟为他一一释梦。

实我都想错了。只要另一个人的身影还在我们心中难以磨灭，那么，随时会被毁灭的就不仅仅是幸福；当幸福从眼前消逝，当我们受尽折磨，渐渐变得麻木的时候，那种所谓的平静，跟先前的所谓幸福，同样迷惑人，同样不可靠。我之所以会归于平静，是因为那借助梦境进入脑际，改变我们的精神状态，改变我们欲望的东西，也在慢慢消亡，世间没有真正持久、永恒的东西，痛苦亦然。而且，为爱情而痛苦的人，正如某些病人一样，是自己最好的医生。既然只有造成痛苦的人才能给他们以慰藉，既然那人是痛苦的根源，那么，他们最终也就只能从痛苦中寻到止痛的药方。到时候，痛苦自会把药方显示给他们，因为就在他们反反复复受着痛苦煎熬的过程中，痛苦会让他们看到自己所思念的人的另一面，这另一面或是可怕之极，使人再无见她之念（因在与她欢聚之前，先得使她受苦），或是可爱之极，使人只当这臆想的温柔真就是她的优点，以此作为企盼的依据。但是，在我身上重又苏醒的痛苦，即便终于缓解了也是枉然，我打算尽量少去斯万夫人家。这首先是由于，对堕入爱河而被抛弃的人来说，作为生活主要内容的等待——即使是暗中的等待——这种情感，必然会发生变化，尽管表面上一仍其旧，但取代先前情感的另一种情感，其实是恰恰相反的。前一种情感，是一些使我们备受折磨的事件的后果或反映，即对可能发生的事情的等待，其中夹杂着惧怕，正因为我们所爱的人没有新的消息，我们就更想立时就能做些什么，但我们不知道一旦采取某个步骤（在这以后，也许就不再有可能采取其他步骤），接下去会是怎样的情形。然而过不了多久，我们就会在不知不觉中看到，使等待得以持续的，并不是对亲身经历的过去的回忆，而是对想象中的未来的企盼。从这一刻起，等待就变得几乎是愉快的了。然后，前一种情感又会持续一小段时间，让我们养成在期望中生活的习惯。我们赴最后几次约会期间内心感到的痛苦，痕迹宛然还在，但毕竟已经变淡了。我们无意去复苏它，何况我们也看不清现在到底想要什么。我们在心爱的女人身上占有的地方稍多了一些，就更觉得尚未占有的那些地方对我们至关重要，然而，既然新的欲望必定会从满足中滋生出来，那些地方也就注定了是不会减少的。

后来，又有另一个理由让我就此当真不上斯万夫人家去了。这个稍晚形成的理由，并非我忘记了吉尔贝特，而是我竭力想快点忘记她。诚然，自从巨大的悲痛渐渐缓解以后，拜访斯万夫人就又成了抑制心中尚剩忧伤的镇痛剂，成了消遣散心的活动（这样的镇痛剂、这样的消遣散心，当初对我来说是多么珍贵啊）。但是，作为镇痛剂有效的成分，对消遣散心却并不适用，也就是说，这种拜访跟我对吉尔贝特的回忆之间，有着过于紧密的联系。要想消遣散心，就必须调动种种跟吉尔贝特没有任何关联的思绪、意念和激情，去跟一种情感，一种由于吉尔贝特不在跟前而无法变得更强烈的情感相抗衡。这些跟我们所爱的人不相干的意念，会因此而占据一片地盘，它起初尽管很小，却是从原先占据整个心灵的爱情那里夺过来的。我们应当设法给这些意念补充养分，让它们不断壮大，这些被引进精神世界的生力军，会趁那种情感退化成回忆的当口，跟它展开争夺战，从它那儿夺得愈来愈多的地盘，直至最终占据整个心灵。我意识到，这是扼杀爱情的唯一办法，我还年轻，还有足够的勇气去这么做，去承受最难忍的痛苦，因为我坚信，尽管要花时间，但我一定会成功。现在我给吉尔贝特的信里，闪烁其词地把我不肯见她的理由归结为我俩之间某个神秘的误会，我一心指望吉尔贝特来问我，这个完全莫须有的误会到底是怎么回事，要求我做出解释。但事实上，即使在极其一般的交往中，当收信人知道信上某句隐晦的、骗人的、指责的话，是对方有意试探他，他也就会乐不可支地庆幸自己握有——牢牢地握有了——操纵整个局面的主动权；此时他是绝不会要求做出解释的。当双方关系非常亲密时，情况更是这样了，纵使爱的一方滔滔不绝，不爱的一方依然冷若冰霜。吉尔贝特对这个误会既不质疑，也不好奇，这样一来，我倒反而弄得像真有这么回事似的，每封信里都要提到这个误会。这种虚幻的处境和矫饰的冷淡，却自有一种魔力使你无法从中自拔。我每每写到“自从我们的心分开以后”，心里就盼吉尔贝特回信说：“可它们并没分开呀，我们谈谈吧。”到头来我自己都相信它们当真是分开了。我一次次地说：“我们的生活可以改变，但我俩的感情是无法抹去的。”就指望最后能听到她说：“没什么好改变的呀，我俩的感情不是比以前更深了吗？”

重复多了，我自己都相信生活确实是改变了，而我们将在回忆中保留那已经不存在的感情，这就像一个神经质的人装病，装到后来真的成了病人。如今我每次要给吉尔贝特写信，都得提到这一想象出来的改变，而她既然在回信中对此只字不提，那就等于是默认，这一改变从此也就存在于我俩之间了。后来吉尔贝特不再保持沉默了。她也采纳了我的观点。我每次都对吉尔贝特这么写：“生活可以把我们分开，但对相聚时光的回忆永远埋在我们心间。”她的回答总是：“生活可以把我们分开，但它无法让我们忘怀那段对我们弥足珍贵的美好时光。”就好比在招待国宴上，来访国国家元首的答谢词总是跟东道国国家元首的致辞大致相仿的。（其实，我俩谁也说不清究竟发生了什么变化，生活究竟为什么把我们分开了。）我的心不再那么揪紧了。有一天，我在信上告诉她，听说香榭丽舍那个卖麦芽糖的老妇人死了，我写道："我想您也会感到难受的，它唤起了我的许多回忆。"写到这儿，我不禁泪如雨下，因为我发现我说到爱情用的是过去时，仿佛是在说一个几乎被人忘记了的死者似的，其实尽管我不很情愿这么想，但我始终觉得这爱情还活着，至少是还会复活的。还有什么东西，能比已经不愿再相见的朋友之间的通信更温情脉脉呢。吉尔贝特的信既客气又得体，就像我写给那些不熟悉的朋友的信一样，而对我来说，能看到她写来的这些客套话，心里已经是甜滋滋的了。

不过，每次拒不见她，在我渐渐变得不那么难受了。而由于她对我来说不如以前那么珍贵，带着痛楚的回忆在不停地重现中失却了威力，不足以摧毁佛罗伦萨和威尼斯在我心中日渐增强的魅力了。每逢这种时候，我就后悔当初放弃进入外交界的机会，为了不离开一个我以后不会再见到，而且几乎已经忘记了的姑娘，而选择一种定居的生活。我们为了某个人构建自己的生活模式，当最后终于可以接待她的时候，她却不来了，接着她就从我们的视线中消失，只剩我们自己，被囚于这种为她而设的生活之中。如果说我父母觉得威尼斯对我来说太远也太热，那么去巴尔贝克全无旅途劳顿之虞，总该说是很方便了吧。可是这样一来，势必就得离开巴黎，不能去拜访斯万夫人了，虽说这种拜访已经很难得，但我毕竟还能时不时听到斯万夫人说起她的女儿。我渐渐从这样的拜访中感到了某些与吉尔贝特无关的乐趣。

春天临近，天气回寒，在冷冽的冰圣徒节和骤雨夹雪的圣周，斯万夫人因为怕冷，常常在家里裹着裘皮接待客人，她的双手和肩膀缩在长方形的硕大手笼和洁白发亮的披肩里面，手笼和披肩都是貂皮的，她从外面回来没将它们除下，看上去就像比屋外的白雪更耐久的最后两撮冬雪，炉火的烘烤和季节的转换都没能让它们消融。这凛冽寒冷而又鲜花绽放的几个星期的全部真谛，就是在这个此后我不曾再去的客厅里，由一些更令人陶醉的白色，例如绣球花，向我揭示的，这些花儿簇聚在高高的、裸露的茎秆上，宛如拉斐尔前派画作中线条分明的灌木丛，球形的骨朵分而有合，像报信天使那般洁白无瑕，散发出柠檬的清香。当松镇的这位女主人，知道到了四月，即使天气寒冷，也总会有鲜花开放，她知道冬季、春季和夏季并不如城里人想象的那么泾渭分明——那些城里人直到初夏来临，还以为这世界就只是些光秃秃的房屋兀立在雨中。斯万夫人有贡布雷的画匠把花送来，是不是就够了？她是不是还要通过指定的花店给她送来地中海沿岸早熟的鲜花，以弥补尚嫌不足的春意呢？这我不得而知，也并没在意过。斯万夫人那冰晶闪烁的手笼边上，绽放着绣球花，它们就足以让我怀上思乡的忧郁了（在女主人的心目中，摆上这些绣球花，也许只是如贝戈特所说，让它们跟屋里的摆设和女主人的服饰组成一部《白色大调交响曲》）。它们提醒我注意，《圣礼拜五的奇迹》代表着一种大自然的奇迹，我们如果能更聪明一些，每年都可以亲眼目睹这样的奇迹；白色的花儿散发着清香，那是一些我叫不出名字，但在贡布雷散步时屡屡驻足凝望过的花儿的香味。有了这些绣球花，斯万夫人的客厅也就变得如同当松镇斜坡上的小路一样纯洁无瑕，一样在没有叶片的枝头缀满烂漫的花朵，一样充盈着清冽而明净的芳香。

可是我真该不再去想那条小路才是。这样的回忆，弄不好就会让我对吉尔贝特仅存的那点儿爱情就此延续下去呢。于是，虽说上斯万夫人家已不会引起我的痛苦，我还是很少上她那儿去，想尽量少跟她见面。不过，既然我仍留在巴黎，我有时也就答应和她一起去散步。阳光明媚的日子终于来临了，天气暖洋洋的。我因为知道斯万夫人总在午饭前出门一个小时，到星形广场附近的布洛涅林苑大道去散步（那会儿大家管这地方叫穷光蛋俱乐部，原因是经常有小老百姓去那儿一睹平时但闻其名、不见其人的富翁贵妇的风采），就请求父母允许我星期天——其余的日子我中午都没空——晚一点吃午饭，先出去散会儿步，到一点一刻再回家吃饭。五月里，吉尔贝特去乡间朋友家了，所以我每个星期天都去散步。正午时分我来到凯旋门，守候在林苑大道的路口，眼睛盯住斯万夫人要从那儿出来的小路拐角，她家离这儿只有几米远。由于是中午，许多散步的人都回家吃饭了，街上剩下的人寥寥无几，大多衣着入时、举止优雅。

蓦然间，在那条铺着细沙的小路上，只见姗姗来迟的斯万夫人脚步轻缓地款款而行，犹如只在正午盛开的最美的花儿，周身繁丽的衣饰，色彩每次不同，但我记得最牢的是淡紫色；她举起长长的伞柄，在最为光彩动人的那一刹那，撑开一把宽幅阳伞的绸面，上面是跟长裙上的花瓣同样的颜色。在她周围是一队随从；其中有斯万，还有四五个上午去她府上或是她在路上碰到的俱乐部成员：这支黑灰相间的驯顺队伍，簇拥着奥黛特近乎机械地前行，仿佛一副没有生命的框架将她围在中央往前移动，让人觉得这个唯一目光炯炯的女人正越过这些男人，犹如越过面前的窗户注视着前方。她纤弱而无畏，浑身上下闪耀着柔和的色彩，就像是属于一个不同的、陌生的、尚武的种族，而她就凭此孤身与众多的随从相抗衡。晴朗的天气，还没给她带来不便的阳光，都使她感到愉悦。她笑吟吟的，犹如一个完成作品后再无任何顾虑的艺术家，神情自信而安详，确信自己的装束——即使那班趣味低俗的行人欣赏不了——是品位最高雅的。她是为自己、为朋友而穿着，自然无须过于刻意，但也不可漫不经心；胸衣和长裙上的小花结在身前轻盈地摆动，仿佛那是些她并未忽略它们存在的小生灵，只要它们能跟上她的脚步，她便大度地听任它们按自己的节律翻飞曼舞。她手上的那把阳伞，往往在她出现时还没打开，她看着这把淡紫色的阳伞，仿佛这是束巴马的紫罗兰，当她那愉悦而温柔的目光不是投向友人，而是投向一个没有生命的物件时，它看上去仍然在微笑。就这样，斯万夫人为自己的装束保留了，或者说拉开了一段距离，一段高雅充盈其间的距离，那些正和她熟稔地交谈的男子，对这段距离既敬畏又悦服，从他们的神态中可以看到某种诚惶诚恐的意味。他们在喟叹自己无知的同时，承认这位女友对自己该怎么装束确实是最了解、最有决定权的，这就好比承认一个病人对自己该格外注意什么最了解、最有决定权，承认做母亲的对子女该受怎样的教育最了解、最有决定权一样。斯万夫人出来得这么晚，何况身旁跟着这么一帮对行人似乎视而不见的扈从，这就让人不免想到她在那儿度过漫长的上午，待会儿还要回去吃午饭的那座宅邸；她的步态这么悠闲，就像漫步在自家的花园里，由此可见那宅子离得很近，她仿佛把宅子里的那份阴凉都随身带了过来。但尽管这样，见到她还是让我对户外空气的暖意有了进一步的感受。我已经在心里认定，她的装束，是按照她所熟谙的礼拜仪规，通过一种必要的、唯一的方式跟季节、时刻联系在一起，变得相容无间的。正因如此，那顶柔软草帽上的花儿，还有长裙上细细的飘带，在我看来就如花园和树林中的花儿一样，开在五月天里是再自然不过的；我要感受季节带来的新变化，只消把视线抬到她那把伞的高度，它张开在那儿，犹如另一爿离得更近的、宽厚的、活动的、蓝色的天空。虽然那些仪规是至高无上的，它们却屈尊纡贵，向着清晨、春天和阳光表示它们的——斯万夫人也因而表示她的——敬意，可我觉着清晨、春天和阳光并没由于得到一位如此高雅的女士的青睐而受宠若惊。为了它们，斯万夫人特地穿了一袭色泽更明亮、面料更轻盈的长裙，宽松的领口和袖口让人想到微微出汗的颈脖和手腕，她为它们费心费力，就好比贵妇人高兴地俯允到乡下去看望村民，尽管村里上上下下没人不认识她，可她还是执意要在这天穿一身村姑的装束。我等斯万夫人一到，便向她问好，她让我站住，笑吟吟地对我说“Good morning”。我们一起走了几步。这时我明白了，她是为了自己的缘故而遵守这些穿着打扮的仪规，犹如那是一种智慧的最高形式，她身为大祭司理应照它行事。因为，当她觉得走得热了，她便解开短外套上扣得整整齐齐的纽扣，或者干脆脱下来交给我，于是我在她的衬衣上看见了一大堆缝纫制作的细节，要不是她脱了外衣，这些细节是任谁也发现不了的，就好比作曲家煞费苦心为各声部写下的分谱，听众通常是听不到它们的音响效果的。而那件搭在我臂上的外套，也让我看见了袖口上的精美细节，我久久地注视着它们，一半是出于好奇，一半也是想献献殷勤，那条色泽迷人的缎带，那截淡紫色的衬缎，平时都是没人看得见的，但做工之精细一如衣服的正面。就好比大教堂里那些隐蔽在高处栏杆后面的哥特式雕塑，这些雕像之精细，堪与宽大的门廊上的浮雕媲美，但是平时没人会看见离地八十尺高处的这些雕像，直到有一天，有位偶然到此一游的艺术家发兴想爬到高处俯瞰全城景致，才在两座塔楼之间发现了它们。

斯万夫人在布洛涅林苑大道散步，就像漫步在自家花园的小径上，这一印象由于——对那些不了解她有footing习惯的人而言——她是徒步走来，后面没有跟着马车，而更为加深了。要知道，平日里一到五月过后，就总能见到她有如女神那般神态悠闲、气度雍容地坐在装有八条弹簧的宽大的敞篷马车上，沐浴在和暖的春风里，车前的辕马是巴黎最俊美的，仆役的号衣是巴黎最考究的。而此刻斯万夫人安步当车，由于天热而缓缓行来，看上去就像是拗不过好奇心，有意对礼仪来一次优雅的违反，就好比出席盛大晚会的君主自作主张，步出包厢来到普通休息室，跟其他观众一起待了一会儿，随从的大臣们谁也不敢置喙，看在眼里又是赞赏又有些许不忿。就这样，在斯万夫人和民众之间，民众感觉得到存在一道由某种形式的财富构成的、他们绝对无法逾越的壁垒。圣日耳曼区当然也有这样的壁垒，然而它们在穷光蛋的眼里和心目中，似乎并不那么形象鲜明。待在一位比较简朴，比较容易和布尔乔亚小女人打成一片，离小老百姓比较近一些的贵妇人身旁，这些穷光蛋是不会如同在斯万夫人面前那样有一种高攀不上，甚至自惭形秽的感觉的。不用说，斯万夫人这种女人是不会像他们一样对珠光宝气的生活大惊小怪的，她们对此不再加以注意，已经习以为常了。也就是说，她们已经认为这一切都是再自然不过，都是少不了的，她们会以是否熟悉这种奢侈习惯作为判断别人的标准：因而（既然她们在自己身上显示，并在别人身上发现的了不起之处，都是全然物质的，很容易被注意到，却要经过一段很长的时间才能获取，而且难以用别的东西来替代）如果说这种女人断定街上的某个行人是属于最底层的，那么这个人也会以同样的方式，也就是说，刚看第一眼就马上斩钉截铁地下结论，断定她们属于社会的最上层。当时，这个特定的社会阶层由跟贵族夫人小姐时相过从的伊斯拉埃尔夫人，以及日后也要常跟她们来往的斯万夫人这样的女士组成，这个中间阶层比圣日耳曼区来得低（既然它要讨好人家），但只要不是圣日耳曼区，它就都比它们来得高。这个阶层的特点，在于它超脱于富人世界之外，却仍然是财富的象征，这种财富已经变得相当柔顺，服膺一个艺术目标、一种艺术思想，俨然是一种具有可塑性、刻有诗意盎然的图案及会微笑的钱币。这个阶层如今也许不存在了，起码是没有了以往的个性和魅力。再说，组成这个阶层的女士们，如今差不多全都上了年纪，当年的美貌一去不复返，她们已然失却了独领风骚的先决条件。且说斯万夫人正雍容华贵、笑容可掬、和蔼可亲地走在布洛涅林苑大道上，仿佛从她那高贵的财富顶峰，从她那成熟而有趣的夏季荣耀之巅走了下来，像希帕蒂娅一样看到天体在自己缓缓前行的足下旋转[1]。过路的年轻人心神不宁地望着她，拿不定主意凭他们跟她那点泛泛的接触（至于斯万，他们仅见过他一面，怕他不一定认得出他们），是否可以去跟她打招呼。他们不知后果会如何，忐忑不安地举手向她致意，心里在担心这个可能惹恼对方、带有亵渎意味的鲁莽之举会冒犯

1　希帕蒂娅（约370－415）：希腊女哲学家、数学家，以美貌、博学著称。法国作家德·利尔编纂的《古代诗歌》中收有一首题为《希帕蒂娅》的诗，结尾为："天体依然在她白皙的脚下旋转！"

一个社会等级不可触犯的权威，给自己带来灾祸，让自己受到神灵的惩罚。却不料就在这举手之间，犹如座钟给上了发条似的，奥黛特周围的那些小人儿忙不迭地动了起来，首先是斯万，他掀起镶绿皮的大礼帽，脸上浮起优雅的笑容，这笑容他是从圣日耳曼学来的，不过已经没有了当初的冷漠意味，取而代之的（由于他在某种程度上怀有奥黛特的偏见）既是对向某个衣着很不得体的人答礼的厌烦，又是对妻子交游这么广阔的得意，这种混杂的感情反映在他对身边衣着高雅的朋友说的一句话里："又是一个！我真是不明白，奥黛特从哪儿弄来的这么些人？"这会儿，那个诚惶诚恐的过路人已经走远了，但心头仍在怦怦直跳，而斯万夫人，她在朝这个过路人点头作答过后，转过脸来对我说："怎么，这就算完了？您再也不来看吉尔贝特了？您对我另眼看待，没完全把我drop[1]，我很高兴。我喜欢看见您，我也喜欢看见您对我女儿有那些影响。我相信她也会怀念这一切的。好吧，我不想强求您做什么，要不然您会连我也不肯见了！"——"奥黛特，萨冈在跟您打招呼呢。"斯万对妻子说。果然，那位亲王有如在剧院或马戏场的压轴戏，或者在一幅古画里那样，勒转马头，向着奥黛特摘下帽子深深致意，这位爵爷在女性——即便那是个他母亲和姐姐不会搭理的女人——面前谦恭有礼的骑士风度，在这个意味深长的鞠躬里得到了夸张的表现。而在斯万夫人那把阳伞有如蒙着一层清亮光泽，仿佛流体那般透明的阴影里，出游晚归的最后一批骑手认出了她，纷纷向她致意。这些骑师俱乐部的好手，犹如拍电影一般，在林苑大道耀眼的阳光下一路小跑而过，这些人

1 drop：英语，撇下。

的名头说出来，可是无人不知、无人不晓的——安托万·德·卡斯特兰、阿达尔贝·德·蒙莫朗西，等等——对斯万夫人来说，又都是些熟朋友的名字。对充满诗意的感觉的回忆，跟让内心痛苦的回忆相比，前者的平均期望寿命要长得多，所以，当初吉尔贝特带给我的忧伤早就消逝了。可每到五月，当我从那个日晷似的钟面上看到指针指在十二点一刻和一点之间的时候，我的心里充满快乐，斯万夫人站在伞下，宛如在紫藤棚架斑驳的光影中和我交谈的情景，依稀又浮现在眼前。

第二部

地方与地名：地方

两年以后跟外婆一起去巴尔贝克的时候，我对吉尔贝特几乎已经完全无所谓了。当我对一张新的脸庞看得着了迷，当我期盼另一位少女带我去参观哥特式大教堂、意大利宫殿和花园时，我会伤感地想到，我们的爱，只要它是对某个活生生的人的爱，那就可能不是很真实的东西。因为，虽然在一段时间里欢欣或痛苦的梦也许会把这种爱跟一个女人联系在一起，使我们以为它是命定由她激发的，但是，一旦我们反过来自觉或不自觉地摆脱了这种联系，这种爱，既然它完全自发地源于我们自己，就会再次萌生，献给另一个女人。然而这次动身去巴尔贝克时，以及我在那儿的最初一段时间里，我的那种无所谓还是时断时续的。往往（我们的生活常常并不是按年月顺序安排的，时日的序列中会插进许多时序错乱的日子），我并不是生活在前一天或前两天过后的这一天，而是生活在离那更远的日子，在那些我还爱着吉尔贝特的日子里。这时，见不到她会使我突然感到一阵揪心，就像当初的情形一样。当初爱着她的那个我，虽然已经几乎完全被另一个我所替代，此时却又蓦地冒了出来，这种时刻往往不是由重大的事情，而是由一些微不足道的小事引起的。举例来说（我这是把诺曼底小住的那段时间提前来说了），我在巴尔贝克有一次听见大坝上碰到的一个陌生人提起了“邮政部司长一家子”。按说（因为我当时还不知道这一家子将会对我的生活造成那么大的影响），这话我原本是该听了只当耳边风的，想不到它却让我伤心了好一阵子，那是大部分早就被取代了的那个我，在为见不到吉尔贝特而伤心呢。不过，爱情的回忆还得服从记忆的一般规律，而记忆的一般规律又受习惯的更一般规律所支配。由于习惯会使一切变淡变弱，最能让我们记起一个人的，恰恰是我们曾经忘记的事情（因为那是无足轻重的事情，我们就听凭它保留了它的全部能量）。正由于这个原因，我们的记忆中最美好的部分，都存在于我们自身之外，存在于一缕带着雨丝的清风中，存在于一个房间幽闭的气息或一点初起的火苗的气味里；但凡我们能从自己身上发现智力由于不屑而懒得去探究的东西的地方，都有这些美好的记忆存在，它们是往昔最后的保留，是其中最美好的，当我们的泪泉看似已经干涸之时，还能让我们潸然泪下的东西。它当真是在我们自身之外吗？更确切地说，它是在我们心中，但避开了我们的视线，藏进了或长或短的忘川之中。而也只是靠了这种遗忘，我们才能不时找到我们曾经是过的那个人，才能像这个人曾经做过的那样去面对各种事物，也才会重新感到痛苦，因为我们已不再是我们，而是他，我们现在觉得无所谓的东西，却是他所爱的。在习惯性记忆的强光下，往昔的图像渐渐变得愈来愈淡，最后什么也没留下，我们再也找不到他了。或者更准确地说，要不是有些个词儿（比如邮政局司长）被小心翼翼地藏在了忘川之中，我们恐怕就再也找不到他了，这就好比国立图书馆里的一本书，要是一不小心没归架的话，以后恐怕就别想找到了。

但是，这种痛苦，这种对吉尔贝特爱情的复萌，并不比梦中的痛苦和爱情持续得更长久。这一次，倒是因为到了巴尔贝克，往日的习惯不在这儿，这些情感才没再持续下去。如果说习惯的这两种效果看似矛盾，那恰恰是因为它遵循的是多重法则。在巴黎，我愈来愈不在乎吉尔贝特，那是由于这种习惯的缘故。习惯的改变，也就是说这种习惯的暂时中止，在我动身来巴尔贝克之际使这种习惯的影响发挥到了极致。它固然变弱了，但它是稳定的，它固然引起了解体，但它使这种解体无限地持续了下去。多年以来，我每天的精神状态或多或少可以说是前一天状态的翻版。可到了巴尔贝克，床换了，早晨放在床边的，是一顿跟在巴黎不一样的早餐，当初滋养我对吉尔贝特的爱的种种念头，在这张床上自然就转不起来了。有时候（当然这种情形非常少见），久居一地会使时日停滞，赢得时间的最好办法，就是换个地方。我这次来巴尔贝克，就好比大病初愈的病人第一次出门，他早就盼着能出趟门，让自己看到真的已经痊愈了。

这样的旅行，如今大概都是乘汽车了，一般人都觉得这会更舒服一些。我们会看到，在那样的情况下，旅程甚至会在某种意义上变得更真实，因为我们更贴近、更真切地看到了地貌怎样以种种方式在渐次变化。不过说到底，旅行特有的乐趣并不在于可以顺道而下，累了就歇，而在于尽可能让出发地和目的地之间的差异变得清晰可见（而不是尽可能让这种差异变得无法感觉），如同我们的想象通过一个跳跃把我们从所在地带到目的地时，我们头脑中所想的那样，整体地、完好地感受这种差异；这个跳跃让我们觉得神奇，主要并不是因为它一下子穿越了一段距离，而是因为它把地球上两个不同的地点连接在一起，把我们从一个地名带到了另一个地名，在火车站这个特定地点完成的神秘过程（它比散步更说明问题，散步是走到哪儿想停就可以停的，所以无所谓哪儿是目的地）概括了这一跳跃；火车站可以说并不是城市的一部分，但它却包含着城市个性的精髓，犹如站台上的地名那般显示了城市的特征。

然而无论什么物品，我们时代的风气，就是非要把它和现实生活中的环境一起拿出来让人看，这一来，就抹去了本质的东西，亦即将它从所处环境中分离出来的精神活动。一幅油画被放在同时代的家具、摆设和壁毯中间展示，就成了俗套的装饰，一个家庭主妇早些天还对此一窍不通，在档案馆和图书馆里泡了两天过后，现在居然可以在宅邸里很娴熟地摆弄这些玩意儿了。殊不知，坐在这些装饰中间边进餐边看画，是根本无法领略在博物馆大厅见到它时那种令人心醉的欣喜的，而博物馆大厅那没有任何装饰、近乎光秃秃的环境，恰恰更好地凸显了艺术家在其中驰骋想象进行创作的内心空间。

不幸的是，这些叫作火车站，人们从此出发去往远方某个目的地的美妙所在，恰恰也是一些悲情四伏的所在，因为虽说靠着这里发生的奇迹，原先始终只不过存在于我们头脑之中的城镇，就将成为我们生活于其中的城镇，但因此也必须从走出候车室那一刻起，就断了一个念头，不再想着一会儿还能回到刚才待在里面的那个熟悉的房间。一旦下决心进入这个通向神秘的臭烘烘的场所，进入这个装着玻璃窗的大棚，你就必须抛弃回家过夜的一切希望。我要寻找去巴尔贝克列车的圣拉扎尔车站，正是这么一个巨大的工棚，在开膛剖腹的城市上方，袒露出一片粗野、刺目的天空，凝聚起充满悲剧色彩的森严氛围，就像蒙泰尼亚或委罗内塞画中某些几乎成了巴黎现代特色的天空，置身在这样的天空下，人们所能做出的，唯有乘火车出行或竖立十字架之类的可怕壮举了。

当我躺在巴黎屋里的床上，眼前悠悠然浮现漫天风雪中巴尔贝克那座波斯风味的教堂的时候，我的身体没有对这次旅行表示任何异议。但当它知道它得事必躬亲，而且在抵达当晚，人家会给我安排一个它全然陌生的房间，它就提出了异议。动身前夜，我听说母亲不能陪我们去，而父亲在和德·诺布瓦先生同去西班牙之前一直要留在部里，所以干脆在巴黎郊外租了个房子，这时候它提出的已不只是异议，而是强烈的抗议了。不过，巴尔贝克的景色，似乎并不因为必须付出病痛的代价才能欣赏，而变得魅力稍有减退，这病痛在我看来，正好是使我心向往之的那个印象得以体现、得以落实的保证，而那印象，是任何号称堪与媲美的景观、任何我毫不费力就可以前去（甚至照样可以回家睡在自己床上）的名胜佳境所不能取代的。这已经不是第一次了，我又感觉到，钟情的人和得到快乐的人，不会是同一拨人。动身那天早上，平时给我看病的大夫见我闷闷不乐的样子，惊奇地对我说："依我说呀，只要能让我去海边吹上一个星期的海风，我就求之不得喽。您可以看到海上的帆船比赛，这有多棒。"我相信我也像这位大夫一样，对巴尔贝克一往情深。但我早在去看拉贝玛演出之前，就已经知道无论我钟情于什么，它只有在历经痛苦的追求之后，才会出现在我面前。为了最终得到它，在追求的过程中，我首先必须牺牲我的快乐——而不是寻觅我的快乐。

我外婆对这次旅行的看法自然跟我又有些不同，她一如既往，总想赋予我收到的礼物一种艺术的气质。为了让我在这次旅行中获得一种局部具有古典意味的体验，她曾经打算把行程分成两半，一半乘火车，另一半循着当年塞维涅夫人从巴黎经肖讷和奥德梅尔桥到东方城[1]去的路线，乘汽车而行。但由于父亲的极力劝阻，外婆不得不放弃了这个计划，父亲知道，外婆只要安排一次外出，总想让旅行所能包含的智力方面的裨益发挥得淋漓尽致，这时你就等着瞧吧，赶不上火车啦、丢失行李啦、喉咙发炎啦、违章啦，都是早晚会发生的事儿。不过有个念头还是让她挺高兴，那就是我们去海滩的时候，不会有她亲爱的塞维涅所说的讨厌的马车客半路拦住我们，因为，勒格朗丹没为我们给他姐姐写信，所以我们在巴尔贝克没有认识的人。他不写信之举，颇为我两位姨婆塞里娜和维克多娃[2]所不齿，她们还是小姑娘时就认识他的母亲，为了显示这份旧日的亲昵关系，她俩至今仍管她叫蕾内·德·康布尔梅，把她送的礼物放在房间里、谈话中显摆，也不管它们跟眼下的现实有多对不上榫。她俩从此以后在勒格朗丹老太太家绝口不提她女儿的名字，一出门则用“你知道的那个人，我压根儿就不提”“我想她们心里明白”之类的话相互庆贺，以为这样就给我们出了气、雪了耻。

于是，我们定下乘一点二十二分的火车从巴黎出发，很久以来我常常兴致盎然地在火车时刻表上找寻这趟车，每次看到它，我都会感到激动，生出一种已经启程出发的开心的错觉，久而久

1 东方城（l' Orient）是法国西部布列塔尼地区一个沿海城市的旧名。该城现名洛里昂（Lorient）。

2 这两位姨婆在第一卷中就出现过，当时她们叫赛里娜和弗洛拉。参见《去斯万家那边》第一部。

之便产生了一种对这趟车已经很熟悉的感觉。在我们的想象中某种形式的幸福到底是怎样的，主要取决于它究竟怎样激起我们的向往，而不在于我们对它有多少了解，所以我感到自己对这次的幸福已经了解得够详细了。我一点也不怀疑，当白天的暑气渐渐散去时，我将会在车厢里体验到一种特殊的快乐，而在临近每个车站时，我都会出神地凝望眼前的景象。这列始终唤起我对同一些城市的想象的火车，在我眼里被笼罩在它穿行而过的下午时分的明亮光线之中，我觉得它不同于所有其他的火车。平时我们对某人有好感，往往还没等见到他，就已经把自己想作他的朋友了，现在也是这样，我把一种独特而永恒的表情，赋予了一位富有艺术家气质的金发旅客，认定他会把我带上他的旅途，而且在他渐行渐远走向落日之前，我会在圣洛大教堂跟前和他诀别。

外婆好不容易才下决心去巴尔贝克，她不想白去一趟，所以要在一位女友家待上二十四小时。当天晚上我先走，一则免得多打扰人家，二则，第二天可以去看巴尔贝克的教堂，我们事先就听说，教堂离巴尔贝克海滩挺远的，我怕海水浴疗程开始以后，就抽不出时间再去那儿了。对我来说，能把这次旅程的重头戏安排在第一夜之前，也许还是值得宽慰的，因为在那令人痛苦的第一天晚上，我得进入一个陌生的处所，而且不得不把那儿当作一个新的家。但是，要认一个新的家，就先得离开那个老的家；母亲安排在这一天去圣克卢，她准备，或者说假装准备在陪我们到火车站以后，就直接去圣克卢，中途不再回家——她是怕我到时候不肯去巴尔贝克，缠着她要一起回家呀。她推说刚租下的房子里有好多事要料理，抽不出时间（其实是想避免那幕残忍的告别场景），决意不等火车启动就先走。在火车开动的这一刻，先前被来去匆匆、忙这忙那所掩盖的离别，由于已经无法回避，完全集中在了一个令人黯然神伤而又头脑格外清醒的时刻，总会突然显得让人无法忍受。

我第一次感觉到，母亲没有我，也能过另一种不为我而活着的生活。她要和我父亲一起去住了，她也许觉得我羸弱的身体，还有我的神经质，都使我父亲的生活变得有点复杂、有点难弄。这次分别让我格外感到伤心，因为我心想，在母亲看来这大概意味着她对我的一次又一次失望到了头，她没对我说过，但在经历了这么些失望以后，她明白她很难再和我一起过假期了。随着她和父亲岁月的老去，这也许也是她向命运妥协，决意过另一种生活的最初尝试。在那种生活中，我不会像现在这么经常见到她，到那时——这可是即使在噩梦中也从没出现过的场景哦——她会在我眼里变成一位有些陌生的夫人，人们看见她独自走进一所没有我在那儿的房子，问看门人有没有我的信。

车站雇员要来帮我提箱子，我看着他几乎说不出话来。母亲想用她认为最有效的办法来安慰我。她觉得不能再装着没看出我的忧伤，因为装了也没用，她温柔地拿这份忧伤来开玩笑：

“嘿，巴尔贝克的教堂要是知道你愁眉苦脸地去看它，它会怎么说呢？拉斯金说的快快活活的旅行家，怎么能这样呢？没事儿，你一路上好不好我都会知道的，哪怕隔得再远，我也永远和我的小宝贝在一起。你明天就会收到妈妈给你的信。”

“我的女儿，”外婆说，“我瞧你就像塞维涅夫人，只要跟前有张地图，就随时随地和我们在一起啰。”

妈妈想让我散散心，就问我晚饭想点什么菜，还把弗朗索瓦兹大大夸了一通，称赞她把一顶帽子和一件大衣改得认不出来了，要知道当初新帽子戴在姨婆头上、新大衣穿在姨婆身上的那会儿，妈妈可是觉得难看极了的：帽子上耸着一只很大的鸟，大衣上布满丑陋的图案和乌亮的斑点。后来大衣不能穿了，弗朗索瓦兹就让人把它翻了个面，让色调和谐悦目的衬里露在外面。至于那只鸟，折断以后也早就给扔了。有时最清醒的艺术家着意寻找的精致，却碰巧出现在一首民歌里，或者在一间农舍的门面上——在门楣上方恰到好处地装点一朵白色或淡黄色怒放的玫瑰，叫你看了怦然心动；弗朗索瓦兹也是这样，她凭着那份自信而又天真的审美情趣，把夏尔丹或惠斯勒的肖像画上那些令人着迷的丝绒结或蝴蝶结缀在了帽子上，顿时使那顶帽子添了几分可爱。

还在早几年的时候，每当我们这位老女仆拿到人家送她的旧衣裳，她脸上常会有一种由谦逊和正直而来的庄重表情。她是个谨慎但绝不卑下的女人，懂得“守本分，不越轨”的道理，那些衣裳，她留着出门时才穿，这样她和我们在一起既不显得寒碜，也不显得张扬。她这么穿着式样过时的鲜红呢大衣，领口的皮毛软软地耷拉下来，让人不由得想起当年一位大师在祈祷书中画的布列塔尼的安娜。这些安娜的形象，一切都安排得非常到位，总体的基调洋溢在画幅的每个细部，因鲜艳、陈旧而显得奇特的服饰，因此就如眼睛、嘴唇和双手一样，表达出那种充满虔诚的庄严意味。

对于弗朗索瓦兹，是没法儿说什么思想不思想的。她什么都不知道，而我们这里说的什么都不知道，完全就是什么都不懂——除了很少的一点可以凭本能直接感觉到的最朴素的道理之外——的意思。广阔的思维世界，对她来说是不存在的。然而，面对她明澈的目光，面对这个鼻子、这两片嘴唇精致的线条，面对许多有文化教养的人身上所没有的这些见证（对他们而言，这样的见证就意味着一个出类拔萃的人物确实是卓尔不群、超凡脱俗了），你会像面对一条狗聪明而善良的目光那样，情不自禁地心慌意乱起来——尽管你知道，人类的所有观念，这条狗是全然无知的。面对它们，你会暗自思忖，在其他那些卑微的弟兄——那些农民中间，是否有这样一些人，他们可以作为头脑简单的人群中的优秀分子，或者更确切地说，由于命运的不公，他们注定要生活在头脑简单的人群中间，没有受过启蒙教育，但是他们从本质上来说，天生就比大部分受过教育的人更接近精英的本意呢。他们就像神圣家族那些离散、迷途、丧失了理性的成员，就像最有智慧的阶层那些始终稚气未脱的亲属一样，他们跟天才之间就只差那么一点——尽管他们的目光还无法专注，但他们眼中的光芒明白无误地这样告诉我们——只差那么一点靠学习可以获得的知识。

妈妈见我差点儿要哭出来了，就对我说："雷古卢斯[1]是见惯大场面的……再说，这样对你妈妈可不好呀。我们也像你外婆一样引用德·塞维涅夫人的话吧：'你要是鼓不起勇气，就只好由我来尽力而为了。'"她又想起，关心别人会转移对自身痛苦的注意力，于是她一个劲儿地对我说，她的这趟圣克卢之行一准会很愉快，预订的马车让她挺满意，车夫很有礼貌，车子也很舒适。她这么说当然是想让我开心起来。我听着她说这一个个细节，勉强挤出一个笑容，做出很高兴听她这么说的样子点了点头。可是她

1 雷古卢斯（公元前3世纪）：罗马大将、政治家。

愈是说得详细，我对她的离去就愈是想象得真切。我望着妈妈，心头揪得紧紧的，仿佛她已经离我而去，戴着那顶为去乡间而买的圆草帽，穿着一身薄薄的长裙，那是特地为这次骄阳下的长途旅行准备的，这条长裙使妈妈变了样，她已经属于那个让我就此见不到她的蒙特尔图[1]别墅了。

为了避免旅行引起胸闷气塞，医生建议我动身前稍许多喝点啤酒或白兰地，让自己处于他所谓的欣快状态，神经系统暂时不那么脆弱。我还没拿定主意要不要喝酒，但我至少希望外婆能明白，如果我做出决定的话，那是因为我有权也有足够的判断力这么做。所以我说这事的口气，就仿佛我只是吃不准该去哪儿，是上冷餐部还是上酒吧车厢，去喝酒。可是，看见外婆脸上露出带有责备，甚至根本不想过问一下我有什么想法的表情，我顿时下了决心非要去喝酒不可，既然口头声明没能获得无异议通过，那么具体实施就是必须采取的步骤了。我大声说道：

“你瞧你，你知道我有病，知道医生是怎么关照我的，可你还这么对我！”

我把自己怎么不舒服的情况告诉外婆以后，她对我说：“好吧，既然对你有好处，你就快去喝点啤酒或白兰地吧。”我看见她的神情那么歉疚、那么诚恳，不由得纵身朝她扑过去，拼命地吻她。我之所以到火车的酒吧去喝了好多酒，也是因为我觉得必须这样做否则我就会发病，而那是最让她难受的事。火车到了第一站，我回到自己的车厢，对着外婆说我有多么喜欢去巴尔贝克，说我觉得一切都安排得挺好，跟妈妈分开我反正很快也会习惯的，说这火

1　蒙特尔图：圣克卢的一个地名。

车真舒服，酒吧掌柜和伙计都非常可爱，我真想常乘这条线路，好跟他们多见见面。可是对于所有这些好消息，外婆听了似乎并不像我那么兴高采烈。她有意把目光避开我说："也许你得想法子睡一会儿。"随即把目光转向挂着软帘的窗口。我们已经把窗帘放下来了，但它没能遮住整块窗玻璃，阳光还是钻了进来，投射在上蜡的车门和软座的罩套上（看上去就像展示与大自然融为一体的生活的一幅广告，而且比挂在车厢高处的广告牌要高明得多，铁路公司把广告牌挂得那么高，那些风景我都看不清它们的地名），这种暖和而倦慵的阳光，正是在林中空地催人小憩的阳光。

外婆以为我闭上了眼睛，可我觑见她时不时地透过带大圆点的面纱，朝我投来一道目光，随即收回目光，然后又重新开始，就像一个人要想养成习惯，努力在做一种很费力的练习似的。

我开口和她说话，但她似乎并不怎么喜欢谈话。我感到自己身体的每个最不易察觉、最不外露的动作，都让我开心，同样，自己的声音也让我开心。于是我尽量让这些动作延续得长久一些，把每个词儿都说得抑扬顿挫，尾音拖得长长的，我感觉到自己的目光变得有些沉甸甸的，在每个地方停留的时间都比往常要长一些。

"好了，你休息吧，"外婆对我说，"睡不着，就看看书。"

她递给我一本塞维涅夫人的书。我打开书，她自己专心地看起波塞尚夫人的《回忆录》来。她每次出门，总要带上她俩的书，每人各带一本。她俩是她最喜爱的作家。这会儿我有意让头部一动不动，保持一个既定的姿势，让我感到莫大的乐趣。我仍然把塞维涅夫人的书拿在手里，但不去翻动也不去低头看它，我的眼前只有那片蓝莹莹的窗帘。我凝视着窗帘，觉得妙不可言，此刻若是有人要我转过脸去，我肯定不会搭理他的。从我出生之日起，直到我喝下那么些酒，酒劲开始发作之时，我所见过的所有的色彩，仿佛都被这窗帘的蓝颜色——或许并非被它的美，而是被它的生机蓬勃——给抹杀了。在窗帘的这种蓝色的相比之下，所有那些色彩都在我眼里变得黯然失色，似有若无了；有些先天的盲人后来接受了手术，终于看见了色彩，他们当初生活在其中的黑暗世界，相比就是这样的。一个上了年纪的列车员过来查票。他身穿制服，金属的纽扣银光闪闪，看得我惊羡不已。我想请他来和我们一起坐坐。可是他上另一节车厢去了。我不胜怅惘地怀想着铁路员工的生活，他们所有的时间都在铁路上度过，想必每天都能见到这位上了年纪的列车员吧。望着蓝色窗帘，感觉到自己的嘴半张着的那种快乐，终于消退了。我有点坐不定了；我挪动一下身子，翻开外婆给我的书，挑了几页看起来，心思渐渐集中到了书上。读着读着，我觉得对塞维涅夫人愈来愈崇拜了。

千万不要被那些带有那个时代、那种沙龙生活印记的纯表面的东西所迷惑。有些人只看到那些表面的特点，以为只要说些“我等着您的回音，我的好人儿”或“这个伯爵看上去挺风趣的”或“翻晒草料是这世上最美妙的事情”之类的话儿，自己俨然就成了那位塞维涅了。西弥娅纳夫人就是前车之鉴，她以为自己挺像那位外祖母，就因为她写了“德·拉布里先生健康状况极佳，先生，即使听到他去世的消息也完全经受得住”，或“哦！亲爱的侯爵，您的信太让我高兴了！我怎么能不给您回信呢”，或者“先生，我觉得您欠我一封回信，我呢，还欠您几个香柠檬木的鼻烟盒。我刚还了八个，这就又来了……；地里还从没长过这么些香柠檬木呢。看来那是要讨您喜欢呢”。她还用同样的语气写放血、柠檬等，满以为这就是塞维涅夫人的书信了。而我外婆，则是从内在的情感，从作者对家人和大自然的爱，来接近塞维涅夫人的，她教会了我怎样去爱其中真正的美妙之处，那是全然不同的另一种美。这种美马上就要使我感到震撼了，因为，我们到巴尔贝克，要去看一位名叫埃尔斯蒂尔的画家，这位和大文豪塞维涅夫人同宗的画家，将会对我观察事物的方式产生深刻的影响。我在巴尔贝克意识到，塞维涅夫人向我们展示事物的方式，跟埃尔斯蒂尔是一样的。她不是一开始就依据事物的起因来诠释它们，而是按照我们感知的顺序来展现它们。不过就在这个下午，当我在车厢里重新读到下面这封弥漫着月光的信时，我心头已经不胜欣喜地看到了《塞维涅夫人书信集》中一种稍后我称之为陀思妥耶夫斯基意趣（难道她不是如同他描绘人物那样，以同样的方式描绘了眼前的景色吗？）的东西：

> 我无法抵御月光的诱惑，穿戴整齐，出门来到屋外的林荫道。其实我没必要穿那么多，街上气温宜人，一如卧室里那么舒适。但眼前却是一派光怪陆离的景象，修道士们身穿白袍黑衫，几个修女或灰或白，东一件衬衣西一件短衫，还有那些直挺挺的隐没在树木间的身影，等等等等。

晚上，把外婆送到朋友家，我也在那儿待了几个小时以后，我独自回来上了火车。这时，我并不觉得已经降临的夜色很瘆人，因为我至少不用囚在一个房间里，让睡意蒙眬的空间折腾得睡意全无了。我置身在行进的车厢中，轻微的晃动使我感到心头宁静，它执意伴随着我，在我没有睡意时轻轻与我絮语，咔嚓咔嚓的声响在我听来犹如贡布雷教堂的钟声，时而是一种节奏，时而是另一种节奏（依我的遐想而变，起先是四个音值相等的十六分音符，继而是一个骤然冲向四分音符的十六分音符）；它们施加的反向作用力，抵消了失眠的离心力，使我保持在平衡的状态。我的端坐不动，以及稍后袭来的睡意，都带有一种在大自然的怀抱里憩息的清新印象；倘若我有一刹那能化身为一条倦意朦胧的鱼儿，半睡半醒地在海面上随波逐浪，或者化身为一头苍鹰，任凭风狂雨骤，兀自被风力托举在半空，我想必也会在充满生命力的大自然的怀抱里感受到这种清新的印象。

日出陪伴着我们的旅途，就像煮鸡蛋、带插图的报纸、纸牌以及那些河流一样——船在河里使劲往前却始终不动。我想把刚才脑子里转过的念头理一下，弄明白那会儿到底有没有睡着（不过，我因为弄不清而要提出这么个问题，这本身就已经给出了一个肯定的答案），而就在这时，我从车窗看出去，只见黑黝黝的小树林上方，有几片凹形的云朵，柔和的云絮是粉红色的，那是一种凝定的、沉寂的粉红色，仿佛鸟翼羽毛的颜色，或者画家即兴涂在画布上的一抹色彩那样，就此不变了。但是我却感觉到，这片色彩既不呆滞，也不随意，它是势所必然的、充满生机的。不一会儿，只见云彩背后聚集起了大团的光亮。云彩变得鲜艳了，天空呈现出一种浅浅的肉红色。我把脸贴在车窗玻璃上，想看得更清楚些，因为我觉得它和大自然深邃的存在有着一种联系。但是铁路轨道转向了，列车拐了个弯，车窗中的拂晓景色不见了，取而代之的是月光下的村庄蓝蒙蒙的屋顶。在仍然缀满繁星的夜空下，污浊的洗衣池泛着乳白的珠光。我正为那片玫瑰色天空的隐没感到惋惜，却在铁路拐第二个弯，那片天空离弃对面车窗之际，蓦然又见到了它，不过这回是鲜红色的；这景色真是太美了，我禁不住从一边车窗奔到另一边车窗，想把这彤红而多变的清晨一幅又一幅相向而现的图景连缀起来，拼接成一幅完整的连续的图景。

景色变得地势起伏而险峻，列车停在两座山之间的小站上。峡谷底部，湍流边上，只见道口看守人的那座小屋浸在水中，河水齐到了窗下。如果说一个人可以是土地的产物，我们能从他或她身上领略到土地的独特魅力——当初我独自在梅泽格利兹那边游荡，在鲁森镇的树林里心心念念想见到的那位村姑，也未必会让我有这样的感受——那么，我看到从小屋里出来的高个子姑娘，想必就是这样的一个人。她提着一罐牛奶，在朝阳斜斜地照亮的小路上，向车站走来。在山岭遮蔽了世界其余部分的这座峡谷里，她见到过的人，大概就是这些只停一小会儿的列车上的乘客。她沿着车厢往前走，给几位已经醒来的旅客倒上加奶的咖啡。朝霞映红了她的脸，看上去比玫瑰色的天空更娇艳。面对着她，我再次感受到生活的欲望，每当我们重又意识到美和幸福的时候，这种生活欲望就会再次在心中萌生。我们经常会忘记，这些美和幸福，它们是各不相同的。我们会在脑子里用一个通用的形象，用我们所喜爱的脸、我们所熟悉的愉悦的所谓均值来代替它们。留在脑际的，仅仅是一些抽象的东西，苍白无力，了无生气，因为它们缺乏的恰恰是一个不同于我们所熟悉的东西的全新对象的特性——那正是美与幸福所具有的特性哟。我们对生活做出悲观的判断，还因为自以为把幸福和美都考虑在内了，只觉得自己的判断很有道理。其实我们还是遗漏了它们，换上了一些与它们没有任何一点相通之处的综合性概念。正因如此，一位饱学之士听到人家说起一本新出的好书，马上会打起哈欠来，原来他想到的是他所读过的所有那些好书的一种合成物，而一本真正的好书，应该是独特的、无从预见的，它不是已曾有过的那些杰作的总和，而是另外的一样东西，即便有一本书真能包容这一总和，也还是跟它不相干，因为，它恰好是在这一总和之外的。刚才满脸倦容的那位饱学之士，一旦看了那本新书，还是会被书中写的现实所吸引的。同样，这位跟我独自一人时所想象的美的形象完全不同的美丽少女，立刻让我领略到了某种形态的幸福（唯有在这种始终独一无二的形态下，我们才能品尝到幸福的滋味），那就是留下来生活在她身边时将会变成现实的幸福。不过，习惯的暂时中止，还是在其中起了很大的作用。我为这位卖牛奶姑娘提供了一个有利条件，就是此刻面对着她的，是一个完完整整的、随时准备去品尝激动人心的欢愉的我。平日里，我们总把自身的存在压缩到一种最低的限度；我们的绝大部分功能都处于休眠状态，因为这些功能是依赖于习惯的，而习惯知道自己该干什么，根本用不着它们。在旅途的早晨，我的生命离开了常规，地点、时间都有了改变，那些功能也就有了用武之地。我的习惯是待在家里，早上起得挺晚，现在情况变了，所有那些功能就都争先恐后地——犹如浪涛，齐刷刷地涌到一个异乎寻常的高度——赶来顶习惯的缺，从最低级的直到最高贵的，从呼吸、胃纳、血液循环直到感知、想象的功能。

我不知道，在我让自己相信这个姑娘跟其他女性都不一样的时候，是不是这个地方粗犷的景色为她增添了魅力，但我知道，她确实是为这个地方增添了魅力。我想，倘若我真能时时刻刻和她在一起，肩并肩地走向湍流，走向奶牛，走向火车，永远在她身边，感觉得到她了解我，在她心里有我的位置，那样的生活该是多么甜蜜啊。我盼着她来解开其中奥秘，带我领略乡村生活和晨曦的魅力。我对她招手，让她过来给我一杯牛奶咖啡。我要她注意我。她没看见，我就喊她。在她高大的身躯上，那张脸膛闪着金光和鲜艳的玫瑰色，像是透过灯光照亮的彩绘玻璃看见似的。她快步走来，我目不转睛地望着她那愈来愈大的脸庞，它就像一轮容你直视的太阳，正在朝你趋近，你愈来愈近地注视着它，红彤彤的金色光芒照得你头晕目眩。她那炯炯的目光向我投来，可就在这时列车员关上了车门，列车启动了；我目送她离开车站，返回那条小路，现在天完全亮了：我正远离黎明而去。我不知道我这么兴奋激动是由她引起的，抑或我因在她身边感到的愉悦大半来自我的这种激动，反正她与我的快乐已然交融在一起，再次见到她的欲望，首先就是别让这种兴奋的状态完全消失，别让曾经（即便是在她不知情时）和这种状态密切关联的这位姑娘就此与我分离的一种精神上的欲望。这并不仅仅因为这种状态是令人愉快的。更重要的是（如同琴弦绷得更紧或缀线振动得更快时，音响或颜色会有所改变）它赋予了我所见到的事物一种全新的色调，引领我作为其中的一个角色，进入一个陌生的、奇妙无比的天地。火车愈开愈快，依稀还能看见那美丽少女的身影，她俨然是另一种生活的组成部分，那种生活由一条窄窄的地带跟我所熟悉的生活隔开了。在这种生活中，周围事物所唤起的感觉，和往常完全不同；而现在从中出来，我觉得心在死去一般。要想感受到这种生活的温馨，我只要住得离这个小站近一些，能每天早晨到姑娘这儿来买一杯牛奶咖啡就可以了。可是，唉！我正在愈来愈快地奔它而去的那种生活，她是不会出现在其中了，而我之所以能接受那种生活，正是因为我设想有一天我还会乘坐同一辆火车，停在这同一个车站。这个设想还有一个好处。要从一个带有普遍意义的、不计利害关系的角度出发，去分析、深化一种曾经有过的愉快的印象，是必须做出努力的，为了回避这种努力，我们心里原来就有着利己的、主动的、实用的、无所谓的、懒惰的、离心的倾向，这一设想，恰恰为精神状态的这种倾向提供了养分。而另一方面，我们还是愿意让这一印象继续留存的，所以我们喜欢想象它在未来会是怎样的，巧妙地为它的再现做好准备。这样做，于了解它的本质并无丝毫裨益，却使我们无须费神在头脑中复制，就有可能从外界重新感受这一印象。

有些城镇的名字，维兹莱和夏特尔也好，布尔日和博韦也好，都是当地大教堂的简称。我们经常采用这种以偏概全的命名法，结果——假如这些城镇我们还不熟悉的话——就把这个名字整个儿地刻在了脑子里。从此，当我们看着这个名字想象这座城镇——我们还没见过的这座城镇——的模样的时候，这个名字就会——犹如铸模似的——给它印上风格雷同的刻纹，把它变成一种大教堂。然而巴尔贝克这个字体有几分像波斯文的蓝地白字的名字，我是在一座火车站上看见的。我快步走出车站，穿过车站前的那条大街。我打听海滩在哪儿，说我想去看教堂和大海。人家好像不明白我想说什么。我这是在巴尔贝克老城，在巴尔贝克陆地，既没有什么海滩，也没有什么海港。没错，在传说中，显圣的基督的确是渔民从海里找到的；教堂就在离我几米开外的地方，教堂里的一扇彩绘玻璃上，画的就是这个故事，修建教堂大殿和钟楼的石头，也确实是从海浪拍击的峭壁上开采的。可是，被我想成舔到教堂脚下的这座大海，是在五里开外，在巴尔贝克海滩那儿呢。教堂圆顶边上的钟楼，因为我曾经在书上读到过，说它本身就是一座籽粒聚集、群鸟盘旋的诺曼底悬崖，所以在我的印象中，钟楼底座始终是浪花飞溅的。其实，这座钟楼矗立在一个广场上，两条有轨电车的线路在这儿交会。钟楼对面是一家咖啡馆，招牌上写着“台球”两个金字；在它背后，只见一片屋宇，不见半根桅杆。教堂——除了咖啡馆、方才我问讯的路人，以及我还得回去的火车站，这座教堂也成了我关注的对象——融合在周围的景物中，好似一种偶然，好似这个已近黄昏的下午的产物，此刻它那软绵绵、圆鼓鼓的穹顶在天空的映衬下，犹如一枚果子，屋宇烟囱沐浴其中的那同一片阳光，催熟了它红嫣嫣、金灿灿，仿佛入口即化的果皮。但当我认出了众使徒的雕像——我曾在特洛卡德罗博物馆见过他们浇铸的塑像，就满脑子净想着这些雕像的永恒意义，别的什么也不想了。这些雕像站在教堂大门的门洞里，列队等候在圣母像两旁，就像在欢迎我。他们脸容和蔼而亲切，鼻子微塌，弓着腰，仿佛有一天会唱着“哈利路亚”迎上前来似的。不过我注意到，他们的表情是呆滞的，如同死人一般，只有在你绕着他们转的时候，才会有所变化。我心想：是这儿，这就是巴尔贝克教堂。这个仿佛知晓自己的荣耀的广场，是世上唯一拥有这座巴尔贝克教堂的地方。在这以前我见过的，仅仅是这座教堂、这些使徒以及门廊里的圣母雕像的著名照片，只是些拓片。现在我见到的，是真正的教堂、真正的雕像；它们是独一无二的，是照片所远远不能相比的。

但也不一定。这就好比一个小伙子，到了考试或决斗那天，当他想到自己拥有的知识和要用行动来证实的勇气时，教师的提问或他射出的子弹，在他眼里就不值一提了。同样，原来在我的头脑中，门廊里的圣母像远非我以前见过的那些复制品所能相比，岁月流逝、世事沧桑可以让这些复制品面目全非乃至损毁殆尽，但这座圣母像却是容貌依旧、屹立不倒的，它是完美无瑕、有着普遍价值的。所以当我现在看到这座在我脑海中成百上千次雕过的圣母像就在眼前，看到它就不过是座石头雕像，在我举臂可及的地方，我不禁感到非常惊讶。这座圣母像紧挨着一张竞选海报，任由我用手杖尖去触碰，它连着广场，朝向大街的出口，躲不过咖啡馆和电车调度亭里投来的目光，脸上领受着落日余晖——稍后，再过几个小时，就会换成街灯的亮光——的这一半（那另一半则由银行贴现分理处领受），而且和这家银行分支机构共同承受糕饼店灶间的阵阵怪味。游人几乎可以为所欲为，倘若我想在石头上留个签名，这尊著名的圣母像，这尊迄今被我赋予神圣而不可亵渎之美的、巴尔贝克独一无二（唉，也就是说只有这么一个）的圣母像，这尊和附近房舍一样沾满烟炱的圣母像，也只能把我用粉笔头写下的名字，展示在每个前来瞻仰的游人面前。于是，这件不朽的艺术珍品、这件我心仪已久的杰作，终于在我心目中——如同这座教堂一样——沦为了一座矮小的老妇石像，我可以量她的高度，也可以数她的皱纹。

时间过得很快，该回车站了。我要在火车站等外婆和弗朗索瓦兹一起去巴尔贝克海滩。我想起以前读过的对巴尔贝克的描写，想起斯万说的那句话："精美之至，和锡耶纳一样美。"我没法儿掩饰心中的失望，只能怪事情不凑巧，自己心情不好，过于疲劳，不会欣赏。我安慰自己说，没去过的城市还多着呢，说不定我很快就会去那些地方，或是漫步在细雨如珠的坎佩莱街头，倾听屋檐清脆的滴水声，或是穿过阿旺桥那玫瑰色中透着绿意的夕照。可是要说巴尔贝克，从我踏上这片土地起，我就像把一个本应密封得严严实实的名字给打了开来，并且从这个不慎开启的口子里，放出了原先一直生活在这个地名中的种种景象：电车、咖啡馆、广场上的行人、银行贴现分理处，它们经受不住外部的压力，先是在地名内部鼓起，然后从中喷薄而出（地名本身旋即重又闭合），簇拥在波斯风味的教堂周围。从此，提到巴尔贝克的地名，我就想到了这一切。

在通往巴尔贝克海滨的当地小火车上，我找到了外婆，但她是一个人——她打发弗朗索瓦兹先动身来巴尔贝克，好预先做些准备，不承想她指点有误，弗朗索瓦兹乘上了反方向的列车。这会儿，不用说，弗朗索瓦兹的火车正在全速驶往南特，她说不定要到波尔多才会醒呢。外婆的车厢里弥漫着转瞬即逝的余晖和午后持续难消的暑热（前者照亮了外婆的脸，让我清楚地看到她是怎样为后者所累的），我刚坐下，外婆就笑吟吟地问我："巴尔贝克怎么样？"她以为我一定满心喜悦，所以问这话时脸上洋溢着希望的光芒，我一时倒不敢告诉她我很失望了。再说，身子愈来愈接近它早晚得适应的地方，脑子里寻寻觅觅的印象也就不那么挥之不去了。临了，旅程还剩一个多小时路程，我就在心里揣摩起巴尔贝克大酒店经理的模样来了，此刻我于他还是不存在的，我真想到时候引我见他的不是外婆，而是某一位更有气派、不像外婆那样见面就要纠缠于打折的同伴。我觉得这位经理一定傲气十足，但又想不出他到底是怎么个模样。

火车到达巴尔贝克海滩前，在一个又一个小车站边停靠，这些站名（安卡镇、马库镇、多镇、库勒弗尔桥、阿朗布镇、圣老马尔斯、埃尔蒙镇、梅纳镇）听上去都挺奇怪的，可要是在哪本书上读到这些名字，又会觉得它们同贡布雷附近的镇名有些关系。不过，两个乐句即使都由相同的音符组成，但只要和声和配器不同，在一个音乐家听来就是不一样的。同样，这些阴郁的地名让人想起的尽是沙子、旷野和盐，“镇”这个字，就像“鸽子飞”[1]里的“飞”字，一下子就无影无踪了，让我没法儿联想起鲁森镇或马丁镇那些地名。因为在“厅”里吃饭时常听姑婆说起这两个镇的名字，它们在我心中被蒙上了一层柔和的光泽，其中掺和着果酱的甜味、柴火和贝戈特某本书的书页的气味，以及对面房子砂岩的色彩。直至今日，当这两个镇名如同气泡似的从记忆深处升腾而起，穿越层层叠叠的中间层，到达记忆表层之时，它们仍然保持着那股特有的魅力。

这些小车站从沙丘上俯瞰远处的大海，或位于颜色绿得刺眼的山冈脚下，已然准备睡去。山冈的形状让人看着就不舒服，活像你刚走进旅馆的房间，劈面看到的一张长沙发。山冈上有几座别墅，再往下是一个网球场，有时是赌场，门前的旗子在凉风中猎猎作响，门内则空空荡荡，一派惶惶不安的气氛。就这样，这些小车站第一次向我展示了这儿的人们，当然我看到的只是他们的外表——戴着白色遮阳帽的打网球的人；土生土长的车站站长，屋旁种着柽柳和玫瑰；一位沿着我所不熟悉的生活轨道过日子的夫人，头戴扁平的狭边草帽，呼唤她的猎兔犬归来，走进灯

1　鸽子飞是一种儿童游戏。一人说“某某飞”，其他人马上要做出反应。若“某某”是会飞的东西，那么谁没竖指头就算谁输；若“某某”是不会飞的东西，则竖指头的算输。在法语中，镇、飞、厅分别是ville，vole和salle，读音上有相似之处。

火已经点亮的木屋——这些日常中显出奇怪、亲切中透着倨傲的景象，无情地刺伤了我陌生的目光和落寞的心。

我和外婆走进巴尔贝克大酒店大堂的时候，我的心又被重重地刺了一下。面对着仿大理石的宽敞楼梯，听着外婆一个劲儿地和酒店经理砍价，全然不顾周围那些陌生人透着不屑的不友好的目光——我们接下去可是要和这些人共同相处的呀。酒店经理是个不倒翁似的矮胖子，那副尊容、那副嗓音，让人不敢恭维（挤痘痘落下了脸上的瘢痕，地域遥远的祖籍和满世界乱跑的童年，落下了南腔北调的口音）。他身穿出入社交场合的常礼服，眼睛里射出心理学家的目光，慢车一到，他总把那些阔佬当成爱还价的客人，把到酒店来顺手牵羊的小偷当成阔佬！他大概忘了自己的月薪还不到五百法郎，总是从心底里瞧不起那些把五百法郎，或者如他所说的二十五个路易看成一笔不小的钱的客人，把他们一律归入不配来住大酒店的贱民之列。没错，在这家豪华的酒店里，有的客人付的房钱并不很贵，照样可以受到礼遇，前提是酒店经理能吃准这些客人注意开支是由于吝啬，而不是由于没钱。吝啬是一种毛病，在每个社会阶层都可能碰到，因此不能因为客人吝啬就对他失礼。有没有社会地位，是经理唯一注意的事情，而他眼里的社会地位，就是他认为足以表明这种地位的标志，诸如走进大厅不脱帽子、穿高尔夫球裤和束腰短大衣、从轧花皮匣子里取出一支箍着金丝红线的雪茄（可惜的是，所有这些体面的标志，我都沾不上边）。他爱用一些他以为很讲究的说法，其中有语病也浑然不觉。

我坐在大堂的长凳上等外婆，看着外婆拿腔拿调地问经理："你们这儿，房价怎么算啊？……哦！比我的预算贵得多喽。"

经理听着她讲，帽子也不摘下，嘴里还吹着口哨，外婆却并不生气。而我，一心只想能隐身在心灵深处，藏匿在永无休止的思绪后面，不让脸上留下一丝一毫表情，一丝一毫有生气的东西——就像有些动物面临伤害时，出于抑制作用的本能，一动不动地装死——我对这个环境完全不习惯，看着眼前的人们那么习惯自如，就变得加倍敏感起来，要保护自己不受伤害，只有努力让自己麻木才行。此刻在我眼前的，有一位举止优雅的夫人，经理对她毕恭毕敬，对跟在她身后的那条小狗也体贴有加，还有一位刚从外面回来的年轻人，衣着讲究，样子有些可笑，帽子上插着根翎毛，正在问“有没有我的信”，还有那些沿着仿大理石楼梯拾级而上的男男女女，瞧他们的神气，就像是回到了家里。与此同时，几位看上去并无接待经验，却有着总接待头衔的先生，朝我板着脸，把弥诺斯、埃阿科斯和拉达曼堤斯[1]的目光（我的灵魂袒露在这目光下，犹如袒露在一片全无遮挡的陌生世界中）向我射来。稍远处，在一块长玻璃后面，一些人坐在阅览室里，我若要描写这个阅览室，恐怕非得从但丁的《神曲》中依次引用有关天堂和地狱的描写不可：想到这些有福之人有幸在里面安静地看书，我想必会选些描写天堂的段落；但想到外婆要是不顾我的感受，硬要我也进去，我会感到多么恐惧，这时我恐怕就要选描写地狱的段落了。

过了一会儿，我的孤独感变得更强烈了。我跟外婆说，我不大舒服，我觉得我们得回巴黎了，外婆没说什么，只说了句她出去买点东西，不管我们是走是留，这些东西都用得着（我后来

1 在希腊神话中，弥诺斯、埃阿科斯和拉达曼堤斯都是宙斯之子。他们是冥界三判官。

才知道，那都是给我买的，弗朗索瓦兹把我可能要用的东西都随身带走了）。我信步在街上走着，等外婆回来。街上行人熙熙攘攘，炎热程度不亚于室内，理发店和一家糕点铺都还没打烊，顾客在糕点铺里吃冰淇淋，脸冲着杜盖－特鲁安[1]的铜像。我惊奇地看到，竟然有这么多跟我不同的人，酒店经理何不劝我到城里到处走走，消遣消遣呢？那样我就可以知道，一个使我痛苦不堪的所在（全然陌生的住处），在有些人眼前真可能就是酒店广告上说的“乐园”呢。广告也许有些夸张，却是迎合某一个顾客群口味的。对这一消费群的顾客而言，这本广告小册子不仅激起了他们到大酒店来享用“珍馐佳肴”、一睹“游乐场美妙风光”的欲望，而且激起了他们的好奇心，因为这是“时尚女王的裁决，谁要是拒不执行女王的裁决，就将立即被判为庸夫俗子，但凡有良好教养者，谅必无人愿冒此风险”。

我担心自己让外婆感到失望了，所以就更离不开她。她大概真的对我没有信心，觉得我连这点劳累都受不了，就没法儿指望旅行会对我有好处了。我决定回酒店去等她。酒店经理亲自为我揿了一个按钮：一个我还不认识、人称lift[2]的角色登场了（他高踞于酒店最高处，相当于诺曼底教堂的顶塔所在的位置，好似玻璃棚里的一位摄影师，或者演奏室里的一位管风琴师），只见他快速朝我而下，有如驯养的松鼠那般敏捷，受制中不失灵巧。随后，他又带着我沿一根立柱升向这座商业殿堂的穹顶。在每一层楼，通道楼梯两侧呈扇形排列着的幽暗的走廊上，时而有收拾房

1　杜盖－特鲁安（1673—1736）：法国海军上将。其故乡圣马洛竖有他的铜像，普鲁斯特将此铜像“借用”于巴尔贝克。

2　英文：电梯。此处指开电梯的侍者。

间的侍女抱着长枕头走过。我想把自己最富有激情的梦中见到的表情，赋予侍女那张在暮色中显得朦胧的脸，但从她瞥来的目光中，我看到的却是对一个微不足道的人物的厌恶神情。由每层一个厕所形成的那排玻璃竖窗，把这个了无诗意的所在照得半明半暗，在无穷无尽的上升过程中，为了驱散我在穿越这神秘的寂静时感到的莫名恐慌，我开口跟年轻的管风琴师搭腔——这位旅途相遇的艺匠、幽禁中的伴侣，始终在他的庞然大物上拉音栓、推音管。我为自己占了这么大的地方，给他添了这么多麻烦，向他表示歉意，问他我是否妨碍了他的演奏。我一心讨好这位演奏高手，所以不光表示了我的好奇，而且诚恳地倾诉了我的仰慕。可是他没有搭理我。或许我的话让他感到惊讶了，或许他是在专心工作，或许他是出于礼貌，或许他是有些耳背，所以看上去态度有些生硬，或许他对这个地方充满了敬畏感，生怕会出事，或许他是懒得动脑子，要不就是经理这么关照过。

也许再没有什么东西，会比某一个人（无论他是多么微不足道）与我们相关的状态——在我们认识他之前和之后——的改变，更能让我们感觉到周围世界的现实性了。我还是那天下午乘小火车来巴尔贝克的那个人，我的头脑也还是原先的那个。可是在这个头脑的某个位置，也就是那天六点钟由于无法想象豪华酒店、经理和员工的模样，朦朦胧胧有些害怕地等待着抵达时刻的那个位置，现在却换上了走南闯北的酒店经理脸上的粉刺瘢痕（照他的说法——因为他爱用他以为高雅的说法，经常用错而自己一无所知——他“乡关[1]罗马尼亚”，其实他是入了摩纳哥公国

1　他的本意是说他的乡贯亦即祖籍是罗马尼亚，却把“乡贯”错成了“乡关”。原文中，这位经理是把origine（原籍）错说成了originalité（古怪）。

国籍的人），他摁按钮招呼电梯的姿势，以及电梯本身这些从大酒店这个潘多拉盒子里弹出来，现身在舞台顶端帷幕上的一个个木偶角色，它们就在那儿，由不得我愿意不愿意，而且像所有业已成为现实存在的东西一样，再也不能像在头脑里那样腾挪变化了。这种状态的改变，我并未参与其中，但是它至少向我证明了一点，那就是在我身外确实发生过某些事情——尽管这些事情本身可能并没有什么意义——而我有如一个游客，刚上路时，太阳在他前面，待到看见太阳落到了身后，这才发觉已经过去了好长一段时间。

我累得筋疲力尽，发着烧，真想好好睡一觉，可是床上用品手边一件也没有。我想，哪怕就在床上躺一会儿也好，但转念一想，甩不开这种种感觉，躺下也没法儿休息呀，那躺下又有什么用呢？这些感觉，对我们每个人而言，即便不是生理意义上的身体，至少也是心理意义上的身体吧。既然那些陌生的物件一旦把我们包围住了，就会迫使我们的感官处于一种严阵以待的紧张状态，那么它们自然就会把我的视觉、听觉乃至一切感觉，都置于有如拉巴吕红衣主教在他的铁笼里既不能站又不能坐[1]（即使我能伸直双腿）的那种极其别扭、很不舒服的状态。一个房间，其中的物件因我们的关注而各就各位，又因习惯而俨然一一隐去，依稀腾出了地方。可我（仅仅名义上是我的）在巴尔贝克的这个房间，却根本没有空地方可言，里面满满当当的都是些跟我素不相识的东西，我对它们投去不信任的目光，它们还我以怀疑的眼

1　拉巴吕（约1421—1491）1467年任红衣主教。两年后即因私下与勃艮第公爵大胆查理秘密谈判，触怒国王路易十一，被关押在洛施城堡监狱中达11年之久。传说中，他在狱中被囚禁在一个铁笼里。但历史学家对此说提出过质疑。

色，而且全然不顾我就在场，摆出一副我干扰了它们的日常生活秩序的模样。挂钟——在家里那会儿，一个星期中，我只有在长时间沉思过后缓过神来的那几秒钟里，会听到它的嘀嗒声——一刻不停地絮絮叨叨，我听不懂它在说什么，但猜得出不是在说我好话，因为高高的紫色窗帘在一旁听着，不作一声，但做出的那副模样，就像人家故意耸耸肩膀，表示他看见有个第三者在场非常恼火似的。这些窗帘，给这个高敞的房间平添了一种近乎历史感的意味，让这个房间变成了很适合行刺德·吉斯公爵[1]，以及后来的旅游者由库克旅行社[2]导游领来参观的所在——不过，对我的睡眠而言就不然了。沿墙放着一溜儿玻璃小书橱，看着它们我就感到不舒服，而横在房间中间的一面落地穿衣镜，更让我觉得在受罪，我心想，只要这面镜子一天不搬走，我就一天不得安宁。我时时抬起眼来望着天花板——在巴黎，我房间里的物件从来不会妨碍我的视线，正如我的眼眸不会妨碍它一样，因为那些物件无非是我器官的附件，是我这个人的延伸而已——外婆特意为我挑选的这个酒店顶层的房间，天花板比别的房间都来得高；香根草的气味，越过我们平时用以看和听的部位，挺进到我们辨别幽微气息的部位，几乎已经突破我最后的防线，抵达了我的内心深处，我徒然进行着无谓的抵抗。周围的一切，这个房间，我这个人，仿佛都消失了，剩下的只是团团围住我的敌人，只是沦肌浃髓的热度，我感到孤独，我真想死了算了。这时，外婆进来了；

1　德·吉斯三世（1550—1588）是法国宗教战争期间天主教派和神圣联盟的领袖，被亨利三世派侍卫刺死。普鲁斯特可能受到保尔·德拉洛施的画作《刺杀德·吉斯公爵》（1835）的影响。这幅油画的画面上，房间特别高大，在画面左方一群刺客的映衬下，右方死于血泊中的德·吉斯公爵格外显得孤零零的。

2　托马斯·库克（1808—1892）：英国人，导游参与旅游活动的创始人。

我那颗压抑已久的心顿时绽放了开来，无限广阔的空间一下子敞开在我眼前。

她穿着一件细棉布便裙，平时我们当中有谁生病的时候，她在家里总穿这条长裙（照她的说法，是因为这样穿着更自在些——她总爱把自己做的事说成有个自私的理由），那是为了照料我们、看护我们，那就是她的女佣服、工作服和修女服。而女佣也好，看护也好，修女也好，她们的悉心照料，她们的善良和蔼，我们在她们身上看到的种种美德，以及我们对她们的感激之情，都会加深我们的两个印象，一是我们对她们来说毕竟是外人，二是越发感到自己的孤独。因此，思想观念、生活态度这些方面的问题，即便成了压在心头的重负，我们也还得自己来承担。但当我和外婆在一起时，我知道不管我的忧伤有多浩茫，它都会被一种更广阔的怜恤所接纳、所包容；我一切的一切，我的担忧、我的企盼，都会在外婆身上激发起一种保护我，让我生活得更好的意愿，这种意愿甚至比我自己的意愿更为强烈。我的思绪延伸到她那儿，不会有半点走样，因为这些思绪从我的脑海通到她的脑海，介质没变，人也没变。而且——就像一个人对着镜子打领带时，不会意识到他所见到的其实是另一边的影像，或者像一条狗不去理会虫子的跳跃前行，兀自追逐着虫子在地上的影子——由于我们身处这个无从直接感知灵魂的世界，势必要受躯体外表的引导，我就一下子扑进外婆的怀里，把嘴唇贴在她的脸上，仿佛这样就进入了她向我敞开的广袤的心田。当我把嘴紧贴外婆的脸颊、前额时，我从那儿吮吸到的东西是那么有益健康、那么滋养心灵，我保持着一动不动，犹如吃奶的婴孩那般全神贯注地、恬静地大口大口吮吸着。

我凝视着她宽宽的脸膛，觉得怎么看也看不够，这张轮廓分明的脸，有如充满热力的安详的云朵，从那背后你能感觉到光芒四射的柔情。凡是能和她分享她的感觉，哪怕只是一丁点儿，凡是能说得上是属于她的东西，立时会变得如此超俗、如此圣洁，我情不自禁地用手掌去抚摩她那略显花白的秀发，我是那么小心翼翼、那么轻柔、那么充满敬意，仿佛我抚摩的是她那颗善良的心。她甘愿为我受苦，为的是让我少受那一份苦，她感到乐在其中，看到我疲乏的四肢能静静地歇一会儿，她就觉得心里甜滋滋的。所以，当我做个手势，不让她帮我脱鞋躺下，自己开始脱衣服，刚解开上衣和皮鞋的几粒纽扣的时候，她用央求的目光止住了我。

“哦，让我来吧，”她对我说，“这是外婆最高兴做的。还有，夜里你想要什么东西，就敲敲墙壁好了，我的床就靠着你的床，板壁很薄。待会儿你睡到床上，先敲两下，看看咱们是不是听得清楚。”

这天夜里，我照这样敲了三下——一星期以后，我感到不舒服的那会儿，有几天早晨我也这么敲了，因为外婆坚持一早就要给我把牛奶拿过来。就这样，当我觉得听见外婆刚醒——这当口敲，可以让她不用等，而且随后很快又能重新入睡——我就鼓起勇气在墙上敲三下，怯生生的，轻悠悠的，同时又是很清晰的，因为虽然我生怕自己万一弄错，在她睡着的时候吵醒了她，可我也不想让她由于一开始没听清楚，而我又不敢再敲，就那么一直等着。我刚敲完三下，马上就听到了另外三下，音调和我的不同，其中自有一种安详的权威意味，敲完一遍又敲一遍，好让我听得更清楚，那意思是说：“别急，我听见了；我马上就过来。”

一会儿工夫，外婆就来了。我告诉她我刚才挺怕她没听见，或者以为是哪个邻居在敲。她笑了起来：

“把我小宝贝的声音跟别人混起来，怎么会呢？就是有一千个人在敲，你外婆也分得出你的声音！你难道以为这世界上还有哪个人，会敲得这么傻呵呵、这么激动、这么既怕吵醒我又怕我听不见的吗？只要听见有轻轻的搔墙声，我马上就会认出这是我的小耗子，况且，这个小耗子又是这么与众不同，这么叫人可怜呢。你还在犹豫，还在床上挪动身子，折腾来折腾去的那会儿，我就已经听见了。”

她掀起百叶窗。酒店凸出的附属建筑上，阳光已经铺满屋顶，犹如有个盖屋顶的工人早早开工，已经不声不响地干完了活儿；他没弄出声音，是不想吵醒还在沉睡的城市，而且，没有动静更能显出他的干练。外婆对我说现在几点了、天气怎么样，还说我不用到窗口去，海上有雾，她还告诉我面包店有没有开门、传来声响的汽车是怎么样的：这是一支毫无意义的前奏，一首不足以让人理会、没人聆听的清晨序曲，是只属于我俩的一个生活片断。在随后的一天里，当我在弗朗索瓦兹或别人面前谈到清晨六点的大雾时，我会乐于说起这个片断，那并不是要炫耀我知道得很多，而是要把我领受过的这份温情告诉人家。我在那儿浸润着柔情和欢愉，变得和谐、空灵，那天使般歌唱着的板壁上的三下敲击，有如一首由富有韵律的对白开始的交响乐，拉开了清晨这美妙时刻的序幕，应答的是我热切期待的、重复两遍的另外三下敲击，它们犹如报喜天使那般轻盈，优美而准确地传递了外婆的整个心灵，以及她一定过来的承诺。

可是在这抵达的第一夜，外婆离开我的房间以后，我很难受，就像在巴黎要离开家的时候一样难受。对睡在一个陌生的房间里的这种恐惧——许多人都有这样的恐惧——或许只是一种绝望的抗拒的表现形态（最低级的、模糊的、生理上的、几乎是无意识的表现形态）；我们现实生活中那些最美好的事物的存在，让我们宁愿做绝望的抵抗，也无法（即便只是在心里承认这种可能性）接受一个不再有这些美好事物的未来。这种抗拒其实源于惧怕，只要一想到父母有一天会死去，想到我会为生活所迫远离吉尔贝特，即使只是去一个见不到我那些朋友的国度，我就感到害怕极了。这种抗拒还有一个因由，那就是要去想自己的死，或者贝戈特在书中向读者许诺的那种永生，我总觉得困难之极；在那种永生中，我不能带上我的记忆、我的缺点、我的个性，而所有这一切都不接受它们将不复存在的意念，它们既不愿看到我沦为虚无，也不愿我拥有一个没有它们容身之地的永恒。

在巴黎那会儿，有一天我特别不舒服，斯万就对我说："您该到大洋洲那些美妙的小岛去看看，您也许会乐而忘返的。"我想回答他说："那样我就见不到您女儿，就得生活在她从没见过的景物和人中间了。"可是我的理智告诉我："这有什么关系呢？反正你也不会为此感到苦恼了。斯万对你说你会乐而忘返，他的意思是说你会不想回来，既然不想回来，那就说明你在那儿过得很开心。"这是因为我的理智明白，习惯——从现在起，它要承担的任务就是使我爱上陌生的住处，改变镜子位置和窗帘颜色，停住钟摆不让它聒噪——同样也会完成它的使命，使我们起先并不喜欢的同伴变成密友，给人家换上另一张脸，让一个人的嗓音变得动听起来，让我们心中的情意另有所寄。诚然，这种对地方、对人的新的情谊，在一定程度上意味着对旧地和故人的忘却；可是我的理智偏偏认为，我能够毫无惧色地面对这样一种新生活的前景，在这种生活中，我将与一些人和物天各一方，这些人和物将从我的记忆中消失。作为一种安慰，这种生活会对我的心做出许诺，让它相信它是会忘却的，可是这种许诺，却只能让一颗绝望的心就此破碎。这并不是说，在分离已成定局以后，我们的心还不能从习惯中汲取镇痛的养料；但在这以前，它始终是在受着折磨啊。我们有一种担忧，生怕将来会见不到我们心爱的人，听不到今天给予我们最可珍贵的欢乐的人们的声音；但对我们来说，有一件事也许更加残酷，那就是有一天这种担忧会不再引起我们的痛苦，我们会对它无动于衷。真到了那一天，这种担忧非但不会消释，而且还会变本加厉；因为到那时，我们的自我已经有了改变：我们不仅失去了父母、情人、朋友的亲情，而且，这些今天在我们心里占据着重要位置的情感，将会被擦拭殆尽。没有他们相伴的生活，今天令我们想起来不寒而栗，到那时我们却会对那样的生活甘之如饴。因此，这将是我们的一次真正的死亡，虽然死亡以后还会复活，但那是在一个不同的我身上的复活，就凭注定要死亡的旧我所具有的情愫，是无法去爱这另一个我的。正是这些情愫——即使是最微不足道的，比如对一间屋子的空间、氛围莫名的眷恋——在惊惶之余，以一种隐秘的、局部的、确实的、真切的方式去对抗死亡，从而排斥了另一种方式的对抗，即长期而绝望地、日复一日地去对抗那种零切碎割而又不绝如缕的死亡，那种犹如融入整个生命进程，每时每刻从我们身上分离出局部的肌肤，让它们坏死，让新细胞繁殖的死亡。对于一个像我这样神经质的人而言（在这样的人身上，神经无法正常发挥作用，当注定要消失的我发出呻吟和抱怨时，神经无法拦截它们通往意识的通道，只能听任它们清晰而疲惫地、绵绵不断地涌向意识），在陌生的、高得吓人的天花板下感到的惊恐不安，其实只是一种在熟悉于低低的天花板的我身上所留存的情谊的抗议。这种情谊早晚也会消失，会被另一种情谊所取代（这时，死亡以及接踵而至的新生活，将会以习惯的名义完成它们的双重任务）。但这种情谊本身，会夜复一夜地感受到痛苦，直至最后消亡；尤其在这第一晚，当它面对一种不再有它容身之地的未来的图景时，它拼命挣扎，每当我的目光想要从伤害它的那些东西上移开，转向那无法企及的天花板，它就会悲声哀号，让我倍感痛苦。

可是第二天早晨！——一个侍者进来叫醒我，给我端来了热水，我洗脸梳头，然后拼命在旅行箱里翻找可就是找不到要用的物件，拽出来的尽是些乱七八糟没用的东西。而就在这时，我想到可口的早餐、惬意的散步，从窗口和书橱上的玻璃，犹如从船舱的舷窗望出去，望见无边无际的大海，看着浪涛有如跳板上的跳水运动员，一个接一个跃起落下，我心头充满了欢乐！大海一无遮拦，然而以一条跃动的细线为界，一半海面却处在阴影之中。我捏着一块印有酒店名称、浆得硬硬的毛巾，在身上怎么擦也没法儿擦干；我边擦边走到窗前，向大海望去。辽阔的大海充满喧闹，高耸的波涛有如连绵的大山，看得我头晕目眩，浪涛闪烁着打磨过的、半透明的绿宝石的光亮，架着积雪也似的浪尖汹涌而来，那气势有如皱着眉扑来的狮子，沉着而威猛，排山倒海的浪涛高高托起，重重抛下，阳光则为它们添上一抹不露真相的笑意。

此后每天早晨我都置身窗前，就像在驿车里睡了一夜扑到车窗前一样，我要看看那令我心驰神往的万顷波涛——那绵亘起伏的海浪的冈峦，在夜间是靠近了，还是远去了。有时，那海浪的冈峦在重新奔腾跳跃涌向我们之前，会退得很远很远，我得隔着一片空旷的沙滩才能遥遥望见排头的细浪，远方的海景有如文艺复兴早期托斯卡纳画派画作中的冰川背景，雾蒙蒙，蓝莹莹，仿佛透明似的。也有时，阳光在离我很近的海浪上绽开笑脸，海浪温暖的绿色，绿得像阿尔卑斯山脉的草地（阳光在山坡上闪动，犹如一个巨人乐呵呵地一路蹦跳而下）；是湿润的土地，或者说是空气中流动的水分，给高原草地带来了这迷人的绿色。海滩和波浪为让阳光涌进并积聚，在天涯海角凿出了这个豁口，依光线射来和我们视线的方向的不同，阳光时而让那海浪的冈峦停住，时而让它移动。光线的变化，改变了景色的方位，在我们面前树立了新的目标，同时也激发了我们不畏长途跋涉，一步一步走完全程去抵达目标的意愿。

清晨，太阳从酒店背后升起，把我面前的那片沙滩照得亮晃晃的，远处海浪的冈峦也给照亮了，阳光似乎是向我展示冈峦的另一面，鼓动我循着它迂曲的行迹，踏上一段在原地悠游的旅程——尽管人在原地不动，但随着时光的推移，眼前变幻着一个又一个美妙绝伦的景点。从第一天的早晨起，太阳就用它那满含笑意的手指，远远地指给我看大海中那些蓝色的峰峦，这些大海的峰峦是在任何一本地图上都找不到的。在这番妙不可言的嬉戏过后，它终于累了，于是躲进我的房间来避风，懒洋洋地斜卧在没有整理过的床上，在湿漉漉的洗手盆或打开的箱子上洒下它耀眼的珠宝，而它本身的华丽和不合时宜的奢侈，却给房间里平添了几分杂乱的意味。

一小时过后，在高大的餐厅里——当时我们正在吃午饭，从柠檬的皮囊里往两条箬鳎鱼上挤金黄的汁水，不一会儿，盆子里就只剩下两副翎饰也似的鱼骨，蜷曲有如羽毛，铮然有声又如齐特拉琴——外婆因为吹不到凉爽的海风，觉得简直无法忍受，那原因是玻璃窗虽然透明，但都是关闭的，一如商店的橱窗，那片海滩我们可以看得很清楚，却被玻璃跟它隔了开来。透过窗玻璃，我们把天空尽收眼底，那片蔚蓝依稀就是玻璃的颜色，浮动的白云则像玻璃上的瑕斑。我心想，我正如波德莱尔说的那样，坐在防波堤上或在小客厅里，我暗自寻思，他所谓的海面上灿烂的阳光，是否就是——不像落日余晖那样单纯而又失却热力，只是一抹颤巍巍的金光而已——此刻的这种阳光，它宛如黄宝石那样光灿夺目，热辣辣地照射在海面上，使大海发酵，如啤酒一般醇厚、一般金黄，又如牛奶一般泛着泡沫，海面上不时有巨大的阴影掠过，仿佛有位神祇拿着面镜子在天上晃动，开心地看着被照得忽明忽暗的大海。

巴尔贝克的这个餐厅，没有什么装饰，整个儿洒满了游泳池水那般绿莹莹的阳光。几米开外，涨起的海水和正午的阳光，宛若在天堂前竖起了一道由绿宝石和黄金筑成的坚不可摧的活动壁垒。可惜的是，这个餐厅跟贡布雷那间面朝对面住宅的餐厅相比，差别还不仅仅是在外表上。在贡布雷，大家都认识我们，我也就不去注意任何人。在海滩度假，谁也不认识旁边的人。我年纪还小，还太敏感，没法儿舍弃博得别人好感、赢得人家青睐的愿望。一个经常出入社交圈的男士，想必会对这个餐厅里用餐的人，或者对海堤上来来往往的年轻男女视而不见，可我没有这样的风度。想到我不能和他们一起出游，我心里有些难过，可要是外婆——我这位对社交礼俗不屑一顾，满心只想着我的健康的外婆，居然不顾我的自尊心，贸然请求他们同意让我做伴一起散步，那我就会更加难过了。无论他们走到哪儿，回到一所陌生的小木屋也好，手握球拍去往网球场也好，骑马出行也好（那马蹄犹如踩在我的心头哟），我总是怀着热切的好奇注视着他们。海滩上令人目眩的反光，冲淡了社会阶层的观念，我待在这洒满阳光的玻璃港湾里，透过大玻璃窗凝视着他们的一举一动。可是在外婆看来，玻璃窗挡住了风，是一个缺点，想到我要因此少吹一个小时的海风，她觉得无法忍受，于是她偷偷地开了一扇窗，顷刻间，菜单、报纸，连同正在用餐的每位游客的面纱、帽子，全都给吹得飞了起来；可外婆有这来自天堂的好风打底，在一片责骂声中，依然像圣女布朗蒂娜一样镇定自若，脸带笑容，而这些满脸鄙夷之色、头发散乱、怒气冲冲的游客如此一致地把矛头指向我们，更使我增添了孤独、忧愁的印象。

游客中，有一部分——在巴尔贝克，他们赋予了这些豪华酒店的住客（通常都是来自各地的富人）一种相当显著的地域特征——由法国这一地区主要省份的精英人士组成，其中包括卡昂法院的主审法官、瑟堡的首席律师，以及勒芒的一位著名公证人。平时，他们成年像散兵游勇，或者说像国际象棋中的棋子那样，分散在各地，一到假期，便从四面八方聚集到这家酒店里来。他们每年住预先订好的相同的房间，他们的夫人以贵族自居。这样的游客，形成了一个小团体，其中还包括巴黎的一位大律师和一位名医。动身回去的那天，两个巴黎人对他们说：

“可不！你们才不会跟我们坐同一列火车呢，你们有福气，能回家吃晚饭。”

“这叫福气吗？你们住在巴黎，首都，大城市！我们住的是才十万人口的小省城。没错，最近一次人口统计说是十万零两千，可是跟你们的二百五十万，跟你们的大马路，跟巴黎的灯红酒绿，又怎么能相比呢？”

他们带着乡音未改的卷舌音r说这番话时，其中并没有尖酸的意味，因为他们是省里出类拔萃的人物，本来是可以和别人一样去巴黎的——有关方面就曾不止一次地给卡昂法院主审法官先生在巴黎最高法院安排过职位——他们之所以不去巴黎工作，是出于对小城的挚爱，出于不求闻达的淡泊，出于对既有声望的爱惜，或是对当局有些做法有所不满，甚至是因为舍不得现在的好邻居。再说，他们中间有好几位并不急于打道回府。

原来——要知道巴尔贝克港湾是大宇宙中一个与众不同的小宇宙，是一个盛满季节这种果子的大篮子，为数众多的日期、依次相继的月份，都排成圈儿装在里面。所以，不仅在可以遥望里弗贝尔（这是暴风雨的信号）的那些日子，我们在巴尔贝克天色渐暗之际，还能看见里弗贝尔那些屋顶上的阳光。而且即使巴尔贝克天气已经转冷，我们仍然可以很有把握地说，在对岸的里弗贝尔，热天还剩着两三个月的尾巴呢——大酒店的这些常客，不是假期开始得较晚，就是假期持续得较长，所以当初秋的阴雨和薄雾降临时，他们就把旅行箱装上船，过河到里弗贝尔或科斯特道去和夏天会合了。

对每个新来的人，巴尔贝克大酒店的这个小团体都报以怀疑的眼光，每人都一面装出对来人不感兴趣的样子，一面向侍应部领班打听此人的情况。这位领班——埃梅——是大伙儿的朋友，每年旅游旺季，都由他来给他们张罗安排餐位。那些夫人知道埃梅太太怀着孕，用餐完毕后一面为她准备婴儿用品，一面不停地举起长柄眼镜打量我和外婆，原因是我们在吃煮蛋色拉，这是道挺普通的菜，但阿朗松的上层人士从不吃这道菜。他们经常讥讽一个法国游客，明显流露出对他的轻蔑态度。这个法国人外号叫陛下，因为他自称是大洋洲一个只有几个土著居民的小岛的国王。他带着漂亮的情妇住在这家酒店里，每当她去洗海水浴时，那群孩子都围着她喊："王后万岁！"因为她掏出大把大把的五十生丁硬币撒给他们。主审法官和首席律师做出一副不屑看她的模样，要是朋友中间有谁在瞅她，他们就觉得有责任提醒他，她只是个女工。

"可我听人说，他们在奥斯当德用的是王家更衣室。"

"那有什么！二十法郎租的呗。你要喜欢，你也可以租。我有确切消息，他曾经托人求见国王陛下，可是国王让人传话，他无意结识这个木偶王国君主。"

"啊，真太有意思了！现在的人真是无奇不有！……"

他们说的想来是实情；不过，公证人、主审法官和首席律师讨厌这一对男女，另外还有一层缘故，那就是他们感到在相当一部分人眼里，他们只是些连这二位挥金如土的国王、王后都不认识的布尔乔亚，这种感觉让他们恼火。他们每次瞥见这对被他们称作狂欢节小丑的男女走过，总是火冒三丈，大声表示自己的愤慨。对这种愤慨之情，他们的领班朋友感同身受——对这对出手比真国王、真王后还大方的假货，他不得不赔着笑脸，可在听他们点菜的当口，他远远地向那几位老主顾意味深长地眨着眼睛。也许还有另一件事，同样让他们有点恼火。有个服饰华丽、装腔作势的年轻人，他们管他叫小白脸，此人的老子是个工厂主，本人则是个身患肺病的花花公子，每天换一件新上衣，扣眼上插一朵兰花，用餐必喝香槟。在赌场上，他总是脸色苍白，毫无表情，唇边挂着一丝冷漠的笑容，在巴卡拉牌桌上一掷千金地下注，照公证人对主审法官的说法，“这样的豪注他根本就输不起”，主审法官的夫人则“据可靠消息”，声称这个世纪末的年轻人，把父母都给活活地气死了。

另一方面，首席律师和他的朋友也不放过一个有贵族封号的、有钱的老年贵妇，对她极尽讽刺挖苦之能事，因为她到哪儿都要带上日常起居的全套行头。公证人夫人和主审法官夫人每回在餐厅用餐时看到这位老妇人，总要肆无忌惮地举起长柄眼镜把她上下打量一通。那种又仔细又不放心的模样，仿佛她就是一道名称听上去挺气派，拿上来一看却觉得可疑的菜肴，经过一番有条不紊的观察，得出否定的结论以后，她们摆出张厌弃的苦脸，冷冷地挥手吩咐撤掉这道菜。

她们这样做，也许只不过是想表明，有些东西她们虽然没有——比如说没有这位贵妇的某些特权，比如说跟她攀不上半点关系——但那并不是她们没法儿有，而是她们不想有，如此而已。时间一久，她们真就相信是这么回事了；在这种女人身上，所有的欲望、对不了解的生活方式的好奇，以及博得新认识的人好感的希望，全都渐渐消失了，取而代之的是佯装的轻蔑，是故作姿态的喜悦，而这些代用品自有它们的不便之处：从此她们就非得把不开心说成开心，非得一而再、再而三地对自己说谎不可了——有了这两条，她们也就甭想有舒心日子过喽。不过，酒店里恐怕也人人如此，虽表现形式有所不同，但其实都跟这两位夫人没什么两样，即使不说是为了自尊心吧，至少也是为了某些处世原则或思维习惯，而牺牲了参与一种陌生生活的美妙冲动。

显然，年迈的贵妇人与外界隔绝，独自生活其中的小小天地，没有被公证人和主审法官的夫人气急败坏的冷嘲热讽所污染，她并没有因此变得像这伙人一样尖酸刻薄。非但如此，在这片小小的天地里，还弥散着一种芳香而陈旧的气息——不过从中同样可以感觉到故作姿态的意味。因为说到底，这位老夫人若能引来并维系（为此她得不断以新的面目出现）新认识的人的好感，她十有八九也会发现其中的感觉是很让人陶醉的；诚然，只跟自己圈子里的人来往，而且认定这个圈子就是最好的，人家由于不了解而小看自己，根本无须萦怀，这样做、这样想也都自有乐趣，但这两重乐趣毕竟代替不了那种陶醉的感觉。她也许预感到，倘若她悄悄地来到巴尔贝克大酒店，她那条黑呢长裙、那顶过时的便帽，定会遭到某个纨绔子弟或当地闻人的嗤笑——摇着舞步的年轻人会从牙缝里挤出“穷酸老婆子”几个字来，像主审法官那样长着一部花白髯须和一双她挺喜欢的聪明眼睛、脸色依然那么红润的当地闻人，则会马上示意眼睛凑在长柄眼镜上的夫人看这个老怪物；也许正是由于对这一时刻下意识的恐惧——这就好比跳水一头扎进水里的那一瞬间，你明知只是短暂的一刹那，可还是照样感到害怕——老夫人事先派了一个仆人到酒店来，把她的习性、脾气一一告诉他们，她本人随后抵达酒店时，三言两语应付掉（其实是出于腼腆，而并非简慢）恭候欢迎的经理，径自走进预订的房间，从家里带来换上的窗帘、屏风和照片，在她与理应去适应的外部世界之间，稳稳地竖起了一道由生活习惯构成的隔离墙，她安坐其中，犹如待在自己家里。是这个家，而不是她在旅行。

就这样，以她为一方，酒店员工和供应商为另一方，她把仆人安置在双方之间，他们代她跟新人类进行接触，同时在女主人周围保持一种她所习惯的氛围；就这样，她把成见留在了她与洗海水浴的游客之间，对她的朋友们根本不会接待的这些人，她全然不在乎他们高兴不高兴；就这样，她靠与女友们通信，靠回忆，靠时时意识到自己地位出众、风度高雅、礼仪娴熟的优越感，继续生活在自己的小天地里。每天下楼乘马车出游时，贴身女仆捧着女主人的衣物尾随其后，在前面开路的小厮则有如站在悬挂所属国国旗的使馆门前的岗哨，在异国土地上保卫着使馆的治外法权。我们刚到的那天，她下午很晚才离开房间，所以我们在餐厅里没见到她。因为我们初来乍到，去吃午饭时，酒店经理把我们置于他的保护之下，带我们到餐厅去，犹如军官将新兵带到军需下士那儿去领军装。虽说没见到这位老夫人，但没过一会儿我们就见着了一位乡绅德·斯代马里亚先生和他女儿德·斯代马里亚小姐，他们出身于布列塔尼一个鲜为人知却非常古老的家族，领班以为他们不会回来用餐，把他们的餐桌给了我们。这父女俩上巴尔贝克，是专程来见见几位住在附近别墅里的熟朋友，因为在外常有应酬，还要去人家那儿回拜，他们难得到酒店餐厅来用餐。由于傲慢，这父女俩疏于人与人之间的情感交流，对坐在身边的陌生人完全取一种漠视的态度；置身于用餐的游客中间，德·斯代马里亚先生神情冷若冰霜而又极不耐烦，举止冷漠而粗鲁，刻意挑剔中透出明显的敌意。这种神情举止，在火车的冷餐车厢里倒是常见的，一个人身处一群从未见过面，以后也不会再见到的同车乘客中间，他和他们的关系往往仅止于保住自己的那盘冻鸡肉和车厢的那一隅之地。我们刚要开始用餐，有人按德·斯代马里亚先生的吩咐，来叫我们起身。那位德·斯代马里亚先生这会儿刚到，他对我们没有表示半点歉意，高声地关照酒店领班，这样的事绝不能再次发生，他不认识的人占了他的餐桌，这让他很不高兴。

且说酒店里住着一位女演员（在奥代翁剧院演过几个角色，但尤以举止优雅、机敏风趣和收藏成套德国瓷器而著名），她的情人（一个非常有钱的年轻人，女演员为着他而努力提高自己的修养），还有两位看上去颇有贵族气派的男士，他们几人躲着大家抱成一团，每次出游必定同行，在酒店餐厅用餐，必等大家都吃完以后才姗姗来迟，白天一起待在套间的客厅里打牌。而他们这么做，显然并非对其他游客抱有敌意，而只是因为他们对某些幽默的谈话方式，对某些佳肴的食不厌精，有着特殊的爱好。正是这样的爱好，使他们感到只有四人一块儿过日子、一块儿吃饭，生活才有乐趣，想到要去跟那些不懂这种情趣的人混在一起，他们就觉得无法忍受。即使只是坐下吃一顿饭或打一盘牌，他们都得弄明白一起进餐的人或坐在对面的牌友，是否的确拥有一种潜在的、待用的鉴赏力，能够鉴别艺术品的真伪，看出许多巴黎家庭当作中世纪或文艺复兴时期珍品来显摆的作品，都是些蹩脚的赝品，还要弄清楚这些人看待所有的事物，是否都能跟他们有共同的是非标准。当然，在这种时候，除了在默默用餐或打牌的当口发出几声滑稽的感叹，或者由那位年轻女演员在用餐或玩牌时穿上迷人的新裙子，这几位朋友也没什么其他的办法，能用以展示他们走到哪儿都想带到哪儿的特定生活方式了。这种生活方式，就这样用业已成为他们第二天性的习惯笼罩住他们，使他们足以抵御周围环境的神秘诱惑。在漫长的下午时分，悬在他们面前的大海，无非就像挂在有钱单身汉小客厅里的一幅色彩柔和的油画而已，他们只是在闲着无聊、等人出牌的间歇，偶尔抬起头来望一眼大海，看看天气如何，或者看看大概几点了，提醒其他人该喝下午茶了。晚上他们通常不在酒店里用餐。这时，豪华的餐厅灯火通明，辉映在黑黝黝的海面上。整个餐厅变成一个硕大无朋的玻璃鱼缸，巴尔贝克的工人、渔民以及小布尔乔亚，挤在玻璃长窗跟前，餐厅里的人看不见融入夜色中的他们。他们隔着玻璃窗张望金碧辉煌的餐厅，这种奢华的生活是这些穷人平时难得一见的，他们就像在看珍奇的鱼儿或软体动物（一个很大的社会问题是，玻璃长窗能不能永远庇护这些色泽光鲜的鱼儿，夜色中瞪眼张望的这群衣着寒酸的人，有一天会不会把这些鱼儿从大鱼缸里捞出来吃了）。夜幕下聚集在窗前的人群中，说不定有个作家或者业余社会鱼类学家，眼看着肥胖的老女人张开血盆大口，把东西一口吞进去，心里暗暗在把这些人按种族，按先天的遗传特征和后天养成的性格分类。一个从小在圣日耳曼区的淡水里长大的塞尔维亚老妇人，亏得天生一副大海鱼的好牙齿，才能把色拉吃得像个拉罗什富科家族的婆娘那般有声有色。

此刻，那三位穿常礼服的男士正在等那位迟到的小姐，她刚从楼上乘电梯下来，只见她身穿一条新裙子（她差不多每次都换一条新裙子）从玩具盒似的电梯里匆匆出来，肩上的披巾是特地按情人的口味挑选的。这四人觉得豪华大酒店这种国际化的怪物在巴尔贝克落脚，徒然助长了奢华之风，对美食爱好者并无好处，于是四人一起登上一辆马车，去半里开外一家有名的小餐馆吃晚饭（他们挺爱跟小餐馆的主厨神聊，从菜谱的编排到菜点的烹制，一聊起来就没个完）。从巴尔贝克出发，沿着两旁种着苹果树的小路去往那家小餐馆，这段夜色中的路程，在他们看来跟在巴黎那会儿，从家里去英格兰咖啡馆或银塔餐馆[1]的路程相差无几。到了氛围雅致的小餐馆，那里的朋友们都对有钱的年轻人妒羡不已，因为他有一位打扮得这么漂亮的情妇——她把那块披巾往他们跟前一扬，就好比披上了一块面纱，把这个小社团跟世界隔离了开来。

遗憾的是，我却难以像所有这些人一样心静如水了。他们中间的好些人，我都关心着呢；比如说，有个当地的显贵，额头低低的，目光游移在偏见和教养之间，这个人，我特别希望他不要对我视而不见。他不是别人，正是勒格朗丹的姐夫。他有时到巴尔贝克来转转，而每个星期天，他都要和妻子举办每周一次的花园晚会，这天酒店的住客往往人数锐减，其中除了有一两位应邀参加晚会，还有好些人是不想让人知晓他们没被邀请，干脆选这一天去旅游。不过，他当初来酒店的第一天，接待的人因为刚从蓝色海岸过来不久，还不知道他是何许人，所以对他很怠慢。他既没穿白色法兰绒套装，做派又像个老式的法国人，进门前瞥见大堂里有女士，就全然不顾豪华大酒店的规矩，摘下帽子拿在手里走进大堂。经理见他这么着，心想这准是个平民出身的家伙（他管这些人叫草民），于是懒得跟他打招呼，伸手在帽檐上碰了碰就算完事。公证人夫人却另有慧眼，她觉着这个新来的人身上，自有一种非同凡响的东西——一种有身份的人故意显出平庸相的气度——在吸引她；她声称，出现在众人面前的这个人，是位很有身价、修养极高的绅士，在巴尔贝克找不到一个人能跟他相比（在巴尔贝克遇到的人，凡是她不去交往的，她都认为是不

1　英格兰咖啡馆和银塔餐馆都是当时巴黎著名的餐馆，分别位于巴黎意大利大街和杜奈尔沿河街。

可交往的）。她说这番话时，用的是一种判断从无失误、权威无可置疑、对勒芒最上层社交界的情况了如指掌之人的口气。她之所以对勒格朗丹的姐夫有如此好评，可能是因为他看上去很不起眼，没有一点威势可言，也可能是由于她从这位乡绅那种虔诚教徒的做派中，嗅到了自己所信奉的共济会的气味。

即便我打听到了天天在酒店前骑马的那几个年轻人是什么人，知道了他们的父亲是一家时新服饰商店的老板，对我来说也于事无补。那个老板奸诈得很，我父亲是决计不肯去结识他的。洗海水浴度假，使他们在我眼里有如半人半神的骑士铜像那般高大威武，我但愿他们的目光不要落到一个像我这样的可怜虫身上——这种可怜虫呵，离开酒店餐厅就只为一屁股坐在沙滩上而已。我一心希望有人同情我，哪怕这人是在大洋洲的荒岛上当过国王的冒险家，甚至是那个看上去傲慢无礼的患结核病的年轻人。我爱在心里对自己说，别看他外表很无礼，其实他有一颗怯弱而温柔的心，说不定对我（仅仅对我）会温情万千呢。何况（跟通常有关游伴间关系的说法正好相反）让人不止一次地瞧见你在海滩上和某些人在一起，会大大提高你在实实在在的社交圈里的声誉，巴黎社交界人士精心营造的，不正是这种海水浴交情吗？这些当地名人，或者说所谓的一时之选，对我会有怎样的看法，对此我非常在意。我生性喜欢设身处地换位思考，所以我不是按照他们的真实身份，比如说倘若在巴黎，这一身份肯定是很低的，我是按照他们自以为具有的那种身份来看待他们的。说实在的，在巴尔贝克他们确实把自己的身份看得很高，既然在这地方缺乏一般的衡量标准，他们也就很自然地有了比较而言的优越感和一种颇为奇特的趣味。唉，任何一个人的轻蔑，也没有像德·斯代马里亚先生的轻蔑这样让我难受。

因为，他的女儿一走进来，我就注意到了她那苍白的、几乎带点蓝色的美丽脸庞，这张脸，再加上与众不同的高挑身材和步态，让我不由得想到她想必出身名门，受过贵族教育，及至知道她的名字以后，一切就都变得更明晰了——就如才气横溢的作曲家谱写的动人旋律，壮丽辉煌地描绘了闪烁的火光、奔腾的江河和宁静的田野，预先浏览过歌剧脚本的观众，会循着音乐家的思绪展开丰富的想象。世系的概念，让德·斯代马里亚小姐的魅力有了根由，从而使这些魅力变得更明白、更完美。这一概念，又等于告诉人说，要想领略这些魅力，那可是难上加难的，这样一来，它们就越发令人渴慕，就好比一件我们看得中意的东西，标价越高就越发显得珍贵。家族遗传的气质，为这张天生高贵的脸平添了一种异国鲜果或著名佳酿的风味。

一个偶然事件成了外婆和我的转机，我们在酒店客人中的威望一下子提高了。原来，就是我们刚到的那一天，那位老夫人从套间下楼的时候，前有小厮开道，后有贴身女仆手捧夫人忘了拿的书和毯子，一路小跑跟着的排场，让在场的人都心头一振，每个人都表露出一副满含好奇和尊敬的神情，德·斯代马里亚先生显然也不例外；这当口，酒店经理俯身过来，殷勤地（就如有人指给看热闹的路人看哪个是波斯国王或拉纳瓦洛娜女王[1]一样——当然他也晓得，这个平平常常的看客不可能跟眼前那位显赫的君主有什么关系，不过能这么近地看到大人物，想必人家还是会感兴趣的）凑在外婆耳边说："德·维尔巴里西斯侯爵夫人。"就在

1 拉纳瓦洛娜三世：马达加斯加的最后一个女王。19世纪末法国兼并马达加斯加后，她被废黜并流放。

这时，那位夫人瞥见了我外婆，惊喜地把目光投向她。

您可以想象，我正置身外地，一个人也不认识，一筹莫展不知如何去接近德·斯代马里亚小姐，这时即使有个魔法最高明的仙女变成小老太婆的模样出现在我眼前，我也未见得会更加欣喜了。我说一个人也不认识，是指具体的人。从美学的观点来看，所有的人可以分为若干种类型，类型的数目是极其有限的，一个人无论走到什么地方，往往会欣喜地见到一些似曾相识的人，正如斯万可以从昔日大师的画作上发现熟识的身影一样。我们刚到巴尔贝克的头几天，我就遇见了勒格朗丹、斯万的看门人和斯万夫人。勒格朗丹，变成了咖啡馆侍者；那看门人是个我见了一面以后再没见过的陌生游客；斯万夫人则成了浴场救生员。一种类似磁化的作用，将体形外貌和精神状态的某些特征吸聚拢来，固连在一起，所以大自然把某个人引进一个新的躯体时，往往可以保持他或她不太走样。勒格朗丹变成了咖啡馆侍者，但身高个头一点没变，鼻子和一部分下巴也还是老样子。斯万夫人成了男性，当了浴场救生员，两人不仅容貌相像，就连说话的样子也有几分相像。只不过，这个斯万夫人尽管束着红腰带，远远看见有海浪过来，就赶紧举旗叫大家离开海滩（要知道，浴场救生员十有八九都不会游泳，所以格外来得谨慎），但还是跟斯万当年从壁画《摩西一生》中叶忒罗女儿的脸容认出的奥黛特[1]一样，帮不上我什么忙。不过这位德·维尔巴里西斯夫人是货真价实的，她

1　在本书第一卷第二部“斯万的爱情”中，有这样一段话：“奥黛特的这种神态，让斯万看得怦然心动，觉得她跟西坡拉的脸容很相像，在西斯廷小教堂的一幅壁画上画着叶忒罗的这位女儿。”这幅壁画，就是意大利文艺复兴时期画家博蒂切利画的《摩西一生》。西坡拉是米甸祭司叶忒罗的女儿、摩西的妻子。当年的奥黛特，则是后来的斯万夫人。

不曾因被施魔法而丧失全部能耐，情况正相反，她可以对我的能耐施一种魔法，让它变得强大一百倍，有了这种魔法，我就像被神鸟的翅膀托着似的，一会儿工夫就能穿越那段让我和德·斯代马里亚小姐相隔无穷远——至少在巴尔贝克是这样——的社会地位的距离。

可惜情况不像我想的这样。如果说这世界上有一个人，比其他任何人都更闭关自守，生活在自己的那个小天地里，那么这个人就是我外婆。倘若她知道，那些她漠然无视他们存在，离开巴尔贝克就会把他们名字抛在脑后的游客，我居然想去结识他们，而且对他们怎么评价我那么在意，那她一定会因为无法理解我，而对我连轻蔑也轻蔑不起来。我不敢对她说，要是她能让那些人瞧见她在和德·维尔巴里西斯夫人谈话，我会非常非常高兴，因为我感到侯爵夫人在这家酒店里很有威望，而且她的友情能让德·斯代马里亚先生对我们另眼相看。再说，外婆的这位女友在我心目中根本算不得贵族：她的名字我早就听惯了，从小就在家里听到的这个名字，听多了就不在意了；而她的爵位，就像某个罕见的姓氏一样，我只是觉得有些怪怪的，与众不同罢了。有时，街名的情形也是如此。拜伦爵士街，世俗的、平民化的洛什舒阿[1]街，或者格拉蒙[2]街，这些街名不见得有什么地方，显得比莱翁斯－雷诺街或希波利特－勒巴街更高贵些。德·维尔巴里西斯夫人，跟她的表兄麦克－马洪[3]一样，并没有让我想到一个特殊世

1　玛格丽特·德·洛什舒阿于1717年至1727年任巴黎蒙马特尔女修道院院长。以她名字命名的街位于巴黎第九区，街上有很多小酒店，故有“世俗”“平民化”云云。

2　安托万·德·格拉蒙公爵（1819—1880）：法国著名外交家。以他名字命名的街道位于巴黎第二区。

3　麦克－马洪（1808—1893）：法国元帅，法兰西第三共和国第二任总统。

界里的人物，其实，麦克－马洪和另一个也当过共和国总统的卡诺先生[1]，还有那位拉斯帕依，我对他们三个人不大分得清楚，但我知道弗朗索瓦兹在买庇护九世的照片时，也买过拉斯帕依的照片[2]。外婆有个原则，就是出门在外不该再有交往，她认为，到海滨不是看朋友来的，宝贵的时间应该全都在露天、海边度过，她认定人家一定也赞同这个观点，所以自作主张关照老朋友，万一在外地旅馆遇见，彼此不要说穿对方的姓名身份。现在听见酒店经理说出她朋友的名字，外婆掉转目光，装作没看见她的样子，侯爵夫人明白外婆是不想和她相认，就也把目光停在了半空中。她走远了，留下我孤零零地站在那儿，犹如一个海难遇险者看见一艘船渐渐驶近，又眼睁睁地望着它没有停下，扬长而去。

她也在餐厅用餐，不过是在另一头。酒店的住客或访客，她一个也不认识，就连德·康布尔梅先生也不认识；有一天这位先生和妻子应邀跟首席律师共进午餐，我就看见他没跟德·维尔巴里西斯夫人打招呼，而首席律师有幸把这么一位人物请到自己餐桌上来，高兴得有点飘飘然。他有意避开平日的那些朋友，只是远远地跟他们眨眨眼睛，既暗示这是桩具有历史意义的事件，又做得相当谨慎小心，让人家不致误解成他是邀请他们过去。

“嘿，我看您这一阵挺得意啊。”当天晚上主审法官夫人对他说。

“得意？此话怎讲？”首席律师掩饰住内心的喜悦，装得很

1 萨迪·卡诺（1837—1894）：工程师出身的国务活动家，法兰西第三共和国第四任总统（1887—1894）。

2 拉斯帕依是法国化学家、政治活动家，庇护九世是罗马教皇。本书第二卷第一部“在斯万夫人身旁”中提到，弗朗索瓦兹在露天摊铺买了这两人的照片，作为给自己的新年礼物。

惊讶地问，“就为午餐那档事？”他觉着自己没法儿装下去了，就这么说，“就不过请两个朋友一起吃个饭，谈不上得意不得意。他们也总得有个地方吃饭嘛！”

“这还不是得意吗？他们是德·康布尔梅夫妇[1]吧？我一下子就认出来了。她是位货真价实的侯爵夫人，可不是靠娘家继承的。”

“哎！她是个很朴实的女人，非常可爱，一点没有客套。我以为你们会过来，还对你们使眼色呢……要不然我就可以给你们介绍一下喽！”他用一种略带调侃的口气说，意在冲淡一下最后这句话的重要性，就像亚哈随鲁对以斯帖说：“要我把王国分一半给你吗？”[2]

“不，不，不，不，我们宁可躲在后面，像朵谦卑的堇菜花。”

“我不是说了嘛，你们不该这样，”首席律师答道，眼看危险已经过去，他胆子壮了起来，“他们又不会把你们给吃了。咱们玩牌怎么样？”

“好呀，我们不是不敢跟您提吗？您现在来往的可是侯爵夫人呢！”

“哦！得了，这些侯爵夫人也没什么了不起的。对了，明儿晚上我说好了跟他们一起吃晚饭。要不你们替我去怎么样？我可是真心实意这么说，我觉得待在这儿也挺好的。”

1　表示贵族身份的“德”，不能单独和姓氏连用，所以像“德·康布尔梅夫妇”这样的称呼是不符合社交规范的。一般应称呼“德·康布尔梅侯爵和侯爵夫人”，或者“德·康布尔梅先生和夫人”。

2　语出拉辛剧作《以斯帖》第2幕。参见《圣经·旧约·以斯帖记》第5章：“王对她说：‘王后以斯帖啊，你要什么？你求什么？就是国的一半也必赐给你。’”

“不行，不行！……人家会把我当极端保守分子给炒掉的，”主审法官一面大声说，一面为自己的这句俏皮话笑得眼泪都出来了，“您也一样啰，在菲泰纳您可是挺受欢迎的哦。”后一句话他是对公证人说的。

“噢！我每星期天上那儿去一次，这扇门进，那扇门出。我可不像首席律师这样请人家吃饭哟。”

德·斯代马里亚这天没在巴尔贝克，首席律师对此深感遗憾。他神情阴鸷地对侍应部领班说：

“埃梅，您可以去对德·斯代马里亚先生说，他并不是在这个餐厅用餐的唯一贵族。中午和我一起吃饭的那位先生，您看见了吧？嗯？留小胡子，挺有军人风度的。对，他就是德·康布尔梅侯爵。”

“是吗？怪不得呢！”

“他这下该明白了，有贵族头衔的可不光他一个人。得！对这些贵族，是该杀杀他们威风了。这样吧，埃梅，您要是不想跟他说，那就什么也别说，我刚才那么说，可并不是为我自个儿；再说，他也认识侯爵。”

第二天，德·斯代马里亚先生得知首席律师曾经为他的一位朋友做过辩护律师，便主动上前去做自我介绍。

“咱们共同的朋友德·康布尔梅夫妇本来是想和咱们一起聚聚的，可不知怎么回事，时间就是凑不拢。”首席律师说，他跟许多说谎的人一样，总以为好些事随口说说并无妨，人家才不会为了件无关紧要的小事去跟他较真呢，殊不知这样一件小事（倘若您碰巧对事情的真相一清二楚，知道情况根本不是他说的那样）就足以显示他这人的性格，让人家对他存有戒心了。

我和昨天一样，远远地望着德·斯代马里亚小姐，她父亲走开去和首席律师谈话，我这么做就更方便了。她的姿势很随便、很特别，却又始终很美，此刻她双肘搁在桌上，竖起前臂双手端住酒杯。她那不易被人捕捉到的目光显得很冷峻，从她的嗓音里，可以感觉到一种天生的、家族固有的、几乎不受声调变化影响的生硬的意味（它让外婆感到很刺耳），在她身上似乎有一种遗传机制的制动槽，每当某个眼神、某种声调表达的是她自己的想法，她就落回到槽里；所有这一切，都把远远望着她的那个人的思绪带向了家族世系的概念，无论是人情味不足，还是缺乏敏感的气质和健全的心智，都是家族传给她的。但我在她骤然变得明亮的眼眸中，看到了某种转瞬即逝的眼神，从中感受到一种近于谦卑的柔情，感官享受的乐趣会把这种柔情赋予最骄傲的女人。这种女人很快便会只认一种个人魅力，那就是能给予她感官享受的那个人所具备的魅力，无论他是演戏的，还是卖艺的，为了他，说不定哪天她连丈夫都可以离开；我还看到她苍白的脸颊上泛起某种颇为肉感的、鲜艳的玫瑰色，有如肉红色渗入了维沃纳河中白色睡莲的花蕊。这时我自以为感觉到，她想必会欣然应允，让我在她身上品味她在布列塔尼富有诗意的生活的乐趣，其实对于这种生活，她好像并不怎么珍惜，这或许是由于太习惯了，或许是出于天生的高雅，或许是因为厌恶自己家里那种贫穷贪婪的生活，但是她毕竟把这种生活藏在了内心深处。

她由遗传获得的意志力基因少而又少，因而脸部表情带有一种怯弱的意味，从这样的基因中她也许是无法找到抵御外力的能源的。她每次用餐都一成不变地戴着一顶灰色呢帽，上面插着的那根有些过时的、略嫌矫饰的羽毛，却使她在我的心目中变得温柔了起来，并不是因为这根羽毛跟她银白、粉红的肤色特别相称，而是因为我心想她大概并不富有，感到和她更接近了。有她父亲在场，她的举手投足都得合乎规矩，但就对所遇到的人的看法和分类而言，她的准则早已和他有所不同，也许她在我身上看到的，并不是地位的低微，而是性别和年龄。假如有一天，德·斯代马里亚先生没带她出去，尤其假如德·维尔巴里西斯夫人走到我们餐桌跟前坐下，使她对我们有了新的印象，也使我有了接近她的胆量，那么我们说不定就能彼此说说话，定个约会，关系就会更密切。假如有这么一个月，她父母都出门了，就她一个人留在那座富有浪漫情调的城堡里，说不定我俩就能一起漫步在暮色中，海浪汩汩作响，拍击着岸边的橡树，渐渐变暗的水面上方，欧石楠粉红的花朵闪烁着更柔和的清光。我俩在一起，会走遍这座岛屿，对我来说，岛上充满无穷的魅力，因为它伴随德·斯代马里亚小姐的日常生活，休憩在她双眼的回忆之中。我觉得唯有在那儿，当我走在用众多记忆——我的欲念怂恿我去摘下的那层面纱——包围着她的那些地方的时候，我才能真正占有她，大自然把这些记忆放置在女人和若干男人之间（其用意无异于把生殖繁衍的行为放置在生灵万物和肉欲的快感之间，把昆虫应该带走的花粉放置在昆虫和它想要的花蜜之间），从而让他们产生一种错觉，以为唯有先占有她生活其间的景物，才能更完整地占有她，然而景物只对他们的想象有用，而对感官快感而言并无用处，因此光有景物没有快感，是不足以吸引他们的。

但这时我必须把视线从德·斯代马里亚小姐身上移开了，因为她父亲已经向首席律师告退，回来坐在她的对面，他想必以为结识一位要人是桩好玩又爽气的事情，一做就完事，要想把此举的含义发扬光大，也无须当场交谈或事后交往，而只须握一下手，交换一个有深意的眼色就够了，所以此刻他坐在那儿搓着双手，仿佛刚捡了个宝贝似的。至于首席律师，会见最初的激动一过去，就只听得他跟往常一样，对侍应部领班说道：

“我可不是国王，埃梅；您还是去照应国王吧……我看呀，阁下，那些小鳟鱼看上去挺棒，叫埃梅给我们每人来一份怎么样？埃梅，那桌上的小鳟鱼我看很不错：您就给我们上这道菜吧，埃梅，悄悄地哦。”

他一刻不停地把埃梅的名字挂在嘴上，每逢他邀人一起用餐时，人家总会对他说：“我看哪，您在这儿就像在家里一样。”而且觉得自己也该多叫叫“埃梅”，这正是某些人的思维定式，他们觉着跟别人在一起，听人家怎么说就照式照样跟着怎么说，显得又聪明又有风度，却不知这一来恰恰透出了怯懦、俗气和愚蠢。首席律师不停地叫埃梅，脸上却挂着笑意，因为他既要让人知道他和酒店领班有交情，又要显得高出对方一等。酒店领班每次听到有人唤自己的名字，也都是笑吟吟的，神情显得又感动又骄傲，那意思是他既感到荣幸，又明白这是在调侃。

每次在大酒店高大宽敞、通常座无虚席的餐厅里用餐，我都感到害怕。当酒店的业主（或者是股东理事会选举出来的总经理，我不很清楚）来这儿待上几天的时候，情形就更糟了，此人不光是这家大酒店，而且是另外七八家分布在法国各地的大酒店的业主，他往来穿梭于这些酒店之间，在每家酒店不时待上个把星期。于是，差不多每天一到晚餐时分，这个白头发、红鼻子的小老头儿就会浑身上下穿戴得一丝不苟，脸无表情地出现在餐厅门口。据说，无论在蒙特卡洛还是在伦敦，他都是以欧洲顶尖的酒店职业经理人而著称的。

有一次，晚餐开始时我出去了一下，回来时，从他面前经过，他朝我欠欠身，想必是借此表示我是在他的酒店里，不过他态度很冷淡，我分不清这是一个不忘自己身份的人的矜持，还是对一个无足轻重的顾客的蔑视。而对那些贵客，总经理的态度也是这般冷淡，只是身子躬得低了许多，眼帘有节制地垂下，仿佛是在丧礼上面对死者父亲或圣体。除了这些冷漠而难得的欠身而外，他不做任何动作，仿佛是要表示，那双宛如从脸上往外凸的炯炯有神的眼睛，什么都能看见，什么都能搞定，足以保证大酒店的晚餐既有总体的和谐，又有局部的完善。显然他觉得自己比导演、比乐队指挥都重要，是个真正的最高统帅。他认为，全神贯注地看着，就能保证一切安排就绪，不致出任何纰漏酿成大祸。他恪尽职守，全身一动不动，甚至连眼睛也不眨一眨，整个餐厅的运转，都在这双因关注而石化的眼睛的注视之中，都在这双眼睛的操控之中。我感到，就连我舀汤匙的动作都逃不过他的眼睛。我喝完汤，他就走开了，可是他方才的检阅，弄得我整个晚上都没有胃口。他却胃口很好，午餐时，他就像一个普通顾客一样，和大家同时在餐厅里用餐。他那张餐桌只有一个特殊之处，那就是他进餐的时候，另一位经理，就是平时的那位，始终站在他身旁陪他说话。这位经理，因为是总经理的下属，想方设法讨好他，对他怕得要命。我的害怕，在午餐时稍有减退，因为总经理这时身处自己的顾客之中，犹如一位将军坐在周围都是自己士兵的餐厅里，谨慎地不显露出注意他们的神色。不过，听到那个被身穿号服的小厮围在中间的总台职员告诉我："他明天早晨去迪纳尔，再从那儿去比亚里茨，然后去戛纳。"我还是松了一口气。

我在酒店的生活，不仅由于我没有熟人而变得愁闷，而且因为弗朗索瓦兹有许多熟人而变得很不方便。按说她熟人多，我们行事该方便些。谁知全然不是这么回事。这些无产者，虽说他们要结识弗朗索瓦兹挺不容易，为此赔了不少小心，不过他们一旦和弗朗索瓦兹认识，弗朗索瓦兹心里就只有他们了。按照她那部早已有之的法典[1]，她认为自己对主人的朋友们无须承担任何义务，如果自己正有急事，不妨把来看我外婆的某位夫人打发出去散散步。可是对她的那些熟人，也就是说，对有幸承她赏脸结交的为数很少的那些人，她是礼数绝对周到的。

于是，弗朗索瓦兹认识了咖啡座领班和一个专为比利时夫人做裙子的小个子侍女以后，就不是吃好中饭即刻上楼，而要等一个钟头以后才去给外婆收拾东西。因为咖啡座领班要在咖啡吧给她煮杯咖啡或药茶，那个侍女要她去看裁衣服，弗朗索瓦兹不能拒绝他们，那是法典所不允许的。她对那个小个子侍女格外关心，还因为人家是个孤儿，从小由陌生人养大，她现在有时还会去这些家里住上几天。了解了她的这种境况，弗朗索瓦兹在动了恻隐之心的同时，也出于善意地对她有些瞧不上眼。弗朗索瓦兹有自己的家，那是父母留给她的一座小房子，她的兄弟在那儿养了几头奶牛，她没法儿把一个无家可归的人看作自己的同类。那女孩还总盼着八月十五回去看望那几个恩人，弗朗索瓦兹于是忍不住一个劲地唠叨："她真让我好笑。她说：我盼着八月十五回家

---

1 关于弗朗索瓦兹的这部法典，第一卷第一部"贡布雷"中是这样写的："某件事可以做还是不可以做，她自有一部专横霸道、内容庞杂、钻牛角尖而又毫不通融的法典……她对我们吩咐的某些差遣，有时会断然拒绝执行，想来她的这部法典对社会之复杂和人事之微妙早有预见……"

去。回家，瞧她说的！那又不是她家乡，人家只是收养她罢了，她口口声声说要回家，倒像那真是她家似的。可怜的孩子！她根本不懂什么叫有个家，做人做到这份儿上可就惨喽。”

弗朗索瓦兹还跟一些住客带来的女仆交往甚密，她们和她一起在邮件部用餐，看见她头戴漂亮的花边软帽，身材那么苗条，她们都以为她是个有身份的女人，说不定还是出身名门，或许由于家道中落，或许只是出于对我外婆的眷恋，才来给外婆当了女伴。而问题就在于，倘使弗朗索瓦兹认识的仅仅是些酒店外的人，那倒好了，因为那样的话，无论如何（即使他们并不认识她）他们总不至于什么事也不给我们来做吧。可是她在酒店里结交了不少人，其中还有酒店的酒务总管和一位厨师，还有一位楼面女主管。结果，但凡事关我们的日常起居，问题就来了，弗朗索瓦兹刚到酒店那天，还谁也不认识的那会儿，她常为一丁点儿小事就乱按铃，哪怕时间不合适，外婆和我都不敢按，她也不管，我们婉转地提醒她，她就把话甩过来：“咱们没少付钱。”仿佛钱就是她付的；而现在，自从她在厨房里结交了一位朋友（按说我们可以沾点光）以后，要是外婆或我感到脚冷，哪怕时间一点没什么不合适，弗朗索瓦兹也不敢按铃，她坚持说这样不好，因为人家烧锅炉的得重新生炉子，或者人家侍者正在吃晚饭，去打扰他们，人家会不高兴的。她最后还会像煞有介事地来上一句：“事情明摆着……”尽管说话的口气不很有把握。我们不再坚持，生怕她再来上一句更绝的：“这就够好的了！……”总之，就因为弗朗索瓦兹有了锅炉房的朋友，我们从此用不上热水了。

最后，虽说外婆是不得已而为之，我们还是认识了她的那位熟人。有一天早上，她和德·维尔巴里西斯夫人在一扇门前迎面相遇，没法儿不打招呼，两人先是做出表示惊讶和犹豫的姿势，随即往后退下一步，不敢相信似的，最后既有礼貌又很欣喜地叫出声来，就如在莫里哀笔下的某些场景里，两个演员先是打着背躬，相隔仅几步之遥，却做得彼此没看见似的，各自说了一长串独白，然后突然看见了，两人都不敢相信自己的眼睛，抢着说话，最后两人同时说话，合唱紧接着对白响起，两人拥抱在一起。不一会儿，德·维尔巴里西斯夫人知趣地要先走，外婆却要留她到吃饭时间再走，她想问问老朋友用了什么办法，既能让邮件比我们的到得早，又能吃到上好的烤肉（德·维尔巴里西斯夫人爱吃美食，平时很少吃酒店里的菜肴，我们天天在此用餐，外婆常爱引用德·塞维涅夫人的说法，说这儿的菜“看着漂亮没法儿吃”）。从此侯爵夫人习惯了每天一到餐厅，趁侍者在那儿给她准备上菜，先到我们桌旁来坐一下，她还不许我们站起身来，唯恐给我们添麻烦。我们至多在吃完午餐，趁餐桌上还杯盘狼藉的工夫，常常再坐一会儿陪她聊聊天。我呢，为了能爱上巴尔贝克，保住我是在地球尽头的想法，竭力往远处看去，把视线盯在海面上，在那儿寻找波德莱尔诗中描写的印象，不让视线落在餐桌上——除非那天上的菜是一条硕大的海鱼，这样的大海鱼可远非刀叉之类好比哪，它和生命开始在大洋中涌流的原始时代，和辛梅里安人[1]出没的年代是同龄的，它那长着无数的椎骨，长着蓝色或粉红的神经的躯体，诚然也是大自然的产物，但大自然按照某种建筑蓝图，把它构建得有如海上一座色彩绚丽

1 作者在本书第一卷第一部“贡布雷”中曾这样写道：“巴尔贝克！……大海的所在，地球的尽头，阿那托尔·法朗士对这被诅咒的地区自有奇想，把笼罩在凄风惨雾下的这个海湾，描写成《奥德赛》中辛梅里安人真正居住的国度。”

的大教堂。

埃梅对我们的态度，就好比一个理发师看见他毕恭毕敬侍候的军官认识刚进门的顾客。两人聊起天来，心里美滋滋地明白他俩都是场面上的人物。他去拿肥皂缸的当口，脸上禁不住漾起笑意，因为他知道，这爿店里，理发厅平庸的活计上，此刻平添了一种社交的，甚至贵族气的乐趣。埃梅也是这样，当他看见德·维尔巴里西斯夫人认出我们是老朋友，他走去给我们拿漱口盅的时候，脸上也挂着同样的笑容。家庭派对的女主人在某些场合识趣地抽身走开时，脸上正是带着这种谦虚中透着高傲、缄口不语中显出无所不知的笑容。也不妨说这是一个快乐而感动的父亲，他关切地注视着在家里餐桌上订婚的那对新人，不去打扰他们的幸福。埃梅只要听到有人提起一个带爵位的名字，就会显露出一股高兴劲儿。在这一点上，弗朗索瓦兹跟他正好相反，一旦有人在她面前提到"某某伯爵"之类的名头，她那张脸立时会蒙上一层阴影，说出的话变得又干又涩，这正表明她对贵族既敬又爱，爱的程度比埃梅有过之而无不及。

此外，弗朗索瓦兹还有个她在别人身上视作最大缺点的优点，那就是骄傲。她不是出身于埃梅所属的那种生性开朗、极好相处的平民阶层。出身于这种阶层的人，你对他讲一桩稍有几分刺激，而报上没登过的趣事，他会感到乐不可支，而且把这种快乐摆在脸上。弗朗索瓦兹可就不肯露出惊讶的神情了。要是有人对她说鲁道夫大公（她根本不知道有这么个人）并没死，大家都传错了，他其实还活着，她准会回答："没错。"就像她早就知道似的。虽说她谦卑地称我们为主人，对我们可以说已经驯顺之至，但是她听不得任何人提到贵族的名字，即便是从我们嘴里听到，她也照样露出满脸愠色，由此可以想见，她大概出身于一个在当地颇有声望的农家，家道之殷实，大可与贵族世家分庭抗礼——而埃梅之流，即便不说是那些贵族人家收养的，至少也是从小就给人家当仆人的。所以在弗朗索瓦兹看来，德·维尔巴里西斯夫人应当为自己身为贵族感到内疚。而至少在法国，为自己身为贵族而请求原谅，不正是贵族老爷和夫人们的才能所在，不正是他们所唯一操心的事情吗？弗朗索瓦兹继承了当仆人的传统，时时处处把主人和别人的交往情况看在眼里，把点点滴滴的观察所得搜集拢来，不时从中得出一些谬误的推理——正如人类对动物习性的观察一样——她一直认为，人家怠慢了我们，要知道，她不光是对我们有一种过分的爱，看到人家对我们不客气，她同样也会体会到一种乐趣，所以她得出上述的结论是不足为奇的。不过，当她明白无误地看到德·维尔巴里西斯夫人对我们，以及对她本人殷勤备至、体贴入微以后，她就原谅了德·维尔巴里西斯夫人的侯爵夫人身份。而且，由于她每每对此感到庆幸，德·维尔巴里西斯夫人成了我们认识的朋友中间，弗朗索瓦兹最喜欢的人。其中也有个原因，就是别人谁也做不到这么始终如一的友好。每次只要外婆注意到德·维尔巴里西斯夫人在读一本书，或者说起人家送她的水果挺不错，一小时过后，就会有个男仆把书或水果送上楼来。尔后我们向她当面道谢时，她仿佛要找个借口说明她送的礼物是有用的，特意对我们说："这不是一部了不起的作品，不过报纸到得这么晚，总得有点东西看看吧。"或者："在海边吃水果还是当心些好。"

"好像你们从来不吃牡蛎是吧。"德·维尔巴里西斯夫人对我们说（她这么一说，我当时就添了几分反感，黏糊糊的海蜇已经败坏了我对巴尔贝克海滩的印象，鲜活的牡蛎肉更加让我感到腻心）；“这一带海边，牡蛎特别鲜美！哦！我这就叫女仆去取信的时候，把你们的一起拿来。怎么，您女儿天天给您写信？你们哪有这么多话可说呀！”外婆没有作声，不过，看得出她这是不屑于回答，她经常对妈妈说到德·塞维涅夫人的这两句话：“刚收到一封信，我就在盼下一封了，收到了信我才能松口气。我的这点心思，知音很难得哦。”她的结语是：“我找的就是这难得的知音，别人我就只想躲着点。”我真怕外婆把这句话用在德·维尔巴里西斯夫人身上。还好，她一转话题，称赞起了德·维尔巴里西斯夫人昨晚让人送来的水果。这些水果的确很好，酒店经理虽说因他那盘水果受到冷遇有点醋意，也还是对我说：“我和您一样，最喜欢吃水果了，餐后甜点也比不上水果啊。”外婆对她的女友说，酒店平时供应的水果都不怎么样，所以她就更喜欢这些水果了。“德·塞维涅夫人说过，要是我们心血来潮想找个坏水果，那还得让人从巴黎送来。我可不能像她这么说喽。”——“噢，对了，您在看德·塞维涅夫人的《书信集》。我头一天就看见您拿着它了（她忘了，在酒店门口遇见我外婆之前，她从没跟她打过照面）。她老是那么为女儿操心，您不觉得有点过分吗？谈女儿谈得太多了，未免有些矫情。她不够自然。”外婆觉得跟女友争辩也没用，她不想当着一个没法儿理解自己的人的面，谈论自己心爱的东西，所以干脆把拎包搁在桌上，遮住德·波塞尚夫人的那本《回忆录》。

有时，在弗朗索瓦兹头戴一顶漂亮的软帽，在众人表示的敬意中下楼到邮件部用餐的当口（她管这叫午时），德·维尔巴里西斯夫人叫住她，问她我们情况怎么样。随后，弗朗索瓦兹就把侯爵夫人的话转告我们："她说：请您代我向他们问好。"她模仿德·维尔巴里西斯夫人的嗓音，自以为一字不差地复述了她的说话，其实那神气差得远了，这情形与柏拉图转述苏格拉底，或圣约翰转述耶稣的话有几分相似。这样的关心，自然让弗朗索瓦兹大为感动。但她还是不能相信外婆说的一句话，以为有钱人总是护着有钱人，外婆那是出于一种阶级利益在说瞎话，那就是德·维尔巴里西斯夫人当年非常迷人。确实，在侯爵夫人身上已经看不到什么痕迹，可以让人怀想她那已被时光销蚀殆尽的美貌——除非观察者的艺术气质非弗朗索瓦兹所能同日而语。要追念一位老妇人当年的风采，不能光靠眼睛看，还得用心去想，去还原每一根脸部线条。

"我得记着哪天问问她，我到底有没有弄错，她是不是盖尔芒特家的亲戚。"外婆对我这么说，我听了不由得很愤慨。这样两个姓氏，一个是从低矮、羞辱的体验之门，另一个是从金光灿灿的想象之门进入我脑海的，我怎能相信它们竟然源于同一个血统呢？

近几天常常可以见到德·卢森堡公主的豪华出行，她身材高大，红棕头发，长得很美，只是鼻子稍稍大了些。她在这儿度假，要住几个星期。她的敞篷马车停在酒店门前，一个小厮跑来对经理讲了几句话，回到马车边上，随即送来一篮上好的水果（它犹如这港湾本身，把各个不同的季节集中在了同一个篮筐里），篮里附一张卡片：德·卢森堡公主，还有铅笔写的几个字。这些亮晶晶、圆滚滚的海蓝色的李子，让人想起此刻波浪翻滚的大海，连在枯枝上的晶莹的葡萄，有如秋日般明净，还有那些深蓝的天青石般的梨子，要哪位微服出游的王公贵族，才消受得起这些精美的水果呢？公主想要拜访的，总不会是外婆的那位女友吧。可想不到第二天傍晚，德·维尔巴里西斯夫人就给我们送来了一串鲜嫩的金黄色葡萄和李子、梨子，虽然李子像我们吃饭时的大海那样，变成了淡紫色，梨子的天青色里也泛出些许粉红的云丝，可我们还是认出了它们。几天过后，上午在海滩有一场交响音乐会，散场时我们遇见德·维尔巴里西斯夫人。有一点我坚信不疑，就是刚才听到的作品（《罗恩格林》的前奏曲、《汤豪塞》的序曲等）表达了最高层次的真理，我对它们心向往之，尽我所能提升自己去理解它们，倾我所有把自己最美好、最深刻的东西献给它们。

且说音乐会散场，大家一起走回酒店，路上外婆和我在大堤上停了一会儿，跟德·维尔巴里西斯夫人说了几句话。她告诉我们，她在酒店里给我们订了火腿三明治和奶油煎蛋，正说着话，我远远望见德·卢森堡公主朝我们走来，她侧身拄着一柄阳伞，赋予那高挑曼妙的身材一种微妙的倾斜度，勾勒出帝政时代美人儿引为自豪的阿拉贝斯克舞姿[1]，这些美人儿懂得怎样垂肩拔背、收腹绷腿，让身躯沿着一条坚挺而倾斜的无形轴线，如同一块丝巾那般，轻柔地缓缓飘舞。德·卢森堡公主每天上午来海滩转一圈，这时大家差不多都洗完海水浴，上岸准备吃午饭了，她要到一点半才吃午饭，所以要到空旷灼热的大堤上早已不见洗海水浴游客的踪影了，她才回海边的别墅去。德·维尔巴里西斯夫人引荐了外婆，想给我也引荐，但因忘记了我的名字，只好问我。也许，她根本就不知道我叫什么，或者说早在许多年以前，就已经

1 阿拉贝斯克舞姿（arabesque）是芭蕾舞中的一种基本舞姿。

忘了我外婆把女儿嫁给谁了。这个名字，好像使德·维尔巴里西斯夫人留下很强烈的印象。但这时德·卢森堡公主朝我们伸出手来，还一面和侯爵夫人说话，一面时不时转过脸来向外婆和我投来柔和的目光，想亲吻似的努努嘴，一个人朝奶妈带着的婴儿微笑时，常会做出这种努嘴的姿势。尽管她的本意是不要显得和我们之间地位悬殊，但她想必没有估算好这段距离，所以当她伸手要来抚摸我们的时候，她似乎将我们当成了布洛涅动物园里冲着她把头伸出铁丝网的两只可爱的小动物。刹那间，关于小动物和布洛涅树林的这种想法，在我脑子里生了根。这时候，大堤上聚拢来好些流动商贩，叫卖糕点、糖果和小面包。公主正不知怎样让我们明白她的一片心意，于是喊住了第一个路过的小贩；他只剩一只黑麦面包了，就是游人扔给鸭子吃的那种。公主拿了这只面包，对我说："这给您外婆。"可她把面包递给了我，笑容可掬地说，"您去给她吧。"她想必以为，在我和小动物之间没有别人转手，我一定会更加高兴。别的小贩也过来了，她把他们的东西全都买了下来，绳子扎好的小包啊，蛋卷啊，婆婆蛋糕啊，麦芽糖啊，塞得我的衣袋满满当当的。她对我说："您自己吃一点，给外婆也吃一点。"她让贴身小厮给商贩付钱，这个身穿红色缎子衣服的黑人小厮，伴随着她四处走动，成了海滩上一道奇妙的风景。然后她跟德·维尔巴里西斯夫人道别，伸手给我们时，则有意显得对我们一视同人，同样当作亲近的朋友，一点不摆架子。不过这一回，她好像没把我们放在生物进化谱系上很低的水平，她用一种温柔而充满母爱的微笑，向外婆表示了她和我们的平等关系，当你对一个孩子像对一个大人那样说再见时，你就是这样微笑的。经过一个奇妙的进化过程，外婆不再是一只鸭子或羚羊了，她已经成了斯万夫人所说的一个baby[1]。最后，公主离开我们仨，在洒满阳光的大堤上袅袅婷婷地往前走去，曼妙的腰肢绕着那柄收拢的白底蓝花阳伞扭动着，有如一条蛇绕着一根棍子在游动。她是我认识的第一位公主殿下，我说第一位，是因为玛蒂尔德公主无论从哪方面看都不像个公主殿下。至于第二位，读者稍后会看到，她到时候也照样叫我感到受宠若惊。那些自愿在君主和布尔乔亚之间充当中介的达官贵人，通常会有一副和蔼可亲的模样。第二天德·维尔巴里西斯夫人对我们说话时，我就想起了那些达官贵人，德·维尔巴里西斯夫人说："她觉得你们挺可爱。她非常有眼光，心地又好，跟那些个王后、公主可都不一样。她确实有才干。"然后，她又加上一句，神情显得对自己的话很有把握，而且很高兴自己能这么说："我相信她很乐于再和你们见面。"

这天上午跟德·卢森堡公主分手以后，德·维尔巴里西斯夫人对我说了一件让我更加吃惊的事情，而且，那可是算不上受宠若惊的。

"您就是部里那位办公室主任的儿子？"她问我，"噢！听说您父亲挺招人喜欢的。他这会儿正在旅行途中。"

几天以前，我们收到妈妈的一封信，得知父亲和同行的德·诺布瓦先生丢失了行李。

"都找到了，其实根本就没丢，虚惊一场。"德·维尔巴里西斯夫人对我们说，她看上去——我们没法儿知道其中原委——对这趟旅行的细节了解得比我们还详细，"我想您父亲下星期就

1 英语：婴儿。

要回家了，因为阿尔赫西拉斯[1]他大概是不去了。不过他挺想在托莱多[2]多待一天，好去看看提香一位弟子的作品，我记不得这位画家的名字了，他的作品只能在那儿见到。”

我心想，不知是出于怎样的机缘，德·维尔巴里西斯夫人那副冷漠的眼镜——她透过这副眼镜，远远地看着她认识的那群人缩得小小的，身影模糊地活动着——怎么会在看我父亲的那一角，加上了一块神奇的放大镜，事无巨细都看得那么真切而分明。我父亲遇到的开心事儿，让他提前回家的意外事儿，在海关碰到的麻烦事儿，以及他对格列柯[3]的情有独钟，全都呈现在这块镜片前面，而且按比例放大了，让她在众多小小的人影中，唯独看清了这一个人。就像居斯塔夫·莫罗笔下的朱庇特[4]，在一个瘦小的女子旁边，他显得比凡人高大许多。

外婆向德·维尔巴里西斯夫人告辞，她想和我在酒店外面多待一会儿，呼吸呼吸新鲜空气，午饭准备好了侍者会隔着玻璃招呼我们的。这时传来一阵喧闹声，是那个野人国王的年轻情妇刚洗好海水浴，回来吃午饭了。

“真是害人精哟，得把他们赶出法国去！”首席律师气汹汹地喊道。

而公证人太太正瞪大了眼睛，瞧着冒牌的王后。

“我跟您说吧，布朗代夫人瞧他们的这副模样，我看了就气

---

1 阿尔赫西拉斯：西班牙安达卢西亚地区的海港。

2 托莱多：西班牙城市。

3 格列柯（1541—1614）：西班牙画家。年轻时到意大利，在提香的画室里工作过几年。后定居托莱多。

4 居斯塔夫·莫罗（1826—1898）：是法国象征主义画家。此处当指他的画作《朱庇特与塞墨勒》。

不打一处来，”首席律师对主审法官说，“我恨不得扇她一个巴掌。这种下等人巴不得人家瞧她，你越瞧她，她就越来劲。请您告诉她丈夫，这样做实在有失体统；要是他们对那对宝货这么有兴趣，我就不跟他们一起出去了。”

送水果来的那天，德·卢森堡公主的马车在酒店门前停过，这当然也逃不过公证人、首席律师和主审法官那三位太太的眼睛，她们早就心痒痒地想弄明白，这位备受礼遇的德·维尔巴里西斯夫人，到底是货真价实的侯爵夫人，还是个冒险家，她们正眼巴巴地盼着知道她是个骗子呢。当德·维尔巴里西斯夫人走过大堂时，那位以打探八卦消息为己任的主审法官太太，赶紧放下手里的编织活儿，抬起头来望着她，这副神情引得那两位太太狂笑不止。

“嘿！我呀，你们知道吗？”她得意地说，“我遇事总是先往坏处想。除非把出生证和结婚公证书摆在我面前，否则休想叫我相信一个女人真是结了婚的。所以，你们不用害怕，我要做一次小小的调查。”

于是这两位太太每天笑着跑来找她：

“我们是来听新闻的。”

德·卢森堡公主来访的当天晚上，主审法官太太竖起一根手指放在嘴唇上：

“有新鲜事。”

“哇！咱们的蓬森夫人真了不起！我从没见过……哎，您说呀，到底是怎么回事？”

“听着，今儿来了个黄头发的女人，脸上抹的粉足有一英尺厚，那辆马车一英里开外就闻得到一股骚味儿，那些娘们都这德行，这女人是看这个什么侯爵夫人来了。”

“哎哟哟！您可真行！这不就是咱们看见的那位太太吗？您还记得吧，首席律师先生？咱们觉得她不对劲，可就是不知道她是来看侯爵夫人的。一个女的，带了个小黑人，对吗？”

“正是。”

“啊！太妙了。您不知道她叫什么？”

“我知道。我假装弄错，拿了她的名片，她用的是德·卢森堡公主的名头！我当然不会相信喽！你们看妙不妙，这儿居然也跑出个天使男爵夫人[1]来了。”首席律师则向主审法官引用了马蒂兰·雷尼埃剧中玛赛特[2]的现成例子。

要说呢，这类误会还真不是一时半会儿就能消除的，这可不像一出轻喜剧中的误会，第二幕刚产生，最后一幕就消释了。德·卢森堡夫人是英国国王和奥地利皇帝的外甥女，当她来找德·维尔巴里西斯夫人一起乘车出游时，她俩每次都像有温泉的旅游城市中到处都会撞见的一对宝贝儿。在大部分布尔乔亚的眼里，圣日耳曼区的人士倒有四分之三是输光赌本的无赖（不过有时候也确是这样），因此，没有人会愿意接待他们。在这一点上，布尔乔亚是太实心眼了，因为这些人士尽管毛病不少，照样受到许多府邸的热情接待，而那些府邸是布尔乔亚无法涉足的。这些人士满心以为布尔乔亚是知道这一情况的，所以他们事关自己总是做出很直爽的样子，刻意贬低那些手头特别紧的朋友，于是，误会就这么产生了。假如有这么一位人士，出身贵族世家，

1 小仲马剧作《交际花》（1855）中女主人公苏珊的外号。

2 玛赛特是法国诗人马蒂兰·雷尼埃（1573—1613）诗作《讽刺诗·第十三篇》中的人物，是个拉皮条的老妇人。

碰巧又非常有钱，当着某个显赫的金融机构的总裁，与他有来往的小布尔乔亚，眼看一个贵族竟然成了个大布尔乔亚，暗自在心里想，此人断然不会跟一个输光赌本的侯爵有任何交往，当侯爵的对谁都那么客气，这就先让人小看喽。要是有哪位身为大型贸易公司董事长的公爵，就冲着对方的姓氏是法国最古老的姓氏，为儿子迎娶了那个赌徒侯爵的女儿，那他就更看不顺眼了。殊不知这本来就没什么好大惊小怪的，正如一位君主宁可儿子娶一个废黜国王的女儿，也不会让他娶一个现任共和国总统的女儿为妻。由此可见，这两个阶层彼此间的看法，好似巴尔贝克海湾这一头海滩的居民，与那一头海滩的居民相互之间的看法一样，都是虚幻而不切实际的：从里弗贝尔，多少可以看到一点号称骄傲公主的马库镇；这一来就让人上当了，住在里弗贝尔的人以为马库镇也能看到他们，其实里弗贝尔的壮丽景色，从马库镇大都是看不见的。

我发烧了，外婆请来了巴尔贝克的大夫，他认为不该让我整天在大太阳下待在海边，给我开了张药方。外婆恭恭敬敬地接过他开的方子，但我一眼就看出，她决计不会去配这些药。不过，鉴于大夫的上述建议，她接受了德·维尔巴里西斯夫人的邀请，带我一起乘马车去兜兜风。我从自己的房间跑到外婆的房间，又从那儿跑到自己的房间，一直忙乎到吃午饭。外婆的房间不像我的房间那样面对大海，而是三面采光的：一面朝着大堤，另两面朝着庭院和村野，房间里的家具摆设也不一样，扶手椅上绣着金丝银线和玫瑰花朵，进门就能闻到仿佛从那儿发出清亮芬芳的香味。这会儿屋里满是阳光，它们仿佛来自不同的时刻，在墙角处折拢，紧挨着一绺海滩的反光，把衣柜上方照得五彩斑斓，宛如一个缀满从小径上采摘的野花的临时祭坛，折拢的翼翅悬在墙上，有如晨曦般温暖地颤动着，随时准备重新飞起。面朝院子的窗前，一方外省的地毯沐浴在和煦的阳光中，披满光线的院子如同葡萄园一般绚丽多彩，扶手椅上的金丝银线仿佛给拨了开来，花边和绦饰清晰地显现出来，为花样繁复的家具摆设平添了几分魅力。我准备换衣出游时穿过的这个房间，好比一个棱镜，把外面的阳光分解成色彩缤纷的各种光线；又好比一个蜂巢，我要去品尝的昼之液已在融化、流淌，让我看在眼里，醉在心里；它还好比一座花园，闪烁的银光和悸动的玫瑰花瓣在孕育着希望。可我还是先拉开了窗帘，迫不及待地想知道今天早晨拍击着海滩，犹如某位涅瑞伊得斯[1]在那儿嬉戏的大海，究竟是什么模样。每天的大海，都是面貌各不相同的。明天的另一个大海，也许会跟今天的有些相像，但绝不可能是一模一样的。

有时大海会把一种罕见的美呈现在我眼前，让我感到惊奇，感到心头充盈着快乐。往往在某个早晨，恰恰我的运气就是这么好，早晨推开窗子望出去，扑进我惊叹的眼帘的，正是那位海中仙女格洛戈诺梅[2]，她柔美地呼吸着，那种睡意蒙眬的美，就像薄得透明的蓝宝石一样晶莹，我透过它看到了质感更为厚重的东西在涌动，在为它着色。她倦慵地笑着，用我看不见的薄雾嬉弄着阳光。这薄雾，只是在她依稀透明的表面周围留出的那点空间，有了这空间，她就整个儿变得更精练、更动人心弦了，这就好比雕

1　涅瑞伊得斯：希腊神话中海神涅柔斯和多里斯的五十个女儿的统称。其中著名的有安菲特立特、忒提斯、该拉忒亚等。

2　格洛戈诺梅：涅瑞伊得斯姐妹中的一个。希腊诗人赫西奥德（公元前8世纪）在史诗《神谱》中写到她“生性爱笑”。

塑家在一块大石头上精心雕出几位女神，在余下的地方粗粗凿几下就行了。就这样，海中仙女邀请我们欣赏这天水一色的美景，我们乘坐德·维尔巴里西斯夫人的敞篷马车，整天在粗糙不平的路面上优哉游哉地往前驶去，遥看远处那可望而不可即的轻轻律动着的大海。

维尔巴里西斯夫人一大早就吩咐备车，这样时间比较充裕，可以去圣马尔斯-勒韦蒂，也可以去盖特奥姆悬崖或者别的什么地方，马车毕竟跑不快，要到这些挺远的地方去，得有一整天的工夫才行。想到马上要去很远的地方游玩儿，我心头乐滋滋的，哼着新近听来的一首曲调，不停地踱着步，等待德·维尔巴里西斯夫人换装。遇到星期天，等在酒店门口的就不光是她的马车；好几辆租来的马车，有的在等应邀前往菲代纳城堡康布梅尔夫人府邸的客人，有的在等另做安排的游客——他们不愿像挨罚的孩子那样待在酒店里，嚷嚷说巴尔贝克的星期天叫人发腻，吃过午饭就要躲到附近的海滩，或者去某个景点泡上半天。而有时候，人家问布朗代夫人有没有去康布梅尔府邸，她甚至会断然答道："没有，我们去看贝克瀑布了。"似乎她仅仅是为了这个缘故才没去菲代纳的。首席律师好心地说：

"我可是羡慕您来着，要能跟您换一换就好了，那也挺有趣的。"

我在酒店门口等着，门前停着的马车旁边，伫立着一个穿号服的年轻侍者，宛如一株长在那儿的稀有品种的灌木，他的染发色彩异常调和，跟他植物状的外形同样引人注目。酒店里的大堂，相当于罗马式教堂的前廊或教理宣讲堂，不住酒店的游客也有权入内，那个外勤侍者的同伴，干的活儿并不比他多多少，但至少得挪挪窝儿。说不定早晨他们还得帮着打扫打扫。不过，下午他们站在大堂里，就像合唱队的成员不唱歌时留在舞台上充当群众演员。让我好生害怕的那位总经理，自有一番远见卓识，打算下一年大大增加年轻侍者的数目。这个决定让酒店经理非常不自在，因为他觉得这些小子都是些碍事的家伙，意思是说他们不做事还挡道。至少在午餐和晚餐之间，在顾客的进进出出当中，他们填补了舞台情节的空白，就如德·曼特农夫人[1]的女学生披上犹太少女衣装，每次以斯帖或若阿德[2]下场时在幕间合唱配乐。而门外那位头发带有珍稀色彩、身材瘦弱细长的侍者（我在离他不远处等着侯爵夫人下来），始终保持纹丝不动的姿势，表情中有几分忧郁，那是因为比他年长的伙伴们，相继离开酒店，奔辉煌的明天去了，他留在这陌生的异乡，感到格外孤独。德·维尔巴里西斯夫人终于来了。照应她的马车，搀扶她上车，按说也该是侍者职责的一部分。但他知道，一个带着仆人来的客人，自有这些仆人伺候，通常是不会在酒店里另给小费的，而且，圣日耳曼旧城区的那些贵族也是这般行事的。德·维尔巴里西斯夫人同时属于这两种人。这位乔木状的侍者拿定主意，侯爵夫人那儿反正没什么花头，干脆就让侍应部领班和夫人的女仆去照应算了。他忧伤地思索着伙伴们令人羡慕的命运，一动不动地保持着植物的形态。

我们上车出发了；绕过火车站，马车驶上一条乡间小路，

1　德·曼特农侯爵夫人（1635—1719）：法国国王路易十四的第二个妻子。1686年她在巴黎附近的圣西尔创办路易王室教养院，收养教育家境清贫的贵族出身少女。

2　若阿德是拉辛剧作《阿达莉》中的一个角色。《以斯帖》和《阿达莉》都是拉辛应德·曼特农夫人之请写的剧本，她的学生们作为合唱队的成员出现在舞台上。

不一会儿它就变得像贡布雷的小路一般亲切了，刚拐弯迎面就是好些迷人的花圃，在驶离小路的拐弯处，两旁都是精耕细作的农田。在农田中间，不时可以看见一棵苹果树，诚然，花儿已经没了，只剩下一簇雌蕊，可就这样我也挺开心，我认得这些叶片，那是不会跟别的树叶弄混的，那宽宽的叶边，犹如婚礼酒阑人散时的地毯，红嫣嫣花朵的白缎裙裾刚才还在上面拖曳而过呢。

下一年五月在巴黎，我买过好多次苹果花，从花店买来了一束苹果花。我会整夜对着它，乳白依旧的骨朵儿，在叶片的芽端绽放，也仍然是那种起沫的模样，而在白色花冠的中间，花商仿佛出于对我的慷慨（或是由于搭配对比色彩的创作冲动），每边都加插了一朵粉红的花蕾；我望着它们，把它们放在灯下——我往往待得很久，直到曙光射进屋里染红了花儿，我仍然凝望着它们，心想这时候巴尔贝克的苹果花也该是红彤彤的吧——我在想象中把它们带回那条乡间小路，让它们一变十，十变百，落在现成的花圃的画框中，落在早就备下的农田的画布上。这些我天天盼着能重新见到、熟稔得可以默画出来的花圃和农田，总有一天，当春天满怀天才洋溢的激情，为画上的花儿披上色彩斑斓的外衣时，我会重新见到它们的。

上车之前，我在心里憧憬着在“灿烂的阳光”下大海壮丽的景象，在巴尔贝克，我看到的只是些琐细的场景：跟我的想象对不上号的、了无诗意的飞地，洗海水浴的游人，更衣的小木屋，还有游艇。可是当德·维尔巴里西斯夫人的马车驶上一片坡地的高处，我从大树的叶丛间望见了大海，也许是因为隔得太远，眼前的场景变得模糊了，那些把大海带到了大自然和历史之外的琐细场景，似乎全都消失了。我凝望着大海的波涛，肃然想起这不正是勒贡特·德·利尔在《俄瑞斯忒斯》中描绘的景象嘛，英雄埃拉斯率领他的长发勇士，“犹如食肉飞禽从曙光中掠过”，“十万支船桨搏击着咆哮的海浪”。可我毕竟又离得太近了，眼前的大海，仿佛并不是充满生机，而是凝固不动的，它的颜色，有如一幅画面上叶丛间的颜色，大海在这儿显得像天空一样邈远，只是色泽更深而已，我无法在眼前的大海中感觉到它的活力。

德·维尔巴里西斯夫人见我喜欢教堂，就对我许愿说我们这次去看这座教堂，下次去看那座教堂，至于那座“掩映在古来的常春藤中间”的卡克镇教堂，那是非去不可的。她说这话时做了个手势，仿佛饶有兴味地要把远在他方的教堂包在肉眼看不见的优雅的藤蔓之中。伴着这种很有表情的小动作，德·维尔巴里西斯夫人往往三言两语就准确地描绘出了一处古建筑的魅力所在和它的特色，她一般不用专业术语。然而她对描述对象之熟稔，还是会在不经意间流露出来。她自己对建筑的熟稔归因于她父亲的城堡，她自幼在那儿长大，城堡所在的地区有好些教堂，跟巴尔贝克周围的教堂具有相同的建筑风格，她要是再不对建筑感到兴趣，那可真有点说不过去了——何况那座城堡还是文艺复兴时期建筑的范本呢。不过，既然这儿就像别的一些地方一样是座名副其实的博物馆，肖邦和李斯特在这儿弹过琴，拉马丁在这儿朗诵过诗，整整一个世纪中所有著名的文人、艺术家，都在家族的纪念册上留下过箴言、曲谱和速写画像，德·维尔巴里西斯夫人也就很自然地——由于从小受到的充满艺术气质的良好教育，也由于那种发自内心的谦虚，抑或哲学精神的缺乏——把她有关各种艺术的知识，全都归于这一纯物质的源头之下了。

于是她给人一种印象，仿佛在她看来，绘画，音乐，文学，哲学，都成了在一座列入保护名录的著名古建筑中的某位受过严格的贵族式教育的少女的一种特权。在她眼里，恐怕除了世代相传的画作以外，就再没有什么值得一提的画作了。我外婆喜欢她戴着的那条垂到长裙上的项链，这让她很高兴。提香为她的一位曾祖母画的肖像上，就有这条项链，它从没出过家族的门槛。正因如此，谁都知道这肯定是真品无疑。要是有哪个财大气粗的买主，不知从哪儿买进了几幅油画，她连听也不要听，先就断定了那都是赝品，根本不屑于去瞧上一眼。我们知道她自己也画水彩花卉，外婆曾听人当面奉承过她的画儿，于是就说起了这些画儿。德·维尔巴里西斯夫人出于谦虚转换了话题，但既不显得惊讶，也没露出高兴的神色，通常成名的画家常会这样，名气一大，别人的恭维也就不算什么了。她只是说，这也算一种有趣的消遣吧，虽说画笔下的花儿也没什么了不起的，可至少画画能让你生活在大自然的花儿的天地里，大自然中花儿的那种美，当你为了描摹这花儿而凑近细细看它的时候，你是怎么看也看不够的。不过在巴尔贝克，德·维尔巴里西斯夫人给自己放了假，好让眼睛休息休息。

让外婆和我感到吃惊的是，她的自由主义色彩居然比绝大部分的布尔乔亚更浓。她对驱逐耶稣会会士引起的公愤表示不解，说什么这种做法一向有之，就是在君主制度下，就是在西班牙，也无不如此。她处处回护法兰西共和国，仅在以下一种情形才对它的反教权主义有所微词："我要去望弥撒的时候，他们不让我去，我不想去了，又非让我去不可，这不都是扯淡嘛。"她甚至会说："哦！如今的贵族，那算什么！""我看呀，一个人什么事也不干，就是个废人。”她这么说，也许仅仅因为觉得这些话从她嘴里说出来，显得有趣，好玩儿，让人难忘。

因为经常听到这么一位我们都对她极为尊重，抱着谨小慎微的公正态度从不指责她观念保守的朋友，直言不讳地表示种种激进的观点——当然还没到社会主义的地步，对社会主义德·维尔巴里西斯夫人是深恶痛绝的——我们几乎就相信，咱们这位可爱的夫人在一切方面都代表了真理的尺度和典范。当她评论她家提香的油画，她那城堡的柱廊，以及路易－菲利浦说话有多风趣的时候，我们对她的话真是听一句信一句。可是——正如那些谈起埃及绘画和伊特鲁里亚铭文来光彩照人的学者，话题转到现代艺术品，他们的谈吐就变得那么枯燥乏味，以致我们不禁会想，我们会不会高估了他们所擅长的学科的意义，否则怎么一谈到现代作品，他们竟然连对波德莱尔的那点浅薄研究的平庸之见都说不上来呢——我向德·维尔巴里西斯夫人问起夏多布里昂、巴尔扎克和维克多·雨果，这几位当年她父亲都接待过，她本人也见过。可她听我发问，就笑了起来，笑我居然对他们这么仰慕，她对我说了些他们的趣事、糗事，就像刚才说到那些王公贵族、政坛要人时一模一样，她严词批评这些作家缺乏她从小就知道的真正出类拔萃的人所必须具备的那些优点：谦虚，礼让，深谙节制有度之道，崇尚恰如其分、不事渲染，力避授人笑柄、虚饰浮夸，遇事进退裕如，不矜不伐，自有一种标高质朴的风范；我们看到，她显然对下面那些人物更为看好，那原因，也许就在于他们恰恰具有上述种种优点，因而无论在沙龙，在科学院，还是在内阁会议上，他们都比巴尔扎克、雨果、维尼之流更胜一筹：莫莱，丰塔纳，维特罗尔，贝尔索，帕基耶，勒布兰，萨尔旺迪或达吕[1]。

“这就像司汤达的小说，您看上去挺喜欢司汤达。可您要是用这样的口气跟他谈话，他准会大吃一惊。我父亲在梅里美先生府上见过他，梅里美可真是位天才。家父常对我说，贝尔（这是司汤达的真名）是个俗不可耐的家伙，不过在餐桌上倒挺风趣，而且他对自己的书也没显得过于自信。不过，您想必也注意到，他对巴尔扎克先生那些溢美之词的回应就是耸耸肩膀。至少在这一点上，他还是个有教养的人。”

这些大人物，她都有他们的手迹，而且，凭借家庭与他们的特殊关系，她似乎认定，跟像我这样无缘与他们交往的年轻人相比起来，她对他们的评价当然是更为正确的。

“我认为我可以谈论他们，因为他们常来我父亲家里，正如风趣的圣伯夫先生所说，对这些人哪，得听听就近见过他们，能对他们做出更准确评价的人是怎么说的。”

有时候，马车行驶在两旁都是精耕细作的农田的坡道上，几株与贡布雷那儿一模一样的矢车菊尾随着我们，田野因此变得更实在，平添了一种真实的印记，有如某些古典大师在画作上用作签名的珍贵小花。很快，我们的马车把这几株矢车菊落在了后面，但没走多远，眼前又会有另一株竖立在草地上，以它那星星般的蓝色小花迎接我们；有几株更是奓着胆子来到了路边，于是这些矢车菊跟我遥远的回忆，还有那些家养的花儿融合在一起，

1　莫莱伯爵（1781—1855），丰塔纳侯爵（1757—1821），维特罗尔男爵（1774—1854），贝尔索（1816—1880），帕基耶公爵（1767—1862），勒布兰（1785—1873），萨尔旺迪（1795—1856）和达吕伯爵（1767—1829）都是同时活跃在19世纪法国政坛和文坛上的人物。他们有两个共同的特点：政治上的保守派，文学上的学院派。

形成一片模糊的星云。

我们下坡时，不时遇见一些姑娘步行、骑车、乘坐推车或马车上坡而来——她们是这美好一天的花朵，但不同于田野里的那些花儿，因为每个姑娘身上都有一种东西，是别的姑娘所没有的，她在我们心中激起的欲念，也就无法在别的姑娘那儿得到满足——农场的姑娘赶着奶牛或侧卧在大车上，店铺掌柜的闺女悠闲地走着，衣着雅致的小姐坐在双篷马车的车厢里，对面坐着她的父母。当然，就在我独自沿梅泽格利兹那边散步的那会儿，布洛克已经为我开启了一个新纪元，让我觉得生活的价值就此变了样，当时我满脑子想的就是遇上一个乡下姑娘，让我把她揽在怀里。布洛克让我明白，我的梦想并不是跟我身外的世界靠不上谱的幻想，我们遇见的所有的女人，不管是乡村姑娘还是城里小姐，心里都做着同样的梦，随时都在准备让我们遂愿。虽然如今我生着病，不能独自出门，更不能和她们做爱，但我依然还是那么高兴，就像一个出生在监狱或医院中的孩子，长久以来一直以为人的机体就只派消化干面包和药物的用场，突然之间却有人告诉他，桃子、杏子、葡萄并不仅是田野的装饰，它们是味道甜美、营养可为人体吸收的食品。纵使狱卒或看护不许他采摘这些美丽的果子，世界已然变得更美好，生活已然变得更温馨。这是因为，当我们觉得一个愿望特别美好，而且知道它与我们身外的现实相符的时候，我们会对它寄予更多的信任，哪怕就我们个人而言它是无法实现的。要是我们能不去管那横在我们与这一愿望之间的那点偶然的、特殊的小小障碍，哪怕只是把它从头脑中抛开一小会儿，那我们就能称心如愿了，想到这样一种生活前景，我们就更加欣喜了。对那些从我身旁经过的漂亮姑娘，自从我知道她们的脸颊是可以被人亲吻的那天起，我就变得好奇于她们内心在想些什么了。这个世界，让我觉得更有趣味了。

德·维尔巴里西斯夫人的马车行驶得很快。迎面走来的那个少女，我就不过瞥了一眼；然而——人之美不同于物之美，我们会感觉到这是某个独一无二的人儿所特有的美，是她所意识到而且愿意显示出来的一种美——她的个性，她那朦胧的心灵，她那不为我所知的意愿，刚在她那并不专注的目光中令人不可思议地缩成一个很小却很完整的形象，我马上感到从内心深处萌发出一种有如为雌蕊准备的花粉那样神秘的东西，一种尚处于雏形状态的欲念，那就是在她意识到我的存在，在她因我而放弃去和某个别人相会的念头，在我占据她的想象、抓住她的心之前，不让这个姑娘离去。可是我们的马车往前驶去，那位漂亮的姑娘落在了后面，她对我还没形成概念，所以那双仅仅瞥了我一下的眼睛，已经把我忘了。我是不是因为只瞥了她一眼，所以才觉得她非常美呢？也许是的。首先，由于不能再和一个女人相见，由于有日后找不到她的风险存在，这个女人身上顿时就被赋予了一种魅力，在一个我们因为生病或没钱而无法游历的国家身上，在那些我们一旦战死就只得舍弃的平淡日子身上，都可以找到这样的魅力。因此，要不是有习惯这东西在那儿，对于时时刻刻都受到死亡威胁的人，也就是说对于每个人来说，生活一定会变得非常甜蜜。其次，想象虽然是由我们无法实现的愿望所激起的，想象力的发挥却不受我们从这些路遇中完全可以看到的现实所限制，在这些路遇中，姑娘经过我们身旁的速度，往往直接关系到她的魅力的大小。夜色降临，马车飞快驶过田野和村落，在大路的每个拐角，在每家店铺的深处，一闪而过只来得及看见古代大理石雕像那般躯干的姑娘，以及在她身旁四合的暮色，无不宛如射进我们心田的美神之矢，我们因怅惘而格外活跃的想象力，给匆匆掠过、看不真切的姑娘添加了许多东西，有时我们会情不自禁地问自己，莫非这世上的美就是这添加的部分吗？

如果我可以下车和迎面相遇的姑娘说说话，也许她脸上的某个从车上看不清楚的疵点，就会打消我的幻想？（这时，一切试图进入她生活的努力，恐怕也就立时变得毫无意义了。美，是一系列的假定，而丑会把我们已经看见的通往未知的路堵上，从而撤销这样的假定。）也许她的一句话，一个微笑，就是给我的一把钥匙，一个解密的数字，让我可以解读她的音容举止的含义，立刻觉出它们的平庸。这是有可能的，因为我曾经有一阵和某个很严肃的人待在一起，这时刚好碰到几位可爱的姑娘，可不管我怎么千方百计找借口，就是没法儿脱身，我这一生中就再也没有遇到过如此让我心动的女人：在我第一次来巴尔贝克的几年以后，我和父亲的一位朋友在巴黎乘马车外出，突然瞥见一个女人在夜色中匆匆行走，我心想，为了礼仪的缘故而失去这份可能一生中就遇到一回的幸福，未免太不合情理。于是我连抱歉也没说一声，就跳下马车，去追这个陌生的女人，跑了两条街都没见她的踪影，直到第三条街上才好不容易追上她。结果，我就那么气喘吁吁地站在一盏路灯下，面对着平时避之唯恐不及的年迈的维尔迪兰夫人，她又惊又喜，大声地说："哦！您真是太客气了，跑着追我就为向我问个好！"

这年在巴尔贝克路遇每个漂亮姑娘时，我都会对外婆和德·维尔巴里西斯夫人说我头疼得厉害，最好让我独自走回去。她们不让我下车。于是我把这个漂亮姑娘（再要找到她，可就比寻觅一座古建筑难得多喽，她既没名字又不在固定的地方）加入我打算就近细看的姑娘之列。而其中有一个姑娘，我见到她的时候，心想这回总算可以认识她了。这是一个卖牛奶的姑娘，酒店要多进一点奶油时，她就从农场把货送来。我想她也认得我，她遇见我时总会专注地望着我，但这很可能是由于我的专注目光使她感到惊异的缘故。且说第二天，我整个上午都在休息，中午弗朗索瓦兹来拉窗帘的时候，交给我一封信，那是有人托酒店转交的。我在巴尔贝克谁也不认识，心想这准是那卖牛奶姑娘写给我的。唉，信是贝戈特写的，他路过这儿，想来看看我，知道我还睡着就留了个字条向我问好，开电梯的侍应生给它套了个信封，所以我会以为是卖牛奶姑娘写的了。我失望极了，尽管我也想到，收到一封贝戈特写的信，要难得得多，也荣幸得多，可我还是因为这封信不是那姑娘写的而忧伤不已。这个姑娘，也和我从德·维尔巴里西斯夫人马车上瞥见的其他姑娘一样，我后来就没再见过。一次次见到她们，又一次次失去她们，使我的心情变得越来越骚乱，也使我觉得那些劝人节制欲念的哲学家还是明智的（当然，这是假定他们说的是人对人的欲念，因为只有这种欲念，当它以不可知却又有意识的另一个人为对象时，才会引起焦虑和不安，要是假定哲学说的是对财富的欲念，那就未免太荒唐了）。不过我想说，这种明智是有所不够的，在我心目中，这些路遇让我发现了一个更美好的世界。那儿乡间的路边开满了鲜花，这些既奇特又常见的花儿，是每天转瞬即逝的珍宝，是散步的意外收获，一些也许不会经常发生的偶然情况，妨碍了我进入这个世界，但它已经赋予生命一种全新的意味。

不过，我这么盼着有一天，当我更为自由的时候，我能在另一些大路上遇见类似的姑娘，这本身或许就表明了，我想和某一个我认为很漂亮的女人一起生活的专一的欲念，已经变样了；我接受人为催生这种欲念的可能性，意味着我已经承认了这种欲念是虚幻的。

有一天，维尔巴里西斯夫人带我们乘车去卡克镇，她跟我们讲起过的那座覆满常春藤的教堂就在那儿的一座小山冈上，俯瞰着村庄和穿过村庄的河流，河上还保存着中世纪的小桥。外婆考虑到我会喜欢独自去看教堂，就提议和女友到镇上的点心铺去吃点东西，那铺子在小镇的广场上，可以看得很清楚，年代久远的暗金色门面，犹如一件古老文物的另一个部分。我们说好我到点心铺去找她们。我在一片绿荫跟前下了车，要在这儿认出一座教堂，真得花点工夫，紧紧抓住教堂的概念才行；这就好比学生做翻译练习时，必须把一个熟悉的句式拆开细细琢磨，才能吃透整个句子的含义。通常，站在钟楼面前，我根本无须去想教堂的概念，因为钟楼本身就让我看到了教堂，但这会儿我不得不时时重温这一概念以免忘记，这儿，一片尖尖耸起的常春藤遮掩了彩绘玻璃窗的尖拱；那儿，一簇鼓起的蔓叶下面，想必是柱头的浮雕。这时，一阵微风吹过，门廊的绿披轻轻抖动起来，有如阳光那般颤动着的旋流，一阵又一阵地掠过这片绿披；蔓叶此起彼伏地涌动着；整座攀满常春藤的墙面，连同那些立柱一起微微颤动，在微风的吹拂下漾起涟漪，随后渐渐归于平静。

离开教堂时，我看见一群村里的姑娘在那座古桥前面，大概是星期天的缘故，她们都打扮得花枝招展的，大声嚷嚷招呼着路过的男孩。其中有个高高的姑娘，穿得特别朴素，但看上去自有一种气度使她凌驾于其他姑娘之上——因为她几乎不搭理她们跟她说的话——神情也比别人来得严肃，来得倔强，她半坐在桥沿上，两条腿悬空垂着，面前放着一只装满鱼的小罐子，那大概是她刚钓上来的。她肤色黝黑，目光柔和，但那眼神似乎没把周围的人放在眼里，小小的鼻子，纤巧而可爱。我的目光停在她脸上，嘴唇则跟随着目光。可我想碰到的不仅是她的身体，我想触及生活在这躯壳里的那个人儿，而只有一种方式可以接触到这个人儿，那就是吸引她的注意，只有一种方式可以进入她的心灵，那就是想一个主意来唤醒它。

美丽的钓鱼姑娘的内心，似乎还对我紧闭着，我怀疑自己能否进入那里面，尽管我注意到了自己的影像悄悄从她目光的镜面中反射出来——按照的是一种我全然不懂的折光率，我犹如置身于一头牝鹿的视野之中。我的双唇从她的双唇上得到快感，这在我还是不够的，我还要给她的双唇以快感。同样，我想要让我的想法进入她的内心，在那儿扎下根，不仅给我带来她的关注，而且带给我她的钦慕和想望，让她把我牢牢记在心间，直至我和她再次见面的那一天。这时，我瞥见了不远处的小镇广场，德·维尔巴里西斯夫人的马车应该在那儿等我的。时间不多了；我感觉到那些姑娘见我这么呆立着，已经在开始笑了。袋里有枚五法郎的硬币。我掏出来，没等给这位美丽的姑娘解释我要叫她做什么，先就伸手把硬币放在她眼前，为的是让她把我要说的话听仔细了：

“您看来是本地人，”我对钓鱼姑娘说，“能麻烦您帮我跑一趟吗？有辆马车在一家点心店门前等我，那店好像就在一个广场上，可我不知道究竟在哪儿，我想让您去找一下。等一等！为了别弄错，您得问一下，那是不是德·维尔巴里西斯侯爵夫人的马车。另外，您看一下是不是套着两匹马？”

我这么说，是要加深她对我的印象。但我说侯爵夫人和两匹马的时候，突然感到心头一片宁静。我感觉到这个钓鱼姑娘会记住我的，随着不能跟她重见的恐惧的消释，盼着跟她重见的欲望也部分地消释了。我觉得我刚用肉眼看不见的嘴唇吻了她，而且她喜欢这样。这种精神上的豪夺，这种非物质的占有，就如肉体上的占有一样，去除了她的神秘感。

我们下坡朝于迪梅尼尔驶去；蓦然间，我的心中充满幸福，离开贡布雷以后，我并不常有这样幸福的感觉，它和马丁镇钟楼给予我的欢愉很相像。但这一次，它是不完全的。马车行驶在路面往两侧倾斜的大路上，我远远地看见三棵树，想必是一条隐蔽小径的入口，这番场景我不是第一回见到，我想不起在哪儿见过这几棵树，但总觉得这地方我是熟悉的；于是我的思绪在遥远的某一年和眼下之间磕磕绊绊，巴尔贝克的景物摇曳了起来，我暗自寻思，这乘车出游会不会是场子虚乌有的故事，巴尔贝克是不是一个我只在想象中去过的地方，德·维尔巴里西斯夫人是不是小说中的人物，那三棵老树是不是我从正在读的书上抬起眼来看见的真实场景，刚才我整个人都沉浸到书中所描写的情景中去了。

我看着这三棵树，看得很清楚，但我总觉得它们还隐藏着我的思绪没法儿把握的什么东西，就好比物件放得太远了，我们把胳臂伸过去，手指触到了一下包装袋，但什么也没能抓住。于是我们定了定神，准备使劲一下子把胳臂伸得更远。但是，要让思想也能这样集中起来往前跃，我得是独自一个人才行。我真想能撇下她俩，就像在盖尔芒特家那边散步时撇下父母一样！我甚至觉得，当时我也许真该这么做才对。我认出了那种久违的快乐，没错，要得到这种快乐是得做出一定的努力，是得好好动脑筋想想，可是在这种快乐相比之下，那种怂恿你放弃努力的惰性，那种无所事事的闲适，就太不值得一提了。这种快乐，对它的对象我只是有所预感而已，我得自己去树立这个对象；这样的快乐我只体验过很少的几次，但每次我都觉着，上次以来所发生的种种事情，全都无足轻重，只要能得到这份快乐，让它变成现实，我就可以开始一种真正的生活了。

我把手遮在眼睛上，好让德·维尔巴里西斯夫人看不见我闭上了眼睛。有一会儿，我什么也不想，努力把思绪集中起来，往那几棵树的方向，更确切地说是往我内心深处那几棵树的方向奋力一跃。我重又感到，它们背后藏匿着那个熟悉而又模糊的东西，我无法把它找出来。马车继续往前驶去，三棵树离我愈来愈近。以前我在哪儿见过它们？贡布雷附近的小路，路口都没有这样几棵树呀。它们让我想起的，也不是我有一年和外婆一起去过的德国温泉乡居。莫非它们来自我生活中遥远的往昔，那个年代的景象已经在记忆中全部抹去了？有时我们在读一本原以为从没读过的书，会突然读到一段熟悉的文字并被它所感动，莫非这景象就像那段文字一样，是从童年时代那本被遗忘的书中浮现出来的？或者情况正相反，它们只是梦中永远同样的景色，至少对我来说，这奇异的景色只是前一天内心的努力在梦境中的具象再现而已。我白天所做的努力，或是为探究我预感到隐匿在某个地方背后的奥秘，就像当年在盖尔芒特那边常有的情形一样。或者，我是想把这个奥秘赋予我渴望了解的一个地方，这个地方从我知道它的那天起，我就一直觉得它过于肤浅，比如说，巴尔贝克？

莫非它们只是前一夜梦境中出现过的一幕新场景，既然梦已被淡忘，这场景也就恍若来自遥远的记忆了？要不然，或者我根本就没见过这几棵树，它们就如我在盖尔芒特家那边见到的那些树、那些草丛一般，藏匿在它们背后的是如同遥远的往昔那么晦涩，那么难以捕捉的一种含义，而我在前去一探究竟之时，竟把它当成了一段回忆？或者它们背后并没隐藏着什么思想，就像我们有时会看花眼，我只是内心的视觉有些疲劳，有些眼花而已？这一切我都无法回答。而它们正向我而来；或许这就是神话中的情景，就是女巫或诺恩[1]在跳轮舞，向我传达神谕。我更愿意相信，这是往昔的幽灵，是童年时代亲爱的伙伴和逝去的友人的幽灵在唤起我们共同的记忆。它们有如鬼魂，在祈求我将它们带上，还它们以生命。在它们使劲比画的稚拙动作中，我看到了一个心爱的人在他丧失了语言能力，无法把他想说的话告诉我们，我们又猜不透他的意思的时候，是多么抱憾，多么无奈。不一会儿，我们在一个路口驶上另一条路，那几棵树渐渐远去。马车带着我远离了唯有我一人相信它真实、让我真正变得幸福的东西。马车就像我的生活。

我看见那几棵树绝望地挥动着手臂远去，似乎在对我说："你今天没从我们这儿知道的事情，以后就永远不会知道了。我们为了接近你，竭尽全力攀高了。倘若你依然什么也不管，听任我们重新坠入这条小路，我们为你带来的你自己的一部分，就会永远坠入虚无的深渊。"说实在地，虽然我刚才有一次感到的这种快乐和焦虑，我后来都经历过，虽然有一天晚上——是太迟了些，

1 诺恩（Nornes）：北欧神话中的命运三女神。

但从此以后就天天如此了——我突然怀念起这种快乐和焦虑，怀念起那几棵树。但是我始终不知道它们究竟给我带来了什么东西，也不知道以前到底在哪儿见过它们。马车转向驶上另一条车道，我背朝那几棵树，瞧不见它们了，这时德·维尔巴里西斯夫人问我，为什么我看上去像有心事似的，我听了不禁悲从中来，只觉得就像刚失去了一位友人，就像我自己刚死过一场，就像抛弃了一个死者或没认出一位神祇。

得考虑回去了。德·维尔巴里西斯夫人有一种亲近大自然的气质，跟我外婆相比，她要来得更冷静一些，但她即使在博物馆和贵族府邸之外，也会在某些古老的东西身上，发现质朴庄重之美。这会儿她吩咐车夫走那条颇有些年头的小道回巴尔贝克，这条道平时不大有车辆来往，但两旁种着榆树，让人看着喜欢。

我们知道有这条旧道以后，为换换走法，有时回去时会走另一条小路（只要来的时候没走这条路）穿过尚特雷纳和冈特卢的树林回巴尔贝克。树林里，无数看不见的鸟儿，在我们耳边鸣啭应答，让人有一种印象，仿佛自己正闭着眼在休憩。我坐在车厢座位上，犹如普罗米修斯被拴在山岩上，谛听着俄刻阿尼得的歌声。偶然瞥见一只小鸟从一片树叶跳到另一片树叶，看上去似乎跟这合唱全无半点关系，我真是无法相信，这场欢快的合唱居然就来自这些惊惶却不带表情的跳来跳去的小家伙。

这条路，跟我们在法国遇到的许多同类的道路没什么两样，上坡陡，下坡路却很长。在当时，我没觉得它令人流连忘返，让我高兴的是返回酒店。但后来它在我的回忆中成了欢乐之源，在那以后的短程出游也好，长途旅行也好，凡是车子行驶在跟它相像的路上，那些路都会毫无间断地立时连接起来，凭着它，即刻和我的心相通。因为马车也好，汽车也好，一旦驶上这样一条道路，就宛若在延续当年我坐德·维尔巴里西斯夫人马车驶过的那条小路；如同新近的记忆那般与我此刻的意识紧紧相连的（中间的那么多年似乎都消失了），正是临近黄昏时分，马车行驶在巴尔贝克近边时的印象，那时，树叶散发着清香，薄雾升腾而起，树丛间望得见落日的下一个村落，似乎就是林中的下一个站点，只是太远了，当晚到不了。那些印象与我此刻在另一个地方，在一条相似的路上感受到的印象相衔接，围绕在它们周围的，是种种附带的感觉，诸如呼吸舒畅、好奇、懒散、胃口好、心情欢愉等等两个不同地点所共有的、让人忘却其他一切的感觉，这些感觉使那些印象变得更加强烈，变得有如一种欢乐的类型，甚至一种生活的方式那般稳定；在这种难得有机会再遇的生活方式中，唤醒的记忆在被感知的物质世界里加入了追念所及、难以把握的现实，而这一部分现实，已足以让我萌生一种狂热的冲动，那就是今生今世永远生活在此地。每当我坐在德·维尔巴里西斯夫人对面的车座上，回大酒店去用晚餐，闻着树叶的清香，遇见德·卢森堡公主在迎面驶来的马车上向侯爵夫人打招呼的时候，这种冲动一阵阵地从心头升起，像这样永不磨灭的幸福，是我们无论在现在还是在将来，都无法拥有的，是一生中只能品尝一回的!

往往，在我们返回之前，太阳就已经落山了。我示意德·维尔巴里西斯夫人看天上的月亮，腼腆地给她背诵夏多布里昂、维尼或维克多·雨果美丽的文句：“她将忧郁这古老的秘密洒向夜空”或“像黛安娜那样在泉边哭泣”或“暗影有如新婚之夜，庄重而圣洁”。

“您觉得这些句子很美，照你的说法，是‘天才之作’，是吗？”她问我，“我想对您说，看到现在大家把有些东西说得那么了不起，我感到很惊讶。要知道这些先生当年的朋友们，虽然对他们的才情赞誉有加，但对这些东西是当场就要拿来开玩笑的。那时可不像现在这样随便给人戴天才的帽子，如今你要是只对一个作家说他很有才情，他就会感到你是在侮辱他。刚才您给我念了德·夏多布里昂先生描写月光的句子。您要知道，我对这样的句子无动于衷，自有我的道理。德·夏多布里昂先生经常上我父亲家来。单独和他相处时，他挺讨人喜欢，又纯朴，又有趣，可是客人一多，他就端起来了，结果变得很可笑：他当着家父的面，说他曾把辞呈劈面扔给国王，还说自己主持过教皇选举会，全然忘了当年他曾央求家父去向国王求情重新启用他，而且家父亲耳听到过他胡乱预测教皇选举的结果。关于这个有名的教皇选举会，应该听听布拉加斯先生是怎么说的，他跟德·夏多布里昂先生可不是一样的人。至于德·夏多布里昂先生描写月光的那些句子，那早就成了我们家的笑柄。每逢城堡上月光明亮的时候，倘若正好来了个新客人，我们就建议他在晚餐后带上德·夏多布里昂先生一起去散散步。等他们回来，我父亲就会把来客拉到边上，问他：

“‘德·夏多布里昂先生很能说吧？’

“‘噢！可不是。’

“‘他对您说起月光了。’

“‘对啊，您怎么知道的？’

“‘且慢，他是不是对您说了……’于是家父念了那个句子。

“‘对，这可太神了！’

“‘他还对您说起罗马乡间的月光。’

“‘您简直是个巫师。’

“家父不是巫师，而是德·夏多布里昂先生老爱用一个段子。”

听到维尼的名字，她禁不住笑了起来。

“不就是那个爱说‘我是阿尔弗雷德·德·维尼伯爵’的主儿嘛。一个人是不是伯爵，完全是无关紧要的嘛。”

她也许觉得这毕竟还是有点要紧的，于是接着说：

“首先，我不敢肯定他就是伯爵，再说，即便是又怎么了，这位在诗中写到家族‘盾形纹徽上端饰章’的先生，血统肯定高贵不了。可是读者喜欢看他这么写，觉得兴味盎然！这就像缪塞，这位巴黎的小市民，大言不惭地说什么：‘我的头盔上饰有金色的雀鹰。’一个真正的贵族是不会这么说的。不过缪塞至少还有诗人的才情。而德·维尼先生，除了《森－马尔》[1]，他写的都是些不堪卒读的东西，我一看就犯困，拿在手里的书会掉在地上。莫莱先生的聪明才智，是德·维尼先生无法企及的，他在代表法兰西学院对德·维尼先生致欢迎辞时，狠狠地把他修理了一顿。怎么，您没听说过他的演讲？那可是一篇嬉笑怒骂皆成文章的杰作。”

看到自己的侄儿居然那么崇拜巴尔扎克，她颇不以为然，按她的说法，巴尔扎克描绘的是一个他被拒之门外的社会，他对这个社会的描写，不真实的地方比比皆是。至于维克多·雨果，她告诉我们，她父亲德·布永先生认识浪漫主义青年文社的几位

1 《森－马尔》（Cinq-Mars）：维尼以路易十三的宠臣森－马尔为原型，写于1826年的历史小说。

朋友，跟着他们一起去看《埃纳尼》的首演，可是他没等全剧演完就退场了。在她父亲看来，这位作家天分不错但过于夸张，写的诗体对白很可笑，他之所以能捞到一顶伟大诗人的帽子，靠的是一笔交易，他出于利害关系对社会主义分子危险的胡诌听之任之，那顶帽子就是对他的一种报偿。

我们已经看见酒店了，第一天晚上充满敌意的灯光，此刻显得那么柔和，那么让人有安全感，俨然是温暖家园的标志。马车驶近酒店大门，门房、大堂侍者和开电梯的侍者，全都围在台阶上恭候，我们的迟到让他们隐隐感到有些不安，人人都显得殷勤而纯朴。如今他们已经是我们的熟人，他们的形象会在我们的人生中变来变去变上很多次，正如我们自身也在不断变化一样，但在某个时期中，他们不啻我们的一面镜子，忠实而友好地映照出我们的习惯，让我们感到很亲切。比起那些好久没见面的朋友来，我们更喜欢他们，在他们身上可以更多地看到眼下的我们的影子。只有那位穿号服的侍者，是孤零零的，他白天在骄阳下晒过，此刻已经挪了进来，裹着抵御夜晚寒气的呢子制服，橘红色的头发像树丛的枝叶，红得出奇的脸颊有如两朵花儿。瞧他这么置身在四周都是玻璃的大堂里，让人想起一株被移进暖房御寒的植物。我们下车时，好几个侍者过来相帮，其实根本用不着这么多人，但他们觉得这个场面很重要，自己非在里面扮演个角色不可。我饥肠辘辘。跟往常一样，我不想错过开饭的时间，就干脆不回房间——它终于确确实实成为我的房间了，瞧着那紫色高大的窗帘和低矮的书柜，我感到自己是在和那个自我，那个由物件（和人一样）向我提供映像的自我单独在一起——和大家一起坐在大堂里，等领班过来招呼我们用餐。这时，我们又可以听德·维尔巴里西斯夫人侃侃而谈了。

“我们叨您的光了。”外婆说。

“哪儿的话！我高兴还来不及呢。”她的女友笑盈盈地回答说，语调拖得长长的，声音婉转而动听，跟她平时直来直去的声气反差很大。

其实，她在这种时候是不自然的，她想到的是从小受的教育，是一个贵妇人对布尔乔亚应该显示的贵族风度，也就是说，她应该显得挺高兴和他们在一起，没有一点架子。在她身上，唯一真正失礼之处，正是她的过分客套；人家从中看到的，是圣日耳曼区贵妇人习惯成自然的做派，在这些贵妇人眼里，某些布尔乔亚就是自己日后要与之打交道的心存不满的家伙，她们不放过任何机会，想方设法在自己善待他们的这本账簿上，早早安排下一个贷方差额，以便日后在借方栏目里写上这些人不在邀请之列的正餐和晚会。德·维尔巴里西斯夫人所属阶层的天性，影响着她的一生，尽管现在情况有了变化，对象已经不同，尽管她在回巴黎以后会乐于常常在家里见到我们，但这种天性全然不顾这些，仿佛留给她显示她待人如何无微不至的时间已经很仓促似的。在我们逗留巴尔贝克期间，这种天性急不可耐地驱使着德·维尔巴里西斯夫人频频给我们送玫瑰和甜瓜，借书给我们，陪我们乘车出游，亲切地和我们长谈。就这样——正如令人目眩的海滩美景、色彩缤纷的灯火以及房间里海底般的幽光，甚至如同让商人儿子被尊为马其顿的亚历山大大帝的马术课——德·维尔巴里西斯夫人日复一日的殷勤相待，以及外婆接受这份殷勤时那种夏日般短暂的无拘无束，都作为海滨生活的亮点留在了我的记忆中。

“把你们的外衣给他们，让他们送上楼去。”外婆把外衣递给经理，这位经理平时对我很客气，所以看到他这么被轻慢，而且好像不大自在，我心里挺不好受。

“我觉着这位先生是生气了，”侯爵夫人说，“他大概自以为高人一等，您把披肩递给他，他不乐意了。我记得德·纳穆尔公爵[1]在他还很小的时候，有一回挟着一大包信件报纸，走进家父在布永府邸顶层的房间。我觉着眼前还能看见王子穿着蓝外衣，站在我们家雕花房门跟前的情景，门上的木雕，我觉着该是出自巴加尔之手。您知道，这位木雕高手有时会用柔韧的细木条做成蝴蝶结和花儿的形状，看上去就像缎带缚着一束花似的。

“‘给您，西律斯，’他对我父亲说，‘是下面的看门人让我带给您的。他对我说：“反正您要上伯爵先生那儿去，就省得我跑一趟楼梯了，不过您得当心，别把绳子给弄断喽。”’

“好了，既然你们脱了外衣，那就坐下吧，来呀，您坐这儿。”她拉着我外婆的手说。

“哦！要是您不介意的话，别让我坐这把扶手椅吧！这椅子坐两个人嫌小，坐我一个人又嫌大，我会不自在的。”

“您让我想起了以前常坐的一把扶手椅，跟这一把还真是一模一样的，不过后来我还是只好不坐了，因为那是倒霉的德·普拉兰公爵夫人[2]送给我母亲的。我母亲可以说是世界上最谦逊朴实的人了，可她还是有些我已经无法理解的老观念，比如说她起初

1　德·纳穆尔公爵（Duc de Nemours）：当指路易–菲利普国王的次子，亦即奥尔良亲王。

2　德·普拉兰公爵夫人（Mme de Praslin）：拿破仑的重臣塞巴蒂安尼元帅的女儿。她的丈夫德·舒瓦瑟尔–普拉兰公爵后来爱上十个孩子的家庭女教师，将她刺伤，并于被捕后服毒。因此普鲁斯特称她为“倒霉的德·普拉兰公爵夫人”。

一定不肯让人把她先介绍给德·普拉兰夫人，因为她觉得对方只是塞巴蒂安尼小姐而已，而这一位又自恃是公爵夫人，坚持不能先把她介绍给人家。其实呢，”德·维尔巴里西斯夫人接着往下说，全然忘了自己是不懂这类繁文缛节的，“倘若她真是德·舒瓦瑟尔夫人，那她这么说倒还站得住脚[1]。舒瓦瑟尔家族是最高贵的家族，他们是胖子路易的一位妹妹的后代，是巴西尼真正的君主。说实话，就姻亲和名望而言，我们家是要比德·普拉兰夫人更胜一筹，但要论家族的古老程度，那就只能说是差不多了。这种礼仪上孰先孰后的问题，有时会把局面弄得很尴尬，比如有一次，就因为一位夫人迟迟不肯让人先介绍自己，弄得午宴整整晚了一个多小时才开席。再说她们俩，两人成了好朋友，德·普拉兰夫人送了一把这种式样的扶手椅给我母亲，而这把椅子，就像您刚才那样，谁也不肯坐在上面。

“有一天，我母亲听见有辆马车驶进宅邸的庭院。她问一个小仆人是谁来了。

“‘是德·拉罗什富科公爵夫人，伯爵夫人。’

“‘噢！好，我这就见她。’

“过了一刻钟还不见人影。

“‘哎，德·拉罗什富科公爵夫人呢？她在哪儿？’

“‘她在楼梯上，在喘气呢，伯爵夫人，’小仆人回答说，他刚从乡下来了没几天，到乡下去挑仆人，是我母亲的老习惯。她常常是看着他们出生的。像这样，才能挑到忠诚可靠的仆人。好仆人，是一种奢侈品。

1　舒瓦瑟尔（Choiseul）是这位公爵夫人夫家的姓。德·维尔巴里西斯夫人这么说的意思，是指她并非出身于舒瓦瑟尔家族这么一个贵族世家，而只是嫁了过去而已。

“原来，德·拉罗什富科公爵夫人上楼梯有些困难，因为她是个大块头，块头大得等她进了房间，我母亲一时间竟不知道把她安顿在哪儿才好。幸亏瞥见了德·普拉兰夫人送的椅子，我母亲灵机一动，把椅子往公爵夫人跟前一推：‘请落座吧。’公爵夫人一屁股坐下去，坐了个满满当当。她尽管长得高头大马，人还是挺可爱的。我们的一位朋友说：‘她进门时总会惊动四座。’我母亲接口说：‘她出门时更是举座皆惊。’她常爱这么说话，在今天看来未免有点轻率。即使在德·拉罗什富科夫人府上，大家照样当着她的面，拿她肥硕的身躯开玩笑，第一个笑出声来的总是她自己。有一天我母亲去拜访公爵夫人，在门口迎接她的是公爵，我母亲没瞧见房间那头窗口的公爵夫人，问公爵：‘德·拉罗什富科夫人不在吗？我看不到她嘛。’公爵回答说：‘您这么说真是太客气了！’[1]我从没见过比这位公爵更拎不清的人，不过话又说回来，像他这样的人，有时还是会幽默一把的。”

晚餐过后，我和外婆上楼回房间。我告诉她，德·维尔巴里西斯夫人身上那些让我们喜欢的优点：讲究分寸，细腻敏感，审慎，谦让，也许说不上特别可贵，因为在更高程度上具有这些优点的，恰恰是莫莱和洛梅尼[2]他们。诚然，不具备这些优点会使日常交往变得不愉快，但那不妨碍一个人成为夏多布里昂、维尼、雨果、巴尔扎克，成为缺乏判断力的、爱虚荣的人，就像布洛克……听我提到布洛克的名字，外婆激动地叫了起来，一个劲儿地对我说德·维尔巴里西斯夫人有多好多好。俗话说，恋爱中的男女寻找对方，自觉不自觉地会有人种优化因素的考虑，瘦女

1 “我母亲”是实话实说，公爵却以为这是幽默。所以下文说公爵“拎不清”。

2 洛梅尼（Loménie，1815—1878）：法国作家，法兰西学院院士。

人找胖男人，胖女人找瘦男人，都是为了将来的孩子能长得更匀称。同样，我的幸福正因为受到病态的神经过敏、多愁善感、孤僻忧郁的困扰，所以格外要求外婆把心智健全、具有判断能力这样的优点放在第一位，它们不仅是德·维尔巴里西斯夫人所具有的优点，而且是一个让我的神经得以松弛、内心得以平静的社会所具有的优点——那是一个让杜当、德·雷米萨（更不用说波塞尚夫人、儒贝尔和塞维涅夫人）那样的人物思想大放光芒的社会，而与之对立的思想，正是将波德莱尔、爱伦·坡、魏尔兰、兰波那些人引向备受折磨、失去人望的境地（外婆不希望她的外孙沦落到这种境地）的思想，两者相比较，前一种思想显然给生活带来更多的幸福和尊严。我不等她说完，就扑上去吻她，问她有没有注意到，德·维尔巴里西斯夫人说的有一句话，显示出她其实跟她说的不一样，还是挺看重自己的出身的。我就这样，把我的印象一五一十地告诉外婆，要是没有她的指点，我是不知道对一个人该尊重到什么程度的。每天晚上，我把白天对每个人的观察，一一描述给外婆听，他们对我而言都是无足轻重的——因为他们不是外婆。

有一次我对她说："没有你，我是没法儿活的。"

"可不能这么想！"她声音发窘地回答说，"你得学会坚强。不然的话，我出门旅行去了，你怎么办？我希望你能照样很乖，很开心。"

"要是你只去几天，我会乖的，可我会觉得时间过得很慢。"

"要是我出门几个月、几年（一想到这儿，我的心就揪紧了），甚至……"

我们俩都不说话了。我不敢看外婆，她也不敢看我。而她的忧虑，比我自己的忧虑更让我揪心。我走近窗台，眼睛不望她，一字一顿地对她说：

“你知道，我习惯了就好了。刚开始和心爱的人分别，我感到很难过。可我还是习惯了，尽管我还像以前一样爱他们，但我的生活变得平静，变得温和了；我能忍受和他们分别的痛苦，哪怕是几个月、几年……”

说到这儿，我再也说不下去了，只好忍住眼泪看着窗外。外婆从房间里出去了一会儿。

第二天我说起哲学，说话的口气非常漫不经心，但又恰好能让外婆注意听我说的话。我说，真奇怪，科学上有了最新的发现以后，唯物主义似乎就破产了。灵魂的永恒，亲人在身后的相聚，还是大有可能的。

德·维尔巴里西斯夫人跟我们说起过，她恐怕就要没法儿常常和我们见面了。她有个侄孙在附近的冬西埃尔驻防，准备报考索穆尔军校，有几个星期的假期，他打算到姑婆这儿来，这样一来她的时间大半都得给他喽。我们乘马车一起出游时，她一个劲儿说她侄孙有多聪明，心地有多好；我暗暗在心里想，他一定会对我很热情，我将成为他的挚友。他来以前，他姑婆还说了些别的情况，听上去他好像很不幸地迷上了一个坏女人，那女人把他捏在手里不放，弄得他神魂颠倒。我心想，这种爱情早晚要以发疯、杀人或自杀告终。想到我还没见过他，我俩的友谊却已经在我心中这么至关重要，而留给这友谊的时间又这么短促，我不禁哭了起来。我这是为这友谊，为等着他的不幸一掬伤心之泪，就好比我们有一个至爱的人，人家刚告诉我们他已身罹重病、来日无多，我们自然会悲痛不已一样。

一个酷热的下午，我待在酒店的餐厅里，晒成金黄色的窗帘拉了起来遮挡阳光，厅里显得很暗，而透过窗帘的缝隙，可以瞥见阳光照耀在蓝蓝的海面上，闪烁不定。正在这时，只见海滩通往大路的小道上，走过来一个身材高挑的年轻人，露着脖子，高傲地仰着头，眼睛炯炯有神，皮肤和头发都是金灿灿的，仿佛吸饱了阳光似的。他身上的衣服，料子很柔软，而且是近乎白色的，我从没想过一个男人敢穿这样的颜色，衣料之薄，更让人想到餐厅的阴凉和室外的炎热；他走得很快，单片眼镜不时从一只眼睛上往下掉，眼睛的颜色像大海一样。每个人都好奇地瞧着他从身边走过，大家知道，这位年轻的圣卢－昂－布雷侯爵向以打扮优雅而闻名。他给年轻的于塞斯公爵当决斗证人时穿的那身衣服，各家报纸都有详细的描写。他的头发、眼睛、皮肤以及举止，都透着一股优雅劲儿，使他在人群中，犹如蓝莹莹的珍稀乳白石矿脉在杂质很多的岩石中一样，与之相应的生活，想必也是和其他男人有所不同的。所以，在德·维尔巴里西斯夫人跟我们提起的那段恋情之前，上层社会最漂亮的美人对他真所谓是你争我夺，他跟某个受他青睐的绝色佳人双双出现，比如说，在海滩上，那么不仅她会就此成为明星，他也会像她一样吸引公众的眼球。由于他的帅气，他那时尚人士的放浪不羁，更由于他那超常的优雅，有人甚至觉得他有点阳刚不足，但也只是心里想想而已，因为他的男子气概，他对女性狂热的追求，是尽人皆知的。

这就是德·维尔巴里西斯夫人对我们说起的那个侄孙。我满心欢喜地想着就要和他结识，相处好几个星期，我确信他一定会真心待我好的。他迅速地穿过酒店，仿佛追逐蝴蝶似的飞舞着单片眼镜。他从海滩来，整个身影清晰地呈现在与餐厅窗玻璃齐腰高的大海的背景上，就好比在某些肖像画中，画家声称自己画的是对真实生活最精确的观察所得，却又给画中的人物挑选了一个适当的环境：马球草坪啊，高尔夫球场啊，赛马场啊，游艇甲板啊，以为这样就提供了早期艺术家画作的现代表现形式，那些画家往往让人物出现在风景画的前景上。

一辆两匹马拉的马车，在门口等他；一路上，单片眼镜在洒满阳光的车道上翻飞嬉戏，其优雅娴熟，有如一位出色的钢琴家把一个看似无法显示技艺的经过乐句弹得惟妙惟肖，显示出二流钢琴家无从企及的深厚功力，就在此时，德·维尔巴里西斯夫人的这位侄孙接过车夫递来的缰绳，坐在车夫旁边，一边拆开酒店经理交给他的信，一边策马往前驶去。

往后的几天，每当我在酒店里或酒店外遇见他——昂着头，整个身子始终以不停往下掉、飞舞跳跃的单片眼镜为重心，手脚并用地保持平衡——我总意识到，他根本不想接近我们，看他连招呼也不跟我们打一个（他不可能不知道我们是他姑婆的朋友），我心里失望极了。我想起德·维尔巴里西斯夫人，还有在她以前的德·诺布瓦先生，他俩待我是那么和蔼可亲。我心想，他们也许是两个让人取笑的贵族吧，说不定在贵族阶层的典章中，有这么一条秘密的规定，容许妇女和某些外交官在与人交往时，出于某个我不知晓的原因，不必表现出傲慢的态度，而一个年轻的侯爵，却必须态度傲慢，没有半点通融的余地。

以我的智力，本来应该可以明白事情并非如此。可是我正处于一个颇为荒唐的年龄段——想象力特别丰富的青春期——这个年龄段的特点，就是不向智力讨教，看到人家身上有一点不顺眼的地方，就冒冒失失地以为此人就是如此。一个人整天这么神神道道的，没有个安宁的时刻。在这个年龄上做的事情，日后想起来都是那么令人后悔。让人感慨的是，当年的那种冲动劲儿，如今早已不复存在了。年岁大了，我们看问题的方式变得实际了，跟社会也不再有隔膜了。可是，唯有少年时代才是真正能学点东西的时候啊。

我猜想中的德·圣卢先生的傲慢无礼，以及可想而知的铁石心肠，从他对我们的态度中得到了印证，他每回经过我们身边，总是挺着瘦高的身板，仰着头，目光中漠无表情——这么说还不够，应该说目光显得非常绝情，连一个人对旁人（即使他们不认识你的姑婆）最起码的尊重都谈不上。而没有这点起码的尊重，我站在一位老妇人面前，就跟站在一盏煤气路灯跟前没什么两样了。前几天我还暗暗在想，他会给我写热情洋溢的信，向我表示好感。可他这副冷冰冰的样子，跟我的想象差得太远了。打个比方，有个耽于空想的人，以为凭自己一席令人难忘的演说，就能煽动起民众，以民众的代表自居。于是他独自一人哇啦哇啦嚷了一通，到头来，想象出来的喝彩声平息以后，他仍然还是当初的那个傻瓜蛋。德·圣卢先生的态度跟我的想象相去之远，就好比这个傻瓜蛋平庸、可怜的处境跟议会和民众的热情相去之远。德·维尔巴里西斯夫人大概是想消除一种外表就看得出来的骄傲、凶狠的本性留给我们的印象，又和我们说起他的这个侄孙（他是她一个侄女的儿子，年龄稍比我大一些）心地有多善良；在社交圈里竟然可以这么无视事实，把一个心肠那么硬的人说成心肠怎么怎么好——尽管他对自己圈子里的那些头面人物可能是这么和颜悦色的——这真叫我没话可说。有一天我在一条小路上迎面碰到他们俩，德·维尔巴里西斯夫人只好给我介绍了她的侄孙，她再一次让我（虽然是间接地）领教了他性格上的一些我早已确信无疑的特点。他似乎根本没听见人家在对他说起某人，脸上的肌肉纹丝不动；眼睛里没有一点人类情感的光芒闪过，冷漠、空虚的目光显示的是一副夸张的表情——要是没有这点表情，这双眼睛就和冷冰冰的镜子一般无二了。尔后，他那冷峻的目光盯在我脸上，仿佛要在回我的礼，给我打个招呼之前，先了解清楚我是怎么个人，接着，他在与我保持尽可能大距离的前提下，突如其来地伸出胳臂——仿佛并非他有意这么做，而只是一种肌肉的本能反应似的——胳臂拉得笔直，远远地把手伸过来。

第二天他让人送来一张名片，当时我还以为是要和我决斗呢。结果他和我大谈其文学，最后对我说，他竭诚希望每天和我见面谈几个小时。这次来访中，他不仅让我看到了他对精神方面问题的热衷，而且对我明显地表示了一种好感，跟昨天的他简直判若两人。后来我看到每回人家向他介绍别人，他都是那副模样，我便明白了，这只不过是他家族某些成员的一种特殊社交习惯，他母亲从小教育他举止要合乎身份，这就是教育的结果；他这么跟人打招呼时，并没比对体面的着装、漂亮的发型予以更多的注意；这种做派，并不涉及我起先所认为的品德问题，他只是习惯成自然而已，与之相应的另一个习惯，则是认识一个人以后，马上要把自己介绍给这个人的亲属，这个习惯在他已经成了本能。我们相识的第二天，他一见到我就赶紧走上前来，连招呼也来不及跟我打，就要我把他介绍给我身旁的外婆，那副急不可耐的兴奋劲儿，就好比出于防卫的本能，看见有东西袭来马上闪避，看见热水喷溅赶紧闭上眼睛一样——因为本能告诉他，如果稍有迟疑，没有及时采取预防措施，就可能会酿成大祸。

最初的驱魔仪式一结束，犹如一个坏脾气的仙女脱下起先穿的外衣，显出优雅的本色，我眼看这个傲慢的人一下子变成了我所见过的最和蔼、最殷勤的人。“好吧，”我对自己说，“对他，我已经看错了一回，上了假象的当，可我现在虽说看明白了这一点，说不定又在上第二次当呢，因为他明明是个心地高尚的世家子弟，却偏要把它隐瞒起来。”果然，没过多久，圣卢的良好教养，以及他的种种可爱之处，都让我看到了一个跟我的猜想很不相同的年轻人。

这个看上去像倨傲的贵族和运动员的年轻人，只看重精神世界的内容，只对这些内容感兴趣，尤其喜欢探讨为他姑婆所嗤笑的现代主义文艺思潮；另一方面，他热衷于（如他姑婆所说的）社会主义高论，内心深处充满对自己所处阶层的蔑视，经常一连几小时埋头研究尼采和普鲁东。他属于那种醉心于书本的知识分子，脑子里尽是些不着边际的念头。圣卢身上的这种崇尚抽象的倾向，跟我平常的思考习惯相去甚远，他对我说的话，让我在感动的同时，又觉得有些厌倦。比如说，知道他父亲是谁以后，当我碰巧读到一本回忆录，里面写了不少这位大名鼎鼎的德·马桑特伯爵的趣闻逸事（在他身上浓缩了一个已经远去的时代极为独特的风雅韵致和充满幻想的精神世界），我就会想对德·马桑特先生生活的细节了解得更详细些，这时，看到罗贝尔·德·圣卢非但不喜欢自己有这么个老子，因为不可能把我引进他父亲用一生写就的那部过时的小说中去，反而纵情去爱什么尼采和普鲁东，我真是又气又恼。他父亲倒恐怕未必会像我这样。他是个聪明人，在当时就越过了社交圈生活的界线。他几乎没有时间去了解儿子，但希望儿子比自己有成就。我相信，他不同于家族的其他成员，他会为儿子感到骄傲，为他舍弃自己沉溺其中的种种消遣活动、专心从事严肃的思考而感到欣慰。他这个父亲毕竟是个谦虚的智者，他会不露半点声色，悄悄地阅读罗贝尔最喜欢的作品，想看看儿子究竟比自己强多少。

不过，有件事还是颇为令人遗憾的：虽然德·马桑特先生坦荡大度，赞赏一个跟自己如此不同的儿子，罗贝尔·德·圣卢却认定一个人是否可取，跟一定的艺术、生活方式密不可分，所以，对于这么一个终生沉湎于狩猎、赛马，听瓦格纳呵欠连连，听奥芬巴赫劲头十足的父亲，他每每想起来会在温情中掺有几分蔑视。圣卢还没有聪明到足以理解，智力上的价值是跟一定的美学取向不相干的，他对德·马桑特先生的智力的藐视，跟布瓦迪欧的儿子可能会对布瓦迪欧，或者拉比施的儿子可能会对拉比施产生的藐视[1]（倘若这两个儿子都是最具象征意义的文学和最难以理解的音乐的爱好者的话）颇有几分相似之处。

“我对父亲了解得很少，”罗贝尔说，“看来他是个出色的人物。他的不幸，在于他生活在一个不幸的时代。出生在圣日耳曼区，生活在《美丽的海伦》[2]的时代，这就注定了他的一生是一场灾难。假如他只是个醉心于《指环》[3]的布尔乔亚，说不定倒还能有点作为。还有人告诉我，他喜欢文学。这就真是说不清楚了，他心目中的文学都是些过时的作品。”

如果说我觉得圣卢过于严肃了一点，那么他不明白的就是，

---

1 布瓦迪欧（Boieldieu，1775—1834）是比较通俗的作曲家，写有多部轻歌剧和众多歌曲。拉比施（Labiche，1815—1888）是比较迎合小市民口味的剧作家，著有多部喜剧。

2 奥芬巴赫的喜歌剧，首演于1864年。

3 指瓦格纳的歌剧《尼伯龙根的指环》。

我为什么不能再严肃一点。遇到事情，他只看它包含多少智力成分，对想象的乐趣视而不见（有些让我感受到这种乐趣的事情，在他眼里根本不值一提），所以他看见我——他自认比我逊色得多——对那些事情津津乐道，不由得感到很诧异。

我们刚结识的那几天，圣卢就征服了我外婆。让外婆着迷的，不仅是他想方设法对我俩表示的百般殷勤，更是他从中让人看到的一以贯之的极其自然的态度，而自然——大概是因为人类的这种生活艺术让人联想起了大自然吧——正是外婆最看重的优点，就花园而言，她不喜欢贡布雷花园那样过分规整的花坛；就烹饪而言，她讨厌那种连里面有哪些作料都看不清楚的摆造型的菜肴；至于钢琴演奏，她不喜欢精心修饰、过于雕凿的风格，鲁宾斯坦尽管有些地方弹得不很到位，甚至弹错音符，她却对他赞不绝口。这种自然的态度，她甚至能从圣卢的衣着上体味到，那是一种游刃有余的高雅，不装腔作势，不一本正经，不上浆的衣服，显得特别灵便。她尤其赞赏的是，这个富有的年轻人置身于奢华的环境之中，却能淡然处之，不为金钱所左右，身上没有铜臭味儿，没有自以为是的做派；她甚至从一个小地方也感觉到圣卢的自然可爱之处，那就是他往往无法抑制自己的情绪，脸上会情不自禁地流露出激动的神情——通常，这种流露感情的方式，是会随着童年时代的逝去而和某些生理特征一起消失的。比如说，看到或听到一件他乐于看到或听到而事先又并没想到的事情，哪怕那只是一句恭维话，他就会显露出一副突如其来、激情洋溢、不能自已而又转瞬即逝的欢乐神情，这是他无法克制，也无法掩饰的；这时，一阵红晕会透过他细腻的皮肤从脸颊泛起，眼神显得既羞怯又欢快；这种坦率而单纯的优雅表情，让外婆感慨无限——至少在我和圣卢相交的那个年代，他脸上的这种表情是很真诚的。

但我另外认识一个人（其实这样的人很多），在他身上，脸上泛起红晕这种生理上的诚恳表现，并不意味他在品行上是表里如一的；它往往只是表明这些生性卑鄙无耻的人已经兴奋得无法自持，非得把这股兴奋劲儿在别人面前显露出来不可了。最让我外婆喜欢圣卢这种自然的态度的，还在于他从不转弯抹角，总是直率地承认他对我怀着好感，他为了表明这种好感而说的话，照我外婆的说法，总是那么恰当，那么深情，她自己是说什么也想不出来的，这些话是可以和塞维涅和波塞尚相媲美的；他也会落落大方地拿我的缺点开玩笑——他挑我毛病的细心劲儿，让她感到挺有趣——但正如她一样，他这样做是满怀柔情的，而他说起我的优点来，则是热情洋溢，毫无保留，没有半点年龄相仿的年轻人通常为了显摆而表露的矜持、冷漠的意味。他对我最微小的不适，都早有准备，天气刚转凉，我还没意识到，他已经把毯子盖在了我的腿上，要是觉着我有点忧郁或是心情不好，他就不声不响地做出安排，晚上陪我陪得更晚一些。从我的健康的角度来说，也许更严格一些反而有好处，他对我照顾得这么无微不至，连外婆也觉得似乎有点过分，但其中表现出来的对我关怀备至的情意，还是让她深为感动。

我和他很快就说定了，我俩永远是好朋友，他说“我俩的友谊”的口气，就像在说存在于我俩之外的某件重要而美妙的东西。而且他很快就宣称，这种友谊是他——除了他对情妇的爱情之外——平生最大的快乐。这些话让我感到一种忧伤，我很为难，不知道怎么回答他，因为和他在一起，和他谈话——和别人大概也一样——我感觉不到独自一人时的那种快乐。独自一人的时候，有时会从内心深处涌起一些美好的印象，感到一种甜蜜的幸福感。可是，当我和别人在一起，当我开口对朋友说话的时候，整个思绪就转了个向，不是向着我自己，而是向着谈话对方去展开了，而这样逆向展开的思绪，是无法使我得到任何快感的。我一离开圣卢，就会借助于文字思维的方式，把刚才和他在一起的那段混乱的时间梳理一下；我对自己说，我有了个好朋友，好朋友是非常难得的，但我觉得最自然的快乐，毕竟是从我自身提炼出来、照亮隐匿在暗处的某样东西的那种快乐，而此刻我感到，周围那些能给我带来快乐的东西，都是我很难得到的，我内心的感受恰恰是跟那种最自然的快乐截然相反的。如果我一连和罗贝尔·德·圣卢谈上两三个小时，我便会有一种内疚、后悔、厌倦的感觉，觉得自己原该一个人待着，准备开始工作才是。可是我心想，一个人的聪明才智不是用来孤芳自赏的，即便是伟人，也总是希望受人称赞的；那几个小时里我在朋友心中树起了一个高大的形象，我不能把这看作浪费时间。我没费多大劲儿就想明白了，我应该为此感到庆幸才是。而且，正因为从未体味到过这种幸福，我就更热切地希望永远不要失去这份幸福。对于我们身外那些美好、有用的东西，我们总是格外担心失去它们，因为，我们的心不曾占有它们。

我觉得，我比许多人都更能让友谊显示它的作用（别人很看重的个人利益，我往往看得很淡，只要是对朋友有好处的事情，我总把它们放在个人利益之上）。但是，尽管感觉到了我和他人的心灵之间的差异——我们每个人的心灵之间总会有差异——没有扩大，而是在消除，我无法因此感到快乐。有时候，我的理智会告诉我，这圣卢身上有一个具有更普遍意义的存在——贵族，这个存在犹如一种内在的精神，驱动着他的肢体，指挥着他的一举一动；于是，在这种时候，我虽然在他身旁，却仿佛只有我一个人在凝望面前的一片风景，欣赏景致的和谐之美。罗贝尔只不过是其中的一件东西，是我的冥想所要探究的一个对象而已。我在他身上发现的往往是他早先的、有世系渊源的那个身份，那个他一心想摆脱的贵族身份，这使我大喜过望，但这种欣喜并不是出自友谊，而是属于智力范畴的。那种使他的亲切殷勤显得无比优雅的心智、体态上的机敏；他邀请我外婆乘坐马车、扶她上车时的潇洒神情；他生怕我受凉，从车座上一跃而下，把自己的大衣披在我肩上的灵巧劲儿，都让我从中感受到这位崇尚理智的年轻人的父辈，那些世世代代都是出色猎手的先人所具有的敏捷身手，以及他们对富有的鄙视——正是那种鄙视，让罗贝尔常常很不经意地把精美昂贵的物品慷慨地送到朋友的手中。不过，在罗贝尔身上，这种鄙视是与兴趣共存的，而他之所以对富有感兴趣，唯一的原因就是为了更好地款待朋友们。而让我感触更深的，则是这些世袭贵族认为自己比别人高出一头的自信，或者说幻觉，正因如此，有些东西他们就不可能传给圣卢，比如说，这个年轻人既无意显示自己不比别人更好，也不会生怕自己显得过于殷勤——他确实从来没有过这种想法，而有些平民的殷勤可亲尽管是极其真诚的，但由于脑子里存了这种想法，做出的动作就会又僵硬又笨拙，把事情弄得很糟糕。有时候我会责备自己，竟然把朋友当作一件艺术作品来取乐，也就是说，我观察的出发点是把他这个人的各个部分的活动看作由一个总体想法在协调统辖，每个部分都拴在这个总体想法上，但他自己并不知道有这么个想法，因而它并不影响他的人品，以及他极为看重的个人智力、道德价值。

然而在某种程度上，这个总体想法却是人品、价值存在的先决条件。正因为他是一位绅士，驱使他去结交那些野心勃勃、不修边幅的大学生的那种精神活动，那种对社会主义的向往，在他身上自有一种纯而又纯、全无功利意味的色彩，这种色彩是那些大学生所没有的。他认为自己出身于一个无知、自私的阶层，主动去接近那些大学生，和他们套近乎，诚心诚意指望他们原谅他的出身。他不知道，贵族出身对大学生恰恰是一种诱惑，正因为他出身贵族，他们才找他，对他装出冷淡甚至傲慢的样子。

我父母向来服膺贡布雷的社会学，要是看到圣卢居然甘与那些人为伍，一定会大惊失色。有一天，我和他背靠一顶帆布帐篷，坐在沙滩上，只听得从帐篷里传来阵阵骂声，诅咒那些蜂拥而至，把巴尔贝克弄得人满为患的犹太人。“真是躲也躲不开，走哪儿都得碰到，”那个声音说道，“原则上我对犹太民族并没有什么深仇大恨，可是这儿的犹太人实在太多了，到处都听到：‘哎，亚伯拉罕，偶臭见邪各布了[1]。’简直就像在阿布吉尔街[2]。”这个愤然申斥以色列的人终于从帐篷里出来了，我们抬头望着这个排犹主义者。不想他就是我的同学布洛克。圣卢马上要我给布洛克提个醒儿，就说他俩在中学优等生会考时见过面，当时布洛克得了二等奖，后来又在平民大学里见过。

从罗贝尔生怕伤害别人自尊心的窘态中，我能看到耶稣会教育的痕迹，但对此，我至多也只是付诸一笑罢了；每当他的那位

1　此处是在模仿犹太人不准确的发音，原话应为“我瞅见雅各布了”。在希伯来语中，这句话的意思是“你这个断子绝孙的”。

2　阿布吉尔街：巴黎市区犹太商人聚居的一条街道。

知识分子朋友在社交礼仪方面出了差错，做了可笑的举动，尽管他本人觉得根本无所谓，但他总认为别人看见了会脸红的，于是他自己往往满脸涨得通红，倒像是他说了不得体的话似的。布洛克答应去酒店看他的那天，情形就是如此。当时布洛克说：

“叫我在这种假充豪华的商队旅馆里等人，我可受不了，那帮茨冈人会叫我恶心的，您还是关照laïft[1]一声，先让她们都把嘴闭上，然后去给您通报。”

就我个人而言，我并不觉得非请布洛克来酒店不可。遗憾的是，他在巴尔贝克并不是一个人，而是和他的妹妹们在一起，她们又有一大帮子亲戚朋友。这个犹太群体很有特色，但并不怎么可爱。在巴尔贝克，就像在有些国家，比如说俄罗斯或罗马尼亚一样，我们从地理课上知道，犹太人在那儿受到的待遇以及融入社会的程度，都是无法与在巴黎相比的。布洛克的表姐妹和叔叔伯伯，还有他们的教友们，平日里成群结队，清一色的都是犹太人，每逢去游乐场，女的去跳舞，男的则去打牌，男男女女都自成一体，游离于其他游客之外，而其他游客，无论是康布尔梅府上的常客、首席法官的小圈子，还是大大小小的布尔乔亚，甚至巴黎来的杂货商，年年瞧着这群犹太人走了又来，来了又走，可从来不跟这群人打招呼，他们的女儿们既漂亮又骄傲，爱嘲笑人，法国味儿纯得像兰斯教堂里的雕像，她们才不屑于结交这帮没有教养的丫头片子呢——这帮只知道洗海水浴赶时髦的轻佻女子，看上去不是刚钓过虾，就是正在跳探戈。至于男人们，尽管他们的无尾常礼服很光鲜，漆皮鞋擦得很亮，但那种夸张的做派

1　布洛克把lift（开电梯的人）读作laïft。

总让人想起福音书或《一千零一夜》插图画家的所谓绝招儿，他们脑子里想的是故事发生的所在国度，笔下画出来的圣彼得或阿里巴巴，却不折不扣就是巴尔贝克大佬的模样。

布洛克给我介绍他的几个妹妹，极其粗鲁地不准她们开口说话，而她们对这位哥哥简直是崇拜得无以复加，他随便说一句俏皮话，她们就笑个不停。看来犹太人的圈子很可能也和其他的圈子一样（甚至有过之而无不及），有许多吸引人之处，蕴含着许多优点和美德，但要对此有所体验，就得深入这个圈子中去。然而，这个圈子里的人无法在社会上赢得好感，他们感觉到这一点，认为这是排犹主义的表现，进而结成一个紧密、封闭的群体与之对抗，任何人也别想打开一条路进入这个群体。

说到laïft，还有更让我吃惊的事呢。几天前，布洛克问我到巴尔贝克来干吗（他自己到这儿来，倒像是再自然不过的），是不是"想要认识几个漂亮妞儿"，我告诉他此行我向往已久，不过更让我神往的是威尼斯，他接口说："那当然，和漂亮太太坐在一起喝喝冰冻果汁，装模作样地读读约翰·拉斯金爵士的《威耐斯之石》——这个阴郁的老头，再没比他更讨厌的家伙了。"布洛克想必以为，在英国不仅所有的男人都是爵士，而且字母i永远读成aï，所以Venice得读成"威耐斯"。且说圣卢，他认为这个读音上的错误并不严重，我这位新朋友从中看到的是布洛克对这些近乎社交规范的东西缺乏概念，而他自己恰恰是鄙视这些规范的（尽管他对它们相当熟稔）。罗贝尔生怕布洛克有一天知道了该说"威尼斯"，知道了拉斯金不是爵士，回想起当时的情景，会以为他罗贝尔当时一定在暗中发笑。这么一想，罗贝尔反而觉得自己像是不够大度似的（其实他是再大度不过的），于是浑身不自在起来，本该是布洛克哪天明白自己说错而感到脸红的，他罗贝尔却事先感觉到了，自己把脸涨得通红。在他想来，布洛克对这个错误一定比他看得更重。过了没多久，布洛克的举动就证实了圣卢的想法，那一天布洛克听我说到lift，就插话进来：“噢！是说lift的。”接着他用一种生硬而高傲的语气说了句，“不过也没什么关系。”这句话近乎一种本能的反应，只要是有自尊心的人，无论在非常重大的场合，还是在无关紧要的场合，都会这么说；它恰恰表明，对于嘴上说没什么关系的这个人而言，即使在无关紧要的场合，所说的那件事也是关系重大的；这句话带有一种悲剧的色彩，有时候一个稍有些高傲的人，眼看人家不肯帮忙，他好不容易维系着的最后一线希望也破灭了，他嘴里也会吐出这句令人伤心的话来：“哦！好吧，没什么关系，我会另想办法的。”这个由没什么关系引出的另想办法，有时竟然是自杀。

接下来布洛克很热情地和我寒暄。他肯定想显得跟我很亲热。不过，他问我：“你常跟圣卢－昂－布雷来往，是想攀高枝喽？——其实也高不到哪儿去，你太天真了。敢情你这会儿也热衷于赶时髦了。告诉我，你是在赶时髦吗？没错吧？”他这么说，并不意味着要跟我亲热的想法突然变卦了。这只是因为他有个缺点，按法语中不很正确的说法叫“欠教养”，这个缺点，往往是自己看不到的，更何况他以为别人是不会为此生气的。就人类而言，人人共有的优点的出现率，是比不上个人特有的缺点的。世界上最普遍的优点，大概并非良知，而是善良吧[1]。在最边远、最荒寂的地方，我们也会惊喜地看到善良之花，它犹如幽僻

1　笛卡儿在《方法论》（1637）中曾说：“良知是世界上最普遍的优点。”

山谷中的虞美人，尽管长得和世上别的虞美人一模一样，却从没见过它们，长年和它做伴的是山间的风儿，它那孤独的小红帽有时在寒风中瑟瑟发抖。善良会因利害关系的渗入而瘫痪，变得麻木，但它依然存在，每当没有自私的动机阻碍它的时候，比如说在看小说或读报的时候，善良就会在人们的心田——即使那是个生活中的杀人犯，但此刻他是个人性未泯、爱看连载作品的小说迷——焕发出生机，善良之花就会向着弱者，向着正直而受迫害的人绽开。然而，人类缺点之花样繁多，亦如优点之无所不在一样令人惊叹。就是最完美的人，也总会有某个令你吃惊甚至恼火的缺点。这一位，智力超群，看问题站得很高，从来不说别人的坏话。但是，他信誓旦旦答应为您转交的一封很重要的信，被他忘记在了口袋里，然后又让您耽误了一次重要的约会，事后，他居然也不向您道个歉，就那么一笑了之，因为对自己的不守时，他一向是不以为耻、反以为荣的。另一位，温文尔雅，感觉细腻而敏锐，逢人只说让人开心的话，但您感觉到有好多事他是守口如瓶，宁可闷在肚子里的，见到您叫他特别开心，所以不管您有多累，他非得拖住您不放。第三位为人特别真诚，有时简直到了叫人受不了的地步，您跟他说您身体欠佳，没能去看他，请他多多见谅，他却非要让您知道，有人看见您去剧院看戏。而且看见您脸色挺好来着，您刚给他帮过忙，他却非要让您知道您没能真正帮上忙，另外已经有三位朋友来帮过忙，所以他并没欠您多少情。在这两种情形下，前面那第二位朋友准会做出一副样子，表示他根本不知道您去过剧院，而且别人也根本没法儿像您一样帮上忙。可我们现在的这一位，他觉得非要把事情原原本本告诉您，或者非得把话给挑明了不可，他对自己的直爽得意极了，一个劲儿对您说：“我就是这个样子唉。”

另一些人也会让您不舒服，他们不是好奇得过分，就是根本没有一丁点儿好奇心，对您说起的某件轰动一时的事情，居然茫然一无所知；还有些人收到您的信——要是信上谈的都是您而不是他的事情，他得拖上几个月才会回信。或者，他们跟您说好要来问点事儿，您怕他们来了您不在家，就只好不出门，可他们迟迟不来，就那么让您等上几个星期，原因据说是没收到您的回音（可来信上根本没说要您回信），还以为您生气了呢。某些人行事完全是一厢情愿，碰着他高兴，想来看您的时候，他口若悬河，滔滔不绝，没您插嘴的余地；可要是他觉得累了，或者心绪不好了，您再怎么引他也不管用，您管您说得起劲，他就是一副无精打采的模样，根本懒得搭理您，您说的话他只当没听见。

我们的每个朋友都有这样那样的缺点，要想跟他们把朋友做下去，就得想点办法自我安慰一下——想想他的才华，他的善良，他的温情——更好的办法是不去计较那些缺点，眼不见，心不烦。可惜的是，这种不去注意朋友缺点的好意，往往抵不过他由于盲目或以为别人盲目而肆无忌惮的放纵。他不是自己看不见，就是以为别人看不见。一个人之所以会不招人喜欢，主要原因就是判断人家会不会注意某一件事是相当困难的，所以，为谨慎起见，至少应该做到不要谈论自己。有一点是可以肯定的，那就是别人对我们的看法，和我们对自己的看法，是永远不可能一致的。设想一下，我们无意间走进一座外表极其普通的房屋，看到里面居然堆满了珍珠宝贝、撬门铁棒和尸首，就此发现了他人的真实生活——掩盖在表象世界下面的真实世界，这时我们当然会非常吃惊。同样，平时我们都是凭借别人对我们说的话来构建我们自己的形象，倘若有一天突然知道人家在背后是怎样说我们的，看到了在他们心中有关我们和我们的生活的截然不同的形象，我们想必也会大吃一惊的。因此，我们每次谈论自己过后，有一点可以肯定，就是我们那些善意、谨慎的话语，人家尽管表面上很有礼貌地听了，甚至还假惺惺地表示了赞同，但最终招来的不是火冒三丈的詈骂，就是幸灾乐祸的嘲笑，反正对我们来说都不是好事。我们对自己的想法与话语之间的差异，也会带来烦恼，但相比之下，这已经算不得什么了。这种差异，通常会使人们说自己的那些话变得非常可笑，就好比有个冒牌的音乐爱好者挺喜欢一首曲子，很想把它唱出来，于是一边使劲打手势，一边做出陶醉的表情，想借此来弥补哼唱含糊不清的毛病。可是我们听他这么哼哼唧唧，只觉得可笑。

喜欢谈论自己、讲自己缺点的坏习惯，还得加上一条才算说全了，那就是喜欢在人家身上找跟自己毛病相仿的缺点来议论。而一个人议论这些缺点时，往往间接地把承认缺点的快意加进了原谅缺点的快意之中。此外，我们的注意力似乎往往容易集中到反映自身特点的一些事物上，对它们表现出异乎寻常的关注。一个近视眼会说别人“他的眼睛眯得都睁不开了”；肺病患者见到挺结实的一个人，总疑心人家肺不好；一个不讲卫生的人，爱说别人不洗澡；一个嗅觉不灵的人，总觉得别人身上有味道；妻子有外遇的丈夫看出去，每个丈夫都戴着绿帽子；在轻浮的女人眼里，所有的女人都轻浮；在附庸风雅的人眼里，人人都附庸风雅。每个毛病，也像每种职业一样，不仅要求，而且会培养有这毛病的人具备一技之长，而且这得是一种他乐于向人展示的一技之长。同性恋者认得出同性恋者，应邀出席社交场合的裁缝，还没来得及跟您交谈，先就看中了您的衣料，迫不及待地伸手过来捻一下，看看质量有多上乘。要是您和一位牙科医生谈了一会儿，请他坦率地说说对您的印象，他就会告诉您，您有几颗坏牙。在他看来，没有比这更重要的事了，而在也发现了他的坏牙的您看来，也没有比这更可笑的事了。

我们不光在谈论自己时以为别人是盲目的，而且在具体做事时也这么以为。对每个人，都专门有一个神祇在那儿遮掩他的缺点，向他许诺他的缺点是看不见的，这位神祇犹如闭上了眼睛，塞住了鼻孔，看不见那些不洗澡的人耳朵背后的积垢，闻不到他们腋窝下的汗味，让他们相信他们尽可以放心大胆上街去散步，去出席社交圈的聚会，谁也不会说什么，没人看得出半点端倪。那些人把赝品的珍珠项链戴在脖颈上或送给别人，总以为人家是会把它们当真品的。

布洛克缺乏教养，神经有病，好攀附名流，出身于一个不受人尊敬的家庭，就如沉在海底一般，承受着难以计量的巨大压力，压力不仅来自位于海面的基督徒，还来自处于他所在阶层之上的那些犹太人阶层，这一层层的犹太人阶层，每一层都以鄙视压得紧挨在它下面的那一层透不过气来。要从一个犹太家庭越过一个个别的犹太家庭，一直上升到可以自由呼吸的海面，布洛克得花费几千年的时间。与其这样，还不如设法从另一头开辟一条通道。

布洛克说我在攀高枝，要我承认是在攀附名流的那会儿，我本可以回答他："要真是这样，我就不和你来往了。"可是我只是说了句他真叫人受不了。于是他想道歉，但是缺乏教养的人真所谓戆人有戆福，他们想要道歉，却在收回说过的话的同时，使这些话变得更伤人。"对不起，"他现在每次遇到我都说，"我惹你生气，让你心里不受用了。我常常无缘无故地伤害别人。可是——一般而言每个人都是，特殊地说你眼前的这个朋友更是，一种奇怪的动物——你无法想象，我尽管老是这么逗你，心里却对你充满了柔情。一想到你，眼泪就禁不住涌上来。”果然只听得一阵抽泣之声。

在布洛克身上，比这些不像样的举止更叫人吃惊的，是他说起话来居然一点不知轻重，全然没个准头。他有时候苛刻之极，风头正健的作家，到了他嘴里简直一无是处：“这是个脸拉得长长的傻瓜，完全是个白痴。”有时候，他又会眉飞色舞，绘声绘色地说一些极其无聊的花边新闻，一个普通得不能再普通的家伙，却被他说成“确确实实是个非常有意思的人”。这种评判聪明才智、价值、地位的双重标准，总让我觉得不明所以，心存疑窦，这个谜团直到我见着他老爸布洛克先生那天才解开。

在这以前，我没想到过布洛克会带我们一起去看他父亲，因为他老是在圣卢面前说我坏话，在我面前说圣卢坏话。他还特地告诉圣卢，我一心攀附名流（而且向来如此）。“没错，没错，他认识勒勒勒格朗丹先生，高兴得不得了。”布洛克把一个名字拉长了念，既是表示调侃，又是显示一种文字趣味。

圣卢是第一回听到勒格朗丹的名字，惊讶地问：“那是谁呀？”

“哦！那是个了不起的人，”布洛克一边哈哈大笑回答说，一边仿佛怕冷似的把两只手插在衣袋里，在他的想象中，他此刻正瞅着一位棒到连巴尔贝·德·奥韦伊[1]都能比下去的外省绅士，

1 巴尔贝·德·奥韦伊（1808—1889）：纨绔子弟出身的法国作家，以描写诺曼底士绅生活的小说著称。小说中的人物身上，明显有作者的痕迹。相对于巴黎而言，法国其他地区都可以泛称“外省”，诺曼底当然也包括在内。

端详对方的容貌衣着呢。他没法儿描绘勒格朗丹先生的模样，可这不打紧，他可以一连说几个“勒”，让这个名字听上去就像窖藏佳酿那么有味儿。不过，这种乐滋滋的主观感受，旁人是无从领略的。

他对圣卢说我的坏话，在我面前也没少说圣卢的坏话。而到了第二天，他在我们面前说了对方什么坏话，我和圣卢都知道得一清二楚，其实我俩谁也没有把他说的话告诉对方——那样做，会使我们有一种负疚感，但在布洛克想来是再自然不过。而且几乎是不可避免的，他心神不宁，思前想后，觉得反正我和圣卢早晚会知道，他还不如抢个先手。于是他特地把圣卢拉到一旁，向他坦白自己说过他坏话，他那样做是故意的，是想让人把话传给他，然后又向他赌咒发誓，“以誓言监护神克洛诺斯[1]之子宙斯的名义”起誓，他爱他，为他献身在所不惜，说着还抹了一把眼泪。当天他又趁圣卢不在的时候，向我做了忏悔，声称他那么做是为了我好，因为他认为某些社交关系对我是有害的，有些人我“犯不着结交”。然后，他带着满含醉意的柔情拉住我的手，虽说这份醉意完全是神经质的表现。“请相信我，”他说，“我若是说瞎话，若是昨天想到你时，没哭上整整一夜，就让黑精灵凯尔立马把我捉了去，叫我去穿那万劫不复的哈得斯门[2]。没错，是整整一夜，我向你发誓。唉，我懂得人心是怎么回事，我知道你不相信我。”我确实不相信他，我感到这些话是他临时编出来的，他凭凯尔的名义起誓，也没增加多少分量，因为他对古希腊的了

1 克洛诺斯：希腊神话中天神乌拉诺斯和地神该亚的儿子。与其妹瑞亚生宙斯。

2 哈得斯：希腊神话中的冥王。他也是克洛诺斯和瑞亚的儿子，宙斯是他的兄长。哈得斯门，当指地狱之门。

解仅止于文学。而且，每次只要他激动起来，而且希望别人也为一桩子虚乌有的事情而激动的时候，他就会说："我向你发誓。"这与其说是为了让人相信他说的是真话，不如说是为了满足说谎带来的歇斯底里的快感。我不相信他说的话，但我没责怪他，我从母亲和外婆那儿继承了不记恨的天性，即使比这大得多的过错，我也不会记恨，不会谴责犯错的人。

不过布洛克也并不绝对是一个坏孩子，他有时也会待人非常好。自从贡布雷的那个人种，那个包括外婆和母亲在内的至善至美的人种几近绝迹以来，我便只能在两种人之间进行选择了，其中一种是未开化的、冷漠而忠诚的正派人，他们一开口就让人感觉到他们根本不关心你的生活，而另一种人和你在一起，会对你既体贴又怜惜，情动时泪不能禁，几小时过后他会翻脸不认人，开最无聊的玩笑来作践你。但是他还会回来找你，仍是那么善解人意，那么可爱迷人，那么转眼间就跟你亲密无间得像一个人似的。我想我还是更喜欢后一种人，从道德层面来说他们也许不怎么样，可是他们至少更容易相处。

"我想你的时候有多难受，你是没法儿想象的，"布洛克又说，"说到底，这是我身上相当犹太化的一面又露出来了。"他用开玩笑的口气说，一边眯起眼睛，仿佛在显微镜里观察极少量的"犹太血液"，要为它定量，又仿佛一位显赫的法兰西贵族在说自己的祖先，几乎清一色的基督教徒中，也包括萨米埃尔·贝尔纳[1]，乃至更早的圣母马利亚——据说姓莱维的人都是她的后代。"我挺喜欢情感中有这么一个部分，"他接着说，"尽管只

1　萨米埃尔·贝尔纳（1651—1739）：犹太血统的金融家。路易十四和路易十五先后得到他经济上的资助。

是很小的一部分，但它是跟我的犹太血统密切相关的。”他这么说，是因为觉得用这样的方式表明自己出身于犹太种族，既风趣又勇敢。而且在这种场合这么说，整个事情就像给冲淡了许多，这就好比一个守财奴决意还债，却又实在舍不得全还，结果就只还了一半。像煞有介事地宣布一件事，可是又在里面掺杂很大一部分假话，把真相给搅和了，这样的弄虚作假，其实是很常见的（比我们想象的更常见）。有的人平时不这么做，可是碰到人生的某些要紧关头，尤其是事关恋情之时，他也就顾不得许多，要用这一招儿了。

布洛克偷偷地在圣卢面前攻击我，又偷偷地在我面前攻击圣卢，这一切，都以邀请我们前去做客而告终。我说不准他起先是不是试过光叫圣卢一个人。看样子很可能是这么试过，但没有成功，于是布洛克有一天对我和圣卢两人说：“亲爱的师兄，还有您，阿瑞斯心爱的骑士，德·圣卢－昂－布雷，了不起的驯马人，既然我在乘坐飞舟的默尼埃家族帐篷近边，在安菲特里特飞沫轰鸣的海岸上和你们相遇，不知二位可肯赏光于本周的某一天到我那位大名鼎鼎、此心可鉴日月的父亲家里用晚饭否？”他对我俩发出这一邀请，是因为他希望和圣卢结成更密切的关系，让圣卢帮他进入贵族圈子。这种希望，倘若是我的，是为我着想的，肯定会被布洛克看作最令人厌恶的攀附名流的表现，正好印证了他对我的性格的一个侧面（至少到目前为止，他还不认为这是我性格中的主流）的判断；可是同一个希望，因为是他的希望，在他看来就是求知欲的一个证明，表明他渴望改善自己的社会环境和生活氛围，进而从中发现一些对文学有所裨益的东西。

布洛克在告诉老爸请了一位朋友来吃晚饭时，用一种非常得意的调侃口吻宣布客人的名字和爵位："德·圣卢－昂－布雷侯爵。"布洛克老爹一听之下，大为震惊地喊道："德·圣卢－昂－布雷侯爵！嘀！妈的！"骂粗口在他是表达最高敬意的方式。想不到儿子竟然能结交这样的贵人，他朝儿子投去赞许的目光，其中的含义是："真叫人吃惊，这神奇小子是我的儿子？"这道目光使我的同学兴奋不已，就像每月的膳宿费增加了五十法郎似的。布洛克平日在家里日子不怎么好过，总觉着在父亲眼里自己没走正道，整日里只知道做勒贡特·德·利尔和埃雷迪亚这些生活放纵家伙的粉丝。可布洛克现在结交上了圣卢－昂－布雷，此人父亲曾是苏伊士运河公司的董事长！（嘀！妈的！）这是无可置疑的成功。

那架体视镜[1]，因为怕弄坏，留在巴黎没带来，这真是令人不胜遗憾之至。只有布洛克老爹才懂得——或者说有权摆弄这架仪器。再说他也很难得启用这玩意儿，只有在举行家宴，临时雇用了男仆的场合，才郑重其事地露这么一手。所以，有幸观看体视镜节目的宾客，都觉得这是对上宾的礼遇，是一种殊荣，而对安排节目的主人而言，它所带来的声誉，不下于天才所享有的声誉，即使体视镜里的镜像是布洛克先生亲手制作，这仪器是他亲自发明的，他也不会享有更高的声誉了。

"昨晚上萨洛蒙家没有请你？"一家子聚在一起，有人会问。

"没有，我没这份荣幸！都有些什么节目呢？"

"排场很大，有体视镜，把全套家伙都搬出来了。"

"噢！要是有体视镜，我真是太遗憾了，听说萨洛蒙这个节

1 一种观看立体相片或图画的光学仪器。

目精彩极了。”

布洛克先生对儿子说：“有什么办法呢，不能一下子把所有东西都拿出来，总得留点东西让人家有个盼头吧。”出于父爱，他很想差人把那架一起运来，好让儿子感动一回。可是实在时间来不及哪，或者说，他觉得时间实在是来不及了。我们那顿晚餐的时间也往后拖了，原因是圣卢脱不开身，他有个舅舅要来看德·维尔巴里西斯夫人，在这儿小住两天，他正在等这位舅舅。这位舅舅酷爱体育锻炼，尤其喜欢长距离散步，所以这次他从度假别墅来巴尔贝克，大半路程都是步行（晚上宿在农场），何时到达没个准确时间。圣卢不敢擅动，他平日里每天要给情妇发一封电报，现在因为不敢离开，就让我代他到安卡镇（那儿有个电报局）去发电报。他等的这位舅舅名叫巴拉梅德，这个名字是从他先祖西西里亲王那儿继承下来的。后来我在历史书上读到，中世纪某位行政官或某位主教大人都叫这个宛若文艺复兴时期——在某些人看来，这就算真正的古代了——精致的圣牌的名字，它始终留在这个家族里，一代又一代，从梵蒂冈枢机室一直传到我朋友的舅舅，了解这些史实以后，我感到的喜悦好有一比：有些人没钱收藏圣牌办陈列馆，就专门收集古老的名字（或地名或人名，地名则如同一张旧地图、一幅骑士画像、一面旌旗或一本某采邑的法典，堪称生动的活文献，人名则常可在美妙的法语结尾音节听出语言规则上的错误、带有乡俗色彩的语调乃至不正确的发音，而我们的祖先就这样一点点地改造了拉丁人和撒克逊人的语言，使它们渐渐变成一种庄严而有法度的语言），总而言之，他们靠收集种种或铿锵或柔美的名字，来为自己举办音乐会，犹如收罗低音古提琴和抒情古提琴，用这些古代的乐器来演奏往昔的乐曲，我感到的喜悦，正是这些人所感到的喜悦。

圣卢告诉我，甚至在最封闭的贵族社交圈里，他舅舅巴拉梅德也以倨傲冷漠、难以接近和特别讲究贵族气派著称，他和弟媳以及另外几个选定的朋友，组成一个人称翘楚团的小圈子。即使在这个圈子里，他的高傲也让人望而生畏，当初曾有几位社交界人士慕名而来，想请他弟弟引荐结识他，却遭到了拒绝。“不，请别叫我引荐，”他弟弟说，“我和妻子我们俩合在一起，也做不成这事儿。就算做了，也保不齐他会对你们很不客气，我可不想事情弄到这份儿上。”巴拉梅德和几个朋友，在骑师俱乐部的名册上圈定了两百个成员，拿定主意不跟这些人结交。在巴黎伯爵府上，他因风度优雅、举止高傲而博得亲王的雅号。

圣卢对我讲述这位舅舅早已逝去的青年时代。当时这位舅舅和两位朋友合住一套单身汉小公寓，他每天带女人回来。那两个年轻人也都是小白脸，人称他们仨“美惠三女神”。

“有一天，一位如今在圣日耳曼区，用巴尔扎克的说法，风头正健的男士（当时他可还是愣头青）表现出一种挺奇怪的趣味，向我舅舅提出要到那个小公寓去。谁知他一到，马上就开始求爱，不是向女人，而是向巴拉梅德舅舅哦。舅舅装作听不懂，找个借口把那两位朋友带了出去。他们回来时，抓住这个浑蛋，扒掉他的衣服，打得他皮开肉绽，然后把他扔出门去，而那正是零下十摄氏度的大冷天。人家发现这个倒霉蛋时，他已经冻得半死不活，司法部门前来调查，这家伙费了好大劲儿才让法院停办此案。我舅舅如今早就不干这种心狠手辣的事儿了，你简直没法儿想象，像他这么个在社交场上那么高傲的人，心里却想着一大群平民百姓，怜爱他们，保护他们，而且根本不计回报，即便人家以怨报德他也在所不惜。一会儿是为某个曾在宾馆里伺候过他的仆役在巴黎找工作，一会儿是让人教会某个农民一门手艺。这是他身上相当温情的一面，跟他在社交场上表现出来的那一面正好是相对的。”其实，圣卢本人也属于社交场上的那一类年轻人，他们已经处于一定的高度，所以人家会这样来评价他们：“还挺和气的，身上有相当温情的一面。”这是相当珍贵的种子，它很快会孕育出一种全新的看问题的方式，就是把民众看得重于一切，而自己可以置之度外；简而言之，这种看问题的方式是跟庸俗的傲慢截然对立的。

“据说舅舅年轻时，对整个他那社会阶层而言，他说什么，什么就是定规，那种气派叫人简直没法儿想象。他不管在什么场合，总是怎么觉着舒服，怎么觉着方便，就怎么做。不想那班附庸风雅的人纷纷仿而效之。他在剧场里觉得渴了，让人把饮料拿到包厢里来，于是下个星期，每个包厢后面的小包房里都摆满了饮料。有一年夏天阴雨绵绵，他有点犯风湿病，便定做了一件柔软而暖和的小羊驼毛大衣，因为只是当旅行毛毯用用，衣料上蓝橙相间的条纹也就留在那儿。没多久，高档裁缝铺里顾客盈门，都是来定制蓝色镶边的长毛大衣的。他在一处城堡已经待了一整天，晚餐时，出于某种原因不想显得太一本正经，有意穿了下午那件上装入席，于是，穿普通上装参加乡间晚宴成了时尚。要是他吃蛋糕时没用小匙，而是用了叉子，或者向金银匠定做、自己发明的一副餐具，或者干脆用手拿了，那么不这么吃就显得落伍了。他发兴再听贝多芬的某几首四重奏（他虽说常有些突发奇想的怪念头，但人绝对不笨，天赋极高），每星期都请几位乐师来为他和几个朋友演奏这几首四重奏。这一年最时髦的事情，就是举办参加人数很少的聚会，聆听室内乐。我相信他这一生都不会有烦闷的时候。他长得那么帅，身边的女人肯定少不了！我没法儿告诉您那到底是些谁，他嘴巴紧得很。不过我知道，他一直把我那可怜的舅妈蒙在鼓里。虽说如此，他对她还是很体贴的，她爱他爱得极深，她去世好几年以后，他想到她还会流眼泪。在巴黎的时候，他差不多每天都去墓地。”

罗贝尔就这么一边等他舅舅，一边跟我说他舅舅的事儿。结果这天他没等着。第二天，我回酒店路过游乐场的时候，觉得背后有人在不远的地方注视着我。我回过头去，看见一个四十来岁的男子，身材高高的，体态有些发胖，唇髭很黑，他手执一根细细的手杖神经质地拍打着裤腿，专注地睁大眼睛看着我。他的眼珠不停地转来转去，目光向四面八方射去，这种灵动的眼神是某些人所特有的，这些人看见一个不认识的人，由于某种原因被此人激发起旁人无从想象的种种念头时，眼神就是这样的——比如说疯子或者侦探。他最后看了我一眼，那目光就像临逃跑时的最后一瞥，既大胆又谨慎，既迅捷又深沉。他朝四下里望了望，突然换上一副漫不经心的高傲神情，整个人猛地转过身去，专心致志地看着一张海报，一边哼着曲子，整理别在纽扣上的苔蔷薇。他从衣袋里掏出一个小本子，好像在往上面抄剧目的名称。他掏了两三次怀表，把黑色的窄边草帽往下拉到眼睛上面，用手放在帽檐上做张望状，好像在看是否有人来。他做了个表示不满的姿势，像是在告诉别人，他已经等了好一会儿了——不过，要是真在等人，是绝对不会做出这种样子的。然后他把帽子往后一推，露出中间剪得短短的平头，不过两边的头发还是挺长的，波纹起伏地梳向脑后。他大声地呼着气，一个人并不太热，却想让人觉得他太热的时候，便会这样呼气。我脑子里转过一个念头：此人只怕是到旅馆来行骗的家伙，他大概前两天已经盯上外婆和我，正打算伺机下手，却在窥视我的当口让我给撞见了。他可能是为了迷惑我，所以故意装出这种心不在焉的漠然的神情，不过他做得太夸张了，看上去倒不像是要打消我说不定会有的疑虑，报复我无意间可能让他受到的侮辱，而是要让我明白，他不仅没有看见我，而且以我这么个不起眼的小东西，根本休想引起他的注意。他虚张声势地挺直腰板，撇了撇嘴，翘起唇髭，目光中配上了某种冷漠、生硬、几近凌辱人的神情。结果，他这奇异的表情，让我一会儿把他当作小偷，一会儿又以为他神经有毛病。不过他的衣着极其讲究，跟我在巴尔贝克见到的那些游客相比，他的服饰严肃得多，朴素得多，也让我那件屡因刺眼、俗气的浅色沙滩装而生出屈辱感的上装舒了口气。

外婆来迎我，我俩一起转了一圈。一小时后，她回酒店去一小会儿，我在酒店门前等她。这时我瞧见德·维尔巴里西斯夫人和罗贝尔·德·圣卢，还有在游乐场前盯着我看的那个陌生人，一起走了出来。他的目光闪电般地从我身上扫过，随后，就像没看见我似的，他把这目光收回到眼睛下方，凝滞着，这是那种装作对外界一无所见，对内心也一无所知的不带表情的目光，是那种仅仅表示睁圆了眼睛，为感觉到眼眶周围的睫毛而高兴的目光，是某些伪善者过分乃至做作的虔诚目光，是某些傻瓜自命不凡的目光。我注意到他换了一身衣服。现在这身衣服色泽更暗；想必这是由于真优雅总比假优雅离简朴更近些的缘故吧。但事情还不止于此；稍走近些，你就会发现，虽然这身衣服给人的感觉，是它几乎没有颜色，但其中的原因并非此人不喜欢颜色，而是由于某种缘故，他不允许自己有颜色。他所表现出来的这种节制，似乎来自恪守成规的信条，而并非由于对色彩缺乏兴趣。长裤上有暗绿色的细线，跟袜子上的条纹相呼应，精致的搭配透露出一种色彩趣味的萌动，衣着的主人在其他所有地方都把这种趣味克制了下去，仅仅在这儿，出于宽容做了让步，至于领带上几乎觉察不到的一个红点，则有一种想出格而又不敢出格的意味。

“您好，我给您介绍我的侄子德·盖尔芒特男爵。”德·维尔巴里西斯夫人对我说。而那个陌生人眼睛不看我，嘴里含混不清地说了句“幸会”，接着就“嗯，嗯，嗯”地让人觉出他的客气是勉强的，同时屈起小指、食指和大拇指，伸出中指和无名指（上面都没有戒指），我隔着他的翻毛皮手套握了握这两根手指；然后他仍然不抬眼看我，朝德·维尔巴里西斯夫人转过脸去。

“天哪，瞧我都昏头了！”德·维尔巴里西斯夫人说，“我怎么管你叫德·盖尔芒特男爵。请让我介绍一下，这位是德·夏尔吕男爵。好在这也算不得大错，”她紧接这么一句，“你是盖尔芒特家的人嘛。”

这时外婆出来了，我们便一起散步。圣卢的舅舅一点不给我面子，非但不搭理我，连正眼也不看我一下。虽说他还肯赏脸看看路上陌生的行人（短短的一段散步路程上，他曾两三次向一些最不足道、身份最低微的路人投去吓人的深沉目光），但是，就我的感觉而言，对认识的人他是不屑一顾的——就像负有特殊使命的警探总把朋友置于监视范围之外一样。我趁外婆、德·维尔巴里西斯夫人和他在说话的当口，把圣卢拉到后面：

“哎，我没听错吧？德·维尔巴里西斯夫人刚才说您舅舅是盖尔芒特家的人？”

“那当然，他是巴拉梅德·德·盖尔芒特嘛。”

“就是在贡布雷附近有座城堡，据说是热纳维埃芙·德·布拉邦后裔的那个盖尔芒特家吗？”

“一点不错：没人比我舅舅更热衷于纹章学了，他会告诉您我们的喊声，战场上的喊声，起先是为了贡布雷，后来才变成了冲啊。”他说这话时呵呵笑着，以免让我觉着他矜夸，因为在战场上发这声喊，是亲近王室的贵胄子弟，或战功赫赫的各路诸侯的特权，“城堡现在的主人，是他的哥哥。”

就这样，这位多年来在我心目中一直是我小时候送我盒子上装饰着小鸭子的巧克力，住得比梅泽格利兹离盖尔芒特家那边还要远的德·维尔巴里西斯夫人，一下子跟盖尔芒特家联姻成了近亲，这位在我看来默默无闻、地位还不如贡布雷镇上眼镜商的德·维尔巴里西斯夫人，如今骤然间身价猛增，与此同时我们所拥有的其他东西，则出乎意料地大为贬值。增值也好，贬值也好，都在我们的少年时代，以及留存有少年时代印痕的各个人生阶段，引起奥维德[1]笔下那般繁多的变形。

“盖尔芒特家族历代领主的铜像，是不是都放在这座城堡里？”

“没错，真是蔚为壮观。”圣卢揶揄地说，“私下说一句，我觉得这些东西有点滑稽。不过在盖尔芒特府里有意思的东西还是有的！卡里埃尔[2]给我姨妈画的肖像画非常动人。一点不比惠斯勒或委拉斯开兹逊色，”圣卢激动地说，新教徒的热忱使他难免有点失之偏颇，“还有居斯塔夫·莫罗令人叫绝的画作。我姨妈

1　奥维德（公元前43—公元18）：古罗马诗人，代表作为十五卷叙事长诗《变形记》。

2　卡里埃尔（1849—1906）：法国肖像画家。

是您朋友德·维尔巴里西斯夫人的侄女，从小由她带大，后来嫁给表兄，他也是我维尔巴里西斯姨婆的侄子，现在是德·盖尔芒特公爵。”

“那您舅舅呢？”

“他是德·夏尔吕男爵。按理说，我外叔公去世时，巴拉梅德舅舅应该继承德·洛姆亲王的爵位，他哥哥成为德·盖尔芒特公爵以前就是用的这个爵号。在这个家族中，换爵号就像换衬衣一样。可我舅舅对这些事情有他自己的想法。在他看来，意大利公爵领地、西班牙王公爵位等等，都有点用滥了，所以虽然有四五个亲王头衔可以让他选，他还是保留了德·夏尔吕男爵这个爵号，一则对滥用爵号表示异议，二则以表面的淡泊显示内心的高傲。他说，‘如今人人都是亲王，可总得有点东西让自己与众不同吧。要是哪天我要隐名出游，我会用个亲王头衔的。’照他的说法，再没比德·夏尔吕男爵更古老的爵号了；蒙莫朗西家族自称是法兰西最古老的男爵，其实只是在他们的采邑法兰西岛上情况如此罢了；我舅舅为了向您解释更古老的男爵源自夏尔吕家族，可以兴致勃勃地给您讲上几个小时，因为他虽说很敏感，很有才能，但是在他看来，那是一个永远说不完的话题。”圣卢说到这儿微微一笑，“不过我可不像他，您别想让我来谈什么家谱，我不知道还有什么东西比这更烦人、更过时的，人生实在是太短暂了。”

我从刚才在游乐场旁边落在我身上的这道咄咄逼人的目光中，认出了当年在当松镇斯万夫人唤吉尔贝特时，死死盯在我脸上的那道目光。

“您跟我说过您舅舅德·夏尔吕先生有很多情妇，在那么多情妇中间，有没有斯万夫人哪？”

“哦！没有！不错，他是斯万的好朋友，遇事总帮着斯万，可从没听说他是斯万夫人的情人。要是您让社交界的人觉着您这么想，人家会大吃一惊的。”

我没敢告诉他说，要是我不让人觉着我这么想，我在贡布雷会更加让人吃惊的。

我外婆让德·夏尔吕先生给迷住了。没错，他对所有与出身和社会地位有关的问题过于看重，外婆注意到了这一点，一般人看见别人拥有自己想要而没能得到的东西，往往会心生妒意，肝火上升，外婆却并没因此对德·夏尔吕先生严加苛责。外婆和那些人不同，她对自己的命运很满意，从来不为自己没有生活在一个更显赫的社会环境而感到遗憾，所以她只是运用自己的智慧去观察德·夏尔吕先生的怪脾气而已。她提到圣卢的这位舅舅时，用的是一种淡定的，带有笑意的，几近同情的口气，她用这样的善意来报答他，因为他作为我们全无功利色彩的观察对象，给我们带来了快乐。何况这一次，这个观察对象是个具体的人，她觉得他的自命不凡即便不说是合情合理，至少也是挺有意思的，跟她平时有机会看到的那些人形成了鲜明的对比。不难想见，德·夏尔吕先生完全不同于圣卢嘲笑的许多上流社会人士，他不仅极其聪明，而且异常敏感，正是这种聪明和敏感，让我外婆一下子就原谅了他的贵族偏见。不过，舅舅不像外甥，他没有为了追求更高层次的个人品质而放弃贵族偏见，他毋宁说是把两者做了个调和。作为德·纳穆尔公爵和德·朗巴尔亲王家族的后裔，他拥有档案、家具、壁毯，以及拉斐尔、委拉斯开兹和布歇为其先人绘制的肖像画，可以毫不夸张地说，浏览一下家族的回忆录，无异于参观一座博物馆、一座藏书量无与伦比的图书馆，做外甥的不放在心上的贵族家产，做舅舅的可是很看重的。也许，这还因为他不如圣卢那么崇尚空谈，不想光说空话，对人的观察更讲实际，所以他不愿小看某种在一般人眼里最有诱惑力的东西，如果说这种东西给他的想象带来了并无利害关系的享受，那么对讲求实利的行动来说，它就往往是一种极其有效的辅助剂。

在这样的人和内心拥有理想的人之间，冲突是永远难免的。后一种人在理想驱使下，毅然舍弃那种种好处，一心寻求实现心中的理想，在这一点上，他们跟放弃炫技机会的画家、作家很相像，也跟赞成现代化的手艺人，跟主张普遍裁军的军方人员，跟施行民主、废除苛政的政府当局很相像，最常见的情形是现实并没有酬赏他们崇高的努力；艺术家丧失了才气，国家丧失了代代相传的优势，和平主义有时反而导致战争频仍，宽容有时反而导致犯罪猖獗。虽然就结果而言，圣卢挣脱束缚的真诚努力是很可贵的，但德·夏尔吕先生不为所动毕竟还是值得庆幸的，他让人把一大批精美的细木护壁板，从盖尔芒特府邸运到自己家里，而不是像外甥那样拿去换时尚款式的家具和勒布、吉约曼的油画[1]。

但即便如此，德·夏尔吕先生的理想还是很做作的——如果做作这个形容词可以和理想连用的话，它既是艺术的，同时又是世俗的。他对几位拥有非凡美貌而又学识修养过人的名媛（在两个世纪前，她们的祖母或曾祖母见证过旧王朝的辉煌与风雅）充满敬意，唯有与她们交往，才使他从心里感到愉悦。应该说，他对她们的崇拜是真心诚意的，然而她们的名字所唤起的许许多多

1 勒布（1849—1928）：法国风景画家。吉约曼（1841—1927）：法国印象派画家，塞尚的朋友。

有关历史、艺术的朦胧回忆，毕竟也在其中起了非常大的作用。这就好比贺拉斯的颂歌，其实它与当今的一些诗歌相比，也许要逊色得多。可是对一个文人来说，他可以读贺拉斯的颂歌读得津津有味，读今天的诗歌却觉得索然无味。其中的一个原因，就是前者中加进了对古罗马时代的缅怀。在他眼里，这样的名媛，比之于俊俏的布尔乔亚女子，犹如古代油画比之于画一条大路或一场婚礼的当代油画，古代油画是有自己的历史的，从订购画作的教皇或国王开始，这些画在一个又一个显赫的人物中间，经过或馈赠，或购买，或掳获，或继承的方式留存下来，唤起我们对某一重大事件的怀古之情，或至少唤起某种具有历史意味的联想，从而和我们业已获得的知识联系起来，被赋予一种全新的用途，让我们对自己所拥有的记忆和学识增添了一种丰饶感。让德·夏尔吕先生感到欣慰的是，一种与他共通的偏见，阻碍着这些了不起的女性去和血统不够纯的女人交往，因而当他对她们顶礼膜拜之时，她们依然保持着白璧无瑕的高贵，好比一座18世纪建筑的正面，依然由低矮的玫瑰色大理石柱支撑着，没有留下时代变迁的痕迹。

德·夏尔吕先生断言这些名媛的精神和心灵是真正高贵的，其实他是拿noblesse在玩儿一词多义的游戏[1]，既自欺欺人，又从中透露出混淆贵族、高贵和艺术这些概念的虚伪性，但其中自有一种诱惑力。对像我外婆这样的人而言，这种诱惑是致命的，倘若一个贵族只盯着自己的家世，对其他的事不闻不问，这虽说也无伤大雅，但未免流于粗俗。在外婆看来这种贵族偏见过

1　Noblesse一词，既有高贵之义，也有贵族之义。

于可笑，然而，对于某些以假象出现，看似在精神上颇有优越性的东西，她就不设防了。正因如此，在她眼里凡是王子都是最值得羡慕的人，原因就是他们能有拉布吕耶尔和费纳隆这样的大家当老师。

到了大酒店门前，盖尔芒特家族的这三位成员和我们分手；他们要到德·卢森堡公主府上去用晚餐。就在外婆向德·维尔巴里西斯夫人、圣卢向我外婆各自道别的当口，德·夏尔吕先生落后几步，走在我边上说："今晚用过晚餐以后，我到维尔巴里西斯姑婆的房间去喝茶。希望您能赏光和您外婆一起来。"说完，他又赶上去跟侯爵夫人走在一起。

虽说是星期天，停在大酒店门前的公共马车，并不如度假季节刚开始时那么多。公证人夫人尤其觉得，不去康布梅尔夫妇家的话，每周雇一次马车未免花销太大，她宁可待在酒店房间里。

"布朗代夫人不舒服吗？"有人问公证人，"今儿没见到她。"

"她有点头疼，天太热，又是雷雨天。一有点什么她就受不了。不过我想，今儿晚上您就会见到她。我是劝她下楼来着，这对她只会有好处。"

我以为德·夏尔吕先生邀请我们去他姑婆那儿，是想对上午散步时的失礼做个弥补，而且想必事先通知了姑婆。可是，当我走进德·维尔巴里西斯夫人的客厅，要跟她侄子打招呼时，见这一位正用尖细的嗓音在讲某位亲戚的糗事，我在他身边转了几下，就是逮不住他的目光；我下决心大声向他问个好，提醒他我已经来了，但我马上明白他早就注意到我来了，就在我欠下身去，还没来得及开口之际，只见他并不朝我看一眼，照样侃侃而谈，把两根手指伸了过来让我握。他显然早就看见我了，但不露半点声色。这时我发现，他的眼睛从不正对谈话对方，骨碌碌地朝四下里转个不停，这种眼神让人想起受惊的野兽，还有街上的小贩，他们沿街叫卖，一面兜售违禁商品，一面头虽不转，目光却四处逡巡，注意着远处是否有警察的身影。让我稍稍有些惊讶的是，德·维尔巴里西斯夫人似乎不知道我们也会来，但看得出她很高兴见到我们。这时，只听得德·夏尔吕先生对我外婆说：

"噢！你们想到过来，真是个好主意。这太好了，是吗，姑婆？"

这下子我更加惊讶了。显然他注意到了他姑婆见我们来觉得很意外，他作为一个惯于定调子的人，心想只要自己表现出高兴的样子，让人明白我们的来访理应让人感到高兴，那么意外就会变成开心的。这一点给他算准了，德·维尔巴里西斯夫人非常看重这个侄子，而且知道要让他高兴是很不容易的，因而她仿佛突然在我外婆身上找到了新出现的可爱之处，倍加殷勤地招待她。

可是我无法理解，怎么才过了几个钟头，德·夏尔吕先生竟然就会把今天上午向我发出的邀请给忘记了呢，这邀请虽说简单，却看得出不是随口说说，而是事先经过考虑的。而且，他怎么竟然把这个完全是他自己的主意，说成外婆的"好主意"呢。我非得把事情弄个明白不可——当时我还小，后来才渐渐懂得，你想知道一个人究竟为什么要做某件事情，直接去问他是弄不清楚的，最好是别问，即使因此会留下一些误解，也总比一脸天真地揪住不放来得好，可当时我觉着非问个明白不可：

"可是，先生，您想必记得是您邀请我们今晚来的吧？"

没有一个动作、一点声音透露德·夏尔吕先生听见了我的问题。我一看是这样，便重复了一遍问话，这就像外交官或使性子的年轻人，他们一定要对方就某事做出解释，不依不饶地不肯罢休，可人家就是执意不开口。德·夏尔吕先生对我不予回答。我仿佛看见他嘴边泛起一丝笑容，那是居高临下审视对手性格、教养的人常有的冷笑。既然他拒绝做出任何解释，我就试着自己做出某种解释，但试了好几种解释，觉得没有一种是合情合理的。也许他不记得了，要不就是上午我会错了意，没听明白他的话……更可能是他出于傲气，不愿显出要跟自己看不起的人结交的样子，宁可让人觉得是人家主动来找他的。可是，既然他看不起我们，那他干吗还要我们来，更确切地说，还要外婆来呢（整个晚上他只跟外婆说话，没对我说过一句话）。他坐在外婆和德·维尔巴里西斯夫人身后，仿佛置身于包厢深处，跟她俩谈得兴高采烈，只是偶尔转过脸来，把探究的犀利目光停在我脸上，瞧那副严肃而专心致志的神气，倒像我的脸是部难以辨识的手稿似的。

要是没有这双眼睛，德·夏尔吕先生的脸大概会跟许多美男子差不多。圣卢谈到盖尔芒特家族其他成员时，最后对我说："当然，我舅舅巴拉梅德那种从头到脚无所不在的气派，那种名门贵胄的派头，他们是没有的。"听他这么说，我意识到贵族气派也好，与众不同的贵族风度也好，都并不神秘，也不新鲜，它们就是由我毫不费力就能认出，而且并没有什么特殊印象的种种细节组成的，我想必感到又一个幻想破灭了。因薄薄的一层粉而带有几分舞台色彩的这张脸，任德·夏尔吕先生怎么把它的表情隐蔽得严严实实也没用，眼睛犹如一条裂缝、一处枪眼，没法儿堵上。你在不同的位置都会感到，有个什么东西在那里面发出闪光，看上去很不安全（即使对于携带这东西，而又并不完全能控制它的那个人而言，也是如此），始终出于一种很不稳定的状态，仿佛随时会爆炸似的。这双眼睛露出谨慎小心、时时刻刻感到不安的表情，黑黑的眼圈和垂得低低的眼袋，使这张五官端正的脸显得很疲惫，让人想起隐姓埋名的要人、落难易装的权贵，或者倒霉的危险分子。对我来说，上午在游乐场旁边见到德·夏尔吕先生时，一桩秘密已经将他的目光变成了一个谜，我真想猜透这桩别的男人所没有的秘密。可是就我现在所知的他的亲戚关系而言，我没法儿相信这是一个小偷的目光，就我所听到的谈话而言，我也没法儿相信这是一个疯子的目光。这目光，虽说射向我时非常冷漠，投向外婆时却是和颜悦色、殷勤有加，这或许并不涉及个人的好恶。因为一般而言，他对女性的爱有多深（说起她们的缺点，通常他都极为宽容），对男性（尤其是对年轻男性）的恨就有多深，这种仇恨，让人想起某些厌恶女性者的态度。有两三个小白脸，或跟家族沾亲带故，或是圣卢的好友，圣卢偶尔提到他们名字时，德·夏尔吕先生大动肝火，声色俱厉地说："两个小浑蛋！"语气表情跟平日的冷漠形成鲜明的对照。我明白，他对如今年轻人最看不惯的，就是他们的娘娘腔。"都是些娘们儿。"他轻蔑地说。

然而，在他期望从男人身上看到的活力四射、充满阳刚之气的形象相比之下，要怎样处世行事才算得上没有娘娘腔呢？（他本人在一次旅行途中，徒步走了几个小时，便浑身冒汗地纵身跳进冰冷的河水。）他甚至不能容忍男人戴戒指。不过，这种有关阳刚之气的成见，并没有妨碍他具有极为细腻、非常易感的优点。德·维尔巴里西斯夫人请他给外婆描述一下德·塞维涅夫人住过的城堡，临了还说她觉得德·塞维涅夫人跟那个讨厌的德·格里尼昂夫人分别，居然会那么伤心，未免有点文学上的夸张。

“我却觉得正相反，”他回答说，“在我看来，再没比这更真实的情感了。而且，在那个时代，这种情感是普遍为人理解的。拉封丹笔下的莫诺莫塔帕居民，在梦中见到朋友有点忧伤的样子，便起身奔到朋友家里去看他，而在那只鸽子看来，最大的哀伤，莫过于另一只鸽子的离去。姑婆，您也许会觉得，他们都跟德·塞维涅夫人迫不及待要和女儿相聚一样夸张吧。她和女儿分手的时候，说得多好啊：‘这次分离刺痛着我的心灵，我感觉得到这种痛苦，就像感觉得到肉体的痛苦。在分开的日子里，我们对时光格外大方。我们已经生活在自己向往的时光之中。’”外婆听到别人像她一样地谈论《书信集》，简直高兴极了。她感到惊讶的是，一个男人竟然会对这些书信有如此深刻的理解。她觉得德·夏尔吕先生感情很细腻，像女性一样易感。后来我和外婆单独在一起，谈到德·夏尔吕先生的时候，外婆说他一定受到过某个女性——他母亲，或者，如果他有女儿的话，她女儿——的深刻影响。我在心里说：“情妇。”这时我想到的是圣卢的情妇对他的影响，我由此可以想见，生活在男人身边的女人，会把他们的情感磨炼得多么细腻。

“真到了女儿身边，她说不定就没话可说了。”德·维尔巴里西斯夫人说。

“肯定有话说的，即便是些她所谓的‘只有你我才会注意到的细枝末节’。而且不管怎么说，她在她身边了。拉布吕耶尔告诉我们，这样就够了：‘在心爱的人身边，说话也好，不说话也好，都一样。’他说得有理；这是唯一的幸福，”德·夏尔吕先生语气忧郁地接着往下说，“可惜啊，人生不能如意，这样的幸福是很难得品尝到喽。总的来说，德·塞维涅夫人比起别人来，运气算是不错的。她大半辈子都是在她心爱的人身边度过的。”

“你忘了，我们说的不是爱情，而是她的女儿。”

“生活中，重要的不是我们所爱的人，”他用一种断然的、斩钉截铁的、不容置辩的口气说，“而是我们的爱。德·塞维涅夫人对女儿的感情，跟年轻的塞维涅先生和他情妇间的庸俗关系大相径庭，它更类似于拉辛在《安德洛玛克》和《费德尔》中所描写的那种激情。神秘主义者对心中的天主怀有的，就是这样的爱。我们对爱的界定过于局限，原因就在于对生活太缺乏了解。”

“你很喜欢《安德洛玛克》和《费德尔》吗？”圣卢问舅舅的语气中，有些许轻视的意味。

“拉辛一出悲剧所包含的真理，比维克多·雨果的全部正剧还要多！”德·夏尔吕先生回答说。

“上流社会可真吓人，”圣卢悄悄对我说，“居然不爱雨果爱拉辛，真是闻所未闻！”舅舅的话着实伤了他的心，但能痛痛快快地说出“居然”，尤其是“闻所未闻”，对他毕竟是种安慰。

无法与心爱之人相聚的生活饱含忧伤的这一见解（我外婆听了他的那番话后对我说，德·维尔巴里西斯夫人这位侄子对某些作品的理解，比他姑妈高明得多。而且他自有一种气质，非俱乐部大部分成员所能相比），让人看到了他感情之细腻，确实非一般男人所能相比。就连他的嗓音也与众不同，它就像某些中音区音色有所欠缺的女低音，听上去犹如一个小伙子和一个女歌手在唱二重唱。他在表达一些细腻的想法时，嗓音停留在高音区，显出一种让人意想不到的温柔，仿佛其中承载了未婚妻们、姐姐妹妹们的心声，把她们的温柔发挥到了极致。德·夏尔吕先生一向厌恶女性化，倘若知道人家说他的嗓音里庇荫着一群少女，他一定会感到痛心疾首。然而这群少女，不仅在他阐述带有文学性的见解，表达富于色彩变化的情感时频频出现，即便在德·夏尔吕先生和人聊天时，我们也听得见她们尖细而充满活力的笑声，感觉得到这些寄宿学校的女生、卖弄风情的姑娘正浅笑盈盈、狡黠调皮地向身边的男子抛送媚眼。

他说，他们家族以前有一幢房子，玛丽-安托瓦内特在里面下过榻，花园是勒诺特尔设计的，现在被富有的金融家伊斯拉埃尔买下来了。“伊斯拉埃尔，好歹也是人家的名字吧，可我总觉得这不像一个真正的名字，倒像一个普通名词，一个民族的名称[1]。这些人是不是干脆不用名字，就用所属集体的名称来指代自己，那我们就不得而知了。这倒也罢了！可是当年盖尔芒特家族的房产，竟然归伊斯拉埃尔家族所有了！”他大声说道，“这让人想起布洛瓦城堡的那个房间，领我参观的城堡看守人对我说：‘当年玛丽·斯图亚特就在这儿祷告；现在我把扫帚搁这儿了。’我当然不会再多看一眼这座名声败坏的城堡，就像对我那位撇下丈夫出走的堂嫂克拉拉·德·希梅，不想再知道她的情况一样。不过我保存了城堡当年气派的照片，也保存着亲王夫人当年一对大眼睛专注地望着我堂兄的照片。照片一旦不再是现实对象的复制，而是在向我们展示不复存在的事物，那它就为自己赢得了几分尊严。我可以给您一张城堡的照片，我知道您对这种建筑很感兴趣。”他对我外婆说。正在这时，他瞥见自己衣袋里的绣花手

1　伊斯拉埃尔这个名字，是法文Israël的音译。而Israël作为代表一个民族的专有名词时，约定俗成译作以色列。“倒像一个民族的名称”云云，即由此而来。

帕露出了鲜艳的滚边，满脸惊慌地赶紧把它塞回去，这种表情，我们在自作多情的女子脸上常可见到，她们顾虑重重，生怕自己的女性魅力会让人感到不得体，于是故作害羞地掩饰这种假想的魅力。

“你们想想，”他接着往下说，“这些人一上来就把勒诺特尔的花园给毁了，简直跟撕碎普桑的油画一样罪不可赦。就为这个，这些伊斯拉埃尔都该进监狱。当然喽，”在一阵静默过后，他笑盈盈地接着说，“还有好多别的事情，他们也该进监狱！不管怎么说，请你们设想一下，在这样的建筑物面前搞个英国式花园，会是个什么怪模样！”

“这幢住宅跟小特里亚侬宫是一个式样的，”德·维尔巴里西斯夫人说，“玛丽－安托瓦内特不是也让人在宫里修了座英国式花园嘛。”

“那毕竟有损于加布里埃尔设计的建筑嘛，”德·夏尔吕先生回答说，“当然，要说现在把玛丽－安托瓦内特喜欢的乡下园子夷为平地，那未免太野蛮了些。不过，不管时下有多时髦，我总觉得伊斯拉埃尔夫人心血来潮的举动，是不能跟王后的旧迹同日而语的。”

外婆早就示意我上楼睡觉了。圣卢竭力挽留，竟当着德·夏尔吕先生的面，说了我常在入睡前感到忧郁之类的话，让我大丢面子——他舅舅肯定觉得这是很没有男子气概的。我磨磨蹭蹭的，最后还是上楼去了。让我吃惊的是，过了一会儿，有人敲房间的门，我问是谁，传来德·夏尔吕先生的声音，他语气生硬地说：

“是夏尔吕。我可以进来吗，先生？”房门在他身后关上以后，他接着说，“先生，我外甥刚才说，您入睡以前总有些郁闷，而且您又很喜欢读贝戈特的书。我箱子里有一本贝戈特的书，可能您没看过，现在我给您带来了，希望它能帮助您度过这段您觉得不太开心的时光。”

我激动地谢谢德·夏尔吕先生，对他说其实我很怕圣卢对他说了我在临近夜晚的时候感到心情不太好，会让我在他眼里显得格外愚蠢。

“没有的事，”他的语气放得温和了些，“也许您是没有什么值得称道的地方，可是又有几个人不是这样呢！至少在这一段时间里，您有青春，这本身就是很有吸引力的。况且，先生，最愚蠢的事情，便是把自己没有体验过的情感一律看作是可笑或者应受指责的。我喜欢夜晚，而您告诉我，您害怕夜晚；我爱闻玫瑰的香味，而我的一位朋友闻到这香味就受不了。难道我会因此就觉得他不如我吗？我尽力去理解一切，对任何事情都不加指责。总之，请您不要过分抱怨，我并不是说这种忧愁不让人难受，我知道一个人有时会为某些事情感到非常痛苦，而别人不理解。但至少您的感情已经在您外婆身上有所寄托了。您经常能见到她。何况这是一种被认可的温情——我的意思是说，一种能得到回报的温情。有许多温情可不是这样的哦！”

他在房间里踱来踱去，瞅瞅这样东西，拿拿那样东西。我有种感觉，似乎他有什么话要对我说，可又找不到适当的措辞。

“我还有一本贝戈特的书，我让人去给您拿来。”他说着，拉了拉铃。一个年轻侍者应声推门进来。

“去把你们领班给我找来。这儿也只有他办事机灵点儿。”德·夏尔吕先生态度倨傲地说。

“您是说埃梅先生吗，先生？”年轻侍者问。

“我不知道他叫什么，噢，我想起来了，是听人叫他埃梅来着。快去，我有急事。”

“他马上就会来的，先生，我刚在楼下看见他。”年轻侍者显得很机灵地回答说。

过了一会儿，年轻侍者回来了。

“先生，埃梅先生已经睡了。您有什么事，我可以效劳。”

“不，您只管把他叫起来就行。”

“先生，这我无能为力，他不睡在这儿。”

“那就算了，你走吧。”

“不过，先生，”待那侍者走了，我说，“您太客气了，我有一本贝戈特就足够了。”

“我看也只能这样了。”德·夏尔吕先生又踱起步来。

就这样过了几分钟，然后，他犹豫片刻，几次欲行又止，最后在原地转了个圈，嗓音重又变得尖厉地冲我甩出一句：“晚安，先生。”就出门而去。

这天晚上听德·夏尔吕先生表露了这么些高雅的情感以后，第二天早上我又在海滩遇见他。那天是他离开巴尔贝克的日子；我正要去洗海水浴，只见他朝我走来，通知我外婆在等我，让我洗好海水浴就去找她，这当口，令我大吃一惊的是，他突然伸手掐着我的脖子，带着粗俗的笑容，很放肆地对我说：

“不过你这个小滑头，外婆才不放在你心上呢，是吗？”

“先生，您说什么呀，我爱她！”

“先生，您还年轻，”他松手退后一步，冷冰冰地对我说，“您应该趁年轻学会两件事。第一，要避免表露自然得不言而喻的情感。第二，别人对您说话，您在完全弄明白其中意思之前，不要急吼吼地忙于回答。您要是这么谨慎从事的话，刚才就不会像个聋子那样信口开河，也不至于在穿绣船锚的泳装之外再干蠢事了。我借给您的那本贝戈特，我现在要用。请您叫那个名字可笑而不雅的酒店领班，过一小时给我送来。我想，这会儿他总不至于还在睡觉吧。您使我感到，昨晚对您讲什么青春朝气的吸引力，真是为时太早了。我该跟您说说年轻人的少不更事，说说他们怎么毛手毛脚，怎么轻率冒失。我希望给您泼这点冷水，会比洗个海水浴对您更有好处。可您别这么站着不动啊，您会着凉的。再见，先生。”

后来他大概对自己说的话感到后悔了，过了一段时间，我收到他寄来的一本书，就是他上次借给我，我让开电梯的人（而不是埃梅，他碰巧外出了）还给他的那本书。他寄来的是皮面的精装本，摩洛哥皮的封面上还镶着一块皮雕，雕刻成一朵勿忘草的形状。

德·夏尔吕先生走了，罗贝尔和我终于可以去布洛克家做客了。我在这次家庭晚宴上明白了，原来那些引得同学们乐不可支的趣事，都是老布洛克先生常说的段子，而那位“实在有趣”的先生，也是老布洛克先生的一个朋友，是他管人家说实在有趣的。我们在儿时总会崇拜一些人：比家里其他人都聪明的老爸；一个对我们讲形而上学，在我们眼里形而上学使他感到享受的老师；一个比我们早熟的同学（布洛克就比我早熟），我们还在喜欢缪塞，他就已经看不起缪塞的《天主的希望》了，而当我们的热情转向勒贡特老爹或克洛代尔的时候，他却又醉心于：

在圣布莱兹，在拉叙埃加，
您是那么，那么自如……

还有：

帕多瓦是座美丽的城市
那儿有闻名遐迩的法学博士……
可我更爱栗子粥……
……穿着黑色风衣飘然而过
俊俏的托帕黛尔。

而在组诗《夜》中，他只喜欢这一首：

在勒阿弗尔，面临大西洋，
在威尼斯，在可怖的丽都，
苍白的阿德丽娅蒂克死去
坟上依然芳草萋萋。

对于自己从心底里喜欢的人，我们会满怀仰慕之情摘抄、引用他们的文字，其实倘若我们相信自己，让自己的才情施展出来的话，即便比那些文字高明得多的东西，我们也未必看得上眼。类似的情形是作家在一部小说中写了好些人物和他们的原话，理由据说是它们都是真实的，结果它们反而成了整体上写得很生动的作品的累赘和败笔。圣西门笔下的那些人物肖像，他本人似乎并不怎么喜欢，但颇为后人所称道，他认识一些很有才情的人，由于欣赏他们的言谈，他把他们的隽语妙句记了下来，而在后世的读者看来，这些内容平庸得很，实在难以领略其中的妙处。他笔下有关科尼埃尔夫人或路易十四的那些他自以为细致入微、鲜明生动的记述，想必他是不屑于杜撰的。再说这些内容在其他著作中也多有记载，相关的评述可谓众说纷纭，在此我们只须引述下面这一点就够了：当一个人处于观察状态时，他的才情要比他处于创作状态时的水平低得多。

所以在我的老同学布洛克这个新瓶里，其实装着比儿子年长四十岁的旧酒布洛克老爹，老爹滔滔不绝地讲着荒唐的段子，放声哈哈大笑的时候，他的声音往往和儿子的声音混在一起，难以分辨开来。因为老爹总要边笑边把最后一句话重复两三遍，好让餐桌旁的听众品出段子的味儿来，这时儿子给老子捧场的笑声就会哄然响起，跟老爹的笑声掺和在一起。就这样，小布洛克每每刚说了些挺聪明的话，接下来就要抖落家传的段子，第三十遍重复老布洛克的俏皮话。而老爹本人，倒是只有逢到重要日子，才搬出这些俏皮话（同时也穿上常礼服），这种日子通常都是小布洛克带了某个值得向他显摆的人回家：一位老师，一个屡屡得奖的伙伴，或者就像那天晚上——圣卢和我。下面是这些俏皮话的两个例子：“一位很厉害的军事评论家，根据种种迹象，以及某个毋庸置疑的理由，断言日俄战争日本必败，俄国必胜。”以及，“这位出类拔萃的人物，在政界以出色的金融家著称，在金融界以出色的政治家著称。”这些段子，还可以换成一个关于罗斯切尔德男爵的段子和一个关于鲁福斯·伊斯拉埃尔爵士的段子，老布洛克说到这两位时，语气都很暧昧，让人觉得他仿佛认识他们似的。

我就上过一次当，听老布洛克先生说起贝戈特的口气，我也以为贝戈特是他的一位老朋友了。后来才知道，所有的名人，布洛克先生都只是“并不认识”地认识他们，不是在剧场里，就是在大街上远远地瞧见过他们。不过在他想来，那些人对他本人的面容、名字和人品都不会一无所知，他们远远看见他时，常有上前跟他打招呼的冲动，只是给压在了心里而已。上流社会人士认识才华卓著、特立独行的名人，可以接待他们共进晚餐，但并不会因此增进对他们的了解。一个人在上流社交圈稍有涉足以后，圈子里那些人的虚妄就会让他感到受不了，迫切地希望生活在这些只是“并不认识”地认识别人的、默默无闻的人中间，心里热乎乎地把这些人想成聪明人。稍后谈起贝戈特的时候，我特别意识到了这一点。

老布洛克先生并不是家中唯一的亮点。我那位同学在他的妹妹中间更像个明星，他一边吃菜，一边嘟嘟哝哝不停地叫她们，把她们乐得笑出了眼泪。她们说话的声腔、句式跟哥哥活脱活像，对他的那套语汇运用得非常纯熟，仿佛那就是聪明人可以使用的唯一语言似的。

见我们到了，大姐就对一个妹妹说：“快去禀报我们审慎的父亲和可敬的母亲。”

“丫头们，”布洛克对她们说，“我给你们介绍圣卢骑士，他携着迅捷的标枪，从冬西埃尔而来，要在用打磨过的石头建造、雕着许多骏马的住处小住几天。”不过，他有多么掉文，也就有多么粗俗，所以他演说的结束语通常都是迥非荷马风格的调侃，“嘿，把你们上衣的搭扣扣上点儿，那个扭扭捏捏的家伙是谁呀？反正不是我老爸！”布洛克小姐们乐不可支。我对她们的哥哥说，他推荐我看贝戈特的书，给我带来了巨大的欢乐，我对贝戈特真是太喜爱了。

老布洛克先生只是远远地望见过贝戈特，对他的生平只是道听途说有些了解；看来他对贝戈特的作品，也只是靠那些肤浅的文学评论才间接地有所接触。他生活在一个差不多的世界里，在这个世界里人们向虚空致敬，凭假象判断。不确切，不在行，都丝毫不会使自信心有所损伤，人们照样自信满满。由于一般人都不会认识显赫的名人，也不会有精深的学识，所以这些既不认识名人也没有什么学问的人，照样可以自矜自夸，这真可以说是自尊心膨胀的奇迹。就社会阶层而言，每个阶层的人似乎都可以认为这个阶层是最好的，在他看来那些伟大的人物处境不如自己，厄运连连、叫人可怜，他可以不认识他们而指名道姓地谩骂他们，也可以不了解他们而对他们评头品足，嗤之以鼻。倘若自尊心将个人微薄的得益扩大了好几倍，仍不足以让每个人都有他志在必得的那份幸福（那总是高于给予别人的份额的），嫉妒便会来填补这个差额。诚然，当嫉妒表现为鄙夷不屑的口气时，就得把“我不想认识他”读作“我没法儿认识他”。但这是从理性的角度读出的意思。从感性的角度来看，这句话的意思确实就是“我不想认识他”。我们知道这不是真心话，但是一个人这么说，并不意味着他就想说假话，他之所以这么说，是因为他这么感觉到了，更是因为这么说就能消除他与幸福之间的那段距离了。

以自我为中心的人生信条，就这样使每个人都把自己看成了凌驾于整个世界之上的国王。布洛克先生的一种奢侈享受，就是当个无情的国王，早餐喝热巧克力时，刚从打开一半的报上瞥见有篇文章下面贝戈特的署名，就不屑地当堂做出判决，非常快意地每喝一口巧克力就说一句："这个贝戈特写的东西，越来越没法儿看了。这个蠢货准是脑子进水了。这报不能再订了。都是骗人的玩意儿！全是狗屁！"说着，又吞下一片涂了黄油的面包。

这种虚幻的重要性，已经不只是布洛克先生的自我感觉，而是稍稍有些拓展开去了。首先，他的子女都把他看作一个出众的人物。一般来说，做子女的总有一种倾向，对父母不是贬得太低，就是抬得太高，而在孝顺儿子的眼里，老爸永远是最好的父亲，这一点甚至跟他值得崇拜的那些客观理由都并不相干。不过对布洛克先生而言，这些理由一条也不缺，他受过良好教育，为人机敏能干，对家人极其亲热。在家族的近亲中间，大家之所以喜欢他，还有以下的原因：如果说社交圈中对一个人的评价标准往往很荒谬，所依据的准则不切实际却又一成不变，作为参照的是其他高雅人士的那个集合，那么，在中产阶级的生活圈子里，晚宴或家庭聚会中的核心人物，通常正是那些被大家公认为和蔼可亲、风趣幽默，但在社交圈出不了两晚风头的人。最后，在这个阶层中，虚假的贵族地位固然是不存在了，然而受到特殊礼遇的，却是一些更让人匪夷所思的东西。在家人乃至一些关系挺远的亲戚看来，布洛克先生的唇髭模样和鼻子上半部，都和奥玛尔公爵有几分相像，所以大家管他叫"假奥玛尔公爵"。（在酒店里的那些听差中间，有谁歪戴制帽，把呢子上装裹紧充外国军官的，同伴们不也把他当个人物吗？）

这几分相像是很模糊的，但那不妨说是一种称号。大家常说："布洛克？哪个布洛克？奥玛尔公爵吗？"就好比说："缪拉公主？哪个缪拉公主？（那不勒斯）王后吗？"某些别的细微迹象，在堂兄弟表姐妹眼里就成了所谓的与众不同。布洛克先生还买不起马车，有时候他从租赁公司里租一辆套两匹辕马的敞篷马车，穿行于布洛涅树林之中。他懒洋洋地斜靠在车座上，两个手指按在鬓角，另两个手指抵住下巴，虽说不相识的路人看了会以为这是装腔作势。但是亲戚们从心里觉着，要论潇洒，萨洛蒙大叔简直可以胜过格拉蒙·卡德鲁斯。像他这样的人，由于和《激进报》社交纪事版主编在林荫大道的一家餐馆同桌用过餐，所以去世以后，这个版面会称他们为巴黎人的老相识。布洛克先生对我俩——圣卢和我说，贝戈特心里很清楚为什么他——布洛克先生不跟他打招呼，还说贝戈特在剧院或俱乐部一看见他，就马上把目光避开。圣卢的脸红了起来，他心想，这个俱乐部不可能是他父亲当会长的骑师俱乐部。而且，这想必是一个比较封闭的俱乐部，因为布洛克先生说过，如今贝戈特要去的话，人家是不会接纳他的。圣卢唯恐低估对手，小心翼翼地问道，这个俱乐部是不是王宫街上的那家（在圣卢家里人看来，那是个不入流的俱乐部，他知道那儿接纳过一些犹太人）。

“不是那家，”布洛克先生漫不经心地回答说，神情中既透着骄傲，又带着几分羞愧，“那是个小俱乐部，不过气氛比那家活泼得多，名叫加纳什俱乐部。那儿挑选会员挺严格的。”

“会长不就是鲁福斯·伊斯拉埃尔爵士吗？”小布洛克先生向父亲问道，意在提供一个机会，让他吹个挺体面的牛皮，他当然料想不到那位金融家在圣卢眼里，根本不像在他们眼里那么显赫。其实，加纳什俱乐部里并没有鲁福斯·伊斯拉埃尔爵士，而只有他手下的一个雇员。不过这个雇员跟老板的关系特好，所以随身带着那位大金融家的名片以备不时之需。有一回布洛克先生出门旅行，那条线路所属的公司的董事长正是鲁福斯爵士，那人就给了他一张爵士的名片。这一来，布洛克老爹逢人就说："我得去俱乐部听听鲁福斯爵士的意见。"凭着这张名片，他把列车长弄了个晕头转向。

几位布洛克小姐对贝戈特更感兴趣，便把话头从"加纳什"拉回到他身上。小妹向哥哥发问的语气严肃之极，在她想来，既然要谈论才华卓著的人，自然只能用哥哥常用的声腔：

"这个贝戈特，他真是个让人叫绝的爷们儿吗？他也算得上是大人物，就像维利埃或卡蒂尔[1]那样是个大老爷们儿吗？"

"我在彩排时见过他好几次，"尼西姆·贝尔纳先生说，"他笨手笨脚的，像个施莱米尔[2]。"

援引夏米索的寓言故事不打紧，可是施莱米尔这个半是德语半是犹太方言的外号，尽管布洛克先生平日私下里是最爱用的，但当着陌生人的面这么说，他觉得太粗俗、太不得体。他狠狠地盯了这位舅舅一眼。

"他很有才气。"小布洛克说。

"噢！"他妹妹一本正经地应了一声，意思是说，这样的话我那么说也就情有可原了吧。

"当作家的，谁没有点才气？"布洛克老爹轻蔑地说。

"听说，"儿子举起叉子，眯缝眼睛做出恶狠狠的嘲讽表情，"他还想入选法兰西学院呢。"

"得了吧！他不够格，"老布洛克先生说，他对法兰西学院

---

1 作家维利埃·德·里勒-亚当（1838—1889）是波德莱尔和瓦格纳的好友。卡蒂尔·孟代斯（1842—1909）则是巴那斯诗派的诗人。

2 施莱米尔是冯·夏米索（1781—1838）一则寓言故事中的人物，他把灵魂出卖给魔鬼，换来了财富。

似乎不像儿子、女儿那样轻视，“他还嫩着点儿。”

“再说，法兰西学院是个沙龙，贝戈特在里面是吃不开的。”布洛克夫人要继承他遗产的这位舅舅又说。这个说话轻声慢气的好好先生，光凭他贝尔纳[1]的姓，也许就足以激发我外公的诊断天赋了，尽管它跟一张据说是从大流士王宫遗址发掘出来，经迪厄拉弗瓦夫人[2]复原的脸好像不大相称，何况还有尼西姆这个名字，某个收藏家一心要赋予这张来自苏萨[3]的脸浓重的东方色彩，叫人制作了一尊雕像，让一头霍尔萨巴德[4]的兽身人面公牛冲着这脸张开双翼。但是布洛克先生全然不把这个舅舅放在眼里，动不动就要骂他，或许是因为这个受气包那副窝囊的样子让他来火，或许是因为尼西姆·贝尔纳先生已经付清了别墅的款项，受益者大可表现一下自己的独立性，尤其是要让人看到，他可不想靠阿谀奉承来向这个阔佬讨遗产。

“当然啰，有什么普吕多姆[5]式的蠢话要说，总少不了你的份儿。假如他在这儿，第一个去舔他脚的准是你，”布洛克大声嚷道。尼西姆·贝尔纳先生伤心地低下头，那部萨尔贡国王的卷须冲着餐盆。我那位同学也蓄着有点发蓝的卷须，看上去跟他舅公非常相像。

“怎么，您是德·马桑特先生的公子？我跟他很熟。”尼西

---

1 似指萨米埃尔·贝尔纳，参见第356页注。

2 阿丽娜·迪厄拉弗瓦（1851—1916）：法国考古学家，以从事美索不达米亚流域遗迹复原工作著称。

3 公元前5世纪大流士一世统治的阿契美尼德王国的首都。

4 公元前8世纪萨尔贡二世建立的亚述新帝国的首都。

5 普吕多姆：法国作家莫尼埃（Henri Monnier，1799—1877）小说中一个平庸而自负的人物，经常用教训人的口吻说些蠢话。

姆·贝尔纳对圣卢说。我心想，他说的“很熟”，想必又是布洛克老爹说他认识贝戈特的意思，那就是说，见过。可他接着说：

“令尊是我的好朋友。”

小布洛克的脸涨得通红，他父亲看上去很不高兴，几位布洛克小姐则笑得透不过气来。这是因为，尽管老布洛克先生及其子女也爱吹牛，但他们毕竟是有所节制的，而尼西姆·贝尔纳先生撒谎成性，吹牛已经成了习惯。比如说，旅途住在酒店里，尼西姆·贝尔纳先生会在吃饭的当口，吩咐贴身男仆把报纸全都拿到餐厅来，因为这样一来，整个餐厅的人就都看见了他出门旅行还带着一个贴身男仆。这种做派，布洛克先生兴许倒也做得出来；不过，做舅舅的在酒店里跟人打交道，口口声声说自己是参议员，这可是布洛克先生做不出来的了。尽管他也明白，早晚有一天人家会知道这个头衔是假冒的，但他就是无法抵挡这种诱惑，吹牛在他已是一种需要。做舅舅的撒的谎，让布洛克先生深受其苦，平添了不少烦恼。

“您别在意，他就是好吹牛。”他低声对圣卢说。这么一说，圣卢倒对他更有兴趣了，因为他对说谎者的心理挺想一探究竟。

“雅典娜说伊塔克的奥德修斯是最会说谎的人，可他比奥德修斯还要会说谎。”我的同学布洛克补充说。

“哦！真想不到！”尼西姆·贝尔纳先生大声说，“我怎么想得到会跟我朋友的儿子共进晚餐呢！我在巴黎的家里，有一张令尊的照片，还有好些他写给我的信。不知道为什么，他一直称呼我‘叔叔’。他是个风度迷人、神采奕奕的人。我还记得我在尼斯家里的一次晚宴，那天来了萨尔杜、拉比施、奥吉埃……”

“莫里哀、拉辛、高乃依。”布洛克先生嘲讽地接着说。他儿子又接着往下加：“普洛图斯、米南遮、迦梨陀娑。”

尼西姆·贝尔纳先生自尊心受到伤害，刚说了个头的故事戛然而止。就此，他以禁欲主义者的韧劲自行剥夺一份巨大的快乐，将沉默坚持到了餐毕。

“佩戴着青铜盔饰的圣卢，”布洛克说，“请再吃点儿鸭子吧。这鸭腿挺肥的，闻名遐迩的家禽祭司又在上面浇了好些红葡萄祭酒。”

通常，儿子有尊贵的同学来，布洛克先生绘声绘色地说上几个关于鲁福斯·伊斯拉埃尔爵士或别人的段子，就算很给儿子面子，接下去就要抽身退场，免得在中学生眼里自贬身价了。但倘若有特别重要的理由，比如说儿子通过了会考，布洛克先生就会在平时常说的趣闻逸事之外，再说上这么一个专为自己朋友保留的揶揄意味挺浓的段子，这会儿小布洛克满怀自豪地听到老爸给他的朋友说的，正是这样的段子：“政府当局真是错尽错绝，居然不来听听柯克兰[1]先生的意见！人家柯克兰先生放话出来了，他很不高兴呢。”（布洛克先生自诩是保守派，打心眼里看不起那些戏子。）

老布洛克一心在儿子的两个老同学面前把架势搭足，吩咐端上香槟酒来，故作随便地宣布说，为了好好款待我们，他在游乐场订了三张票，请我们去看当晚的喜歌剧演出，他这一下可来得太突然，几位布洛克小姐和她们的哥哥都脸红到了耳根。老布洛克为没能弄到包厢票表示歉意。包厢票都卖完了。再说他虽然常

1　柯克兰（Coquelin，1841—1909）：话剧演员，以演莫里哀喜剧著称。普鲁斯特在第一卷中曾提到，小说叙述者马塞尔认为柯克兰是介于一流与二流之间的演员。

坐包厢，但还是觉得正厅前座更舒服。其实呢，如果说儿子的缺点，也就是小布洛克以为别人看不见的那个缺点，是粗俗的话，那么父亲的缺点就是吝啬。他说的香槟，不过就是盛在长颈玻璃瓶里送上来的小汽酒，他说的正厅前座，其实是价钱便宜一半的正厅后座；咱们刚才说到的那个缺点，自有一种神奇的魔力，叫他心里挺踏实地相信，在餐桌上也好，在剧院（那儿所有的包厢都空着）也好，人家都看不出其中的差别。

布洛克先生让我们把嘴唇在浅口高脚酒杯——他儿子把这酒杯形容成“坡度陡峭的爵樽”——上碰了一下以后，就让我们欣赏一幅他爱不释手、随身带到巴尔贝克来的油画。他对我们说这是鲁本斯的画。圣卢天真地问他，画上有没有画家的署名。布洛克先生红着脸回答说，由于画框太小，他让人把署名的部位给裁掉了，不过这没什么关系，反正他不会把画卖掉的。然后他就匆匆打发我们上剧院去，他要集中精神阅读政府公报。家里堆着的不同期号的公报，他都是非看不可的，据他说，这是出于他在议会方面所处地位的原因，至于这究竟是怎样的地位，他没给我们详加解说。

“我戴上一条围巾，”布洛克对我们说，“西菲洛斯和波瑞阿斯[1]始终在争夺渔产丰富的大海，我们看完演出稍做逗留，就得在有着玫瑰色手指的厄俄斯[2]的第一缕晨曦中回家了。顺便问一下，”我们走出剧院后，他问圣卢（我听了不禁浑身打起战来，因为我很快就明白了，布洛克以这种讥讽口气说的正是德·夏尔吕先生），“前天早上我瞧见您在海滩上和一个穿深色上装的怪

1 西菲洛斯和波瑞阿斯，分别是希腊神话中的西风神和北风神。

2 厄俄斯：希腊神话中的晨曦女神。

人一起散步，那是谁啊？”

“我舅舅。”圣卢不快地回答说。

可惜，看来布洛克并没有避免说蠢话、做蠢事的自知之明。他笑得弯下了腰：“我本该猜到的，真得向您表示祝贺才是，他挺有派头，长着一张有身份人家的蠢面孔！”

“您完全弄错了，他非常聪明。”圣卢怒气冲冲地反驳说。

“我很遗憾，这样的话，他的形象就不够完整了。不过我还是很想认识他，我确信，那样我就能把这位老兄刻画得惟妙惟肖。这位老兄，瞧他走过就能叫人笑痛肚子。我不会多写他滑稽可笑的一面，说到底，一个酷爱词句和脸蛋形象美感的艺术家，是不屑于写那些东西的，尽管这张脸蛋，恕我直说，让我笑得好一阵子直不起腰来。我要强调您舅舅贵族的一面，总的来说，那一面还是有一种惊人效果的，笑归笑，他那种风度还是给人印象很深的。不过，”他这会儿是对我说了，“有件事——完全是另一档子事，我一直想问你，可每回碰到你，总有某位神祇——奥林匹斯山幸福的居住者，让我全然忘记问你这件对我说不定会已经很有用，而将来肯定会更有用的事情了。那天我在动物园碰到你时，你和一位美人在一起，旁边还有一位我有些面熟的先生和一个头发长长的姑娘，你告诉我，她是谁？”

我早就看出，斯万夫人并不记得布洛克的名字，因为她对我说的是另一个名字，而且以为我这个同学是某部的随员（后来我从没想到打听一下他是否在那个部里待过）。但是，斯万夫人告诉过我，布洛克曾经请人把他介绍给她，既然这样，他怎么会不知道她的名字呢？我一下子惊呆了，没能回答他的问题。

“反正不管怎么说，”他对我说，“我祝贺你，看来你跟她玩得挺开心。就在那前几天，我在环城列车上遇到她。蒙她垂青你的仆人，亲自为他宽衣解带，让我享受了一段无比美妙的时光。我们正在安排怎样再见面，碰巧她有个熟人很不识相，在倒数第二站上了车。”

布洛克见我一声不吭，好像不大高兴。

“我是想问问你她的住址，”他对我说，“以后好每星期去个几次，尽情享受这连神祇也难得享有的厄洛斯[1]之欢乐。不过，既然你看样子非要为一个干这营生的女人保守秘密不可，那我也可以不问。可你得知道，她曾经在巴黎到班迪茹尔的火车上，一连三次委身于我，爱得我死去活来。总有一天晚上，我会找到她的。”

这次晚餐过后，我又去看过布洛克。他来回访我，可我不在家，他问讯时，弗朗索瓦兹瞥见了他，虽说他在贡布雷也来过我们家，但碰巧弗朗索瓦兹没见过他。所以她只知道有位我认识的先生来看我，但不知道他有何贵干，他衣着很普通，弗朗索瓦兹没留下多大印象。弗朗索瓦兹的某些社会观念，我一直搞不大懂，其中的一部分，可能建立在混淆一些词语或名字的基础之上，这些词语或名字，她一旦搞错了一回，以后就一直那么错下去了。我早就知道这一点，所以遇到这种情形从不多费心思去一探究竟，可这一次我还是情不自禁地想要弄明白（其实还是白费力气），对弗朗索瓦兹来说，布洛克这个名字究竟意味着什么了不起的东西。

我之所以这么想，是因为弗朗索瓦兹刚听我说她看见的那个

1　厄洛斯：希腊神话中的爱神，即罗马神话中的丘比特。

年轻人就是布洛克先生，就愣怔、失望地倒退几步，惊恐万分地喊道："怎么，他就是布洛克先生！"似乎在她看来，一个名声这么大的人物，理应有一副令人肃然起敬、一眼就认得出的仪表。她就像一个人发现某个历史名人盛名之下其实难副时那样，用一种无比激动的、让人感到怀疑论的种子终将在她身上萌芽的口气翻来覆去地说："怎么，这就是布洛克先生！哦！真想不到他是这个模样。"她看上去对我满怀怨恨，好像我什么时候在她面前过分吹捧过布洛克似的。不过，她还是很大度地又说了一句："好吧，要是他就是布洛克，先生您就可以说自己跟他一样棒啰。"

对她起先喜欢得不得了的圣卢，她很快有了另一种性质、持续时间也较短的失望：原来他是共和主义者。虽然弗朗索瓦兹，举例来说，提到葡萄牙王后时，用的是一种很不敬的口吻（其实对老百姓来说，这就是无上尊敬的口吻）："阿梅莉，菲利普的妹妹。"她可是个保王党。一个侯爵，一个让她着了迷的侯爵，居然是个共和党人，她简直觉得不可思议。她憋了一肚子气，就像我送她一个盒子，她起先以为是金的，对我千谢万谢，后来听首饰店老板说了，才知道那是包金的。她当即收回了对圣卢的那份敬意，但没过多久就又还给了他，因为她琢磨，人家可是德·圣卢侯爵，不可能是共和党，他只是出于利害关系的考虑，装装样子而已，就凭如今这政府的德行，他这么做准能捞到不少好处。打从这一天起，她对圣卢的冷淡以及对我的气恼，全都烟消云散了。提到圣卢，她就说："他在作秀呢。"那咧着嘴的和善笑容，让人一看就明白，她已经原谅他，又跟第一天一样看重他了。

其实，圣卢是绝对真诚，全然不计利害关系的，这种高尚的道德情操，由于无法在诸如爱情这样自私的情感中完全得到满足，又不曾在他身上遇到过（比如说在我身上存在的）无法从自身之外获得精神养料的问题，于是就使他真正能够——正如我之不能——接受和给予友情。

弗朗索瓦兹说圣卢那模样，看上去不像是个瞧不起老百姓的主儿，可这不是真的，这只要看看他生气时对车夫的态度就可以了。可她也还是没有说对。有时候罗贝尔确实也会粗声呵责车夫。不过，按他的说法，这表明的并非他头脑里的阶级差异意识，而恰恰是阶级平等的意识。“请听我说，”他见我责备他对车夫态度有点生硬，便回答说，“干吗我要对他装斯文呢？他不是跟我一样的人吗？他不是就像我的叔伯舅舅、堂兄表弟一样，跟我很接近吗？听您的意思，您是觉着我该把他当作一个不如我的人，对他客客气气才对！您说这话，活像一个贵族。”最后一句话，他是用不屑的口气说的。

诚然，如果说他对哪个阶级抱有成见或偏见的话，那就是贵族。你很难叫他相信一个上流社会的人有出众之处，正如你很容易叫他相信一个平民百姓确实不同凡响。有一次我提起德·卢森堡公主，说我曾见到她和他姨婆在一起，他说：

“一个蠢女人，跟别人没什么两样。说起来她还算是我表姐呢。”

他对自己常有来往的人抱着一种偏见，所以很少涉足社交界，而他这种轻视乃至敌视的态度，更让他的近亲们为他和一个女戏子的暧昧关系感到忧心忡忡。他们认为，这种暧昧关系使他一蹶不振，尤其是在他身上滋长了一种贬低一切的思想倾向，这种坏思想已经将他引入歧途，发展下去会完全毁了他。圣日耳曼区的好些轻薄子弟，说起罗贝尔的情妇来也一点不留情面。

“娼妓干她们的营生，”他们说，“倒也情有可原；可是对这一位，没门儿！咱们不能原谅她！她把咱们的一个哥们儿害惨了。”

当然，情妇不光是他一个人有。不过在别人眼里，情妇只是上流社会男子玩儿的对象，玩儿过以后，他们照样按上流社会的眼光去看政治，去看一切问题。圣卢的家人觉得他变酸了。他们没有意识到，对于上流社会众多原本脑子还没开窍，对待友情态度粗糙，既不解风情又没有品位的年轻人而言，他们的情妇，往往就是他们真正的老师。这种类型的男女关系，就是他们唯一的启蒙学校，他们在其中接受一种更高层次的文化洗礼，学会欣赏没有利害关系的交情。即使在地位低微的民众（在粗俗这一点上，他们与上层社会的男女往往很相像）中间，女人也总是更敏感、更细腻、更有空闲，她们对某些风韵雅事满怀好奇，对某些情感和艺术上的美充满敬意，尽管不懂，但她们把这些事物放在了似乎最令男人神往的金钱、地位之上。

一个像圣卢这样的年轻clubman[1]也好，一个年轻的工人也好（比如说，如今的电工可是很吃香的呢），都会由于太爱自己的情妇，太尊重她，而无法不把这种感情延伸到她所尊重、所喜爱的对象上面去；对他而言，价值的天平偏到另一头去了。她由于性别的缘故，天生是脆弱的，容易无缘无故地情绪激动或心绪不宁，这放在一个男人，甚至放在另一个女人，比如说他的舅妈或表妹身上，都会让这个身体健壮的年轻人嗤之以鼻。然而，他看不得自己心爱的人受苦。圣卢这样的贵族青年有了一个情妇，就

1　clubman：英文，俱乐部会员。

养成习惯，跟她一起去小餐馆吃晚饭时，身上会揣着瓶缬草精，以备她要用，他会吩咐侍者关门要轻，而且用的是断然的、绝非说笑的口吻，他还会关照餐桌上别摆放潮湿的青苔，因为这种他并不介意的装饰，说不定会让她不舒服。对他来说，这一切构成了一个看不见的世界，她教会了他相信这个世界的存在，现在他用不着亲自去体验那种不适，便会感到心里充满了同情。而且，即使那不是她，而是另外一个人，他也会有这样的同情心。

圣卢的情妇——有如中世纪最早的教士之于基督徒——教会了他懂得怜悯动物，因为她热爱它们，走到哪儿都带着她的小狗、金丝雀和鹦鹉；圣卢像母亲爱护子女一样细心地照看这些小动物，凡是不能善待小动物的人，按他的说法就是野蛮人。另一方面，像她这么一个女演员，或者说自称的女演员，跟他生活在一起，不管她聪明不聪明——对此我一无所知，总会使他对社交圈里的女子感到厌倦，觉得要去参加晚会是件苦差事，这样一来，他就不仅不会去赶时髦，而且治愈了肤浅的毛病。有了这样一个情妇，社交关系在他的生活中变得不那么重要了，但虽说如此，她还是教会了他在跟朋友的交往中注入高雅和细腻的情感，而倘若他仅仅只是一个出入沙龙的年轻人，他的友情肯定会被虚荣自负和利害关系所左右，烙上粗俗的印记。她特别欣赏男人身上某些敏感的气质，而要不是她的缘故，圣卢对此很可能是不理解或者看不起的。她凭着女人的直觉，很快就能在圣卢的朋友中间分辨出真正对圣卢有情有义的那个朋友，对他另眼相看。她自有办法让圣卢心头对那个朋友充满感激之情，而且把这种感情付诸行动，注意有什么事能使对方感到高兴，有什么事是他不喜欢的。过不了多久，圣卢不用她提醒，自己就会关心这一切了，尽管她没来巴尔贝克，从没见过我，圣卢或许也还没在信上提起过我，但圣卢自己就会为我关上马车的车窗，拿开我闻着难受的花朵。当几个朋友在一起要说再见的时候，他会设法稍早一点跟他们分手，好最后跟我单独告别，以此表明我和他们有所不同，他待我和待别人是不一样的。

她为他的心灵开启了通往看不见的世界的通道，赋予他的生活严肃的意味，赋予他的胸怀优雅的情操。然而这一切，圣卢的家人是毫不理会的，他们一遍又一遍激动地说：

“他会毁在这个荡妇手里的，她会弄得他声名狼藉。”

诚然，他已经从她那儿得到了她所能给他的全部好处；但现在，她讨厌他，折磨他，成了他经受无休无止的苦难的唯一根由。事情的起因是，有一天她那伙剧作家和演员朋友明确告诉她，圣卢又愚蠢又可笑，打那以后，她就觉着他真的既愚蠢又可笑——当一个人从外界接受、采纳他全然不了解的见解、做法时，往往就会像她这样，人家说什么就跟着说什么，表现出一种毫无保留的狂热态度。她学那些演员的样，断然声称她和圣卢之间的鸿沟是不可逾越的，因为他俩是两类不同的人，她是个知识分子，而他，不管他自己怎么说，生来就是个厌恶智力的人。她的这一观点，看上去倒像是根深蒂固的；她一心要在情人无心的言谈、随意的举止中，为这个观点找到佐证。尔后，那些朋友又措辞果决地告诉她，那个并不适合她的剧团，原本对她抱有很大的期望，现在她正在摧毁这些期望，她的情人到头来一定会影响她，她跟他在一起生活一准会毁掉自己艺术家的前途。她听了他们的话，对圣卢的轻视中又加入了仇视，假设他自己得了一种致命的疾病，死乞白赖地要传染给她，她对他的恨也不过如此而已。她尽可能少跟他见面，以此来推迟最后分手的时刻（不过在我看来，这样的分手好像是不大可能的）。圣卢为她做出了那么多的牺牲，除非她貌若天仙（可是圣卢从来不肯给我看她的照片，他对我说："首先，她并不是个美人，其次，她很不上照，我是用自己的柯达相机拍的快照，你看了会留下错误印象的。"），否则看来她很难再找到另一个男人肯做这样的牺牲了。

我没想到，即使是在一个轻佻小女子的身上（不过圣卢的情妇说不定不在此列），对好名声的痴迷（尽管她可能并无才能），博得她所在意的某些人的赞许（哪怕只是私下的赞许），都会比赚钱的乐趣更具决定性的作用。圣卢不很清楚情妇脑子里究竟在想些什么，所以，那些不公正的指责也好，信誓旦旦的爱情表白也好，他都并不相信它们是完全真诚的。但他有时候也会感觉到，一旦她能够跟他断绝关系，她是会这么做的，因此，出于保住爱情的本能（这种本能也许比圣卢本人更有洞察力），他使出了调和自己身上强烈而盲目的冲动很实际的一招儿，拒不同意在她名下存一笔本金，他借了为数可观的一笔钱，保证她的一切需要，但钱是逐日给她的。看来，哪天她当真想要离开他了，她也得静等攒够了钱再说，从圣卢给的钱来看，这大概用不了多久，但无论如何，这让我的这位新朋友赢得了一段时间，得以延续自己的幸福——抑或不幸。

他俩之间这种紧张的关系——现在它已经到了很尖锐的地步，圣卢为此痛苦不堪，因为她一见他就恼，不许他回巴黎过假期，非打发他来驻地附近的巴尔贝克不可——是从一天晚上在圣卢的一位姑妈家开始的。那天晚上宾客很多，圣卢征得姑妈同意，安排女友为大家朗诵一个象征主义剧本中的几个片段。她有一次在一个先锋派剧场里演过这出戏，而且圣卢和她一样，很喜欢这出戏。

可是，当她穿着从《Ancilla Domini》里模仿来的戏装（她让罗贝尔相信，挑这套行头才是真正的艺术眼光），手里拿着很大一朵百合花上场的时候，在座的社交界男士和公爵夫人们嘴边都浮出浅浅的笑意；而等到她诵经般的单调声音、某些稀奇古怪的字眼一而再、再而三地重复时，浅笑变成了狂笑，起先还强忍着，后来终于不可抑制地爆发了出来，弄得她没法儿再朗诵下去。第二天，大家异口同声责备圣卢的姑妈居然让一个如此可笑的女戏子上她家去。一位名头挺大的公爵毫不客气地对她说，她受到大家的责备是自作自受。

“真见鬼，居然弄些这样的货色来给我们看！这女人要有几分才气倒也罢了，可她没有，这辈子也不会有。呸！巴黎人不像有些人说的那么蠢。社交圈子里的人不全是傻瓜。这小娘们明摆着是想镇一镇巴黎人。可巴黎人不是这么容易镇住的，有些东西她只好自己吃不了兜着走喽。”

至于这个女戏子，她走出大门时对圣卢说：“瞧你把我带到什么地方来了？除了些蠢婆娘、坏女人，就是没有教养的粗坯！我告诉你吧，在场的男士没一个人不曾向我丢眼风、碰我的脚，就是因为他们跟我调情，让我给甩了，他们想要报复呗。”

这几句话，一下子把罗贝尔对这些社交界人士的反感，变成了痛切无比的憎恶，而首当其冲的是最不该让他恨的亲戚，这些忠心耿耿的亲戚受圣卢家人之托，前来劝他的女友和他断绝关系，按她的说法，他们这么来劝她，是因为他们本身对她有意思。罗贝尔虽说立即中止了与这些亲戚的来往，但他心想，当他像现在这样跟女友离得远远的，这些亲戚或者其他人就会乘虚而入，向她求爱，说不定还会得逞。一说起这些欺骗朋友、诱良为娼的浪荡子，他就满脸都是痛苦和仇恨。

“我杀条狗还会有几分悔疚，可杀他们一点也不会，狗毕竟还是乖顺、忠诚的畜生哪。这些家伙就该上断头台，比起那些因为穷、因为富人为富不仁而走上绝路的罪人来，他们更该死哦。”

他把大半时间都花在给情妇写信、发电报上。她不许他回巴黎，又变着法子远距离地跟他使性子闹别扭，每当这种时候，我都能从他痛苦变形的脸上看出端倪。他的情妇从来不告诉他，她到底对他有什么不满，于是圣卢猜想，她之所以什么也不对他讲，说不定就因为她自己也不知道讲什么，而就是对他厌倦了。但他想得到确切的解释，他在信上对她说：“请告诉我，我哪儿做错了，我已经准备好承认错误了。”他愈是伤心，就愈是相信自己做得不好。

她留给他的是无穷无尽的等待，而且即便有回音，也是毫无意义的空话。所以我瞧见圣卢从邮局回来，几乎永远是眉头紧锁，而且常常是两手空空的，整个酒店里，就他和弗朗索瓦兹两人亲自上邮局去取信或发电报。在他，是出于情人的急迫心情；在她，是信不过别的下人（要想发封电报，他就得多走好些路呢）。

在布洛克家吃晚饭过后没几天，外婆喜滋滋地告诉我，圣卢说如果她愿意，他想在离开巴尔贝克前给她拍些照片。而当我看见她特地为此换上最漂亮的衣服，对戴哪顶帽子拿不定主意的时候，我心里有点不快，觉得她怎么这样不持重。我甚至在想，我是不是看错了外婆，是不是把她看得太清高了，她是不是并不像我所想的那样对外表全不在意，她是不是也有我一直以为她最不沾边的爱打扮的毛病。

这个拍照计划，尤其是外婆这副心满意足的样子，让我感到很不高兴，可惜这种情绪流露得太明显，弗朗索瓦兹注意到了，她赶紧冲我说了一通很动感情的话，无意间让我添了几分愠意：

“噢！先生，您可怜的外婆知道要给她拍照，高兴得什么似的，还要戴上她的老弗朗索瓦兹给她端整的帽子呢，您应该让她才对，先生。”

凭她的这番说教，我没给她好脸色看。我对自己说，我不把弗朗索瓦兹的神经过敏放在眼里，是情有可原的，因为，我处处引为楷模的母亲和外婆，也常是这么着的。

外婆瞧我有点生气，便对我说，要是我不高兴她拍照，她就不拍了。我不想让她这样，向她保证说我没觉得拍照有什么不好。但看着外婆梳妆打扮，我心里想，我得说几句揶揄、刺人的话，给她的拍照热情泼点冷水，以此证明我有眼光、有魄力，结果，虽说我还是没法儿不看外婆戴上那顶漂亮的帽子，但我至少在她脸上抹去了那种欢愉的表情——这种表情，本该让我感到高兴才是，可是我并不高兴。事情往往是这样，一样东西，当我们最亲爱的人还在世时，我们常常觉得它惹人生气，体现的是一种低级趣味的怪癖，而不知道它恰恰是一种弥足珍贵的东西，其中包含的正是我们亟愿为他们谋得的幸福。

这个星期我心情一直不好，我觉得外婆像是在躲我，我找不到哪怕一小会儿跟她待在一起，别说晚上，白天也一样。下午我回到酒店，想和她单独待一会儿，可是人家告诉我说她不在；或者是，她正和弗朗索瓦兹关在房间里进行长时间的密谈，旁人不得打扰。晚上和圣卢一起从外面回来，一路上我想着马上就能见到外婆，抱住她吻她。可是我白等了，她没有在板壁上轻轻敲几下，叫我过去道晚安，我听不见一点声响；我终于上床睡了，心里有点怨她竟然这么冷淡地（这种冷淡，她是新近才有的）剥夺了我无比珍视的一种快乐，我心头犹如儿时那般怦怦直跳，依然侧耳听着默不作声的板壁，噙着泪水睡着了。

*

那天，跟前几天一样，圣卢得上冬西埃尔去，他每天傍晚前都没法儿离开营地，而过一阵他就得整天待在那儿了。我在巴尔贝克挺想他的。我远远看见下车走进游乐场的舞厅或冷饮店的年轻女子，只觉得她们非常迷人。我处于这样一个青春时期，还没有具体的爱恋对象，迷茫而充满渴念，四下寻觅，随处看见美的存在。瞥见一个身影——从远处，或从一个女人背后望去，依稀看见她的面容——就会让我们觉得她是美的化身，以为自己认出了它，心头怦怦地跳着，加快脚步走上前去，她却已经走远了，可我们在心里对自己说，那就是它：只有在我们赶上她的当口，我们才明白自己想错了。

况且，我的健康状况愈来愈差，即使最起码的乐趣，我也无力去享受它，于是它也就在我心目中被放大了。体态优雅的女性，我似乎处处都瞥见她们的身影，这正因为我在哪儿都没法儿接近她们，在海滩我会太累，在游乐场或糕饼铺我会太腼腆。然而，倘若我不久就得死去，那我首先想到的就是去仔细瞧瞧，这些承老天爷恩宠的漂亮姑娘到底长什么样儿，即使不是我，而是另一个人，甚至没有任何人来分享这份恩泽，我也会这么做（我没有意识到，其实我的好奇心追根溯源还是一种占有欲）。要是圣卢在就好了，我可以和他一起进舞厅。可我此刻独自站在大酒店门前，等着外婆过来找我；这时，只见几乎远在大堤的那头，犹如一个黑点缓缓移近，五六个少女正在走过来，她们的外貌举止，都跟巴尔贝克平时见到的姑娘不一样。一群不知从何而来的海鸥，在海滩上悠闲地踱步——迟到的鸟儿振翅追赶着同伴——对鸟儿们仿佛视而不见的洗海水浴的游客来说，这群鸟儿要去向何方根本无从知晓，而在鸟儿的头脑里，这目的地是非常明晰的，这中间的差异，就好比那几个少女与其他姑娘的差异。

这几个我不认识的少女中，有一个推着辆自行车，另两个手里握着高尔夫球棒，她们的穿着和巴尔贝克别的姑娘们迥然不同，尽管那些姑娘中间有几位从事的正是体育这行当，但她们从没有特殊的着装。

每天这时候，一批女士先生们要到大堤上来转上一圈，把自己暴露在首席法官夫人那架长柄眼镜的无情火力之下，她倨傲地坐在音乐凉亭前那排令人生畏的长椅中间，定睛瞧着这些人，仿佛他们身上都有某些瑕疵，她非得细细端详，弄个明白不可，而这些女士先生们也纷纷走来落座，身份顷刻间从演员变成了看客，现在轮到他们对眼前走过的人们评头品足了。走在大堤上的人脚步摇摇晃晃，就像是在船的甲板上（他们不懂得，在迈出一条腿的同时，应该摆动胳臂，眼睛平视，肩头下沉，以相反方向的适当动作来平衡刚才做的那个动作，让脸上泛出红晕），他们装作没瞧见那几个少女，想让人相信他们根本没把这几个女孩放在心上。可是他们时时偷眼张望走在身旁或逆向而来的行人，生怕撞着他们，结果偏偏碰在那几个女孩身上，跟她们撞了个满怀，其实，这些人和那几个女孩一样，在表面的轻蔑后面，各自都暗暗地关注着对方；对人群的爱——以及由爱而生的恨——是每个人心中最强大的原动力，他不是想方设法让别人快乐或吃惊，就是向他们表明他蔑视他们。对一个孤独的人来说，绝对的自闭，甚至持续直至生命终结的幽居，其起因往往是对人群的一种失控的爱，这种过于放纵的爱，淹没了所有其他的情感，以致一旦他在外出时无法赢得看门人、过往行人乃至路旁车夫的赞赏，他就宁可永远不再见到他们，并为此放弃了一切必须外出的活动。

大堤上的行人，有的想着心事，颠动的步态、飘忽的眼神，则透露出思绪的变幻不定，跟旁边小心翼翼摇晃着身子的行人显得很不协调。我刚才瞧见的那几个少女，旁若无人地走在这些人中间，她们的自如，来自身体的极度放松和对旁人发自内心的睥睨，她们径直往前走来，既不畏缩，也不绷着，完全是想怎么动就怎么动，四肢中每一部分都不受其他部分的影响，整个躯体的绝大部分保持不动，有如出色的华尔兹舞者那般引人注目。她们离我不远了。虽然她们每人所属的类型都跟旁人截然不同，但她们都长得很美；不过说实话，我见到她们的时间很短，又不敢盯着她们看，所以我还没能分别看清她们的特点。只有一个，笔挺的鼻梁、棕色的皮肤与其他少女完全不一样，我觉得她就像文艺复兴时期一幅壁画上那个阿拉伯人模样的博士[1]。我对其他几个少

1 博士典出《圣经·新约》，参见第158页注。普鲁斯特在这里所指的，可能就是文艺复兴时期意大利画家卢伊尼（Bernardino Luini，1480？—1532）所作壁画《东方三博士》（Les Rois Mages）上的那个“金发钩鼻的东方博士”。

女的了解，仅限于其中一个长着双爱笑的眼睛，但目光严峻而固执，另一个脸上的古铜色红晕让人想起天竺葵；但即使通过这些脸部特征，我也没能把它们跟这些少女一一对应起来；当我有如循着调色板上的色彩顺序（这些脸部特征，因其色泽各异、并列一处而令人惊异，却又如同一段嘈杂的音乐，我没法儿把一个个乐句从中辨析出来——尽管每个乐句都能听清，但转眼就已忘却）先后看见一张白皙的鹅蛋脸、一双乌黑的眼睛、一双碧绿的眼睛跃入眼帘时，我不知道方才令我惊艳不已的，是否就是这些特征，我无法从这些少女中间指认出某一个来，把某个特征归于她。稍后我才能渐渐分清她们谁是谁，当时在我的印象中，这群少女有如一团谐美的浮云，透过她们身上，散发出一种变幻不居的、浑然一体的、持续往前移动的美。

在生活中要聚拢一批朋友，个个都挑选得这么漂亮，恐怕光凭偶然是不行的；也许，正因为这几个少女（从她们的举止态度，可以看出她们放肆、轻浮、无情的性格特征）对一切可笑、丑陋的事物极度敏感，无法感受一种来自智力或道德方面的诱惑，所以在同龄的同学中间，她们很自然地对那些在腼腆、拘谨、笨拙，在种种被她们称为不合口味的做派中流露出沉思或易感秉性的同学有一种反感，有意地疏远这些同学；她们保持往来的，是另一些集雅致、灵巧和体态优美于一身的同伴，只有对这些同伴，她们才会显露天性中最富有魅力的一面——坦率，才会愿意与之共度美好的时光。我不很清楚她们属于哪个阶级，说不定这个阶级正处于这样一个发展阶段，或由于富有和闲暇，或由于新养成的运动习惯（这些习惯，目前甚至传播到了某些平民阶层，但这种可以归于体育的文化习惯中，还没有加入智育的内容），一个社会阶层就好似某个和谐、多产而且尚未流于过分雕琢的雕塑学派，自然而然地产生出大量优美的躯体，腿部和髋部都那么优美，健康的脸上容光焕发，神情中透着机灵和狡黠。我在这儿，面对着大海看见的，难道不正是高贵、安详的人体美的模特儿，有如希腊海岸上那些沐浴着阳光的雕像吗？

这群少女，犹如一团发光的彗星，沿着大堤向前推进。在她们眼里，周围的人群俨然就是另一种族的生灵，这些人即使有痛苦，也无法唤起这些少女的怜悯心，她们就像看不见这些人似的，径直往前走去，堤上的行人只觉得一架失控的机器全然不顾前面有没有人，轰然迎面而来，只得停住脚步，让出一条路来；而她们，即使看见某个她们既不屑一顾也不屑一碰的老先生或大惊失色，或怒气冲天地夺路狼狈而逃，也只是相视一笑而已。她们无须对她们之外的人或事表示轻蔑，有内心的轻蔑就已经够了。但她们每看到一处障碍，总忍不住兴冲冲地迎上前去，或冲过去，或原地跳过去，因为她们正处在感情充溢、精力充沛的青春期，即使在忧伤、痛苦之时，也必须把过剩的精力和情感宣泄出来，某一天心情的好坏，跟这样的年龄特点相比是算不得什么的，因而她们不肯错过任何一个跳跃或滑步的机会，她们中断前行的步子这样做，完全是下意识的，却又在这缓步的行进中——有如肖邦最忧郁的乐句那样——加入了优美的回旋，其中交融着即兴的情绪和精湛的技艺。

有个老年银行家的妻子，为丈夫找来找去，最后在大堤对面音乐家表演的凉亭旁边，给他找了个地儿，把他安顿在一张折叠躺椅上，凉亭既可挡风，又可遮阳。见老伴坐好了，她就走开去买份报纸，好给他读报，让他解解闷。报亭离这儿不远，一来一去花不了五分钟，就这样老头已经觉得挺长了，但她（她对老伴照顾得无微不至，可又不想叫他明显地感觉到）还是经常这么走开一小会儿，好让老伴有一种他还像所有的人一样正常生活、无须有人照料的感觉。凉亭的舞台，就像位于老人头顶边上的一块天然跳板，那帮少女中最年长的那个，当即受它诱惑奔跑过来，纵身一跳，足尖在台上一点，又跳下台；她从惊恐万状的老人头顶上一跃而过，灵巧的双脚正好擦过老人戴着的海军帽。其他少女看见，觉得好玩儿极了，尤其是那个绿眼眸、娃娃脸的姑娘，同伴的此举似乎让她既钦佩又开心，我觉着她的神色中有几分腼腆的意味，那是一种既羞涩，又想显示自己勇气的腼腆，这种神情是在其他几个少女脸上看不到的。

“可怜的老头儿，那副半死不活的模样，让人看着就惹气。”其中一个少女粗声粗气、略带讥讽地说。

她们又走了几步，然后，全然不顾会不会堵路，就那么停在路中央，形成一个紧凑而奇特的、不规则的队列，叽叽喳喳的，像起飞前聚集的鸟儿；过了一会儿，她们继续沿着高出海面的堤坝缓缓前行。

现在，她们那一张张迷人的脸变得清晰可辨了。从老银行家头上跳过去的姑娘身旁的这些少女，我在头脑中把她们挨个儿排了下队（名字我还不知道，没法儿排上去）：一个姑娘个子矮小，长着绿眼睛，红扑扑的娃娃脸映衬在远处的海面上；一个姑娘皮肤黧黑，鼻梁挺直，显得与其他姑娘很不一样；另一个，肤色白得像鸡蛋，小巧的鼻子像鸡雏的嘴那般拱成弧形，整个脸庞让人想起某些少男；还有一个，身材高大，裹着短披肩（这使她看上去有股子穷酸相，跟她优雅的举止很不相称，我对此做出的假设是，这个姑娘的父母想必不同凡俗，根本没将巴尔贝克这些洗海水浴的家伙放在眼里，自己的孩子该怎么打扮才高雅，他们自有一番见解，至于女儿如此着装走在大堤上，那帮小市民会不会笑她寒酸，他们是全然不在乎的）；有一个少女眼眸明亮而含笑，胖乎乎的腮帮子没有什么光泽，头戴一顶黑色马球帽，帽檐压得很低，她推着辆自行车，髋部一摇一摆的，样子很笨拙，嘴里不干不净地说着粗口，声音还挺响，我从她身边走过时（正好听到她在说一句很不雅的话："不就是吊膀子呗。"），否决了方才对她女伴的短披肩所做的假设，心想这几个少女无非就是经常出入自行车赛车场的角色而已，没准还是赛车手的小情妇呢。反正，我的种种假设中，没有一个是假定她们纯洁无瑕的。从看到她们的第一眼——从她们相视而笑的样子，从脸颊没有光泽的那个少女不依不饶的目光中——我就明白她们不会是纯洁无瑕的。何况，外婆一向把我照看得无微不至，甚至到了谨小慎微的地步，所以我没法儿不相信，所有不该做的事情是一个密不可分的整体，这几个少女既然不尊重老人，那么碰到比跳过一个八十岁老人头上更有趣、更有诱惑力的事情，她们是不会因为有所顾忌而突然歇手不干的。

她们现在分别有了自己的特征，然而彼此间交流的眼神还是一模一样的，目光中闪烁着自豪和友谊的光芒，时而流露对朋友的关切之情，时而显示对路人的傲慢和冷漠。从中还可以看出，她们为相互间同气相求、同进同出，俨然拉帮结派而感到骄傲。正是这样的眼神，在她们的缓步行进中，把这些彼此独立、相互分开的个体联系在了一起，这是一种无形而协调的联系，她们就像行走在同一个温热的阴影、同一种氛围中，她们之间的相像，恰好跟她们与周围人群的不同形成了对比。

我从腮帮子胖乎乎、推着自行车的棕发少女身旁经过时，有一瞬间，我的目光和她那含着笑意的斜睨的目光交汇了；这目光来自将这个小小部落的生活封闭其间的另一个世界，那是一个无法接近的未知世界，我是谁的这个问题，是肯定无法到达那儿，也无法在那儿容身的。这个把马球帽低低地压在额头上的少女，正全神贯注地听着同伴说话，她的黑眼睛里射出的目光与我相遇的那会儿，她究竟有没有看见我？如果她看见了我，我在她眼里是怎样的呢？她认出了我是来自哪个世界的吗？这些问题我都难以回答，就好比当我们从望远镜里看见邻近的星球上有某些异象出现时，我们很难就此下结论说，有人居住在那个星球上，他们看得见我们，更无法知道他们看见我们后，会有怎样的想法。

倘若我们把这样一个少女的眼睛，想象成两片发亮的云母片，我们就不会急切地想了解她的身世，要把她的生活和自己联系在一起了。但是我们感觉得到，在这两个反光小圆片里炯炯发亮的东西，并不仅是其中的物质成分；那是这位少女关于她所熟悉的人和地方——赛车场的绿草地和铺着细沙的跑道哟，她会蹬着车穿越田野和树林，就像那个比波斯天堂的精灵对我更有诱惑力的小佩丽[1]，把我带到那儿去吗——的思考（种种我们无从知晓的思考）的黑色投影，也是她即将返回的家园，以及她自己做出或人家为她做出的计划的投影；那就是她，就是她的想望，她的喜好，她的厌恶，她萦绕脑际、不曾吐露的意愿。我知道，要是我不能占有她目光中所包含的这些东西，我就不能占有这个推自

1　在保尔·杜卡斯的《佩丽》一诗中，佩丽是伊朗民间传说中的天堂精灵，她曾引诱伊斯康德王子。

行车的姑娘。因而，我胸中涌起了想要了解她全部生活的愿望；这种愿望折磨着我，因为我感觉到它是无法实现，却又令人心醉的，因为我迄今为止的生活，突然不再是我的全部生活，而只是伸展在我面前，由这些少女的生活所组成的空间的一小部分，我迫不及待地想拥有这个空间，这个愿望给了我自我延伸、自我扩展的可能性，这就是幸福。可能我们之间没有任何共同的生活习惯——正如没有任何共同的观念，——我会难以和她们结交，难以讨得她们的欢心。但或许正是由于这些差异，由于我意识到这些少女的个性、举止中，没有我所熟悉、所拥有的任何东西，我心中的餍足才变成了干渴，我的心渴望着——犹如干枯的大地渴望雨水——另一种生活，而正因为它至今为止从未尝过一滴这样的甘露，所以一旦可能，它就会整个儿浸润其间，贪婪地饮个痛快。

我这么凝神望着眼睛明亮的推自行车姑娘，她好像觉察到了，朝个子最高的姑娘说了一句话，我没听见她说什么，只见那个姑娘笑了起来。说实话，这个棕发姑娘并非我的最爱，原因就在于她的头发是棕色的，而（自从那天在当松镇的斜坡上看见吉尔贝特以后）一位金栗色头发的少女，才是我心目中可望而不可即的心爱之人。但是，即便是吉尔贝特，我爱她难道不正是因为在我看来她有着一圈光环，是贝戈特的朋友，能和他一起参观大教堂吗？照这样说来，我看见这个棕发姑娘望着我，不是应该感到高兴才对嘛（我心想，这样就比较容易先认识她），她可以给我介绍其他几个姑娘：从老人头上跳过去的厉害姑娘，说“这个老头儿，让人看着就惹气”的狠心姑娘，还有别的几位姑娘，她身为她们亲密无间的伙伴，当然有权把我介绍给她们。我在心里假设，有一天我会成为其中某一个少女的男友；这些陌生的目光如同阳光射到墙上那般、有时于无意间拂过我的脸而让我难以忘怀的少女，早晚有一天会凭借一种神奇的炼金术，让意识到我存在的感觉，让对我个人的些许情谊，穿透她们那无法形容的小圆片，进入她们的思绪；终有一天我也会和她们一起出现在沿着海面往前的行列中，——这个假设，我觉得包含了一个无法解决的矛盾，就好比我身为观众站在描绘出行场面的古代檐壁或壁画跟前，却以为自己受到其中女神的青睐，也能置身队列之中一样地不可思议。

认识这些少女的幸福，当真是无法得到的吗？的确，这已经不是我第一次错过这样的幸福了。只要想想在巴尔贝克，疾驶而去的马车带走了多少陌生的女性，让我就此错过了认识她们的机会吧。这一小帮高贵有如古希腊童贞女的少女，她们之所以让我感到愉悦，正是因为我在她们身上依稀看到了路上疾驶而过的女性的影子。不相识的人在我们眼前转瞬即逝，迫使我们脱离习惯的生活轨道（在这种生活中，我们常见的女性早晚会让人看到她们的缺点），处于一种追求的状态，这时是任何东西都无法阻止我们想象的。其实，要是给我们的欢愉脱掉想象的外衣，还这种愉悦本来的面目，那它就一无所有了。倘若这些少女是我在某个幽会屋（前文已经说过，我对那种拉纤的女人并没有看不起的意思）里遇见，不曾有这层微妙而朦胧的薄纱蒙着的，那么她们就不会这么让我着迷了。能否得到某样东西的不确定性，会唤起我们的想象，应该为这样的想象设定一个目标，用它来取代另一个目标，用了解熟悉另一种生活的渴念取代感官快乐，从而确保我们既不识这种快乐的滋味，也无意去尝尝它到底是什么滋味，当然也就更不会沉溺其中。拿我们和鱼儿的关系来说吧，只有当我们在垂钓的那个下午，见到滑溜溜的鱼儿在透明的、漂动的、蔚蓝色的水流中游上河面，却又看不清它的形状，自己也不清楚到底要对它怎么样的时候，我们才会费尽心机、想方设法非要把它钓上来不可。倘若一开头看见的就是盛在餐盆里的鱼儿，我们才不会去这么折腾呢。

海滩的生活环境，模糊了社会等级观念，这几个少女也从中占了便宜。往日生活圈子里种种使我们延伸、放大的优势，在这儿都看不见，也就是一笔勾销了；反过来，以往大家认定并不占有这些优势的人，却被硬生生地撑大了。这样一来，那些我不认识的女郎，以及今天的这些少女，都轻而易举地就在我心目中取得了至高无上的地位，而我根本没法儿让她们知道，我其实也并非一无所用。

虽说这帮在海堤散步的少女，只是一次又一次撩动我心弦的无数稍纵即逝的女郎的一个缩影，这次的稍纵即逝，却回归成了一种缓慢的动作，而且慢到几近不动的地步。确切地说，在这样一种动作缓慢的状态中，脸容不再是一闪而过，它们变得安静、清晰，却依然让我觉得那么美；先前我乘在德·维尔巴里西斯夫人的马车上，总想要是能停下细看的话，那些女郎脸上的痘瘢，鼻翼的疵点，还有乏神的目光，尴尬的笑脸，难看的身材，所有这些细部的缺点，一定会取代我对她们脸庞和身段的想象。可是我现在不这么想了，因为，只要瞥见一个美好的身影、一张红润的脸蛋，我就会诚心诚意地把记在心间的、有着先入为主印象的迷人的肩膀、妩媚的目光，加到这个身影、这张脸蛋上去，这种惊鸿一瞥式的邂逅常常容易出错，恰如匆匆扫一眼书页往往会只看一个音节，没看全整个词，记住的词跟书上印的不是同一个词。

不过，这一次不是这么回事。我仔细看过了她们的脸；虽然我没有分别从两侧，也没怎么从正面来看她们，但我是从两三个不同的角度来看的，因而能对光凭第一眼看到的轮廓、肤色做出的各种假设做出修正、核对和证实；透过她们不同的表情，我看到了她们身上某种保持不变的具体的东西。所以，我可以很有把握地对自己说，无论在巴黎，还是在巴尔贝克，那些让我的目光停留在她们身上的过往的女郎，即使我对她们做出最好的设想，甚至假定我停下来和她们攀谈了，她们也不会像这几个少女这样，尽管我还不认识她们，但她们的出现和随后的消失，使我怅然若失，让我感到跟她们做朋友是多么令人心驰神往。她们是我见过的女演员、乡村姑娘、教会学校寄读女生中最美丽，最陌生，最弥足珍贵，最可望而不可即的少女。她们是生活中我们未曾体验过的、可能存在的幸福的一个样本，这个样本风姿绰约，又处于如此完美的状态，让我为自己没能体验到美人儿赐予的神秘礼物感到莫大的遗憾。但这几乎完全是出于理性的考虑，其实，当我们无法占有心仪的美人儿时，我们常常会转而——但斯万在遇见奥黛特之前，一直不肯这么做——到自己并不喜欢的女人那儿去寻欢作乐，到头来，至死也不知道那另一种欢乐究竟是怎样的。

当然，这可能并不真是一种未曾体验过的欢乐，神秘感一旦消失，它就只是一个投影，只是欲念的一个幻影。如果真是这样的话，我也只能感喟自然规律的无情——它适用于这几个少女，也就适用于所有的少女——而不去责怪眼前的对象有所缺陷。她们是我从所有的对象中挑选出来的，她们好比鲜艳的花朵，我怀着植物学家的满足感，清楚地意识到，如此罕见的品种聚集在一起，是极为难得的。此刻，这疏朗的花篱在我眼前中断了起伏的流波，有如一丛开放在悬崖花园中的宾夕法尼亚玫瑰，从花丛中望出去，只见远处蓝色的海面上有一艘轮船在徐徐行进，从一根茎秆缓缓滑行到另一根茎秆。一只懒洋洋的蝴蝶停在花冠里面，尽管船体早已驶过，但它拿得稳自己能比轮船先到达，要等船艄驶向最前面的花瓣，跟那片花瓣之间只留下一小块蓝色的时候，才起飞呢。

我回去了，因为我得和圣卢一起去里弗贝尔餐厅吃晚饭。这几天，外婆坚持要我出发前先在床上躺一个小时。这还是在巴尔贝克那会儿医生关照的，后来就成了规矩。

回酒店去，不用走下大堤绕到后面，也就是说绕到正门才能进去。这儿晚饭开得早，在贡布雷，要到星期六才提早一小时开晚饭，巴尔贝克酒店开晚饭的时间，就跟那差不多，夏季的白天特别长，太阳还高高地挂在天空，看上去就不过喝下午茶的光景，大酒店里就在准备晚餐的餐桌了。带滑轮的大玻璃门仍然开着，大堤和餐厅的地面是齐平的，只要跨过一道细细的门槛，就进了餐厅，随即可以去乘电梯上楼。

路过办公室的当口，我向经理投去一个微笑，而且一点不嫌憎地从他脸上收回了一个。打从我来巴尔贝克以后，我在这张脸上倾注了我的关心，以我的善解人意促使它起了变化——有如自然史的标本那样一点一点地在演变。这张脸在我眼里变得熟悉起来，虽仍不脱俗气，但已如同常见的文字那般可以读懂，不再是我第一天见到它时那种叫人摸不着头脑的怪字了。当时站在我面前的那个人，现在我已经记不起来了，或者说，倘若我偶尔还记起它的话，但觉得已经认不出来，很难跟眼前这个与常人无异的彬彬有礼的经理对上号，相比之下，当初那个人只是个粗线条勾勒的极其丑陋的漫画形象罢了。

刚到这儿第一晚的腼腆和忧郁，早已过去了；我按铃叫电梯。在电梯里，我犹如置身于一个沿着立管在运动的胸腔，缓缓向上升去，身边那个开电梯的人，现在也不再闷声不响了，他一遍又一遍地对我说："人不像一个月以前那么多了，大家都要走了，天凉喽。"事情并不像他说的这样，他这么说，是因为在一个更热的海滨地区找了份差事，一心盼着我们赶快动身离开，酒店早日关门，他在回到新的职位之前，自己可以有几天时间。回到和新的这两个说法并不矛盾，因为对这个开电梯的来说，回到就是进入这个动词的惯用形式[1]。唯一叫我感到吃惊的是他居然也肯说职位，因为他显然属于意欲在言谈话语中抹除雇佣制度痕迹的现代无产者的队伍。稍过了一会儿，他又告诉我说，回到那个位子，他就可以有一套更漂亮的制服和一份更好的待遇；显然，号服和薪金的说法，在他看来都已经过时，不适合用了。不过，在主子一方，语汇比不平等的观念更加顽固地残存着；所以，他说的话，我总是不大听得明白。我只关心一件事，就是要知道外婆是否在酒店里。还没等我问出口，这个开电梯的对我说："这位夫人刚从您房间出去。"

我又让他弄蒙了，还以为他是说我外婆。

"不是，这位夫人我想是你们家的雇员。"

在早先的布尔乔亚语汇（它想必很快就要被废除）中，一个

1　此处指这个开电梯的人文化程度不高，将entrer（进入）和rrentrer（回到）这两个动词混淆了。

厨娘是不能称为雇员的，所以我心想："他准是弄错了，我们家没有工厂，也没有雇员。"可突然间我想起来了，雇员这个词儿，就好比咖啡馆侍者留的唇髭，体现了做下人的在自尊心上的一种满足，他说的那位夫人就是弗朗索瓦兹（说不定她是去咖啡座串门，或者正在看那位比利时夫人的女仆做针线活儿呢）。不过对这个开电梯的人来说，光有自尊心的满足还是不够的，说到自己的阶级时，他通常满怀同情地用单数人称形式说"工人"或"小百姓"，跟拉辛说的"穷人"如出一辙。

不过，我第一天刚到时的那种热忱和腼腆都早已过去了，所以不大主动和开电梯的攀谈。电梯上上下下穿行在酒店各层面间的这段时间里，现在通常是他开口跟我说话，我却不去搭他的腔。电梯犹如一个玩具，中间镂空，一层一层地在我们周围铺展分叉出去的走廊，灯光在走廊尽头显得柔弱而幽暗，通道的门、楼梯的踏级都显得细细的，沉浸在一种晨曦般稀薄而神秘的琥珀色调中，这正是伦勃朗勾勒窗台或井栏最好的背景。每一层楼，都有一缕金色的光线辉映在地毯上，让人想起落日的余晖和临海的窗户。

我心想，不知这些少女是否住在巴尔贝克，不知她们究竟是些什么人。当一个人的心念，像这样落在选定的一小拨人身上的时候，跟这一小拨人有关的事情，都会激起他的情感波澜，让他浮想联翩。我在大堤上听到一位夫人说："她是小西莫内的朋友。"那副自鸣得意的神气仿佛在说："那是拉罗什富科府小少爷的要好同学。"顿时，说话者感到她所说的那个少女引起了听话者的好奇心，听话者很想再好好瞧瞧那个能当小西莫内的朋友的幸运儿。小西莫内的朋友，显然不是谁都能当的。贵族是相对而言的：在最普通的居住区，一个家具商的儿子也会以风度优雅著称，像一个年轻的威尔士亲王那样享有名望。从那以后，我常常回想，西莫内这个名字在海滩上是怎样传到我耳畔、引起我注意的——其实当时我并不知道这个西莫内是什么模样，到底是指哪一个少女呀。总之，这个不怎么清晰的名字充满了新鲜感（下文会提到，这将会对我有很大影响），我屏息静听，感觉到每一秒钟过去，这个名字的字母就更深一点地印入我的脑际，成为日后（那得是若干年以后的事了）第一个从记忆中跳出来的词儿（在刚睡醒，或是昏厥过后刚苏醒的当口），不仅先于当时是几点钟、我是在什么地方这样的概念，甚至先于“我”这个词儿，仿佛它所指代的那个少女比我更我，仿佛在短暂的失去知觉之后，最早结束的，就是我没有想它的那段时间。我不知道自己何以会从第一天起就认定，西莫内应该是这几个少女中某一个的名字；我反复思忖怎样才能认识西莫内这家人；当然，得让这家人觉得地位比他们高的朋友介绍——要是她们只是些傻乎乎的平民百姓，这应该不是什么难事——好叫她们不至于小瞧我。你要是让人给小瞧了，你就没法儿真正认识这些小瞧你的人，也没法儿在心里完全接纳他们。然而，每当各不相同的女性形象进入我们的脑海，在它被遗忘或被其他形象淘汰之前，我们若不能把这些陌生的形象转换成与我们类似的某些东西，总是没法儿得到安宁的。就这一点而言，心灵具有与肉体相同的反应和机能，无法容忍异体的介入，必将入侵者消化或同化而后快。

小西莫内想必是这几个姑娘中最漂亮的——而且，我觉得她早晚会是我的情妇，因为这些姑娘中间，只有她似乎注意到了我的凝视，有两三次朝我侧过脸来。我问开电梯的人，在巴尔贝克是不是认识有谁叫西莫内的。他不喜欢说有什么事他不知道，所以就回答说，好像听人说起过这个名字，电梯开到最后那层时，我请他把最近入住旅客的名册给我拿来。

我出了电梯，没回房间，一径沿走廊往前走去，因为每天这时候，负责这个楼层的仆役——尽管他怕穿堂风——会打开走廊那头的窗户，这扇窗不是面朝大海，而是面朝小山和山谷，因为窗玻璃不透明，平时又总关着，所以通常是望不见窗外景色的。我站在窗前，瞻仰酒店背靠的这座小山上难得一见的景观，稍远处只有一所屋宇屹立在暮色中，从我的角度望去，它在黄昏的光线中宛若一个雕镂精美的丝绒首饰盒，又如一座用金银珐琅制成的寺庙或教堂模型，里面珍藏着圣物，一年只有几天可以让信徒们礼拜瞻仰。我才站了一小会儿，可这点朝觐时间已经太长了，只见那个一手拎串钥匙、另一手碰一下帽檐向我致意（他怕傍晚的凉风，所以没抬起教堂圣器室庶务戴的那种无边圆帽）的仆役走来关上两扇窗扉，遮断了我遥望金色圣堂、圣物的视线。

我走进房间。季节时令更迭嬗变，窗前的景色也随之变化。起先，景色经常是明亮的，只有天气阴霾时才变暗下来；这时，鼓起圆浪的蓝莹莹的海面，镶嵌在窗子的铁框里，宛如彩绘玻璃一般，海浪拍击海湾深处的岩礁，卷起一堆堆呈倒三角形、看似静止不动的飞沫，宛如皮萨内洛[1]画中笔触细腻的羽毛或绒毛，这种奶油状的洁白釉色，在加莱[2]的玻璃制品中是用来描绘积雪的。

没过多久，白昼就变短了。我回到房间时，仿佛烙上了太阳

1　皮萨内洛（Antonio Pisanello，约1395—1455）：意大利油画家、雕刻家，罗浮宫内存有他画鸟的速写作品。

2　加莱（Emile Gallé，1846—1904）：法国玻璃制品艺术家。

那张绷紧、匀称、短暂而闪光的脸的印痕（就像是在显示某个圣迹或幻象）的紫红色天空，向着水天交接处的海面沉去，好似教堂主祭坛上方的一幅油画；同时，色泽斑斓的余晖照在沿墙一溜排开的桃花心木矮书橱的玻璃门上，在我的记忆中留下一幅绝妙的画面，它就像当年某位古典大师为一座圣堂祭坛装饰屏创作的一组绘画，如今在博物馆大厅里，屏板被隔开陈放，观众只有凭想象才能把它们还原成当初的情景。

几星期过后，我上楼时，太阳已经落下去了。就像我在贡布雷散步回家，准备下楼用晚餐时在耶稣受难像上方看到的景象一样，一抹红霞悬在大海上方，海面看上去有如肉冻那般浓稠，稍过一会儿，大海已经变得色泽冷峻，蓝得如同鲻鱼那样，天空则红得就像我们晚上会在里弗贝尔吃到的鲑鱼，我看着眼前的景色，想到一会儿要换装外出去用餐，心情好极了。在大海上面，紧靠着岸边，一层层黑得如烟炱，却又玛瑙般光亮而紧致的雾霭，正在使劲往上升腾，一层高过一层，越来越宽阔。但是这雾气看上去又显得很沉重，已经把它们托上半空的支架，仿佛再也承受不住，最上面的雾层压弯支柱，偏离了支架的重心，整个支架眼看就要倒塌下来，掉进大海。看着一艘轮船有如夜行的旅人那般渐渐远去，我回想起坐在火车车厢里，想要摆脱蒙眬的睡意、不愿被囚在一个房间里的感受。然而在现在的房间里，我并没有被囚禁的感觉，因为一个小时以后，我就要离开它去乘马车了。我合身扑到床上；我仿佛置身不远处驶过的轮船的卧铺上——让我感到惊奇的是，在沉沉的暮色中行驶得那么缓慢的轮船，就像天鹅幽暗的身影静静地在滑行——我只觉得大海的景象团团围住了我。

诚然，这往往只是图景而已；我忘记了斑斓的色彩下面，凄然躺着空荡荡的海滩，我刚到巴尔贝克那晚令我悚然的晚风，正在无情地劲吹；我身在房间里，却满脑子都是日间那几个少女的倩影，心绪不宁，杂念难去，没法儿真正去领悟美的真谛。等着去里弗贝尔吃晚饭，更让我心浮气躁，心心念念想的，就是穿什么衣服才能让灯火辉煌的餐厅里注视我的夫人小姐们觉得最可爱。我的脑子里这会儿除了衣服的颜色，就没有别的东西了。从窗口望下去，只见轻盈的雨燕和燕鸥在不倦地飞翔，往上翻飞的身影如水柱，又如充满生命力的焰火，在水平方向平稳滑翔时，则在空中曳出一缕白色的轻烟，这种只有此地才有的、令人叹为观止的自然奇观，将眼前的海景与现实世界融合在一起。而要不是这样，我多半会相信自己看到的只是些随意选来挂在我的住处的画作，相信这些天天更新的油画跟住处本身并没有必然的联系。

有一次，我觉得眼前的是日本木版画：镂刻出来的红日，圆得像月亮，旁边黄色的云朵宛若一潭湖水，湖岸戟立着黑色利剑，一条玫瑰色带（如此轻柔的玫瑰色，我只在生平第一次拥有一盒水彩颜料时见过）有如一条河，搁浅在两岸的船舶仿佛正等人去拖曳下水。我就像某个外行观众或趁两次社交拜访间隙逛画廊的女士那样，用鄙薄、厌烦而轻浮的眼光看着这画面，心里在想："落日画成这样挺奇怪的，是有点与众不同，可这也算不了什么，跟这一样精巧、一样奇妙的玩意儿，我以前见过。"

我更喜欢的是在有些夜晚，看着一只船儿驶往水天相接的远方，渐渐与大海融为一体，化为一色，犹如一幅印象派油画，画家仿佛只是勾勒出船只和缆绳的轮廓，在缆绳的映衬下，船体显得更纤小，荡漾在天际的蓝色雾霭中。有时候，大海几乎占满了整个窗户，窗的上缘露出一线天空，跟海水一样蓝，让我不由得以为那还是大海，只是由于光照的缘故才显出不同的颜色。

另一天，大海仅仅占了窗子下部的画面，一大半窗户满是云彩，层层叠叠地推挤着，窗玻璃上的图景，不知是出于画家的预先构思，还是出于他的癖好，俨然是一幅《云景习作》；书橱门玻璃上映出相似的云景，但那是另一处地平线上的云层，被光线染上了不同的色彩。它们犹如某些当代艺术大师在不同时刻反复描绘同一对象的珍贵习作，各个时刻不同的光线效果被定格在了画作中，而此刻，它们集中到了一个房间里，以玻璃下面的色粉画的形式呈现在我眼前。有时候，在海天交融的灰色调中，露出一小点极其精致的粉红色，而与此同时，栖息在窗子下部的一只小蝴蝶，仿佛正用翼翅在这幅惠斯勒[1]风格的《灰与粉红的和谐》下缘留下这位切尔西大师惯用的签名。这点粉红渐渐消去，没什么可以看的了。我站了一会儿，便拉上厚厚的窗帘，又去躺下了。我从床上看着窗帘上端投进来的那条亮光慢慢变暗，变细；就这样，我听凭平日就餐的时刻从窗帘顶上消逝，既不感到忧伤，也不觉得惋惜，因为我知道，今天不同于其他日子，白昼就如极地那样长，黑夜只有区区几分钟；我知道，里弗贝尔餐厅的华灯，正在暮色的蛹壳中涌动，随时准备绽放出绚丽多彩的光亮。我心想："该起来了。"我在床上伸了个懒腰，起身梳洗。此刻别人正在楼下用晚餐；我却用躺了小半晌积聚起来的精力来擦

1 惠斯勒（Whistler，1834—1903）：美国油画家、版画家，作品风格富于装饰性和东方趣味。他为穆克斯夫人所作的肖像画又名《粉红与灰的和谐》，1892年曾在巴黎展出。他长期侨居伦敦切尔西区，位于泰晤士河北岸的这个住宅区，当时是艺术家和作家的聚居地。

干身子，穿上常礼服，打上领带，我感到这些看似无用的时光，因其卸脱了物质的负担而自有它的魅力，此刻我做这做那，都由重睹某位女士的芳容这样一种预期的欢愉在引领，我上次在里弗贝尔注意到，这位女士好像一直在看我，她有一会儿离席，没准正是希望我跟去呢；我乐滋滋地为自己补上这些诱惑，好让自己全心全意、精神饱满地投身到一种全新的、自由自在的、无忧无虑的生活中去，到那时，圣卢的安详会使我打消顾虑，在自然史上现存的海鲜品种和来自各国的珍馐美味中放手挑选，而这些非同寻常的、对我的胃口和想象都极具诱惑力的菜肴，我的朋友会马上吩咐侍者记在点菜单上。

最后，这样的日子终于来了，我不能再从大堤走回餐厅，玻璃门不开了，因为外面已是夜晚，黑压压的一群穷人和看热闹的人，被他们无法进入的灯火通明的大厅所吸引，愁容满面地站立在北风中，趴在热气腾腾的大餐厅明亮而光滑的玻璃窗上往里张望。

有人敲门，是埃梅给我送最近新来的旅客名册来了。

埃梅回身出去前，执意要对我说，德雷福斯确实罪该万死。“一切都会真相大白的，”他对我说，“不是今年，而是明年。参谋部有位先生常跟我有联系，这是他告诉我的。”我问他，他们是不是在今年底以前还下不了决心立即揭露真相。“他放下烟卷，”埃梅继续说，模仿着当时的情景，像这位老主顾那样摇了摇头，晃了晃食指，意思是说不能太性急，“不是今年，”埃梅碰了碰我的肩膀说，“今年不可能。要到明年复活节，对！”他又轻轻拍了拍我的肩膀，说，“瞧，他怎么对我说的，我都照式照样告诉您了。”他说这话，既是对自己跟一位大人物时有过从表示得意，也是让我在充分了解事实的情况下对他极有价值的论断倍加赞赏，信服他所说的可以抱有希望的理由。

在新来旅客名册的第一页上看到“西莫内一家”这几个字时，我不由得心头微微一震。我心底有个可以追溯到孩提时代的旧梦，觉得珍藏在心中的柔情，这被心灵所感受却没能显现出来的全部柔情，会由一个与我全然不同的人儿激发出来。这个人儿，现在我又一次用西莫内的名字和记忆中这几个少女的和谐之美生成了她，我眼前浮现出这些充满青春活力的少女的身影，依稀看到她们行进在海堤上，矫健的身姿堪与古希腊雕像和乔托画笔下的形象媲美。我不知道这几个少女哪一个是西莫内小姐，甚至不知道她们中间是不是有叫这个名字的，但我知道西莫内小姐爱着我，我要靠圣卢帮忙来试着认识她。可惜的是，圣卢每天都得回冬西埃尔营地，这是他获准延长假期的条件；不过，我心想，就算不靠他对我的友谊，我也可以靠人种学家的好奇心呀，这样圣卢就可以不必遵守那项规定了，我经常有这种好奇心——哪怕只是听人说水果店来了个漂亮的收银员，还没见到她本人，我就心痒痒地想认识她——就像人种学家那样，总盼着发现女性美的一个新品种。我指望在跟圣卢说起那几个少女时，在他身上也能激发起这种好奇心，这我可想错了。自从他有了情妇以后，他对那个女演员的爱情就让好奇心进入了休眠状态。即使心里略有所动，他也会竭力克制，因为他有一种迷信的观念，相信情妇对他是否专一，取决于他自己是否专一。所以，我们动身去里弗贝尔的时候，他还没答允想办法帮我结识那几个少女。

最初，我们抵达里弗贝尔时，太阳刚下山，天色还很亮；饭店花园里的灯还没点亮，日间的暑气散去了，仿佛沉淀到了一个瓶子的底部，而空气沿着瓶壁形成深色透明的雾露，看上去像果冻那么浓稠，一大丛蔷薇花贴着墙，让变暗的墙壁显出粉红的纹理，宛如我们在缟玛瑙石里见到的分支状结晶。

没过多久，我们走下马车时已经是夜晚了，碰上天气不好，或者我们想待天转晴，吩咐备车关照得晚了点儿，那往往在离开巴尔贝克时夜色就已降临了。但在这样的日子里，我听着风儿吹过，心中并没有伤感，我知道这并不意味着放弃我的计划，也并不意味着要关在一个房间里，我知道，在我们即将在茨冈音乐声中步入的那家饭店高敞的餐厅里，无数的灯会以它们金色的光华融释黑暗和寒冷，轻而易举地战胜它们。我兴致很高地走到在大雨中等候我们的马车跟前，上车坐在圣卢旁边。这一阵我常想起贝戈特的话，他说不管我自己怎么说，他坚信我生来就是个在精神生活中享受乐趣的人，他的话让我在想到"以后我能做些什么"这个问题时重新有了希望，而这希望每每落空：每天坐在桌前开始构思一篇评论或者一篇小说的当口，我总感到很郁闷。"别去管它吧，"我在心里对自己说，"写作的乐趣，也许并不是判断一篇东西是否有价值的可靠标准；也许这确实是常常会附带出现的情况，但没有这种乐趣，并不就是说没有价值。也许有些杰作就是打着呵欠写出来的吧。"外婆的话给了我安慰，消除了我的疑虑，她对我说，要是我身体好些，我会写得很好也写得很开心的。给我家看病的医生出于谨慎提醒我说，我的健康状况可能会变得很危险，他列举了许多饮食健康上要注意的地方，要我严格遵守，以免发生意外。而我呢，觉得所有的乐趣都得服从于一个目标，这个目标对我来说比它们重要一千倍、一万倍，那就是让自己身体好起来，可以写出那部也许蕴藏在我心间的作品。于是，来到巴尔贝克以后，我就在饮食起居各方面实行细致周密、持之以恒的控制。喝了咖啡，我晚上会睡不着，第二天势必就会感到很疲倦，所以谁也甭想劝我喝上一杯咖啡。可是一到里弗贝尔，顷刻间——由于一种新的乐趣的刺激，也由于精心编结了那么多日子，要把我们引向一种更理性的生活方式的那张网一旦冲决之后，任何有些特殊的事情都会使我们进入一种全新的境界——仿佛不再有什么明天，也不再有什么要等你去实现的崇高目标，为保护你实现这个目标而采取的一整套严密的保健措施，也根本用不着了。这时，一个侍者过来帮我脱外衣，圣卢对我说：

“您不冷吗？也许您还是别脱的好，里面不热。”

我回答说：“不，我不冷。”也许我是没觉得冷，但反正不管冷不冷，我已经不怕生病了，会不会死我不在乎，要不要写作我也不管了。我把外衣交给侍者；我们在茨冈人演奏的军乐声中步入餐厅，有如很轻易就凯旋的英雄，行进在一排排已经上了菜的餐桌之间，乐队把军人的荣誉，把我们不配领受的褒奖授予我们，我们感觉得到音乐的节奏在将欢快的豪情注入我们的身体，我们装出一副严肃、冷峻的脸容，踩着懒散的步点，掩饰我们心中感受到的激情，显得跟那些平时在咖啡馆表演的浓妆艳抹的女歌手全然不同——她们此刻正放开嗓子唱着放荡的小曲，一路奔上台去，那种雄赳赳的样子，俨如得胜而归的将军。

从此刻起，我仿佛变了一个人，不再是外婆的那个小外孙，在离开餐厅前不会再想到她，我成了那几个给客人助兴的乐队小伙子的哥们儿。

我在一个小时里喝下的啤酒（香槟就更不用说了），在巴尔贝克一个星期也喝不了，饮料的味道在我意识清醒的时候确实很诱人，但随后就说不上来了，我还往里面加了几滴波尔多酒，但心不在焉地没咂出滋味来，我给了刚才演奏的那个小提琴手两个路易，这是我省了一个月攒起来的，原来打算买一样什么东西来着，可现在我想不起来要买什么了。有几个上菜的年轻侍者手托菜盘，脚步轻快地在餐桌之间来回穿梭，看上去像是在参加一场赛跑，看谁跑得最快而又不让托盘里的东西掉下来。这不，巧克力蛋奶酥安然无恙地抵达了终点，英式土豆尽管在奔跑中晃晃悠悠，可最后还是在波亚克羔羊肉周围排得整整齐齐。我注意到其中的一个侍者，个子高高的，长着一头浓黑的头发，仿佛扑过粉的脸，让人更容易想起某些珍稀的鸟类——而不是人类；只见他脚不停步地，而且似乎是漫无目标地从大厅这头奔到那头，活脱脱就像只南美大鹦鹉，在动物园瞧着这些羽毛色泽艳丽的大鹦鹉在大鸟笼里奔来跳去，真让人感到不明白它们在干吗。不一会儿，整个场景变得井然有序，至少是在我眼里，变得高雅而安静了。所有那些令人头晕目眩的骚动戛然而止，偌大的餐厅显得宁静而和谐。我瞧着那些圆桌，它们在餐厅里一张挨着一张，宛若一个个星球，就像早年的寓意画上画的那样。而且在这些星球之间，相互作用着一种不可抗拒的引力，每张桌子上用餐的人，眼睛都盯着别的桌子，唯一的例外是那位有钱的东道主，他路道粗，请来了一位有名的作家，此刻正拿旋转的小桌子做由头，怂恿作家说些不咸不淡的闲话，好让那些夫人小姐大惊小怪地乐上一乐呢。这些星球般的餐桌之间和谐的格局，并不妨碍无数侍者持续不停的运行，他们由于不是像餐桌旁的人那样坐着，而是站着，所以是在一个更高的层面上运行。诚然，他们奔来跑去，有的是端冷盘，有的是换酒，有的是添酒杯。但是，无论到底是干什么，他们无休无止地穿行在这些圆桌中间，最终还是点明了这种令人炫目却又自有规律的运行的法则。硕大的花丛后面，坐着两个丑八怪似的女收银员，忙忙碌碌地算个不停，就像两个女巫在忙于天文计算，靠它来预测这个中世纪学者眼中的苍穹时或有之的动乱。

我挺可怜正在进餐的男男女女，因为我觉得对他们来说，这些圆桌并不是星球，他们也不懂怎样才能摈弃习见的外表，找出表象背后的相似之处。他们脑子里想的是他们和某某人一起在吃晚饭，是这顿饭大概要多少钱，是明天还要吃一顿。他们对身旁的年轻侍者行列视若无睹；这些年轻伙计此刻大概没要紧活儿可干，正提着一筐筐面包结队而行。有几个年纪特别小，酒店总管刚才经过时打了他们几巴掌，这会儿他们脸色忧郁，眼睛直勾勾地在走神；他们曾经在巴尔贝克酒店干过，所以假如此刻有一位在那儿住过的客人认出他们，跟他们攀谈，亲自吩咐他们把根本没法儿喝的香槟拿走的话，他们就会感到莫大的安慰，心中充满了骄傲。

我听见自己神经汩汩的搏动声，其中传递出的是一种愉悦惬意的信息，这种舒适不依赖于那些能带来愉悦感的外界物体，我的体内或意识中稍有一点细微的变动，就足以让我领受这种愉悦的感觉，就如闭上眼睛稍稍用力一挤，就会感觉到色彩一样。我已经喝了好些波尔多酒，而我之所以还要喝，并不是因为觉得再喝几杯会更惬意，那是前面喝的那几杯酒带来的愉悦感在起作用。我听凭乐声牵引着快乐的感觉，让这感觉温顺地憩息在每一个音符上。里弗贝尔餐厅好比化学工业，它提供了大量在自然界只是偶然能见到的、非常珍稀的物质，而这家餐厅在同一个时刻聚集了平日散步或旅行整整一年也见不着的那么多女性，从她们那里获得幸福的前景激励着我；另外，我听见的音乐——这些由华尔兹舞曲、德国轻歌剧以及咖啡歌舞厅歌曲改编而来的乐曲，对我来说都很新鲜——犹如一个让人感到轻飘飘的温柔乡，叠合在另一个欢乐天地之上，却又比它更令人陶醉。每个音乐动机宛如一个女性，而又不如她那么矜持，只肯把从中透露出来的感官享受之谜告诉她所爱的人：它向我出示这秘密，贪婪地斜眼看着我，迈着任性或猥亵的步子向我而来，和我搭讪，轻柔地抚摸我，仿佛我突然间变得更有魅力、更强壮或更富有了。我在这些乐曲中，清楚地感觉到一种残忍的意味，那是一种对美的事物毫不留恋，对精神层面的东西不闻不问的态度，对它们而言，除了肉体的享受就什么都不存在了。它们是受妒意煎熬的人的最冷酷无情、最无法找到出路的地狱，它们把这种快乐——他所爱慕的女人和别的男人一起享受的快乐——当作这世界上对占据他整个身心的女人而言唯一存在的东西，放在了这个可怜虫面前。当我低声哼唱这乐曲的旋律，回吻它的时候，它让我感受到的那种特殊的快感变得如此珍贵，以致我甘愿离开父母，追随这个音乐动机去到一个奇异的世界，那是它用一行行时而充满惆怅、时而充满活力的音符，在肉眼看不见的地方构建的奇异世界。尽管这样的快乐并不能使得到快乐的人在别人眼里变得更重要，因为只有他一个人感受得到，尽管在生活中，每当某个瞧了我们一眼的女子没觉得我们可爱的时候，她不会来管此刻我们心中到底是否拥有那种内省、主观（因而不可能改变她对我们的看法）的幸福，但我感到自己变得强壮而有力，变得拥有一种几乎不可抗拒的魅力了。我觉得自己的爱情不再是一种不讨人喜欢、让人哂笑的东西，而是确确实实具有了这种音乐扣人心弦的美感和迷人的诱惑力，我觉得这音乐本身就像一个可爱的新天地，我和心爱的人会在那儿相遇，在一瞬间变得亲密无间。

常来这家餐馆的，不光有交际花类型的女子，也有真正高雅的上层社会人士，他们四五点钟来喝下午茶，或者在这儿举办盛大的晚宴。茶点摆放在一条过道模样、装有玻璃的狭窄长廊里，长廊沿着花园的一侧从前厅通往餐厅，与花园之间仅隔着玻璃门窗——如果不把那几根石柱算在内的话——好些门窗都是打开的。所以，除了多处的穿堂风和时时骤然射进的阳光，炫目而摇曳的光照叫人几乎没法儿看清用茶点女客的模样。于是，瞧着她们两张桌子、两张桌子地拼在一起，沿着这细瓶颈似的长廊坐在那儿，或喝茶，或相互打招呼，一举一动都亮晶晶的，你会觉得这是一个鱼塘，一个捕鱼篓，渔夫捕来的鱼儿一半浸在水里，一半鳞光闪闪地沐浴在阳光中，变幻不定的光芒夺人眼目。

几小时后，晚宴开始了——那自然是在餐厅里，虽然外面天色还亮，但餐厅的灯早早就点上了。于是，只见花园里的小楼，在斜照下犹如夜间脸色苍白的幽灵，小楼边上青绿的树篱掩映在落日余晖之中，从宾客正在用餐的灯火通明的大厅望出去，玻璃长窗外的树篱——不再像刚才我们说的下午在闪着蓝光、金光的长廊里喝茶的夫人们那样，仿佛是在闪亮而潮湿的渔网里——看上去就像一个在神奇的光线照射下的硕大无朋的、绿幽幽的鱼缸里的水生植物。

大家从桌旁站了起来。这些宾客刚才一边用餐，一边时时刻刻都在注视、辨认邻桌上的宾客，或者让人告诉自己他们的名字，虽然有一股很强的凝聚力把他们维系在他们的餐桌上，但是这种吸住他们整晚绕东道主运行的引力，在大家回到喝午茶的那个长廊去喝咖啡的当口，终于失灵了；往往就在从餐厅去长廊的半道上，这个或那个餐桌会缺失一个或几个粒子，这些粒子在邻桌强引力的作用下，骤然脱离了原来的轨道，而这空缺当即由某几位先生或夫人所填补，他们过来落座前，边跟朋友打招呼边说："我得赶紧去看看某某先生，今晚我是他的客人呢。"有那么一小会儿，简直就像两捧不放在一块儿的花束，相互换了其中的一些花儿。

随后长廊也变得空荡荡了。由于晚餐以后天色还没有暗下来，往往长廊上并不点灯；在另一侧窗外摇曳的树木的映衬下，这长廊倒像花园树丛间黑黢黢的小径。有时，在夜色中可以看到某个赴宴的女客还没回去。一天晚上我穿过长廊出去，瞥见美丽的德·卢森堡公主坐在那儿，周围是一群我不认识的来客。我脱帽向她致意，但没停下脚步。她认出我，笑吟吟地朝我点了点头；在这道笑容上方的高处，升起悦耳的声音，向着我而来，那想来该是问好致意的话，并不是要我停下，而只是要补充那点头的动作，让它成为有内容的致意。可是我没法儿听清她说些什么，只是觉得那声音如乐声一般动听，仿佛有一只夜莺在渐渐变暗的树丛中啭鸣。

要是碰巧圣卢兴致很高，要和我们遇见的一帮朋友上邻近海滨的游乐场去消磨夜晚余下的时光，要是他安排我独自乘坐一辆马车，那么等他和那帮朋友一走，我就吩咐车夫全速前进，这样我才能让得不到任何人帮助的时光变得短一些，我是多么需要有人帮我克服我的多愁善感——犹如凭借倒退来摆脱齿轮系统中的钝态——来到里弗贝尔后，总是别人在帮我调整情绪。小路只容一辆马车通过，夜色已很浓重，车子上下左右猛烈地颠簸，崎岖的路面上时有峭壁的石块崩下，马车就行驶在陡峭的悬崖边上。可是这一切都没能起到提醒我的作用，没能让我因惧怕而恢复理智。因为，正如要能写出一部作品，靠的并不是扬名天下的愿望，而是习惯成自然的勤奋努力，真正能帮助我们创造未来的，并不是眼前一时的欢悦，而是对过去冷静的思考。然而，如果说刚到里弗贝尔那会儿，我就已经把理智和自控这两根能帮我这病残之躯走在正道上的拐杖扔得远远的，已经在受一种精神上失调的折磨，那么此刻，酒精的作用在把周身神经变得异样绷紧的同时，使眼前的分分秒秒都变得美妙而富有魅力，但我并不因此变得更有能力或更有决心去卫护它们；因为，就在我听凭自己将这分分秒秒看得比剩余的生命贵重一千倍的同时，我的激情已经把它们隔离了开来。我被禁锢在现时之中，有如英雄，又有如醉汉；往昔悄悄隐去，不复在我面前投下人称未来的影子；我的生活目标，不再是实现往昔的梦想，而是享受现时每一分钟的欢悦，我不想看得比这更远。这事从表面上看，的确是挺矛盾的，恰恰就在我体验到一种前所未有的欢乐，感到生活可以是幸福的，按说应该感到生命更有价值的时候，我却把至今为止生活所能给我带来的烦恼，全都抛到了脑后，毫不犹豫地把生命交付给随时可能倾覆的飙车。其实，我无非就是把别人稀释在全部生活中的轻率，浓缩在了一个晚上，他们每天都面对着可能的危险，坐船在海上航行也好，乘飞机或汽车出行也好，亲人在家里等着他们，而他们万一失事会让亲人伤心欲绝，或者他们衰弱的大脑里，还维系着对即将面世的那本书的牵挂，而那本书，是他们支撑着活下去的唯一理由。

我们在里弗贝尔餐馆的这些夜晚，倘若有人抱着杀我的动机前来，由于我在只是一个不现实的远景中看见我外婆、我未来的生活和我要写的书，由于我能感觉到的只是邻桌那个女子身上的香味、酒店总管彬彬有礼的举止，以及华尔兹舞曲悠扬的乐声，我此刻完全沉浸在了现时的感受之中，除此之外我别无所感，除了不要和它分离的想法，我再也没有别的目标，为了它我愿意去死。所以面对那个要杀我的人，我会听任他下手，既不反抗，也不动弹。有如被烟草熏得麻木的蜜蜂，既无心去保护辛辛苦苦积聚的储备，也不指望保全自己的蜂巢。

不过，我还是应该说，正因为跟我极度兴奋的心情相比，所有那些最重要的事情，最终包括西莫内小姐和她的女友们在内，都变得无关紧要了。结识她们这件大事，此刻在我变得容易但又无所谓了，唯有我现时的感受，因为它变得异乎寻常地强烈，因为它无论是有细微的变化还是仅仅不过在持续，都使我感到心头充满喜悦，所以这种感受对我来说是最重要的；其他的一切，父母，工作，游乐，巴尔贝克的少女，都无非是大风中随时会被吹走的一朵飞沫，都只是相对于这种强烈的内心感受而存在的：一连好几个小时，醉酒成全了主观唯心主义和纯粹现象论；一切都只是表象，都仅因我们自身的崇高而存在。不过，这并不是说，真正的爱情——倘若我们有过这样的爱情——在这样的状态下是无法存活的。我们清楚地感觉到，就如到了一个新环境一样，陌生的压力改变着这种感情的维度，所以我们不能再把它看成以前的样子了。我们明白，这仍是先前的爱情，但由于发生了位移，它不再使我们有负重之感，它满足于现时赋予它的感受，而我们也满足于这种感受，因为，跟现时不相干的事情，我们是不会在乎的。可惜，导致数值发生如此变化的这个系数，只是在这种醉酒的时刻才起作用。此刻像肥皂泡一样一吹就破的轻飘飘的人，到明天又会变得厚重起来；今天看似毫无意义的工作，明天还得重新着手去做。更重要的是，这种明日数学跟昨日数学一样，我们无法回避这一数学的种种问题，它在我们自己不知晓的情况下，影响并支配了我们醉酒时的言行举止。倘若在我们身边有一个端庄的（或抱有敌意的）的姑娘，昨夜想来还是那么困难的事儿——弄清楚我是否能博得她的欢心——现在仿佛容易了一百万倍，但其实并非如此，而只是我们的眼睛，我们内心的眼睛有了改变罢了。当时要是我们对她过于随便，她也会不高兴，这跟第二天我们记起头天给了侍者一百法郎小费，心里会感到不痛快是一样的道理，她是当场，我们是过后，但原因是同一个：此时没有醉酒。

里弗贝尔的这些女性，我一个也不认识，但她们跟我醉酒密不可分，正如反射与镜子密不可分，这个晚上在我眼里，她们比那个越来越离我远去的西莫内小姐更风情撩人一千倍。一个金发姑娘，独自一人，戴着一顶插满野花的草帽，看上去挺忧郁，她用一副耽于梦幻的神情望了我一会儿，让我觉得她挺可爱。尔后是另一个姑娘，尔后又是第三个姑娘；最后是一个脸色红润的棕发姑娘。这些姑娘，尽管我一个也不认识，圣卢几乎全都认识。

原来，他在结识现在这位情妇之前，经常出入于这个小小的花花世界，所以这几天来里弗贝尔赴晚宴的女客，他差不多没有不认识的，她们上这儿海滨来，有的是来和情人相会，有的则是想来找一个情人，圣卢——或者他的某一个朋友——至少和她们共度过一个良宵。要是她们身边有个男友，他就不跟她们打招呼，她们也装得不认识他的样子，但暗中频频转眼去望他（比望身边的男友更勤），因为大家知道，他现在除了那个情妇，任何别的女人都不放在心上，这一来他的身价反而更高了。有一个女客低声地跟身旁的女伴说：

“他就是圣卢。他好像还一直恋着那个放荡的小妮子，吃得她要死呢。小伙子长得多漂亮！我觉得他棒极了！多帅啊！有的女人就是运气好嘛。他可真讨人喜欢。我和德·奥尔良在一起那会儿，跟他很熟。那时候他俩形影不离，那才叫花天酒地呢！现在可不一样了；他的心思放在别人身上喽。哦！我真不知道她是不是明白自己交了好运。我挺纳闷，他在她身上能看出什么好来呢。敢情他本身也是个大笨蛋。她的脚大得像船，还像美国女人那样长着唇髭，内衣也脏得要命！我想啊，她的裤子哪怕送给一个小女工，人家也不会要。您再瞧瞧他的眼睛，为这么个男人，往火里跳也值。哎，别说话，他认出我了，他在笑。哦！他忘不了我。人家只要跟他提一下就行。”

她们和他之间心照不宣的目光，碰巧让我给瞧见了。我巴不得圣卢把我引见给这些女人，巴不得能单独约她们见面，而她们又慨然应允——即使她们说的时间我去不了，也无妨啊。因为要不是这样，在我的记忆中，她们的脸始终有一部分是看不到的——就像被面纱遮住了似的——这个对每个女人都因人而异的部分，我们在没见到这道目光之前，是无法想象的。只有当这道目光射向我们，怂恿我们的欲望，向我们许诺它会得到满足的时候，我们才见到了这一部分的脸。而这些女人的脸，即便有看不到的部分，在我眼里仍要比那些我也许觉得更端庄的女人的脸耐看，比那些平平的，就那么一片、没有厚度可言的脸更有内涵。当然，这些脸之于我，想必跟它们之于圣卢有所不同，看着这些装作不认识他（他对此并不在乎——这在他是真诚的）的不动声色的脸，听着这些跟他打招呼和跟别人没什么两样的不冷不热的寒暄，他的记忆中会浮现出那些散乱的秀发、痴狂的嘴和半闭的眼睛，这无声的场景，好比画家充满激情创作的油画，而当有人参观他的画室时，他在上面盖了一幅似乎更为得体的画作，免得大部分的参观者感到受不了。但我感到自己的生命中，不曾有过一丝一毫的东西进入其中任何一个女子的心灵，而且永远也不会被带上她那陌生的人生之路，所以对我来说，这些脸自然都是封闭的。然而，知道它们能开启，这就足以让我觉得它们是一种奖励了，倘若它们只是一些美丽的奖牌，而不是珍藏着爱情纪念物的珍贵挂件，我是不会这么觉得的。

至于罗贝尔，他在那儿实在有些坐不住，廷臣的微笑下隐藏着军人对投入战斗的渴望，我凝视着他，心想他这张下巴尖尖的脸骨架之结实，想必不输给他的祖先们，这样的骨架对一名勇猛的弓箭手，要比对一个风雅的文人更合适。在细腻的皮肤下面，大胆独创的结构样式和中世纪的建筑风格隐约可见。他的头颅则让人想起古代城堡的主塔，当年的雉堞历历在目，内部却已改建成了图书馆。

回巴尔贝克的路上，我一刻不停念叨着圣卢介绍给我的某一位陌生女子，几乎是下意识地反反复复说："多美妙的女人！"就像唱着一首歌的叠句。当然，驱使我这么说的并不是理智的判断，而是一时的冲动。这就好比，假如我身上有一千法郎，而街上这么晚了还有首饰店开着，我准会为那个陌生女子去买一枚戒指。我们在生活中遇到像这样迥然不同的环境时，往往会对一些萍水相逢的人慷慨相赠，尽管到了下一天他们就成了陌路人。我们觉得自己对头天说过的话负有责任，执意要兑现它们。

这些天我回来得很晚，所以见到房间（它对我已经没有敌意了）里的那张床，觉得挺高兴，我刚来巴尔贝克的那天，还以为在这张床上永远也没法儿好好睡个安稳觉呢，现在我疲惫不堪的肢体却在寻找依托，大腿，臀部，肩膀，相继在各自的部位贴紧床垫上包着的床单，仿佛我的疲倦是个雕塑家，在刻意打造一个人体的模具。可我还是没法儿入睡；我感觉到清晨在临近；安宁、健康仿佛离我而去。我烦恼地觉得自己再也找不回它们。我对自己说，我得好好地睡一觉，那样才能把它们找回来。我终于坠入了沉沉的睡乡，在梦中回到少年时代，逝去的岁月重现，失去的感情恢复，灵魂在脱离躯壳寻求转世，亡人的音容依稀可闻可见，虚妄的幻灭在心头留下忧伤，一切的一切，都回归到了自然的原生态（据说，我们在梦中常会看见动物，而忘记我们自己在梦中也往往是动物——丧失了将确信之光投射到万物之上的理性的动物，我们仅仅将朦胧不定的影像提供给现实的场景。而且由于遗忘的作用，这些影像每一分钟都在变淡，后一个情景一出现，前一个情景就消失了，就像放幻灯时每换上一张新的幻灯片，上一张的图像就隐匿不见了），所有这些我们以为自己不了解的神秘的事物，其实我们几乎每天夜里都在与闻它们的奥义，如同对于另一个更大的奥秘——毁灭与重生的奥秘那样。由于里弗贝尔的晚餐不易消化，在往昔游移的幽暗场景相继显现的亮光，变得更飘忽不定了，到头来，我成了这么一个人，因为在梦中刚跟勒格朗丹聊过天，就把遇见这位老兄当成了至高无上的幸福。

我自己的生活，也被一个新装置完全遮蔽了起来，它就像舞台上换景时临时在台前加置的一片布景，几个演员趁换景的工夫在这片布景前演些小节目。我这时演的角色有一种东方色彩，我对自己的过去，对自己是个什么人，全都一无所知，原因就在于这插入的布景离我太近；我在剧中成了一个遭鞭笞、经受各种不同刑罚的人物，我也不知道自己到底犯了什么过错，但想必就是喝了太多的波尔多酒吧。突然间，我醒过来了，这一觉可睡得真长，那场交响音乐会我都没听见。我想支起身来，可起先怎么也抬不起来，几次头刚仰起来，就又落在了枕头上，醉酒或病后虚弱的人，在醒来时都会出现这种为时很短的极度困乏的状况，我终于抬眼看了看表，已经是下午了；其实，在支身看时间之前，我心里就知道该是过了中午了。昨晚，我就不过是个掏空了的、没有重量的东西，而且（正如先得躺下才能坐起，先得睡着才能闭嘴）没法儿有一刻不动弹，没法儿有一刻不说话。我既没有稳定性，也没有了重心，整个人被抛了起来，只觉得这沉闷的行程要永远持续下去，一直跑到月亮上去。然而，虽然躺在床上眼睛看不到钟表，我的身体却能计算时间，按照的不是钟面的刻盘，而是体力逐渐恢复的程度，它就像一架走时有力的大钟，靠齿轮的啮合把恢复的体力从大脑传递到躯体的每个部分，现在已经把充沛而饱满的精力积聚到了膝盖以上。如果真像传说中说的那样，大海曾经是维系我们生命的所在，我们必须将自己的血投回大海，才能重新获得力量，那么现在的大海就是遗忘，就是精神上的虚无；在这种时候，你会觉得时间仿佛消失了；然而在这段时间里积聚起来、没有花费掉的精力，却在依据自身的累积量，有如挂钟的摆锤或沙漏的沙堆那般精确地度量着这段时间。何况，要从深沉的睡眠中醒来，并不比熬夜过后要入睡来得容易，所有的事物都有维持原状的惰性。如果说，有的麻醉药能催人入睡，那么长时间睡眠就是一种药效特强的麻醉药，在这样的睡眠过后，醒来是很困难的。这就好比一个水手，他要让自己的小船去泊靠的海岸明明就在眼前，可是小船在海浪中兀自颠个不停。我明明是要看看时间，想支起身来，可是身体始终被睡意在往下拽；靠岸非常困难，我又倒在枕头上两三次以后，才终于站起身来，把积聚在我那软绵绵的双腿中的体力所测得的时间，跟表盘的时针核对了一下。

我这才看清楚："下午两点了！"我按了下铃，但马上又睡着了，醒来时只觉得仿佛刚经历了一个漫漫长夜，而且心头很平静。于是我心想，这回睡的时间一定又要长得多。不过，这次我是因为弗朗索瓦兹进来才醒的，而她是由于我按了铃才进来的，所以这次我原以为想必要比上次长得多的，让我感到浑身舒服、把什么都给忘了的睡眠，其实只有半分钟之久。

外婆推开我的房门，我问了她几个有关勒格朗丹家族的问题。

要是只说我恢复了宁静和健康，那是不够的，因为，昨晚把我和它们隔开的不仅是一段距离，我整夜都在奋力挣扎，逆流而上，最后，不光我回到了它们旁边，它们更回到了我的身上。我那空落落的脑袋说不定有一天会裂开，听任思绪飘散开去，而现在，那里面有几个位置很明确的点还在隐隐作痛，思绪再次返回原来的位置，重又安顿在它们至今（可惜！）未曾派上用场的这些地方。

我又一次逃避了无法入睡、神经质躁狂发作的厄运。我不再害怕昨夜当我不能入睡时让我感到恐惧的那些东西了。一种新生活展现在我眼前；我没有动弹，因为我虽然精神抖擞，但浑身还像散了架似的，我欣喜地品味着疲乏；疲乏已经将我的骨架从双腿、双臂中抽离出来压碎，但我此刻感到它们正在集拢，准备重新接合——我只要像寓言中的建筑师那样唱个歌，就能重构这副骨架。

突然间我又想起在里弗贝尔见过的那个神情忧郁的金发少女，她当时注视过我一会儿。那个晚上，另外还有好几个少女也让我觉得赏心悦目，而现在只有她的倩影从记忆深处浮现出来。当时我觉得她在注视我，心里指望着餐厅的哪个侍者替她来给我传个话。圣卢不认识她，不过他觉得她还不错。要见到她，要不断地见到她，可能很难。但我为此会不惜一切代价，我满脑子想的都是她。哲学常说什么自由行为和必要行为。也许我们更完整地感受到的，仅仅是这样一种行为，一旦我们的思绪平静了下来，这种行为便会凭借一股在行动过程中受到抑制的升力，使某一回忆脱颖而出（直到此刻之前，这一回忆始终被那种由于心思不放在上面而形成的压力压住，与其他回忆处于同一水平高度），高高耸起——因为它自有一种胜过其他回忆的魅力，只是我们当时并不知情，要在一天一夜以后才觉察到罢了。也许，这种行为也并非自由行为，因为它还没有成为一种习惯，还没有达到在爱情中促使某人形象复活的那种痴迷的程度。

那是我看见这群少女列队走过大堤的下一天。我向好几位酒店客人打听她们的情况，这些客人差不多每年都来巴尔贝克，可是他们没能说出什么内容。后来我看见了一张照片，才明白其中的缘故。现在谁能认出这群刚从体貌整个儿发生变化的年龄段过来，娇美而又尚未定型、未脱孩子气的小姑娘呢？才不过几年以前，你还能见到她们在沙滩围坐在帐篷四周，宛如一个白蒙蒙的星座，你即便从中分辨出了一对比旁人格外明亮的眼眸、一张狡黠的脸、一头金色的秀发，它们也很快就会从你脑海中消失，混入这团模糊的乳状星云中去。

想必在那些不算遥远的年头，她们并不像上一天我刚见到她们时那样，以群体的形象出现在人家面前，当时那还是一个没有清晰成形的群体呢。那时候，这些小女孩还处于雏形的阶段，个性还没有给每张脸烙上印记。这些尚未以个体形式存在的初级器官，确切地说是由珊瑚骨，而不是由组成珊瑚骨的珊瑚虫构成的，所以那时它们还是你推我搡地挤在一起。要是有谁把旁边的姑娘推倒了，她们中间就会爆发出一阵疯笑（这仿佛是她们个体生命唯一的体现方式），人人都兴奋不已，一张张尚未定型、扮着怪相的脸蛋交融在一起，犹如同一根花枝上的亮晶晶、颤巍巍的几滴露珠。在她们后来给我，我始终保存着的一张当年的照片上，这群稚气未脱的小姑娘，已经跟后来的少女队列人数一样多了；照片让人感到，她们那时想必已经是海滩上引人侧目的一景了，不过她们的面貌还不大分得清楚，只能凭推测来辨认谁是谁，为青春期蜕变预留的这个空间，足够在同一个人身上，让蜕变后的新形象来取代原先的那个形象，而这张漂亮的脸蛋，配上高挑的身材和卷曲的头发，十有八九也就是照相簿上从前那个干瘪瘦小的丫头片子了；这群姑娘的容貌特征在这么短的时间里发生了这么大的变化，反倒使得这些特征成了很模糊的标准，再则她们所共有的，或者说集体的存在从那时起就一直很显著，所以有时就连她们最好的女友，也会把这张照片上的某个人认作另一个人，非要到看清她身上有某件别人不用的配饰，才最后认准。从那时起到我在大堤上见到她们的那一天，时间并不长，但她们的情形已大不相同，她们还是经常像我初见她们时那样放声大笑，但那已经不是孩子的时断时续，几乎是不可抑制的那种笑声了，往日那种痉挛性的爆发，似乎随时会让这些脑袋一个猛子扎下水去，犹如维沃纳河里成群的鲦鱼，骤然间四散消失，尔后重又聚拢在一起。如今她们的容貌已经有了自控的能力，目光已经凝定在追求的目标上；只有我头天那种犹犹豫豫、摇摆不定的感觉，才会将这些个员混淆起来（就像往日的痴笑和旧照片让人分不清谁是谁一样），如今这些个员都已有了个性，从乳白色的石珊瑚上分离开来了[1]。

确实，曾经有过很多次，当漂亮的少女从我面前经过时，我暗自发愿一定要再见到她们。通常她们不会再出现，而且可能还没等我们的眼睛认出她们，我们就已经瞧着别的少女走过了——尽管这些少女我们以后也不会再次相见。可是另一方面（这个特立独行的少女帮大概正是这种情形），机缘又非要把她们带到我们面前来不可。这时候，我们的感觉会很不错，因为我们从中看到的是给生命注入活力、使其成形的一种努力；由于这种机缘，让一些形象栩栩如生地保存在记忆中变得很容易，很自然，有时甚至——在让人以为会就此不再记得的那些中断过后——很残酷，事后我们会觉得记住这些形象是天意使然，而要不是有这种机缘，我们很可能像对其他那么多人一样，一开始就把她们给忘了。

1　珊瑚是具有石灰质骨骼的海生无脊椎动物。珊瑚群体上的水螅体（称为个员）均特化并各有不同功能。

圣卢很快就要结束在巴尔贝克的假期了。我没有在海滩上再遇见那些少女，他下午只在巴尔贝克待一小会儿，忙得顾不上她们，没法儿按我的心意去结识她们。晚上他稍空些，仍常带我去里弗贝尔。在这些餐馆里，就像在公园里或火车上一样，你会遇见一些人，他们外表看上去普普通通，姓氏却非常显赫，我们倘若偶然问起他们的姓名，会大吃一惊地发现，我们以为就不过是草民百姓的这些人，竟然是久闻大名的大臣或公爵。在里弗贝尔的餐馆里，我和圣卢已经有两三次看见，所有的客人开始离座的时候，总有一位个子高高、肌肉发达、五官端正、胡子花白的客人来到一张餐桌旁坐下，目光专注地凝望着半空，像是想什么事情想得出了神。有一天晚上我们问老板，这个身份不明，总是等到大家都吃好了才独自姗姗来迟的客人，到底是什么人。

"怎么，你们不认识大名鼎鼎的画家埃尔斯蒂尔？"老板对我们说。

斯万有一次对我说起过这个名字，他当时说些什么我全都忘了；不过，记忆的省略就如看书时略去某些句子成分一样，有时造成的后果并非无法肯定，而是过早的肯定。"他是斯万的朋友，一位很有名气，身价很高的艺术家。"我对圣卢说。顿时，圣卢和我脑海里闪电般地冒出同一个念头：埃尔斯蒂尔是个大画家，是位名人，在他眼里我俩跟别的用餐客人没什么两样，他根本不会知道我们看到他有多激动，对他的才华有多仰慕。当然，倘若我们没来海滨度假，那么他不知道我们崇拜他也好，不知道我们认识斯万也好，都没什么要紧。可是，我们还处在无法让热情保持沉默的那个年龄段，想到他竟然对我们的渴慕一无所知，我们就受不了。于是我们给他写了张便条，签上我俩的名字，告诉他有两个非常仰慕他才能的绘画爱好者，他的好友斯万的两个朋友，此刻正坐在离他两步开外的桌旁，请他接受我们的敬意。一个侍者受命将便条送给这位名人。

埃尔斯蒂尔当时已经有了名气，但恐怕还没像餐馆老板说的那么有名，还得等上几年他才有那么大的名声。不过，当年这家餐馆还是一副农家景象的时候，可是他率先带着一帮艺术家入住这个地区的（等大家在披檐下吃饭的农庄变成气派的餐厅，那些艺术家就另择去处了；埃尔斯蒂尔和妻子住得离餐厅不远，但要不是妻子不在家，他今天是不会来这儿吃饭的）。不过，一位天才，即使还没有名扬天下，也必然会引来一批崇拜者，农家餐馆的老板从不止一个英国女游客热切企盼了解埃尔斯蒂尔近况的提问，以及这位画家收到的许多来自国外的信件之中，嗅出了这位天才的气息。这时他又注意到，埃尔斯蒂尔作画时不喜欢有人打扰，还有，在月色皎洁的夜晚，他会悄悄起床，把一个小模特带到海边，让她摆出姿势来作画。当这个老板在埃尔斯蒂尔的一幅画上认出立在里弗贝尔镇口的大十字架的时候，他更觉得那么些心血都没白花，那些女游客的赞美也不是瞎说。“就是里弗贝尔镇口的大十字架呗，”他一遍又一遍惊讶万分地说，“那可是四段大木头拼起来的！哦！他可费了不少劲儿哪！”

可他不知道埃尔斯蒂尔送他的那幅小小的《海上日出》是不是能值大价钱。

我们看见埃尔斯蒂尔读了我们的便条，放在衣袋里，继续吃饭，然后吩咐把他的衣帽拿来，站起身来往外走去。我们心想我们那么做肯定是惹他不高兴了，现在巴不得（我们太怕他了）能不引起他注意，悄悄地溜走。有一件事，本来对我们来说应该是最要紧的一件事，我们却压根儿没想到，那就是，我们对埃尔斯蒂尔的热情，并不是我们自己想象的那种倾慕。我们从来没见过他的画，要说倾慕委实太空泛了些；这种热情的对象，只是“大画家”这个空洞的概念，而并非某幅我们根本没见过的画作。这种热情，充其量只是一种悬空的仰慕，一种全无内容的空疏、浮泛的仰慕，换句话说，它就如某些成年后不复存在的器官一样，是跟童年时代联系在一起的；我们依然还是孩子。这时埃尔斯蒂尔已经走到门口，却突然转过身，朝我们走来。一种美妙的惊恐使我激动万分，这种感觉我在几年以后大概就再也不能感受到了，因为在年龄消减能力的同时，对社交圈的习焉不察也消磨了激情，使人无意再去寻觅这种不寻常的际遇，感受这样的激动。

埃尔斯蒂尔坐到我们桌前来，跟我们交谈了几句。我屡次提到斯万，他总不接茬儿。我心想，莫非他根本不认识斯万。不过他还是邀请我去参观他在巴尔贝克的画室（他没邀请圣卢），原因是我说了一些话，让他觉得我挺喜欢艺术的——要不然，即使他跟斯万有交情，光靠斯万的推荐我恐怕也未必能得到这样的邀请（在人际关系中，情感漠然的情形远比我们所想的常见得多）。他待我态度的亲切，是圣卢所不能比的，正像圣卢的亲切是一个小市民所不能比的。跟一个大艺术家相比，一个大贵族的态度再怎么和蔼可亲，总显得像演员在演戏，有点假装的意味。圣卢意在取悦对方，埃尔斯蒂尔则喜欢给予，喜欢互相给予。他所拥有的一切，思想、作品以及其他那些他并不怎么看重的东西，他都很乐于给予一个能理解他的人。但是他找不到合得来的伴儿，所以就离群索居，处于一种很孤独的生活状态。社交界的人士说他摆架子、少教养，有权势者说他思想有问题，邻居说他神经病，家里人说他自私、傲慢。

最初的那些日子里，孤独中的他大概（甚至颇为欣慰地）是这么想的：他在用自己的作品和那些不了解他、伤害过他感情的人沟通，改善他们对他的看法。那时他孤独地生活，也许不是出于冷漠，而是出于对他人的爱，正如我放弃吉尔贝特，是为了有一天更可爱地出现在她眼前。他的作品是为心目中的某些人而画的，他仿佛是在寻求跟他们和解，让他们在看不到他的情形下，也能喜欢他、钦佩他、谈论他；我们放弃一样东西，一开始总不是那么决绝的，让我们做出这个决定的，是旧日的我们，那时我们还不曾体验到放弃对我们的影响——无论那是一个病人的放弃，一个修道士的放弃，还是一个艺术家或英雄人物的放弃。虽然他是为心目中的某些人作画，但作画时他远离已经变得跟他不相干的社会，为自己而活着；孤独的实践使他爱上了孤独，这种情形我们在面临一桩大事时都会遇到，一开始我们会有一种畏惧感，因为我们知道，它是跟我们平时很在意的种种小事无法相容的，它不仅要把这些小事从我们身边夺走，而且会使我们不再把它们放在心上。所以我们着手去做这件大事以前，心心念念想知道，对于那些一旦着手做大事就无法再享受的某些乐趣而言，这件大事（我们一旦经历了这件大事，那些乐趣就不成其为乐趣了）能在多大程度上与它们和平共处。

埃尔斯蒂尔跟我们谈了没多久。我原来打算过两三天再去看他的画室，可是第二天我陪外婆从海堤尽头往卡纳镇悬崖的方向散步，回来的路上，在一条直通海滩的小街的拐角处，我们遇见一个少女低着头迎面走来，神情活像一头很不情愿地被人赶回圈的牲口。她手里拿着高尔夫球杆，身后跟着一个盛气凌人的人物，俨然就是一副英国家庭女教师（或者是她某位女友的英国女教师）的模样，她长得很像贺加斯画笔下杰弗雷家的人，脸色红彤彤的，让人想见她平时爱喝的不是茶，而是杜松子酒，没嚼完的嚼烟往上翘着，让花白而浓密的唇髭看上去又长了一截。走在前面的姑娘，长得很像那帮少女中戴黑色马球帽、胖胖的脸蛋不大转动而眼睛含着笑意的那个姑娘。此刻正在回家的这个姑娘，也戴着黑色马球帽，不过我觉得她比那个姑娘更漂亮，鼻子线条更挺，下端的鼻翼更宽、更肉感。还有，那个姑娘在我看来像个脸色苍白、傲气十足的少女，而这一位像个被驯服的孩子，脸色也很红润。不过，她俩推着一样的自行车，戴着一样的鹿皮手套，所以我心想，刚才的差别很可能是由我所处位置和周围环境的不同造成的，否则在巴尔贝克怎么会有这么两个脸蛋长得如此相像、打扮更是一般无二的姑娘呢。她朝我的方向投来迅速的一瞥；在我接下去的几天想起海滩上这帮少女的时候，甚至在我后来认识所有这些少女以后，我还是没有绝对的把握说她们中间有哪一个——即使是其中最像她的，也就是推自行车的那个姑娘——就是那晚我在海堤那头的街角看见的姑娘，她跟我当初在队列中注意到的那个少女几乎没有差别，但毕竟又有点差别。

前些日子我一心想着那个高个子少女，可是那个下午以后，这个手握高尔夫球杆，听说名叫西莫内的少女，却弄得我心神不定了。她走在其他少女中间时，常常停下脚步，那些看上去挺尊重她的女友也就只好中止前进。现在浮现在我眼前的，就是她站在那儿，两眼在马球帽下闪闪发光的模样，远处的大海映衬着她的身影，她和我之间，隔着一个蔚蓝色的透明的空间，以及从那以后流逝的时光，对这张脸的初次印象，在我的记忆中占着一个小小的位置，惹我想望，让我追寻，尔后被我忘却，尔后重又寻回。此后我常把这张脸投映到过去，好让自己在心里说，和我一起在房间里的某个少女，“就是她！”

不过我最想结识的，也许还是那个脸蛋红扑扑、眼眸碧绿的少女。某一天我也许会格外想见她们中间的某一个，但是除了她，其他的少女也足以让我心神激荡。尽管我的情谊这一次系在这一个身上，那一次系在那一个身上，可是在我心目中，她们仍然——就如我第一天远远望见她们时那样——是一个整体，一个别有一番景象的小世界，而且她们大概有意要过这种特立独行的生活；我若能成为其中一人的朋友，我就能进入——犹如一个细心的异教徒或审慎的基督徒进入蛮荒之地——一个让人焕发青春朝气的圈子，其中洋溢着健壮、没心没肺、感官享受、暴戾、非理性，以及欢乐。

外婆听我说了和埃尔斯蒂尔见面的事，挺高兴的，认为和他交往能使我在学识上有所裨益，觉得我还没去拜访他真是不可思议，有点不近人情。可是我满心想的都是那帮少女，我说不准她们什么时候会从大堤上经过，所以不敢走远。外婆对我的讲究衣着也感到挺吃惊，因为我突然想起了一直压在箱底的那些衣服。我每天都要换一套衣服，甚至还写信到巴黎，让他们给我寄来新款的帽子和领带。

如果一个漂亮姑娘，一个在我们脑海中留下明亮颜色的卖海鲜、蛋糕或鲜花的女郎的脸庞，每天从早晨起便是我们在海滨度过的优哉游哉、充满阳光的生活的目标，那么一个像巴尔贝克这样的海水浴疗养地，就平添了许多魅力。这个目标，使海滨的生活——虽然是在度假——变得跟工作日一样忙碌，就像被磁铁吸引住了似的，永远指向下一个时刻，到时候我们会一边买油酥饼、玫瑰花和菊石化石，一边饶有兴致地看着那张女性脸庞花儿般纯净的鲜亮色彩。但首先，这些卖东西的女郎，我们至少可以跟她们说说话，而无须凭着想象，在单纯的视觉为我们提供的情景之外，再去构建别的场景，如同站在一幅肖像画面前那样，去重新创造她们的生活，去渲染这种生活的魅力；尤其是，正因为我们和她们说过话，所以我们知道几点钟、在哪儿可以再找到她们。然而对我而言，这个少女帮的情况就全然不是如此了。我不了解她们的生活习惯，所以碰上哪天没看见她们，我就不知道她们为什么不来，我想弄明白其中的原因是不是固定的，我是不是得每隔一天，或者在某种天气的情况下才能见到她们，要不，或许在有些日子里，谁也甭想见着她们。我事先把自己想成她们的朋友，在心里跟她们交谈："某天你们不去吗？"——"哦！对，那天是星期六，星期六我们从来不去那儿，因为……"而要是事情就这么简单，知道每逢倒霉的星期六，我再上劲儿也不顶用，倒也就好了，那样我就干脆在海滩上四处乱逛，坐在糕饼店门前，装着在吃糖霜蛋糕，去古玩铺转转，算着时间等着洗海水浴，听音乐会，看潮涨和日落，看夜幕的降临——反正我见不着心仪的那帮少女。

可是这个要命的日子并不一定是每星期一次，也不一定就是星期六。它说不定受某些气候条件的影响，又说不定跟天气完全没有关系。对于这个未知世界表面上全无规律的现象，我纵使心情不平静，也得耐着性子反复观察记录多少次，才能不被偶然的巧合所蒙蔽，才能做出比较可靠的预期，才能以残酷的体验为代价，得出这一扣人心弦的天文学的某些规律哦！赶上哪天，我想到上星期的这一天没见到她们，以为她们不会来了，等在海滩上也是白搭，想不到她们却来了。而当我按规律算出某一天是个吉日，这些星座都会回归的时候，她们偏偏不来。但这只不过是个开头，就不过是确不准她们来不来而已，问题更严重的是有些日子里，我根本不知道以后是不是还能见到她们，她们到底是要去美洲，还是要回巴黎。我一无所知。而这就足以让我爱上她们了。对某个人感兴趣是一回事，要激发那种愁绪，那种事已无可挽回的感觉，那种堪为爱情前奏的焦虑，则是另一回事，那非得有不可能的危险——说不定激情的对象恰恰就在这上面，它急不可耐地要去拥抱的正是这一对象，而并非某个人——横亘于前不可。这种在爱情中一次又一次重复着的影响，就是这样起作用的（不过，它们往往更多地发生在大城市中的女工们身上，爱恋她们的男人不知道她们哪一天休息，唯恐在车间门口没看见她们），或者说，至少在我的爱情生活中是这样一次次起作用。说不定它们跟爱情本来就是分不开的，也说不定是初恋的某个特点借助回忆、暗示或习惯，在相继而来的各个生活阶段中介入后继的爱情，赋予了这些爱情一种共有的特色。

每天一到时候，我心想兴许能碰到她们，就千方百计找借口去海滩。有一次我们正在吃午饭，我远远望见了她们，此后我总是晚些去就餐，在大堤上久久地等候她们经过；坐在餐厅里的那一小会儿时间里，我眼睛始终望在蔚蓝色的玻璃窗上；我往往没等餐后甜点上桌，就要站起身来离开，生怕她们换了个时间散步，我会跟她们错开。如果这时外婆要我再陪她待一会儿，把时间给耽误了，我心里就很恼火，外婆俨然不自觉地干了坏事。我把椅子斜放，好让视野更远些；要是我碰巧看见她们中的某一个，由于她们都有着与众不同的气质，在精神上是相通的，所以我就仿佛在眼前活动的、凶险的幻觉中，看见了那个噩梦的些许投影，而在这一刻之前，这个噩梦还仅仅存在于（以一种永久停留的方式）我的脑海中，它是一场不祥的噩梦，我却沉迷其中、如痴如醉。

我不专爱她们中的哪一个，我个个都爱；能和她们相遇，成了这些日子里唯一让我感到美妙，让我萌生出打碎一切障碍的希望的事情，而要是见不到她们，希望往往就变成了狂怒。这时候，这些少女在我心目中遮蔽了外婆；倘若有段旅程是要去见得到她们的某地，我一定会二话不说，兴冲冲地上路。当我自以为在想别的事情，或者什么都不想的时候，其实我的思绪总是不胜愉悦地牵挂在她们身上。而每当我想到她们（即便我自己并不知道），她们在我心目中（她们当然也不知道）就是大海上起伏的碧波，就是海堤上列队而过的倩影。倘若我到一个可能遇见她们的城市去，我最先去找的就是大海。对一个人最专一的爱，总是对另一个物的爱。

外婆有些轻视我，因为我现在居然对高尔夫和网球大感兴趣，而对一位她觉得非常了不起的艺术家，宁可坐失看他作画、听他发宏论的机会，可我认为这种轻视源于某些狭隘的观念。以前在香榭丽舍公园我就模糊地感觉到，后来又更清晰地意识到，我们爱上一个女人，无非就是将我们的一种精神状态投射到她的身上；因而这个女人是否出色并不重要，重要的是这种状态是否深刻。一个普普通通的姑娘在我们身上激起的热情，往往会使我们心灵深处最隐蔽、最个性化、最细微、最本质的东西上升到意识的层面来；而和一位出类拔萃的人谈话，甚至充满敬意地凝视他的作品，纵然能使我们感到愉悦，未必能产生这样的效果。

我最后还是听外婆的话去拜访埃尔斯蒂尔了。可他住在巴尔贝克的一条新街上，离海堤挺远，我觉得去那儿真麻烦。天实在太热，我去海滨街乘电车时，只好一个劲地对自己说，我这是在辛梅里安人的古王国，是在马克王当年可能统治过的地区，或者是在勃罗塞利昂德森林的遗址中穿行呢，尽量不去看那些在我面前伸展开去的假充高档的建筑。而埃尔斯蒂尔家的小楼，也许称得上是其中最难看的豪华建筑了。他之所以租下这座小楼，是因为在巴尔贝克恐怕再也找不到一幢房子，里面能有这么宽敞的画室。

我穿过花园时，也掉转目光不往前看；花园里有一片草坪——就像巴黎郊区的每个布尔乔亚家庭都有的那样，只是稍小些——还有一尊风流花匠的小雕像、一些让人照见自己的玻璃球、种在边上的秋海棠和一个小小的棚架，棚架下的铁桌跟前，并排摆着几张摇椅。看多了周围这些烙着城市丑陋印记的东西，我走进画室时，已经对踢脚板的咖啡色线脚视若无睹了；我觉得兴奋无比，因为环顾四周的画作，我感到自己的认识有了提升的可能，对至今为止我一直未能从现实世界的总场景中分离出来的许多形态，可能会有一种充满诗意、兴味无穷的认识。埃尔斯蒂尔的画室，在我看来像个重新创造世界的实验室，他从我们见到的杂乱无章的世界中提取新意，画在横七竖八放在画室里的大大小小的矩形画布上，这儿是惊涛拍岸、淡紫色的浪花四处飞溅的大海，那儿是一个穿着白色斜纹布上装的年轻人臂肘支在甲板上。小伙子的衣装和飞溅的浪涛，虽然失却了通常的意味，浪涛不会打湿看画人的身子，衣服也不能再穿，但它们将就此永存，从而获得了一种新的尊严。

我进去的当口，这位创造者正手持画笔，在完成一幅落日景象的油画。

屋里的百叶窗差不多全都放下了，画室里相当凉爽，光线很暗，偶尔有一缕阳光透进来，刹那间把一块墙壁镶嵌得亮晃晃的；只有一扇小窗开着，四周忍冬环绕的长方形小窗临着一条街道，窗下是花园的一角。画室的大部分空间处于半明半暗的氛围中，空气既透明又致密，而阳光镶嵌的那一小方墙壁，显得湿润而光彩夺目，好似水晶石已经裁割、打磨的一个切面，不时像镜面那样闪烁着虹光。应我的要求，埃尔斯蒂尔继续作画，而我在这半明半暗的画室里转来转去，在这幅画前看一会儿，又在那幅画前看一会儿。

周围的这些画，大部分都并不是我最想欣赏的他的画作。这些画，按照酒店客厅桌上一本英国艺术杂志的说法，属于他的第一和第二时期，也就是神话风格时期和受日本影响时期的画作，据说这两种风格的作品，德·盖尔芒特夫人府上都收藏得很完备。诚然，他的画室里放着的画，大都是在巴尔贝克就地取材的海景。但是我能从中感觉到，每幅画面的魅力都来自对所表现事物的变形处理，类似于诗歌中的所谓隐喻，如果说天主创造万物并为它们命了名，那么埃尔斯蒂尔重新创造了它们，取消了它们的名称，或者说给了它们新的名称。指代事物的名称，通常是一种理性的概念，与我们的实际印象并不相符，因而凡是与这一概念相左的印象，理性都迫使我们去除。

在巴尔贝克酒店里，有些早晨弗朗索瓦兹掀开遮住光线的毯子，或者有些傍晚我等圣卢一起出发的时候，我从窗口望出去，会受阳光的播弄，错把一块颜色深暗的海面当成远处的海岸，或者欣喜地望着一片蓝色流动的区域，不知道那是大海还是蓝天。但很快，我的意识帮我重新在这片景象中做出了为印象所忽略的区分。在巴黎的卧室里，情况也是如此，我会仔细倾听街上的喧闹声、争吵声，最后听明白到底是怎么回事，例如一辆马车辚辚驶近时，尽管我确确实实听到了尖厉刺耳的叱骂声，但起先我并没把这些声音跟车轮声分清楚，后来才意识到车轮是不会发出这种声音的。有时人们会诗意地发现大自然的本来面貌，但这样的时刻很罕见；埃尔斯蒂尔的作品就是在这种时刻诞生的。此刻在他身边的那些海景画作中，出现得最多的一种隐喻，就是在陆地和大海的对比中取消两者间的分界线。在同一幅油画中悄悄地反复使用的这种对比，使画面显得多姿多彩而又极其协调。埃尔斯蒂尔的作品时常会赢得一些绘画爱好者的喜爱，原因就在于此——尽管观众有时并没有清楚地意识到这一点。

例如，在埃尔斯蒂尔几天前刚画好、我驻足看了很久的一幅描绘卡克迪伊港景色的油画上，就可以看到这种隐喻技巧。他在表现小城时用的全然是海洋的语汇，而表现大海则用城镇的语汇，以此来让观众做好接受隐喻的思想准备。时而房屋遮蔽了一角海港，时而船坞的锚地，甚至大海本身，深入陆地形成海湾，正如在巴尔贝克这一带时常见到的那样，在已经兴建起小城的海角的另一边，屋顶上露出桅杆（犹如烟囱或教堂钟楼），仿佛它们就是一艘艘船的组成部分，沿海堤停泊的其他船只，更让人对这种富有城市和陆地建筑特色的景观留下深刻的印象。在麇集的船队中，一条船跟另一条船上的人聊天时，你根本看不出他们是在不同的船上，中间还隔着海水；就这样，这支打鱼的船队看上去并不怎么像——甚至不比，举例来说，克里克贝克镇的那些教堂更像大海的一部分。远处的那些教堂四面环海（因为我们只见着它们，而看不见城市），在阳光照耀的浮尘和浪花中，犹如洁白的大理石或晶莹的飞沫，裹着七彩霓虹的腰带，从大海中喷薄而出，构成一幅非现实的、带有神秘色彩的画面。而当看画者的目光落在前景的海滩上时，他会不由自主地习惯于不在陆地与海洋之间去分辨固定的界限或绝对的分野。水手们在沙滩上，又在海浪中奔跑着，把渔船推向海中，湿漉漉的沙滩照得出船身，仿佛已是海水一般。海水不是齐刷刷地上涨，而是随着海岸的地形起伏，蜿蜒曲折地溢上来，远远看去海岸线时断时续，一艘行驶在大海中、被关栈的户外工程遮掩了一半的船只，看上去好像在城市的建筑中间航行。在岩礁间捕虾的女人，由于周围都是海水，也由于圈在岩礁里的这片海滩（在最接近陆地的两端）凹陷下去，与海平面齐平了，所以看上去像待在一个海中洞穴里，四围上面是船只和波浪，而这洞穴奇迹般地安然偃于海浪之间。虽然整个画面给人一种印象，似乎大海深入了海港的腹地，陆地成了海洋的一个部分，人成了两栖动物。但是，大海的威力依然从画面随处迸发出来。岩礁边的防波堤入口处，海浪翻卷着，我们从水手用力的姿势，从侧成锐角斜卧在小城静静耸立的货栈、教堂、房屋（有人回到这儿，也有人从这儿出发去捕鱼）跟前的船只，我们都能感觉到他们在海面上猛烈地颠簸，犹如骑在一头性子暴烈、乱冲乱撞的牲畜背上，只要稍不当心，它就会把他们颠翻在地。

一群游人兴冲冲地乘船出海，小船犹如乡村小推车那般摇来晃去；一个神情快活而又专注的水手，操纵着鼓得满满的风帆，像勒着缰绳一样驾船前行，船上的人都乖乖地坐在自己的位子上，生怕一边过重会引起侧翻。就这样，他们一路穿越阳光明媚的田野、浓荫覆盖的景点，沿着斜坡直冲而下。尽管昨夜风狂雨骤，今儿上午却是风和日丽。你甚至可以感觉到，这些一动不动地沐浴在阳光和清风中的船只，为达到这样的平衡，得付出多大的努力，这一片海域风平浪静，粼粼的波光几乎显得比鳞次栉比伸向远方、被阳光蒙上一层薄雾的船队更厚实，也更真实。或者应该这么说，这片海域跟大海的其他部分全然不同。不同海域之间的差异，就犹如一片海域跟冒出水面的教堂，或者跟城市后面的船只之间的差异。但我们的理智还是会找出它们的共同点，尽管这边是暴风雨，黑压压的，稍远的前方却已水天一色，天光映在水面上；那边的阳光、薄雾和水沫则使海面一碧如洗，显得格外紧致，格外像陆地，给人以屋宇的错觉，让人想到堤道或雪原。而当我们瞧见在这堤道或雪原上面，有条渔船从陡峭的斜坡上冒出头来，犹如一辆刚涉水而过的马车，湿漉漉地悬在那儿，我们更会惊愕不已，但稍后当我们看见一望无际、绵延起伏的高原上行驶着船只，我们终于明白，这些层出不穷的不同景象，说到底都还是大海哟。

有人说，艺术上是无所谓进步，也无所谓发现的，只有科学上才有进步和发现，对每个做出个人努力的艺术家，任何别人的努力都帮不了他的忙，也拖不了他的后腿。这种说法自有它的道理，但是我们还是应该看到，就艺术所揭示的某些规律而言，一旦某种技巧普及了这些规律，那么回过头去看在这以前的艺术，它们也就丧失了些许新颖独特的意味。埃尔斯蒂尔创作伊始，我们已经看到了描绘自然风光和城市景观的所谓“奇妙”的照片。

如果一定要让那些摄影爱好者明确说出，这个形容词到底是指什么，那我们就会看到，它通常用来指一个熟悉的事物的某种奇特形象，这种形象不同于我们通常所见到的形象，奇特而又真实，因而给我们的印象格外强烈，它不仅让我们惊异，让我们跳出习惯的窠臼，而且通过唤醒一种印象而使我们进入自己的心灵。举例来说，这些“技艺高超”的照片中，有一幅表现的是一种透视规律，画面上的那座教堂，我们平时都是习惯于看见它处于城市中央的，摄影师却用了一种特殊的视角，所以看上去它比普通的房屋高三十倍，而且往前伸到了江边，而实际上它离江边还很远呢。对眼前的事物，埃尔斯蒂尔不是按照自己对它们的了解，而是按照为我们提供最初视像的光学错觉来表现它们，这种努力使他得以精确地揭示透视的某些规律，这在当时就更令人感到震撼了，因为这些规律居然是艺术首先发现的。一条江河由于流向蜿蜒曲折，一个海湾由于看似邻近峭壁，看上去就像在平原或山崖上挖出了一潭被团团围住的湖泊。在一幅描绘巴尔贝克暑天景色的油画上，一块凹进来的海域仿佛被围在粉红色的花岗岩壁中间，不再是海，而要从稍远一些的地方开始才是海呢。海洋的连绵性，我们是从海鸥身上才联想到的，这些海鸥在我们原以为是石头的东西上方回旋着，吮吸着波涛湿润的气息。

这幅油画还向我们展示了另外一些规律，比如在雄伟的峻岭脚下，点点白帆优雅地呈现在蓝色的镜面上，宛如睡梦中的蝴蝶，再如深邃的阴影与暗淡的光线之间某种对比，等等。有了摄影术以后，对于这种光影的关系，大家都已经习以为常了。然而埃尔斯蒂尔对这种关系还是兴趣很浓，所以他曾经画过真正的海市蜃楼，一座竖有塔楼的城堡，看上去像是滚圆滚圆的，顶上延接一个塔楼，底下延接一个颠倒的塔楼，也不知是分外晴朗的天空使映在水面上的倒影呈现出岩石坚硬、光亮的质感，还是清晨的雾气使岩石变得像倒影一般朦胧了。在大海的远方，一排树木后面，又是一片被落日映成玫瑰色的大海在延伸开去，那是天空。阳光，犹如一种新创的坚实物质，推动着受它直射的船体前进，前面的船只则笼罩在阴影里，本来是平滑的海面，一时间变得像水晶的阶梯那样，但清晨大海的光照很快就会使这幻象消失。一条从小城的桥洞下流过的大河，在画家的视角下仿佛折成了几段，这儿宽为湖泊，那儿窄若细丝，其间还有一座树木葱郁的小山，城里的居民傍晚来林间散步乘凉；这座乱纷纷的小城，唯有那挺拔不弯的教堂钟楼才让人看出了它的节奏，钟楼并不升向天空，而是有如用重垂线标明凯旋进行曲的节奏那样，仿佛在自己的身躯下悬挂着层层叠叠的民居，这些房屋沿着被压得断断续续的河流排开，掩映在雾气之中。而且（由于埃尔斯蒂尔的早期作品可以追溯到画家喜欢在风景画上加进人物的时代）在悬崖或山岭上，道路这一具有一半人工印记的自然景观，也像江河、海洋一样，由于透视的缘故，远处变得隐没不见。或是山峰，或是瀑布的雾气，或是大海，遮断了我们的视线，蜿蜒的道路不复可见（但对画中人而言，还是看得见的），身着过时服饰、迷失在荒僻的野外的小人儿，仿佛常常驻足在深渊之前。他们脚下的小路到那儿就断了，而在这些松树林三百米的高处，我们重又在游人脚下见到了细沙含情的羊肠小道，让我们看着感动，放下了心来，原来刚才是围绕瀑布或海湾的山坡遮掩了绵延的小路。

埃尔斯蒂尔尽力在表现现实时摒弃任何智力的观念，他在作画前总让自己保持一种坦诚的心态（因为我们所知道的东西，并不真正是我们自己的），把此前所知道的东西全都置之脑后，尽量忘记它们——而这正是一种具有高度修养的非凡智慧，所以他的努力也就更让人钦佩。我向他承认我站在巴尔贝克教堂跟前感到挺失望，他对我说：

"哦，您是说教堂的正门让您失望了，这可是人们难得一见的《圣经》故事大全呢。那个圣母像，还有那些描写她生平事迹的浮雕，让我们看到了中世纪为圣母荣耀歌功颂德的长诗中最温情、最有灵感的篇章。您想想，要把《圣经》内容的每个细节都表现得那么生动，年迈的雕塑家得付出多少艰辛的劳作，其中包含的思想是多么深刻，又是多么富有诗意！天使们用长纱运送圣母的遗体，这想法真是绝了，天使是不敢直接碰到她的（我对他说圣安德烈乡村教堂也有这样的雕像；他说他见过这座教堂正门的照片，那些农民围着圣母热切奔走的景象，跟这儿教堂两位如此瘦长而温柔、带有意大利味儿的大天使的庄严形象，是不能同日而语的）；将圣母的灵魂带去和她的肉体合在一起的那个天使；圣母和以利沙伯相遇，以利沙伯触到马利亚的腹部，觉得它隆起时的惊叹表情；还有没有亲手摸到，怎么也不肯相信无玷成胎的接生婆那裹着绷带的手臂；圣母为向圣多马证明她的复活而扔给他的腰带；还有圣母为遮掩儿子赤裸的身体而从自己胸口撕下的那块细麻布——在耶稣的一侧，天主教会在收集鲜血，那是圣体圣事的圣酒，而在另一侧，已结束统治的犹太教会，蒙着双眼，手握断成两半的权杖，听凭先王的戒律跌落在地，王冠也从头上掉下；最后审判时，丈夫扶着年轻的妻子走出坟墓，把她的手按在她的胸前，向她证明她的心真的在跳动，让她放下心来，所有的这些，不都是绝妙的主意吗？而那个把太阳和月亮带走的天使——既然经上说，十字架的光辉胜过星体七倍，那太阳和月亮不都没用了吗；还有把手浸在耶稣的浴盆里，试试水够不够热的天使；从云端徐徐降下，把花环戴在圣母前额的那个天使；还有那些从上天耶路撒冷圣殿的栏杆间俯身向下，眼见恶人受罪、好人得福而惊恐或快活地扬起手臂的天使！各层上天都在这儿了，它们构成了神学和象征体系的宏伟诗篇。真是出神入化，令人不可思议，它要比您在意大利见到的雕刻作品高明一千倍，那儿教堂的三角楣就不必说了，那都是些没有才气的雕刻匠依样画葫芦弄出来的。您明白吗？问题的症结就在才气。哪儿会有人人都是天才的事儿，那是胡说八道，比黄金时代的说法还要荒唐。您得相信，雕这座教堂正门的家伙，比起您现在最崇拜的那些人来，一点不比他们差，他的想法和他们一样深刻。我们哪天一起去的时候，我会一一指给您看的。圣母升天节仪式上某些歌词的内容，得到了非常精妙的表现，那是勒东[1]也无法企及的。”

我现在明白了，这些雕像里原来有这么壮观的天国景象，有这么宏大的神学诗篇，可是我充满渴望的目光刚开始投向这座教堂时，我并没看见它们。我跟他说起那些耸立在底座上，俨然形成一条大道的高大的圣像。

“这条大道从远古时代起始，通到耶稣基督，”他对我说，“一边是他精神上的祖先，另一边是犹大王国诸王，他肉体上的祖先。漫长的世纪都浓缩在这儿了。如果您仔细瞧瞧您觉着是底座的东西，您就知道立在上面的都是些谁了。这是摩西的脚，您可以认出金牛来，在亚伯拉罕的脚下，是公羊，在约瑟夫的脚下

1 奥迪隆·勒东（1840—1916）：法国雕塑家、画家。

呢，是给皮蒂法尔老婆出主意的魔鬼。”

我还对他说，我原以为会看到一座波斯风格的宏伟建筑，这大概也是我感到失望的一个原因。“不，”他回答我说，“您没想错呀。有些东西东方色彩很浓。有个柱头上的雕刻，分毫不差地表现了一个波斯题材的故事，单单说受东方传统的影响，似乎不足以解释这一现象。雕刻家很可能是以航海家从东方带回的首饰盒为原型的。”果然，他后来给我看了一个柱头的照片，上面雕着类似中国龙的动物在相互吞噬，不过先前在巴尔贝克，这一小段雕刻并没引起我的注意，当时那座建筑的整体，跟我心目中的“近乎波斯风格的教堂”这几个字有点格格不入。

在这个画室里体验到的精神上的愉悦，并不妨碍我感受周围的环境（尽管它们似乎是全然不顾我们，自管自就那么着的）：画幅上透明的淡色散发的温热气息，房间里闪烁的幽光，忍冬围绕的小窗尽头，一派乡村风味的大街被太阳（只有远远的树荫才仿佛给它遮上一层透明的面纱）烧灼的泥土的干热景象。见到《卡克迪伊港》引起的喜悦，也许被这个夏日所引起的不自觉的惬意给放大了，就如一条支流给扩展了似的。

我原以为埃尔斯蒂尔很谦虚，可当我瞧见我在一句表示感谢的话里用了荣誉这个词儿，他的脸上流露出一丝不快的表情，我明白我想错了。那些相信自己的作品会传诸后世的艺术家——埃尔斯蒂尔就是这样的——习惯于把这些作品放置在一个他们自己早已化为尘土的时代之中。所以，当你用荣誉这个概念让他们不得不面对虚无世界进行思考的时候，他们会感到不快，因为这个概念是和死亡的概念密不可分的。我赶紧转换话题，来驱散这片我不愿看它升上埃尔斯蒂尔额头的愁云。

“有人劝我别去布列塔尼，”我对他说，心里想到的是我和勒格朗丹在贡布雷的那次谈话，我挺想知道埃尔斯蒂尔的意见，“因为那儿的环境对一个容易耽于幻想的人是很不利的。”

“不，”他回答我说，“一个人已经耽于幻想了，就不该让他远离幻想，不该去限制他幻想。一旦你从自己的头脑里甩开这些幻想，你就没法儿理解它们；成百上千的表象会来迷惑你，因为你已经不能理解本质的东西了。如果说有一点幻想是危险的，那么治愈这个病症的方子并不是少去幻想，而是多去幻想，尽情地幻想。有一点很要紧，那就是一个人只有把所有的幻想都历遍了，才能不为幻想所苦；把幻想和生活适当地分开，是大有好处的，所以有时我在想，是否应该作为一种预防措施，一开始就把幻想和生活适当分开，就像有的外科医生主张每个孩子都得割掉阑尾，以免日后患阑尾炎一样。”

埃尔斯蒂尔和我走到了画室那头的窗前，窗下是花园，外面是一条窄窄的横街，颇有几分乡村小路的风味。我俩来到这扇窗前，呼吸一下黄昏前清新的空气。我心想反正这帮少女不在眼前，所以我就干脆牺牲一次见到她们的指望，毅然答应外婆的要求来看望埃尔斯蒂尔。一个人寻寻觅觅的东西到底在哪儿，自己是不知道的，我们往往会由于某种原因，总是躲着不去人人都邀请我们前去的那个地方；但我们怎么也料想不到，到了那儿我们居然会遇见自己心心念念想着的那个人儿。

我随意地望着窗外的乡间小路，这条小路跟画室挨得很近，但不在埃尔斯蒂尔的宅子里。蓦然间，小路上出现了少女帮中推自行车的那个姑娘，她踩着快捷的步子往前走来，黑色的秀发上，马球帽压得低低的，腮帮胖乎乎的，眼神快活而有点执拗；

我瞧着她在这条满含甘美的许诺、奇迹般幸运的小路上，在树下笑盈盈地向埃尔斯蒂尔点头致意，这笑容于我不啻一道彩虹，连接了我们的地球和我至今以为无法到达的那些地区。她还走近来，把手伸给画家，但没有停下脚步，我瞧见她下巴上有一颗小小的美人痣。

“您认识这个姑娘吗，先生？”我问埃尔斯蒂尔，心里明白他能把我介绍给她，能邀请她到他家来。这间看得见乡村景色的宁静的画室，变得越来越迷人了，就像一座房子，有个孩子待在里面本来已经挺开心了，但人家告诉他，那些美丽的东西，那些心地高尚的人还要更美丽、更高尚，还有许许多多礼物要给他，还要为他准备一席精美的点心。

埃尔斯蒂尔告诉我，她叫阿尔贝蒂娜·西莫内，还把她那些女友的名字也都告诉了我——我对她们的描绘具体而微，他一听就明白我在说谁了。关于她们的社会地位，我可想错了，但跟平常在巴尔贝克犯的错很不一样。我在巴尔贝克往往把骑在马上的店铺小开当作王子。这一次，这些出身于富有的小布尔乔亚、工商业界家庭的少女，却让我给归进了社会地位令人生疑的阶层。一开始，这是一个我最不感兴趣的阶层，对我来说，它既不像平民阶层，也不像德·盖尔芒特家族那样神秘。要不是海滨空虚而浮华的生活给了她们一种先决的魅力（而且就此在我眼中再也没有丧失过这种魅力），我也许怎么也摆脱不了她们是某个大批发商女儿的成见。我不禁由衷地赞叹起布尔乔亚这个神奇的雕塑家来了。这个最慷慨大度、最善于变化的雕塑家，创作了多么奇妙的作品啊。那些线条多么果敢大胆，多么别出心裁，多么童趣盎然！悭吝的老布尔乔亚既然生出了这些狄安娜和林中仙女，在我眼中自然就成了最伟大的雕塑家。

还没等我来得及觉察到这些少女社会地位的变化，意识到我们发现一个错误、改变对一个人的看法原来就像化学反应那样只是一瞬间的事，一个念头已经在这些少女流里流气的面孔后面扎下了根，原先我以为是赛车手或拳击手情妇的这些姑娘，如今我觉得她们很可能跟我父母认识的某个公证人的家庭有关系了。阿尔贝蒂娜·西莫内是个怎样的人，我几乎一无所知。她当然也不会知晓将来有一天她会成为我的什么人。就连我已经在海滩上听到过的西莫内（Simonet）这个姓，倘若有人要我写出来的话，我一准会拼写两个n，根本想不到这个家族会那么看重自己的姓氏里只有一个n。我们可以看到，随着一个人社会阶层的降低，虚荣心就会拼命攀附一些鸡毛蒜皮的小事，这些小事也许并不比那些贵族标记更无聊，但是更莫名其妙、更因人而异、更叫人惊讶。可能曾经有姓Simonnet的人做生意亏过本，甚至更糟。所以现在好像就是这样，这个西莫内家的人看见别人把他们的姓写成两个n，就觉得这是对他们的侮辱，一下子火冒三丈。蒙莫朗西家族为自己是法兰西最早的男爵而自豪，这个西莫内家族大概也同样为只有他们的姓是一个n，而不是两个n而感到自豪。

我问埃尔斯蒂尔这些姑娘是不是住在巴尔贝克，他回答我说，其中有几个是的。有一个姑娘家的花园住宅，就在海滩的那头，再过去就是卡纳镇的悬崖了。这个姑娘是阿尔贝蒂娜·西莫内的好朋友，这就让我更有理由相信，上次我和外婆一起遇见的，就是阿尔贝蒂娜。当然，海滩上有好些交叉的街口，街角看上去都是差不多的，所以我也说不清那到底是哪条街。我们总想有个确切的记忆，可是视觉的印象往往已经模糊了。不过，阿尔贝蒂娜和走进她朋友家的那个少女是同一个人，这一点其实是可以肯定的。尽管如此，那个棕发高尔夫球手此后在我心目中呈现的无数形象，无论彼此有多么不同，全都重叠了起来（因为我知道它们都属于她），如果我沿着回忆之线上溯，那么在这个同一性的掩护下，犹如行走在一条内部通道之中，我可以穿越所有这些形象，而仍然留在这同一个人里面；反过来，倘若我要追溯到那天我和外婆一起遇到的少女，我就必须从那里面钻出来，回到露天中来。我对自己说，我又见到了阿尔贝蒂娜，她就是行走在大海之上的那群少女中常常停下脚步的那个；然而所有这些形象依然是跟这另一个形象分离的，因为当时这个一见之下使我感到震惊的少女，跟这些形象并不是同一的，我没法儿在事后再把它们合在一起；无论概率的计算会是怎样的，这个腮帮胖乎乎，在海滩小街拐角处目光热辣辣地看着我，让我感到我可能被她爱上的姑娘，在那以后我从没再见到（在“再见到”的确切意义上）过她。

我在这一小帮少女中间犹豫不决，当初使我心驰神往的那种集体的魅力，她们每个人身上都有一点，也许正是这种犹豫又让我多了几分理由，在日后即便是我热恋（这在我是第二次）阿尔贝蒂娜的时候，也给自己保留了一种间歇的、很短暂的不爱她的自由？我的爱情，在最终落实在她身上之前，先是在她的这些女友之间游荡，有时在爱情与阿尔贝蒂娜的形象之间保留着一种间隙，使爱情就像没有对准的光束一样，先是落在别人身上，然后才回转来打在她身上；我心中感到的不快，跟我对阿尔贝蒂娜的回忆之间，好像并没有必然的联系，换了另外一个人的形象，说不定也会这样。这就使我能在一刹那间消解现实，不仅包括我对吉尔贝特的爱这样的外界现实（我明白我对吉尔贝特的爱是一种内心的状态，我在这样一种状态中，只从自己身上觅取我心爱的人的特定优点、独特性格，从而使爱情成为获取幸福必不可少的内容），而且甚至包括纯粹主观的内心现实。

“每天不是这个姑娘，就是那个姑娘，总有人会路过画室，进来坐一会儿。”埃尔斯蒂尔对我说。听了这话我挺伤心，心想要是外婆叫我来看他那会儿，我立即就来，说不定我早就认识阿尔贝蒂娜了。

她走远了；从画室里已经望不见她了。我心想，她准是到大堤上去找那些女友了，要是我和埃尔斯蒂尔也去大堤，我就能认识她们了。我找了一大堆借口，要他答应陪我到海滩去转一圈。那扇小窗先前围着忍冬，显得那么迷人，现在却空落落的，窗里的姑娘不见以后，我心头的平静就不复存在了。埃尔斯蒂尔说他可以和我去走一走，但他得先把正在画的这部分画完。听他这么说，我的高兴中间夹杂着几分痛苦。他在画花儿，但不是白山楂、红山楂、矢车菊和苹果花，要是我来请他画画，我不会请他画肖像画，而会请他画这些花儿，因为我看到这些花儿，总想从中寻觅着什么却又不可得，我希望他凭借他的才气将这东西向我揭示出来。埃尔斯蒂尔一边画，一边跟我谈论植物，但我根本听不进去；对我来说，他已经不算什么了，他只是我和这些少女中间必不可少的中介而已；他的才华在不多一会儿以前对我具有的魅力，说不定很快就会变得毫无意义——除非他能把它们给我一点，让我在他要给我介绍的这帮少女眼里，也有一点这样的魅力。

我在画室里走来走去，不耐烦地等他把画画完。有好些画面朝墙壁堆放在那儿，我把它们一张张地翻转过来看。我就这样偶然找到了一幅水彩画，它想必和埃尔斯蒂尔早年的某段生活联系在一起，这样的作品让我见了心头就会涌上一阵喜悦，因为它们不仅技艺精湛，而且主题非常特别，非常迷人。我们会情不自禁地把作品的魅力部分归因于主题，仿佛这种魅力本来就在大自然中有其物质存在形式，画家只要去发现，去观察，去把它再现出来就行了。这样的东西甚至在画家表现它之前就已经存在，就已经那么美，这跟我们天生就有（后来屡屡败在理性手下）的唯物论非常合拍，堪为美学的抽象充当砝码。

这幅水彩画，是一位少妇的肖像画，她并不漂亮，装束挺奇怪，头上戴的发箍，活像一顶裹着鲜红缎带的小圆帽；戴着露指手套，一只手夹着点燃的烟卷，另一只手捏着一顶宽边帽，完全就是遮阳的那种草帽，放在齐膝的位置。一只插满玫瑰的花瓶，放在她身旁的桌子上。常有这样的情形（现在就是这样），有些作品之所以与众不同，就是因为它们是在某些特定的情况下完成的，而我们起先是对此并不清楚的。比如说，我们不知道一个女模特穿的奇装异服，是不是化装舞会上的装扮；又比如，一个老人身穿红色外套，看上去像是画家忽发奇想让他穿上的，但我们不清楚这究竟是他的教授长袍、议员长袍，还是他的红衣主教披肩。眼前这幅画上的人物让人有些看不懂，原因在于（可当时我并不明白）那是一个有几分女扮男装的旧日的年轻女演员。那顶露出短而蓬松的头发的小圆帽，还有敞着白色硬胸的丝绒上衣，都让我有些踟蹰，确不准这身行头是哪个年代的，这个模特又究竟是男是女，所以我看着眼前的画幅，什么也说不上来，只是觉得这想必是画家的得意之作。

这幅画给我的喜悦，又让担心给搅乱了，我生怕埃尔斯蒂尔磨磨蹭蹭，到头来我们会见不到那些少女，因为，日头已经斜下去，沉到小窗下面去了。这幅水彩画上，没有一样东西是就这么随手画画的，每件东西都是由于表现情景的需要而画的，画衣服是因为这个女人总得穿衣服，画花瓶是为了花儿。花瓶的玻璃本身就招人喜爱，康乃馨的茎秆浸在水里，而这盛水的容器如水一般清澈，仿佛也是液态似的。这个女人的服饰有一种特立独行而又异常亲切的意味，显得很妩媚，仿佛人工的杰作也可以跟大自然的美好事物相媲美，一样精致，一样养眼，如同柔亮的猫毛皮、康乃馨的花瓣、鸽子的羽毛一样画得栩栩如生。衬衣的硬胸，有如雪霰一般细洁，轻盈的褶皱呈钟形小花状，宛若铃兰的花蕾，在房间明亮的反光中闪烁，室内的光线本身很亮，但像行将绣到织物上去的花束那样，显出精细的层次。上装的丝绒闪着珠光，茸茸的戗毛让人想到瓶子里散乱的康乃馨。但看着这幅画，你会更自然地感觉到，埃尔斯蒂尔对一个年轻女演员如此装扮会不会显得有伤风化是不在乎的。对这个演员来说，她能给某些观众已经麻木的、低级趣味的神经带来多少刺激，大概要比出演一个角色的成功与否更加重要，而画家所着重描绘的，正是这些看似暧昧的特征，在他眼里这才是值得他强调、他必须倾全力去表现的美学意趣。

循着脸部的线条细看画中人的性别，先是觉得很明显这就是一个有几分男孩气的姑娘，随即这种性别的感觉消失了。然后出现的，或者说使人联想起的，是一个有点娘娘腔的、放荡的、耽于幻想的小伙子，随后感觉重又消失，变得不可捉摸了。目光中耽于幻想的忧郁意味，与戏剧界逢场作戏的生活细节形成强烈的对比，这一点也同样是令人怦然心动的。不过我们会想，这大概是装出来的，似乎有意穿这么一身挑逗的服饰去讨人爱怜的年轻人，也许觉得再来点秘不示人的情感、不可明言的忧伤，加上些浪漫的表情，更能撩拨人家的心弦。画的下方写着一行字：“萨克丽邦小姐，1872年10月。”

看了这画，我不由得大声称赞。

“哦！这不算什么，年轻时随便画的，是给杂耍剧院画的服装效果图。陈年往事喽。”

“画上的女人后来怎么样了？”

埃尔斯蒂尔听了我的问话，脸上先是露出惊愕的表情，随即又显出冷淡的、无所谓的样子。

“咳，快把画给我，我听见埃尔斯蒂尔夫人的脚步声了，虽然我可以向您保证，这个戴帽子的女人跟我毫无关系，可还是别让我妻子看见这幅水彩画为好。我留着这画，是为那时的剧场演出保存一个有趣的见证。”

埃尔斯蒂尔可能已经很久没见过这幅水彩画了，他在把它藏起来以前，专注地望了它一会儿。

“其实只有头部值得保留，下面就画得太差了，那双手简直是初学者的水平。”

埃尔斯蒂尔夫人这一来，又耽搁了我们的时间，我有些怏怏不乐。窗子的边框很快就变成玫瑰色了。我们这会儿就是去，恐怕也是白费工夫了。已经不会有机会见到那些少女了，所以埃尔斯蒂尔夫人早走也好，晚走也好，都没有什么关系了。不过，她并没待得很久。我觉得她挺讨厌；当年她二十岁那会儿，在罗马乡间牵着一头牛，想必她还是挺美的；可是现在，她的黑头发已经在变白了；她平庸而不纯朴，因为她认为举止的庄重、神情的威严都是她的雕塑美所必需的——何况，随着年龄的增长，这种美的魅力已经在衰退了。她的穿着极其朴素。埃尔斯蒂尔每说一句话，都要温柔、敬重地说："美丽的加布丽埃尔！"仿佛只要一说这几个字，他心头就会涌上无限的柔情和敬意，听他这么说，真让人又感动又惊讶。后来，我看了埃尔斯蒂尔的神话题材画作，就也觉得埃尔斯蒂尔夫人很美了。我明白，在他的画作中随处可见的那些令人赞叹的轮廓线，那些无比美妙的曲线，人体各部位精确的比例，他都把它们归功于某个理想的模特儿，这样的模特儿对他来说有着一种近乎神圣的意味，因为他已经把全部时间，把他所能付出的全部精力，总而言之把他的整个生命都奉献了出来，要把每一个部位、每一根线条都安排得恰到好处，表现得更加精准。这样一种理想的美始终激励着埃尔斯蒂尔，心存这样一个崇高、完美的偶像，他就一刻也不敢自满。这个偶像一直藏在他心头最隐秘的部位：他每次想到她就思绪不能平静，但又没法儿把这种激动转换成创作的激情，直到有一天，当他在一个女人的身体，在日后成为埃尔斯蒂尔夫人的这个女人的身体上，遇见了心中的偶像，看见她变成了活生生的人儿，在她身上他感受到了——有些东西，我们只有在自身之外才能真切地感受到——偶像的崇高、感人和神圣。至今为止他必须千辛万苦从自身开发的那种美，如今令人不可思议地化为肉身，主动献身给他，一如灵验的圣宠，当他把双唇按在这至美之上时，心头是多么宁静啊！

那时的埃尔斯蒂尔，已不再是一心想用思想的力量去实现理想的少年。他已经进入了这样的年龄段，相信肉体的满足能激发精神的力量，在这样的年龄，精神的疲惫会使我们追求物质的享受，活动的减少则会使我们被动地接受种种影响，我们因而会想，也许确实有某些人体、某些职业、某些令人赞叹的匀称比例，自然而然就能实现我们的理想，所以即使没有天赋，只要能把一个肩膀的动作、一个颈部绷紧的肌肉按原样画下来，照样是一幅杰作。在这样的年龄，我们会在自身之外把目光流连于至美，或是在我们身边，或是在一幅挂毯上面，或是在旧货店里见到的提香的一幅美妙画稿上，或是在一位有如提香画稿那般美丽的情人身上。当我明白了这一点，我就会用一种欣赏的眼光去看埃尔斯蒂尔夫人，她的身体不再显得臃肿，因为我在其中加入了一种理念，那就是她是一个非物质的创造物，是埃尔斯蒂尔的写照。在我眼里，她是这样一个写照，在他眼里想必也是如此。生活的题材对艺术家来说算不了什么，它们只是他展露才华的机会而已。把埃尔斯蒂尔的十幅画不同人物的肖像画并排放在一起，可以很清楚地感觉到，它们归根结底还是埃尔斯蒂尔自己。只是当一度覆盖生活的才华的潮汐退去，当大脑陷于疲劳，平衡渐渐打破，犹如汹涌的潮汐倒灌过后江河重又恢复原来流向的时候，生活就又显露了出来。在最初的那个阶段，艺术家渐渐摸索到了他并不自觉的那份天赋的规律和模式。如果他是小说家，他知道哪些场景，如果他是画家，他知道哪些景色，能用来作为素材，这些素材本身并无高低大小之分，但对他的创作而言，它们是犹如实验室或画室一样必不可少的。他知道，他凭借这些柔和的光影，这些痛改前非的悔疚，这些置身树下或半浸在水中如同雕像的女人，创造了一幅又一幅杰作。迟早会有一天，他的大脑功能会衰退，面对供他的天才所用的素材，没有精力再从事创作。然而他会继续探寻这些素材，由于它们给他带来的精神上的乐趣——创作的诱惑而乐滋滋地置身于它们之中；他让这些素材处于一种过分的迷恋所形成的氛围中，仿佛它们是高于一切的，仿佛艺术作品有很大一部分早已寓于它们之中，它们在某种程度上已经蕴含着日后诞生的作品，所以他整天沉迷在跟这些可以作为原型的人和物的交往之中，对它们充满眷恋。他跟那些已经悔改的罪犯（他们的悔过自新曾是他写小说的题材）谈起来没完没了；他在薄雾使阳光变得柔和的地方买下一座乡间小屋；他久久地凝视着女人洗浴；他收集各种漂亮的衣料。于是，生活之美——这个词儿，在某种程度上是没有意义的，它是处于艺术之下的一个阶段，当年我曾见过斯万停留在这个阶段——成了这样一个阶段，由于创造才能的减弱，由于对激发过才华的种种形式的迷恋，由于不想再做很大的努力，像埃尔斯蒂尔这样的艺术家，早晚有一天会一步步后退到这样一个阶段。

他刚才终于在那些花儿上面涂上了最后一笔；我对着它们看了一小会儿；既然我知道那些少女未必会在海滩上，我看看花儿浪费一点时间，也就没什么关系了。不过，即使我相信她们还在海滩上，浪费这么几分钟就会让我错过跟她们见面的机会，我也还是会看的，因为我暗自在想，埃尔斯蒂尔对他的花儿，要比对我和那些少女的相见更有兴趣哦。我整个儿是个自私的人，跟外婆的天性正好相反，可是她的天性毕竟在我的身上有所反映。比如说有这么一个人，我一直装作很爱他或者很尊敬他，有一天，他只是有点小麻烦，而我处境很危险，这时我一定会对他的烦恼深表同情，把那看作一桩了不起的大事，而把自己面临的险情看得很无所谓，因为我觉得在他眼里，事情所谓大小想必正是那样的。其实，如果情况还不止于此，我的做法还要过分一些，面对自己所处的险情，我不仅不唉声叹气，而且会迎着它而上，但对于别人面临的危险，我的做法就截然不同，即使我要承受更大的风险，我也还是会尽量设法让他避开这样的危险。这样做有好几个原因，说出来却都不见得让我脸上有光。其中一个原因是，虽说仔细想来，我相信自己是把生命看得很重的，但是在生命的过程中，每当我为道德层面的忧虑，或者仅仅是精神上的不安（有时这种不安是非常孩子气的，我都不好意思说出口来）所困惑的时候，如果突然发生了一个没有意想到的情形，我一下子就冒着生命危险了。这时，这个新的烦恼相对于其他烦恼来说，在我眼里就会显得非常微不足道，我会怀着一种很轻松的，甚至是很欢快的感情向它迎上前去。尽管我是世界上最缺乏勇气的男人，我却经历过这样一种细细想来跟我的天性格格不入的、令人不可思议的精神状态，那简直就是一种对危险的沉迷。即使是在一种极其宁静而美好的生活状态中，一旦发生危险，而且那危险是致命的，我还是决不会置他人——假如我是和另一个人在一起——于不顾，我一定会把他救到安全的地点，而宁可自己选择危险的位置。当这种体验次数渐渐多起来，而且我知道自己每次都会高高兴兴这么做的时候，我大为羞愧地发现，事情并不像我一直认定的那样，其实我是非常在意别人怎么看我的。

不过，这种我连对自己也不肯承认的自尊心，跟虚荣或骄傲都毫无关系。能让虚荣心和傲气得到满足的东西，并不能使我感到快活，我在这两方面一向很克制。然而，对于那些我在他们面前完全把自己小小的优点（一旦他们了解我的这些优点，他们肯定就不会如此看轻我了）隐藏起来的人，我内心一直感到一种诱惑，想要向他们表明我更关心的是把死亡的危险从他们的路上，而不是从我自己的路上，搬开。由于我这么做是出于自尊，而并非道德操守，所以在任何情况下，倘若他们另样行事而并不看轻我的时候，我总觉得那也挺自然的。倘若我是受责任心的驱使而那么做的，我当然就会觉得不仅我应当，他们也应当这么做，那时我也许就会责怪他们；但现在我绝不责怪他们。我反而觉得他们这样保命非常明智，不过就我而言，我照样还是把自己的生命放在第二位的。后来我才明白，我情愿在炸弹即将爆炸的那一刹那扑在他们身上的那些人中间，有许多人的生命根本是没有什么价值的，这时候，我感到自己那么做简直是太荒唐、太不应该了。不过，拜访埃尔斯蒂尔的那天时间还早着呢，那时候我还没意识到这种价值差距，何况这里根本谈不上有什么危险，我所要做的，只不过是把一种盲目自尊的预兆掩盖起来，别让人看出我把自己热切企盼的那份快乐看得比他没画完的水彩画更重要。

这幅画终于画完了。一走到外面，我立即发现——这个季节的白昼真长——时间并没我想的那么晚；我们到了海堤。我以为那些少女还会从那儿经过，就使出浑身解数缠住埃尔斯蒂尔，不让他回去。我要他看身边高耸的悬崖，不停地要他给我讲那些少女，目的就是让他忘记时间，留在那儿。我觉得往海滩另一头走，碰到这帮少女的机会更多些。

“我想和您一起再走得近一点，去看看这些悬崖。”我对埃尔斯蒂尔说，我曾经注意到她们中间有一个姑娘常去那边。“趁这工夫，您给我讲讲卡克迪伊吧。哦！我真想去卡克迪伊！”我又这么说了一句，全然没想到埃尔斯蒂尔在《卡克迪伊港》中以遒劲有力的笔触表现出来的令人耳目一新的特色，也许并非那片海滩所固有，而是画家赋予它的。“自从我见了这幅画以后，这个港口和海啸角就是我最想去看一下的地方了，不过从这儿去海啸角，实在太远了。”

“即使卡克迪伊不比它近，我恐怕还是会劝您去看卡克迪伊的。”埃尔斯蒂尔回答我说，“海啸角景色很壮观，但说到底也就是诺曼底或布列塔尼的那种悬崖峭壁罢了，那些您都见过。而卡克迪伊，低平的海滩上岩石遍布，完全是另一回事。我在法国没见过有跟这一样的地方，它让我想起佛罗里达的某些景观。这种景象非常奇特，可又极有野趣。它就在克利杜和讷奥姆之间，您知道那一带是很荒凉的；海滩的曲线美极了。这儿的海滩曲线挺平常；可那儿，我简直没法儿对您说那儿的曲线有多么优雅，多么柔美。”

夜色渐浓，得回去了；我陪着埃尔斯蒂尔朝他的小楼走去。突然，犹如梅菲斯特出现在浮士德眼前，大街的那头出现了——仿佛那就是一种与我截然相反的气质，一种近乎野性、冷酷的生命力的非现实的、魔鬼般的外化，而这种旺盛的生命力，恰恰是我那羸弱的身躯，我那令自己痛苦的过度敏感，以及我那过分的理性最最缺乏的——几个身影，它们自有一种独特的风致，我是不可能把它们跟别的身影弄混的，那是这个植虫类少女帮中的几个孢子啊。她们装作没看见我，但毫无疑问，她们正在那儿对我指指点点，笑话我呢。我感到这次势所必然的会见迫在眉睫，意识到埃尔斯蒂尔马上就要喊我，不由自主地侧转身去，犹如游泳的人看见海浪兜头扑来时那样；我停住不动，让我这位显赫的同伴兀自往前走去，我则站在他身后，向（当时我们正好路过一家古董店）古董店的橱窗俯下身去，仿佛我突然对这橱窗很感兴趣似的；能做出没在想这些少女，而是在想别的什么事情的样子，我还觉得挺得意的，我已经隐隐约约地想象到，待会儿埃尔斯蒂尔喊我过去给我介绍的当口，我会用一种探询的目光去看他，其中流露的不是惊讶，而是佯作惊讶的神情——我们每个人都是蹩脚的演员，或者说都是看懂旁人脸部表情的高手——我甚至会用手指着胸脯问："是叫我吗？"然后乖乖地低下头，赶忙往前跑去，但脸色是冷冷的，看古董彩陶刚看到兴头上，让人一下子叫出来，去介绍给我并不想认识的人，我心里正恼着呢，我只是不让愠色在脸上露出来罢了。

我瞅着橱窗，等待埃尔斯蒂尔喊我的名字，也就是那颗期待已久、失却杀伤力的子弹迎面击中我的那一刹那。我心里认定自己一定会被介绍给这几个少女，结果就是我不仅让自己装出，而且当真体味到了对她们的漠视。既然已是势所必然，结识她们的欣喜就不是那么强烈，那么无可抑制，似乎还比不上跟圣卢聊天、跟外婆一起用晚餐、到附近的地方去旅游来得让人高兴（既然身边的人看上去对历史遗迹不大感兴趣，我想来会因为不得不放弃那些郊游的机会而感到遗憾）。再说，我即将得到的快乐不仅来得这么急迫，而且来得这么突兀，这多少也使快乐减少了几分。我们头脑中有一些如同流体力学定律一般精确的法则，将按固定顺序叠放的图像排好层次，一旦突然冒出个什么事儿来，顺序就乱套了。

埃尔斯蒂尔要喊我了。我在海滩上、在房间里，一次又一次想象过结识她们的场景，可根本不是这样的。眼看就要发生的事情，我对它没有一点准备。从中我既看不到我想要的东西，也看不到这种想望的目标；我几乎后悔跟埃尔斯蒂尔一起出来了。尤其是，由于确信没有任何人、任何东西可以从我手里夺走这份快乐，这份原先以为会有的快乐反倒消减了。可是当我下定决心转过头去，瞅见埃尔斯蒂尔站在这群少女几步开外，跟她们说再见的时候，这份快乐就像受到弹力作用似的，一下子又蹿了上来。离他最近的那个姑娘，脸蛋胖乎乎的，两只眼睛熠熠生辉，整张脸就像个大蛋糕，上面还给天空留出了一小块地方。她的眼眸，即使定住不动，也给人一种流动的感觉，正如大风狂作的日子，尽管肉眼看不见空气，但我们还是能感觉到它在天空中疾行的速度。有一瞬间，她的目光与我的目光相遇，犹如风狂雨骤时天空中疾行的风儿挨近了一片行进速度不那么快的云朵，与它擦肩而过，碰着了它，又超过了它。可它们互不相识，各自远去了。我俩的目光也是如此，有一刹那它们面对面地相遇，谁也不知道面前的天国对未来是许下了承诺，还是撂下了威胁。但是，她的目光并没减缓速度，正好从我的目光前经过的当口，那目光轻轻蒙上了一层薄雾，有如明朗的月夜，被风儿卷走的月亮从一片云朵前经过的当口，有一瞬间被云朵遮住了它的清辉，尔后马上又显现出来。埃尔斯蒂尔已经离开这些少女了，但他始终没有喊我。她们走进一条小道，埃尔斯蒂尔朝我走来。一切都错过了。

我说过，那一天的阿尔贝蒂娜，在我眼里跟以前都不一样，而且她每次都会让我觉得不一样。不过就在那一刻，我感觉到一个人容貌、肥瘦、高矮的某些改变，说不定也跟介于此人与我之间的某些状况的变化有关。就这一点而言，起关键作用的是信念（那天晚上，我先是坚信我会结识阿尔贝蒂娜，然后这信念完全破灭，阿尔贝蒂娜因而在我眼里一会儿变得几乎微不足道，一会儿又变得无比珍贵；好多年以后，我先是相信她对我忠贞不渝，尔后又完全不相信她的忠诚，这时也起了类似的变化）。

诚然，在贡布雷我已经注意到，妈妈不在身边的忧伤会随着时间段的变化，随着我的情绪处于两种基本状态中哪一种的变化，或消减，或增长，整个下午，在阳光的照耀下，这份痛苦有如月光那般难以觉察。然而到了夜里，新近的记忆就都退去了，唯独剩下这份痛苦占据着我凄惶的心灵。可是那天当我看见埃尔斯蒂尔跟那些少女分手，而没有喊我的时候，我明白了，欢乐也好，忧伤也好，它们在我们眼里可以显得很重要，也可以显得无关紧要，这不仅取决于两种状态的这种交替，而且取决于肉眼看不见的信念的转变。例如，这种看不见的信念可以使我们视死如归，因为它给死亡洒上了一层非现实的光辉，它也可以让我们把出席一场音乐晚会看得非同小可，虽说一旦听到我们行将上断头台的消息，披拂晚会的信念之光立马就会烟消云散，音乐会的魅力也就会在刹那间消失殆尽；信念的作用，我们身上确实有对它很了解的东西，那就是意愿，可是只要理智、感觉依然对它毫无了解，意愿再怎么了解也没用；当理智和感觉诚诚心心相信我们想要离开一个情妇的时候，只有意愿知道我们的心还在她身上。这是因为，我们马上就会再见到她的信念遮挡了理智和感觉的视野。而一旦这个信念破灭，理智和感觉立时就会明白，这个情妇已经一去不复返了，这时理智和感觉失去了准头，就会变得像疯了一样，微不足道的快乐也就会无限膨胀开来。

爱情的虚无也是信念的变体，爱情是早就存在、游动不居的，它停在某个女人的形象上，无非是因为这个女人几乎是无法接近的。从那时起，我们心心念念想着的，并不真是这个我们很难浮想她模样的那个女人，而是怎样去结识她的办法。焦虑不安的过程绵延开去，就足以将我们的爱落定在她身上了，她成了爱情的几乎不认识的对象。爱情变得无边无涯，我们根本不会想到，现实中的这个女人居然会在其中没有容身之地。如果突然之间，就像我瞧见埃尔斯蒂尔停下来和那些少女说话的那个时刻，我们由于知道她就是我们全部的爱，因而不再不安，也不再焦虑了，那么就在这个我们并没好好考虑过它的价值的猎物终于到手的一刹那，爱情就会倏地一下子消失不见。我对阿尔贝蒂娜了解些什么？大海之上的一两个侧影，肯定不如委罗内塞笔下那些女郎的侧影美丽，如果单从审美的角度来看，我当然会更喜欢那些女郎。然而，我难道不能从另外的角度去看吗？既然卸掉焦虑以后，我心中只剩下了这几个无声的侧影，除此之外就一无所有了。自从见到阿尔贝蒂娜以后，我每天都在心里把她千想万想，与我所称的"她"默默地交谈，让她提问、回答、思考、行动，想象中的阿尔贝蒂娜在我的脑海中一个接一个出现，在不时更换的这一长串没完没了的形象中，在海滩见到的那个真实的阿尔贝蒂娜，只出现在起首，正如在一个系列的演出中，一个角色的"首演者"，也就是领衔的那位明星，通常只在开头的几场露露面。那个阿尔贝蒂娜只是个轮廓，加上去的所有内容，全都是我想象出来的，凡是爱情，无不如此，来自我们想象的内容——即使就数量而言也一样——总要来得比来自我们心爱的人的内容更丰富。即便是最实实在在的爱情，也是这样。有的爱情，只消周围有一点点养料，就不仅能绽芽，而且能存活——就连那些得到过肉体满足的爱情，情形亦如此。

外婆从前有个图画教师，他和一个身份不明的情妇生了个女儿。孩子出生没多久，母亲就去世了，图画教师伤心过度，不久也死了。他最后的那几个月里，我外婆和贡布雷的另外几位夫人想着得让小女孩的前途有个保障，大家凑份子给她弄了个终身年金——尽管她们从来不肯在她们这位教师面前说起，哪怕仅仅是从旁提到那个女人（其实他并没正式跟她在一起生活过，发生关系的次数也少得可怜）。事情是我外婆提议的，那几位起先有点勉强：这个小女孩当真这么值得人家关心吗？别的不说，她到底是不是那个自称她父亲的男人的女儿呢？对于像她母亲的那种女人，人们通常总是疑虑重重。最后她们还是下了决心。小女孩前来致谢。她长得很丑，跟上了年纪的图画教师一模一样，这就打消了众人的疑虑；她唯一长得好的是一头秀发，一位夫人对领小女孩前来的父亲说："她的头发真漂亮！"我外婆觉着，既然那戴罪的母亲已经死了，图画教师也将不久于人世，那段大家一直讳莫如深的往事，提一提也不妨，便说了一句："这大概是随家里。她母亲的头发是不是也这么漂亮呀？"

"我不知道，"孩子的父亲天真地回答说，"我见她的时候，她总是戴着帽子。"

埃尔斯蒂尔在前面，我得去赶上去了。我从一面大镜子里瞧见了自己。没能介绍给她们已经够倒霉了，可我这会儿还看到，我的领带全歪了，长长的头发也从帽子里露了出来，样子很难看；不过即便如此，她们还是看见我和埃尔斯蒂尔在一起，不会忘记我了，这是个好运气；那天我原先想穿另一件背心，后来听了外婆的话，换了件挺好看的背心，把那件难看的撇下了，另外我还拿着我最漂亮的那根手杖，这也是好运气啦。我们所期盼的事情，通常是不会如我们所想的那样发生的，因为我们以为可以指望的种种情况到头来都是会落空的，而我们并不希望看到它们发生的那些事情，又往往总会出现在我们眼前，此消彼长，也就平衡了；我们担惊受怕唯恐出现更坏的情况，所以最终会这么对自己说，事情总的来说，大体上还是不错的。

“我本来挺想能认识她们的。”我对埃尔斯蒂尔说，我已经走到他身旁了。

“那您干吗躲得那么远？”

可他这么说，并不是因为他这么想。他要是真想满足我的愿望，喊我一声，对他来说是再容易不过的事儿。他这么说，也许是因为他听到过人家这么说（一般老百姓让人揪住小辫子时，常会这么说），甚至是因为大人物在某些事情上也跟普通老百姓没什么两样，也会跟他们一样找些琐细的借口，连说的话也是一样的，这就好比大家每天都是上同一家面包铺买的面包；也许不妨这么说，这种话是应该反过来听的，因为它们字面上的意思是跟真正的意思相反的，它们就像拍照的负片，是一种有意造成的效果。

“她们挺急的。”

我心想，十有八九是她们觉得某人对她们不热情，所以不许埃尔斯蒂尔去喊这个人，要不然他是决不会不喊我的，我问过他那么多有关她们的问题，他当然看得出我对她们是有意的。

“我对您说起过卡克迪伊，”我俩走到他家门口，就要分手的时候，他对我说，“我画过一张速写，上面海滩的轮廓可以看得很清楚。这张画画得还不算太坏，不过我现在要说的不是这个。我想请您允许我把这张速写送给您，为你我的友谊留个纪念。”他这么说，印证了我的一个想法，就是人们往往不肯把你真正想要的东西给你，给你的总是别的东西。

“我很想要一张萨克丽邦小姐肖像的照片——如果您有的

话。可她怎么会叫这个名字的呢？”

“这是这个模特儿在一部傻乎乎的轻歌剧里扮演的角色。”

“我对您说过我不认识她，先生，不过您看上去好像并不相信。”

埃尔斯蒂尔沉默。

“可她不会就是结婚以前的斯万夫人吧？”我突然脑子里灵光一现，脱口而出，这么冷不丁猜个正着的情形，可以说是很罕见的，但它已足以为预感理论提供某种依据了（倘若我们把所有那些猜想出错、依据无效的情形都忽略不计的话）。

埃尔斯蒂尔没有回答。画上的女人确实就是奥黛特·德·克雷西。她不愿保存这幅画有很多原因，但其中有一些很明显，另一些则不那么明显。这幅画是很早以前画的，奥黛特还是在那以后，才精心设计，把自己的容貌和身段打造成这么一个形象，从此以后，年复一年，她的发型师，她的裁缝，她自己——包括怎么站立，怎么说话，怎么微笑，手怎么放，眼神怎么流转，甚至怎么思考——都得以此形象为准，至少八九不离十。斯万在ne varietur[1]的奥黛特，这个迷人的情妇的众多照片中，偏偏看中了他放在卧室里的那张小照片，那只能说明他作为一个欲望得到满足的情人，口味有些异常，因为照片上的奥黛特戴着一顶饰有三色堇的草帽，头发蓬松，脸长长的，是个相当难看的瘦削的少妇。

不过，即使这幅画并非像斯万喜欢的小照片那样，是在奥黛特的容貌体态以一种庄严而又优雅的全新形象定型下来以前，而是在那以后画的，凭着埃尔斯蒂尔的眼光，他也完全能把这个

1 拉丁文：一成不变。

形象重新解构。极高的温度能使一种物质的原子结构分解，按一种截然不同的顺序重新组合成另一种物质，艺术上的天才也正是这么做的。一个女人刻意要求自己的容貌体态保持一种人为的协调，每天出门前都要在镜前细加审视，把帽子压得稍稍斜一些，把头发理得更滑一些，把目光调整得更活泼一些，唯恐有个闪失破坏这协调，而一个大画家，只消看上一眼，就能把这种协调在一秒钟内捣毁殆尽，取而代之的是这个女人经过重组的形象，也就是他心目中的女性美、绘画美得以充分体现的那个形象。一个真正具有探索精神的大家，上了一点年纪以后，也同样会有这样的眼力，他到处都能发现必要的材料，来建立他兴趣唯一所在的事物间的关联。这就好比功夫了得的工匠和赌徒，他们从不犯难，甭管手上拿到的是什么活计、什么牌，他们都能说：行，这就行。德·卢森堡公主有个表妹，是个傲慢无礼的美人，有一阵她迷上了一种当时很时新的艺术，请了一位很有名的自然主义画派画家给她画肖像。这位画家很快就找到了他四处寻觅而不可得的东西。画布上出现的，不是一位贵妇人，而是一个服装店跑外勤的女店员，身后呈斜坡状的紫色开阔背景，让人想起皮加尔广场。即使情况没有这么严重，一个大画家给一个女人画的肖像画，也决不会让这个女人的某些愿望——比如说，她已经开始变老了，但要让摄影师把她拍成身穿一袭小姑娘服装，借此衬托自己依然年轻的身材，显得就像是身边特地按这个场合需要打扮得挺难看的女儿的姐妹甚至女儿——得到满足。非但如此，他还会把她竭力掩饰的那些缺点，表现得格外醒目，这些地方（诸如发烧般通红通红的脸色，甚至发青发紫的脸色）正因为有个性，所以对画家就更有吸引力；而就这样，也就足以让趣味不高的观众感到失望，使他们心目中的准则化为泡影了，一向以来，那个女人始终高傲地支撑着这个准则，并借此以一种独一无二的、不可征服的姿态，远远地置身于其他人之外，之上。如今她从显赫的位置上跌落下来，那种君临天下、仪态万方的形象已不复可见，她只是个普普通通的女人，我们已经不相信她有什么优越之处。

我们在这个形象中加入的内容，不仅是这么一个奥黛特的美貌，而且包括她的个性、身份，因此当我们站在这一形象荡然无存的画像面前，我们会情不自禁喊道："画得太丑了！"会大声说，"一点也不像！"我们难以相信这就是她。我们认不出她了。画上的人，我们觉着的确曾经见过。不过那个人并不是奥黛特；那个人的脸容、体态、神情，我们都很熟悉。这一切让我们想起的，并不是奥黛特，她从来不摆这样的姿势，她通常的姿态里，决不会含有这种奇怪的、挑逗人的舞姿意味，我们想起的是别的女人，是埃尔斯蒂尔曾经画过的女人，尽管这些女人各不相同，埃尔斯蒂尔却总喜欢让她们摆出正面的姿势，弓起的足背露出裙子，手里那顶宽大的圆帽遮在膝上，与上面的圆脸蛋相呼应。说到底，一幅才情横溢的肖像画，不仅将一个女子的娇媚之态，将体现她对美貌的自私观念的形象消解殆尽，而且，如果那是一个往昔的形象，他决不会像摄影时那样，让她身穿当年的装扮，毫无新意地把它画出来。这样的肖像画，时代的痕迹不仅表现在女子怎样着装上，而且表现在画家怎样作画上。这种作画方式，也就是埃尔斯蒂尔早年的作画方式，抓住了最让奥黛特感到难堪的出身这一特征，因为这个特征不仅有如当年的照片那样，表现了她与观众心目中那些著名的风尘女子的渊源，而且使这幅画跟马奈或惠斯勒笔下众多的肖像画成了同时代的作品。尽管那些大师当年的模特儿早已风流云散，沉入忘川，或成了历史。

我一边送埃尔斯蒂尔回家，一边在他身旁默默地咀嚼这些想法，引起我思考的是刚才有关她这个模特儿身份的发现，这个发现又带来了另一个更让我感到困惑的发现，那是有关画家本人身份的。他给奥黛特·德·克雷西画过肖像。莫非这位了不起的天才，这位孤独的智者，这位谈吐不凡、世事洞明的哲人，就是当初出入维尔迪兰沙龙的那个滑稽可笑、行为反常的画家？我问他是不是认识维尔迪兰夫妇，当初他们是不是叫他比施先生。他神情坦然地回答说是的，似乎那已是一段有些遥远的往事，并没料到这声回答会使我那么失望，但他随即抬起头来，看到了我脸上失望的神情。他的脸上露出不快的神色。我们已经快走到他的家门口了，换了不那么善解人意、不那么宅心仁厚的别人，很可能会冷冷地跟我告个别，就此以后不想再见到我了。埃尔斯蒂尔没这么做；作为一个真正的大师——从纯艺术创作的观点来看，这（就大师这个词的本义而言）也许是他唯一的缺点，一个艺术家为了固守精神生活中的那份至真，就应该是独自一人，别把精力和时间花费在别人身上，即使那是自己的学生——遇到任何事情，无论那是涉及他还是涉及别人的事情，他都会尽力找出这件事情中所包含的哲理，讲给年轻人听，让他们真正从中得到教益。所以，他并不想说些什么来挽回自己的面子，他说的话是我终身受用的。

“一个人再谨慎，”他对我说，“年轻时也难免会说过一些话，甚至做过一些事，后来想起来觉得心里不是滋味，恨不得当初没说那些话，没做那些事。但他完全没有必要去后悔，因为他必须经过人生的各个阶段，在达到最终阶段之前历经种种可笑甚至可憎的阶段，才有可能在一定程度上成为一个智者。我认识一些年轻人，他们的先人都曾显赫一时，他们从中学开始，接受的教育就是做人要精神崇高、道德高尚。他们的一生中也许并没有什么可以指摘的地方，他们说过的每句话，都可以写下来，署上名字公之于众。可是他们只是些才智平庸、满脑子教条的没用的人，智慧的种子在他们身上没结出果实。智慧不能靠传授，每个人都得自己去发现它，这段发现的行程是没人能代劳，没人能帮你去走的，说到底，智慧就是看待事物的一种观点。你所羡慕的生活，在你眼里觉得高贵的举止，都不是家长或家庭教师安排或教会的，它们是以很不相同的另一种生活作为开端，是在周围粗俗平庸的举止的影响下脱胎而来的。它们意味着斗争和胜利。我知道，我们在早期某个阶段的形象，尽管已经不那么清晰可辨，但说到底总归是不讨人喜欢的。但是我们不应该否认这个形象，因为它见证了我们曾经真正地生活过，曾经按照生活和精神世界的法则，从生活中具有共性的内容，如果是画家，就还从画室生活和艺术家小圈子中，提炼出了超越于它们之上的某些东西。”

我们到了他的家门口。没能结识那些少女，让我感到有些失落。但我毕竟有了找到她们的希望；她们当初从水天相接的远处经过时，我觉得自己从此再也见不到她们了，可现在情况不一样了。围绕在她们周围的不再是巨大的旋涡——这个把我们跟她们隔开的旋涡，其实就是我们心中始终炽烈似火、变幻不定、迫不及待的欲望，因她们可望不可即而激发的内心的骚动不安，因她们可能就此一去不复返而引起的担心，都使这个欲望变得更为强烈。而现在，我可以让我对她们的渴念休憩一下，让它和别的许多我一旦知道有可能，就暂缓把它们付诸实现的欲念储存在一起。

我和埃尔斯蒂尔分手以后，又是独自一个人了。这时，尽管我有些失望，可我骤然在心里看明白了这些我根本没想到会发生的巧合：埃尔斯蒂尔刚好跟这些少女关系很好，这些早上对我来说还是一幅以大海为背景的油画中人物的少女，现在看见了我，看见了我和一位大画家过从甚密，而这位画家也知道我心心念念想结识她们，想必会助我一臂之力。这些想法都使我感到快乐，但这种快乐一开始是藏在那儿不露面的；它是不速之客，它并不着急，它等在那儿让我们知道它在那儿，要等到别的来客全都走了，只剩下我们的时候，它才会现身。这时，我们瞧见了它，于是可以对它说“我悉听您的吩咐”，可以倾听它的谈话了。有时候，在这种快乐进入我们心间，和我们也得以回进自己心间的这两个时刻中间，相隔了那么长的一段时光，其间我们见了那么多人，我们不禁担心这种快乐会等不及而离去。但它很有耐心，并不厌倦，等所有的人都走了，它才出来和我们打照面。有时我们过于疲劳，觉得自己那不听使唤的脑子已经无力留住那些回忆和印象，那些以我们脆弱的自我作为唯一的栖息地，作为独一无二的再现途径的回忆和印象。对此我们也许会感到遗憾，因为毕竟只有在现实的尘土和魔幻的沙子掺和在一起，让某件普普通通的事情变成带有传奇色彩的契机的日子里，生活才是有意义的。在那样的日子里，远不可及的天之涯海之角，会骤然间从梦幻的光照中涌现出来，进入我们的生活，我们犹如从睡梦中醒来那般，见到了那些让我们朝思暮想，本来以为只有在梦中才能见到的人儿。

想到现在我想要认识那些少女，随时都有可能，我心头感到一片宁静，而因为接下去的日子里我没法儿再跟在她们后面，远远地望着她们，我就更感到这种宁静之可贵了。接下去的几天，圣卢忙着准备动身。外婆觉得圣卢对她和我都特别好，想向他表示自己的谢忱。我对她说圣卢是普鲁东的崇拜者，这让外婆有了个主意，她让人把她以前买下的这位哲学家的许多亲笔书信送来；东西送到的那天，正好是圣卢动身的前一天，他来酒店看了这些书信。他不胜渴慕地读着信稿，充满敬意地轻轻翻过每一页手迹，竭力把那些句子记在脑子里。然后他起身告辞，请外婆原谅他待了这么久，不想外婆却这么回答他：

“哦，您拿着吧，这是给您的，我让人送来，就是给您的。”

一阵喜悦涌上他的心头，犹如一种不由意志左右的体态那般，让他无法去控制，他就像刚刚受罚的孩子那样满脸涨得通红，外婆看见他竭力克制（但没克制住）叫他周身发颤的喜悦，再三道谢的模样，心中越发感动。可他还是担心没能充分表达自己的谢忱，第二天乘当地小火车回营地的当口，还从车窗探出身来，请我原谅他的失礼。其实部队驻地并不远。他原来打算像平时当晚就回营地、不在外面过夜的情形一样，乘马车回去。可是这次行李很多，得由火车托运。他问过酒店经理以后，觉得还是也乘这趟火车更省事。经理是这样回答圣卢的：坐马车和乘火车，“其实也差无多”，圣卢明白他是想说“差不多”（换了弗朗索瓦兹，大概会说成“彼此几乎相当”）。

“那好，”圣卢说，“我就乘‘扭扭车’吧。”

我要不是身体太虚弱，也会乘上这辆车，把朋友一直送到冬西埃尔；虽说没这样做，可我还是趁等在巴尔贝克车站的时间——小火车的司机在等几个姗姗来迟的朋友，他们不来，他是不会开车的，这会儿他正不紧不慢地喝着清凉饮料——答应他每星期都去看他几次。布洛克也到车站来了——圣卢对此非常反感——圣卢见我这位同学一直听着他在邀请我去吃午饭、晚饭，甚至住在冬西埃尔，最后也冷冷地对他说：

“哪天下午您路过冬西埃尔，碰巧我又有空，您也可以到司令部来找我。不过，我很难得有空。”口气之冷淡，让勉强邀请的客套大大地降了温，好像生怕布洛克拿它当真。不过罗贝尔说不定也担心我一个人未必肯去，还以为我跟布洛克的交情比我说的来得深，这样就可以让我一路上有个同伴，有个领跑。

我真怕这种口气，这种暗示对方不要接受的邀请方式，会让布洛克不高兴，心想圣卢还不如什么也别说倒好些。可是我错了，火车开走以后，我和布洛克从火车站一直走到两条大街的交叉路口。然后我回酒店，布洛克回他的住处，这一路上，布洛克不停地问，我们哪天去冬西埃尔，因为“圣卢那么客气”，他要是不去看看圣卢，“未免太失礼了”。我很高兴他没有看出，至少还没有太不高兴，还愿意装作没有看出，那个邀请的语气是很冷淡，甚至不客气的。不过我为他着想，还是希望他不要马上去冬西埃尔，免得成为笑柄。我想告诉他，他太着急了，圣卢可并不像他这么急切。可是我不敢这么说，怕他听了不开心。他实在是太着急了，虽说在他身上有好些很明显的优点，都是行事比他谨慎的其他人所没有，都是可以用来补赎诸如此类的种种缺点的，但他毕竟做得太过分，都让人受不了了。照他的说法，我们这星期非去冬西埃尔不可（他说“我们”，我想是因为他毕竟还是希望我也去，好有个说辞）。这一路上，在绿树掩映的体育场前，在网球场前，在市政厅前，在卖海鲜的店铺前，他都停下来，央求我定个日子，因为我一直不肯这样做，他临分手时悻悻然地对我说：

“您请便吧，阁下。反正，我是非去不可的，既然他邀请了我。”

圣卢总怕他对外婆的谢意表示得不够，两天以后我收到他的一封信，信里要我代他再次向外婆致谢。信是从他驻防的城镇寄出的，邮戳上的镇名仿佛奔我而来，告诉我在路易十六骑兵团的营房里，他在思念着我。信笺上印有马桑特的族徽，我认出那是一头狮子高踞在一个花环之上，花环下端是一顶法兰西贵族院议员的软帽。

“旅途很顺利，”他在信上说，“一路上都在看车站买的一本书，是阿韦德·巴里纳写的（我想这是个俄国人，一个外国人能写得这么好，我觉得真是太了不起了，不过我还是想听听您的意见，您知识渊博，书读得多，这个作者的情况想必您也了解），可现在我又回到粗俗的生活中来了。唉，我觉得这就像流放，我留在巴尔贝克的那一切，这儿都没有了；在这种生活中，既没有温情的回忆，也没有智慧的光芒；这样的生活环境，大概会让您感到鄙夷，然而它也并非全无可爱之处。自从我上次离开以后，好像一切都改变了，因为在这段时间里，我生命中最重要的一个时期，你我缔结友谊的时期开始了。我希望它永远没有终止的一天。我只跟一个人说起过这个时期，说起过您，那就是我的女友，她在我事先完全不知道的情况下，来这儿陪了我一个小时。她很想认识您，我相信你俩一定很谈得来，因为她也非常喜欢文学。至于我那些同伴，尽管他们都是些很出色的小伙子，我却避开了他们，跟他们说这些，他们可能无法理解，我只想静静地回想我俩的谈话，重温我永远无法忘怀的时光。分手后的第一天，我几乎宁愿独自一人来回忆跟您一起度过的分分秒秒，连信也不给您写。可是您感情那么细腻，那么敏感，我又怕您收不到我的信，会为这个粗鲁的骑兵——倘若您多少还肯劳神想着他的话——担惊受怕，您要是想让他少却几分粗俗之气，变得稍许文雅一些，您可得好好使劲儿哦。”

我还没认识圣卢那会儿，曾经想象过他给我写信，圣卢这次的来信，其实就像只存在于我的幻想中的那些信一样充满柔情，而当时初次相会时他那冷淡的态度，一下子把我从幻想中拉回到冷冰冰的现实世界，幸好，它毕竟不是永远这么冰冷冰冷的。收到这封信以后，每次午餐时邮件送上来的时候，如果有他的来信，我都会一眼就认出来，信就像一个人不在时所显示的第二张脸，就凭这张脸的轮廓线（笔迹），我们没有理由不相信，我们可以清楚地看到一个人的内心，如同我们可以从他鼻子的格局或嗓音的抑扬看到一样。

现在，侍者来撤掉桌上的餐具时，我总是耐心地坐在餐桌旁边，倘若这不是那帮少女到大堤上来的时候，我就并不一味望着大海那边。看了埃尔斯蒂尔的水彩画以后，我尝试着从周围的事物中去发现诗意：依然斜放着的餐刀，透出停顿的意味；一块折皱的餐巾圆圆地鼓起，阳光为它添上一块丝绒般的黄色；喝了半杯的玻璃酒杯，越发显得身姿婀娜，有如凝聚着浓缩的日光的半透明杯底里，剩留的红酒色泽很暗，却闪烁着点点光亮；器皿移动着位置，里面的液体在光照下变幻着颜色；高脚水果盘里剩下的半盘李子，从绿变到蓝，又从蓝变到金黄：古色古香的椅子，每天两次给请到餐桌跟前，桌布就像铺在美食节的展台上，牡蛎的壳里还有几滴晶莹的液汁，宛若石雕的圣水盂里的圣水；我想方设法从以前没留意的地方，从最常见的物件，从静物的深沉生命中探寻美的真谛。

圣卢离去几天以后，埃尔斯蒂尔经不住我的撺掇，答应举办一次小型聚会——我在这个聚会上可以见到阿尔贝蒂娜。我春风满面、风度翩翩（这是暂时的，归功于长时间的休息和精心的打扮）走出大酒店时，颇为没能把自己的魅力（以及埃尔斯蒂尔的声望）用于征服某个更加有趣的人而感到遗憾，我的魅力仅仅用于赢得认识阿尔贝蒂娜的这点欣喜，未免可惜了。既然肯定能见到阿尔贝蒂娜，我的理智就不觉得这份欣喜特别珍贵了。可是在我心里，意愿不曾有片刻分享过这一感觉。无论我们的性格怎么变来变去，意愿永远是这种或那种性格的义仆；他不显山不露水，不为人看重，却始终忠心耿耿，不管我们如何变来变去，一刻不停地为我们打理操劳，唯恐我们缺这缺那。原来打算好的一次旅行，眼看就要成行，理智和情感却发难了，说得好好想想是否值得这么走一趟，意愿了解这两个好说闲话的主子，知道倘若旅行泡了汤，他俩即刻就会觉得这次旅行如何如何精彩。意愿听任他俩在火车站前喋喋不休，越说越拿不定主意；不过，他先去买好了车票，在开车前把我们安顿在了车厢里面。他的不变，堪与理智和情感的多变媲美，但由于他总是三缄其口，从不申述理由，所以他的存在几乎被人忘了；但当我们身上其他的性格元素确确实实知道自己没辙的当口，他们就会跟着他，按他始终如一的决定行事。所以，当我瞧着镜子，心里想着自己的理智和情感都指望把这些徒有其表的小饰物留着，到下次再派用场的时候，他俩还在为是否值得去结识阿尔贝蒂娜而争论不休呢。不过我的意愿没让我错过出门的时间，他交给车夫的正是埃尔斯蒂尔的地址。事已如此，理智和情感纵然觉得可惜，也只好罢休了。倘若意愿给的是另一个地址，他俩十有八九也会给蒙在鼓里。

过了没多久，我来到埃尔斯蒂尔府上，起先我以为西莫内小姐还没来。是有个姑娘坐在那儿，但她穿着绸裙，没戴帽子，我没法儿把她跟那位头戴马球帽、推着自行车在大堤上走过的少女在我心中留下的倩影吻合起来，我在这个姑娘身上既没见到那头美丽的秀发，也没认出我心仪的鼻子和脸色。可她就是阿尔贝蒂娜。但我知道以后，仍然没去和她打招呼。一个人年轻时，逢到社交聚会的场合，他的自我就会不复存在，他仿佛变成了另一个不同的人，置身沙龙这个全新的天地，受另一种道德规范的约束，全神贯注于跳舞、牌局以及周围的男男女女，倒像这些第二天就会被忘记的人和事，比什么都重要似的。为了过去跟阿尔贝蒂娜谈上话，我不得不沿着一条不由我安排的路线往前走去，先是停在埃尔斯蒂尔跟前，然后从一群群来客旁边经过。有人在告诉他们我的名字，随后沿着自助餐台往前，停在那儿听着刚开始演奏的音乐，吃了人家递给我的草莓挞。我觉得，这么一路走来的这儿一停那儿一停，似乎都跟认识西莫内小姐一样重要，把我介绍给她，只是其中的一停而已，在那以前几分钟，我居然完全忘了这是我此次前来的唯一目的。不过，在我们的实际生活中，真正的幸福也好，巨大的不幸也好，又都何尝不是如此呢？我们等待了一年之久的那个让人欢喜或是心忧的答案，心爱的人儿却是在大庭广众告诉我们的。有那么多人在场，你必须继续跟人交谈，一个接一个地转换话题，做足表面文章，往往还没来得及等那藏得很深而又局限在一点附近的记忆露头，不幸就已经降临了。倘若那不是不幸，而是幸福，那么有时候会在过了好几年以后，我们方才想起自己的感情生活中曾经发生过这么重要的一件事情，而在当时，比如说在某个社交聚会上，尽管我们去那儿的目的就是期待发生这么一件事情，可是我们根本没有时间去关注它，甚至几乎都没意识到它的存在。

埃尔斯蒂尔要我过去，想把我介绍给坐在稍远处的阿尔贝蒂娜，可我先吃下了一块咖啡蛋糕，还饶有兴味地请一位刚认识的老先生给我仔细讲讲诺曼底某些集市的情形，这位老先生称赞我插在纽孔里的玫瑰花漂亮，我正想取下送他来着。这并不是说，接下去和阿尔贝蒂娜的认识没让我感到快乐，或者在我眼里没什么要紧。这种快乐是回到酒店，独自待在房间里，重又变回原来的我以后，才体味到的。快乐，就好比拍照，心爱的人在场时，你得到的仅仅是一张底片，要等回到自己的住处，进入内心的暗房，把底片冲印出来以后，看到的才是照片。而这暗房的门，有外人在场时永远是禁止开启的。

虽然认识阿尔贝蒂娜的喜悦如此这般地推迟了几个小时，这次介绍的重要性，我却是立即就感觉到的。被介绍给别人的当口，尽管我们感到自己就像一下子中了头彩，拥有了一张已经寻觅了几个星期的，日后可以兑现快乐的凭单。但是我们心里很清楚，得到这张凭单意味着一些事情的终结：不仅那艰难的寻觅——这样的寻觅反而让我们充满喜悦——就此结束，而且某个在我们的想象中变了形，我们惴惴不安地生怕没法儿结识他，他也就因此变得非常高大的那个人，也就此不再存在了。一旦我们的名字从介绍人口中说出，尤其是（像埃尔斯蒂尔这样）加上了好些赞美之词——这一庄严的时刻，好似童话故事中巫师念咒把一个人变掉的那一刹那——我们心心念念想去接近的那个姑娘就消失了，先不先，她怎么还可能是原来的样子呢，既然——这位陌生的姑娘总得注意一下我们的名字，而且对我们看上一眼——在昨天还位于无穷远处的双眸（我们以为自己那游移不定、无望而散乱的目光永远也不会和她的目光交会）中，我们所寻找的意识清晰的目光、莫测高深的思绪，已经神奇而又自然地被我们犹如在一面冷笑着的镜子里看到的自己的形象取代了？虽说我们转化为原先好像不可能的另一个人，这件事本身就在最大限度上改变了我们刚被介绍给她的那位姑娘，但是她的整个形态还是相当模糊的；我们不禁会思忖，她究竟是神像、桌子还是脸盆。然而，这位陌生的姑娘就像吹制蜡像的匠人（他们在五分钟里就能当场吹出一个半身像）一样灵巧，她只要过来对我们说几句话，刚才那个形态就会清晰起来，具有一种很明确的意味，将我们的欲念和想象在前一天做出的种种假设排除殆尽。也许，还在她来参加聚会之前，阿尔贝蒂娜就已经如同一个我们既不认识，也没有看清容貌的过路的姑娘那样，不再完全是我们值得在自己的生活中时时刻刻萦绕于怀的那个唯一的人儿了。她和蓬当夫人的亲戚关系，限制了许多美妙的假设，这些假设所能伸及的通道中，有一条已经给堵住了。随着我和她的接近，我俩渐渐熟悉起来，我对她的了解却做起了减法，想象和欲念的每个细节，都被一种价值远远小得多的概念所取代了，这种用于人际关系的概念，有点类似于金融机构赎回原始股份以后所发放的，被称作红利的那个东西。她的名字，她的亲戚关系，为我的想象设置了第一层限制。当我在她身旁，看着她脸上长在眼睛下面那颗小小的美人痣的当口，她和蔼的态度又成了第二道界线；临了，我听见她把“完全”说成“端的”，不由得感到吃了一惊，她是在谈论两个人时这么说的，对其中一个，她说："她端的是个疯丫头，不过人倒是挺好的。"对另一个则说："那位先生端的乏味。"虽说"端的"这个说法听上去不大舒服，但它毕竟表明一种文化程度，一种修养，我原来还想不到骑自行车、拿高尔夫球杆的狂欢女神有这点修养呢。不过这只是阿尔贝蒂娜的第一变，她在我眼里还得有好多变呢。我们在某人脸部近景中所看到的优点和缺点，倘若我们换另一个角度去看，它们就会呈现另一种形态——正像一座城市的历史建筑，你若沿着一条轴线去看，可能觉得很凌乱，但从另一种角度去看，就会感到错落有致，相映成趣。起先，我觉着阿尔贝蒂娜的神情怯生生的，毫无咄咄逼人的意味；我对她说起别的姑娘时，她不是说"她没什么派头"，就是说"她样子挺怪的"，我听着就心想，她不见得就那么没教养，好像还是挺斯文的；后来她脸上有个地方引起我的注意，那就是红得出奇，叫人看着挺不舒服的太阳穴（而不再是在那之前我常常想起的奇特的眼神）。不过我这还只是看了第二眼，接下去想必还有的要看的呢。事情就是这样，我们只有一边往前一边回头，认清刚开始时哪儿看走了眼，才会对一个人有准确的认识——如果这样的认识有可能的话。但是那是不可能的；因为一个人并不是静止不变的物体，就在我们校正对他的观点的当口，他本身也在改变，我们想要赶上他的变化，他却又换了地方，最后我们以为终于把他看清楚的时候，其实我们好不容易捕捉到的，只是他先前的形象而已，那已经不是现在的他了。

然而，对我们一下子看不清楚，但可以靠想象来接近他的对象，我们还是得一步步去走近他，这个过程尽管不可避免地会给人一次次带来失望，是使我们的欲念一直保持新鲜感的必由之路。有的人出于怠惰或羞怯，直接就往已经认识的朋友那里而去，事先既没有想想他们的样儿，路上也不敢停下来看一下自己挺想看看的人或物，这样的人，他们的生活是多么沉闷乏味啊！

我回去的路上想着这次聚会，眼前又依稀看到让埃尔斯蒂尔领到阿尔贝蒂娜跟前去之前吃下的那块咖啡蛋糕，还有送给那位老先生的玫瑰花，一定的环境，会让我们在不知不觉中，看似不经意地特地选择一定的细节，构成一幅与人初次相会的回忆图景。可是这幅图景，我似乎觉得是从另一个视角，从远离自己的地方去看的，当我在几个月后不胜惊讶地得知阿尔贝蒂娜也还记得这些的时候，我明白了它们并不仅是为我而存在的。这时，我跟阿尔贝蒂娜说起第一天认识她的情形，她居然也对我说了蛋糕和我送掉的花儿，这些事情，我不能说只对我个人有意义，但我一直以为除了我是不会有人注意到的，可现在我发现它们转化成了一种我意料不到的形态，存在于阿尔贝蒂娜的思绪之中。

就在这第一天，回去的路上我眼前浮现出刚才提到的那些场景，从那一刻起，我明白了那完全是一种魔术在起作用，让我和代替我在海边见到的姑娘的某个人谈了一会儿，技艺高超的魔术师把她变得跟我在海边跟了那么久的姑娘没有一点相像之处。其实，我事先应该料到这一点的，因为，海滩上的那个姑娘是我心造的呀。但不管怎么说，既然我在和埃尔斯蒂尔的交谈中，已经把这个人认同为阿尔贝蒂娜，我感到自己对她负有道义上的责任，理应信守自己对想象中的那个阿尔贝蒂娜许下的爱的承诺。当你通过第三者订了婚，你会以为自己接下去就必须娶这个中介人。不过，虽说只要想起她那得体的举止、“端的平常”的说法，还有那红红的太阳穴，我的焦虑就会平息，至少暂时从心头消失。但是这样的回忆会在我心头唤起另一种欲念，它虽然温情脉脉，并不痛苦，有如一种兄弟情谊那般，但时间一长，它还是会变得很危险，会让我随时都想把这个新出现的人儿拥在怀里，她的斯文，她的腼腆，还有那出乎我意料的易于接近，都让我那无谓的想象就此中止，却又使我萌生了一种充满柔情的感激之忱。然后，由于记忆立即冲洗出一张张相互独立的底片，在这一系列的底片中，记忆抹去了这些场景之间所有依存的关系，即使抽掉最后一张，前面的那些未必会受任何影响。面对我和她交谈过的这个普普通通却又颇为动人的阿尔贝蒂娜，我仿佛看见了面对大海的那个神秘的阿尔贝蒂娜。现在那都是回忆，也就是说，都是我不觉得其中有哪一幅格外真实些的图景了。那次聚会过后，我想回忆阿尔贝蒂娜长在眼睛下面的那颗美人痣，记得她离开埃尔斯蒂尔家那会儿，我看见这颗痣是在下巴上。总之，我见到她时，注意到她有颗美人痣，但过后，我那游移不定的记忆就带着它在阿尔贝蒂娜脸上游荡，一会儿安在这儿，一会儿安在那儿了。

尽管我在西莫内小姐身上没看出有什么跟我认识的别的少女不同的地方，因而感到颇为失望，但正如我对巴尔贝克教堂感到失望并不妨碍我向往坎佩莱、蓬达韦纳[1]和威尼斯一样，我暗自心想，就算阿尔贝蒂娜跟我的期望不相符，我至少还可以通过她来认识她的那帮女友。

1　在本书第一卷《去斯万家那边》的第三部中，作者曾提到这两个地名引起的瑰奇联想：“蓬达韦纳，那是一朵薛帽的翼瓣，颤巍巍地在绿莹莹的运河水面映出轻盈的身影，然后闪着粉白粉红的光斑飞扬而去；坎佩莱，则从中世纪以来就沉潜于那些溪流之中，淙淙作声地溅起珍珠似的水点，组成一幅生动的单色画，犹如粲然的阳光透过彩绘玻璃窗上的蜘蛛网，减弱成缕缕银光勾勒出的图景。”

一开始我觉得恐怕事情不会顺利。因为她还要在巴尔贝克待很长时间，我也一样，所以我心想，最好的办法是不要太主动地去跟她见面，一切听其自然，总会有机会碰到的。可是我每天都会远远地见到她，而我跟她打招呼，她总是回应一下就了事，这叫我非常担心，万一整个夏季天天都是如此，那事情不就吹了嘛。

不久以后的一个早晨，天刚下过雨，带着几分凉意，只见海堤上有个少女向我走来，头戴小圆帽，袖着手笼，与我在埃尔斯蒂尔家聚会上见到的那个少女判若两人，要让脑筋转过弯来，认出那原来是同一个人，似乎是不可能的；我的脑筋总算还是转过来了，不过中间等了一分钟，这一分钟里我那副惊愕的神态，想必没能逃过阿尔贝蒂娜的眼睛。由于我对她的斯文感到的惊讶记忆犹新，所以接下去她那种粗鄙的语调和少女帮的做派，着实又让我大吃一惊。再说，这时候太阳穴也不再是她脸上的视觉中心，看上去好像已经没事了，也不知是因为我站在了另一侧，还是那顶帽子遮住了太阳穴，抑或是那太阳穴并非天天都在发炎。

"什么鬼天气！"她冲着我说，"还说巴尔贝克永远是夏天呢，吹牛皮！您在这儿敢情什么事也不做呀！从没见您打过高尔夫，也没见您去游乐场跳过舞；您也不骑马，您不觉得闷得慌吗？您不觉得一天到晚待在海滩上，人都变傻了吗？嗐！您就喜欢叉手叉脚晒太阳？您又不是没时间。我看哪，您可一点不像我，我样样运动都喜欢！您没去索涅看过赛马？我们是坐呜呜车去的，我知道这种破车您是不肯坐的！一路上开了两个钟头！我要是骑车的话，都打三个来回了。"

由于本地的小火车要转数不清的弯儿，圣卢顺口把它说成"扭扭车"，我当时听了好不佩服，如今听阿尔贝蒂娜轻描淡写地管它叫“呜呜车”和“破车”，我更是肃然起敬。我感到她对某一种指称方式已经达到运用自如的地步，很怕她发现我在这方面的无能并因此看不起我。至于这帮少女用以指称这条铁路的同义词有多么丰富，我当时还没机会领教呢。阿尔贝蒂娜说起话来，头部不动，鼻翼夹紧，只有唇端在一开一合。所以她的嗓音总带着拖腔，鼻音很重，其中也许包含了外省人的遗传、年轻人对英国人冷漠的模仿、外国家庭女教师的影响，以及鼻黏膜充血性肥大等多方面的因素。这么拿腔拿调，按说会让人听着挺不舒服的，不过当她跟人家熟悉起来，顽皮的孩子气自然而然流露出来以后，这种腔调很快就不见了。对我而言，这种腔调既特别，又让人着迷。只要一连几天没遇见她，我就挺直身子，头部不动，学着她那鼻音很重的音调不停地说：“从没见您打过高尔夫。”给自己提提兴致。这时，我觉得她就是我最想望的人了。

这天早上，大堤上人们在散步，不时有人停住脚步，一对一对地站在这儿或那儿，彼此交谈几句，然后又分开，各走各的路，我和阿尔贝蒂娜就是其中的一对。我趁着她立定不动的机会细细观察她，终于弄清楚了她那颗美人痣到底长在哪儿。凡特伊那首奏鸣曲里有一个乐句让我听了着迷，可是它始终在我的记忆中游荡不定，时而在行板那儿，时而又在曲终处，直到有一天我有了乐谱在手，才找到这个乐句，并在记忆中将它固定，放在了谐谑曲的位置上。那颗美人痣也是这样，我凭空回忆时，它一会儿在脸颊上，一会儿在下巴上，可这会儿它好端端地长在鼻子下面，上嘴唇上面。这又好比我们在看戏时，出其不意地听到了自己背得挺熟的诗句，不由得感到很惊讶。

正在这时，仿佛为了在大海的背景上自由自在地变化形态，尽情展示少女的美丽队列沐浴在阳光和海风中，身披金黄和粉红色彩的绚丽的整体装饰效果，阿尔贝蒂娜这群双腿修美、身肢柔软，却又彼此各不相同的女友，排成一条直线，在离海更近的地方，向我们的方向走来。我请求阿尔贝蒂娜允许我陪她一起走走。可惜她只是挥挥手朝她们打了个招呼。

“您不过去，您的女友要埋怨您了。”我对她说，心里盼着我们能和她们一起散步。

这时一个五官端正的小伙子，手里拿着球拍，走到我们跟前。他就是那个在巴卡拉牌桌下豪注，引起主审法官夫人愤慨的年轻人。他神情冷峻，不动声色地向阿尔贝蒂娜打了个招呼，他想必觉得这副神态能让自己显得高人一等。

“您从高尔夫球场来吗，奥克达夫？”她问他，“您怎么样？打得还不错吧？”

“嘿！别提了，我打得真臭。”他回答说。

“安德蕾也在吗？”

“在，她打了七十七杆。”

“哦！挺棒唉。”

“昨天我打了八十二杆呢。”

他父亲是个很有钱的实业家，据说在下届万国博览会的组织工作中将扮演相当重要的角色。这个年轻人，和这些少女很少几个其他男友一样，凡是与穿着打扮、雪茄、英国饮料、赛马有关的事情，他样样在行——哪怕对每个琐碎的细节，他都了如指掌，而且那种骄傲的自信堪与学者缄默的谦虚媲美——可是文化修养远远跟不上趟，这令我感到吃惊不小。说到何时得穿常礼服，何时可以穿睡衣，他没有片刻迟疑，但碰到在某种场合是否可以用某个词，甚至对一些最简单的语法规则，他就吃不准了。两种文化之间的这种不相称，在他父亲身上也可以看得很清楚，这位身为巴尔贝克地产业主联合会主席的老爸，在一封刚让人四处张贴的致选民公开信中写道：“鄙人曾欲与市长攀谈此事，然他不愿听鄙人正当之抱怨。”

奥克达夫在游乐场的波士顿和探戈之类的舞蹈比赛中屡屡得奖，只要他高兴，他不难在这个洗海水浴阶层中缔结一门好亲事，自有那些姑娘愿意不是在引申意义上，而是在本义上找这么个伴儿。

他一边问阿尔贝蒂娜“可以吗”，一边点燃一支雪茄，那模样就像请对方允许他一边聊天一边做完一件紧要的工作。他的解释是他不能“闲着不做事儿”——尽管他整天无所事事。而完全不活动，到头来也会和过度工作同样让人感到疲劳，不仅在体力上是如此，在精神领域也是如此，奥克达夫看似耽于沉思的额头后面，装着个长年不开动的头脑，因而他尽管看上去神色很平静，心里却始终存着无法实现的渴望，很想能让脑筋动起来，也想点什么事情，这种渴望使他就像一位终日思考、疲劳过度的玄学家那样夜不成眠。

我心想，要是认识了她们的朋友，我就有更多的机会见到这些少女了，所以我很希望自己能被介绍给奥克达夫。瞧他嘴里嘟嘟哝哝地说着“我打得真臭”走了，我就赶紧把这想法对阿尔贝蒂娜说了。我想这么跟她讲了，下次她就会记得给我介绍了。

“得了吧！”她大声说，“我可不想把您介绍给一个小白脸！这儿小白脸可多着呢。他们和您不会谈得拢的。刚才那个高尔夫打得不错，可也仅此而已。他跟您不是一路的。”

“可您这么不过去，那些朋友会怪您的。”我这么说，是想让她叫我一起去追她们。

“才不呢。她们根本不需要我。”

布洛克迎面朝我们走来，他冲我狡黠地一笑，似乎意味颇为深长，看见阿尔贝蒂娜他有些局促不安，他不认识她，或者说只闻其名，所以他把头往衣领缩了缩，动作僵硬而令人生厌。

“这个怪人叫什么名字？”阿尔贝蒂娜问我，“我不知道他干吗跟我打招呼，我又不认识他。所以我没理他。”

我还来不及回答阿尔贝蒂娜的话，就只见布洛克向我们直冲过来。

“对不起，”他说，“打断你的话了，我是来告诉你，我明天去冬西埃尔。再等下去就失礼喽，我已经在琢磨圣卢－昂－布雷会怎么想我了。我坐下午两点的火车。你自己安排一下。”

可我一心只想着怎么再跟阿尔贝蒂娜见面，并设法认识她的那些女友。冬西埃尔，既然她们都不去，而且我去了回来就错过了她们到海滩去的时间，所以此刻我觉得那儿就是世界的尽头。我对布洛克说我不能去。

“行，我一个人去。这正应了阿鲁埃先生两句滑稽的亚历山大体诗呢，我要去念给圣卢听，缓解一下他的教权主义：

> 请相信我不会把责任就此丢开；
> 他不管是他的事；我责无旁贷。”

“我得说他长得挺帅，”阿尔贝蒂娜对我说，“可他让我恶心！”

我从没想过布洛克是个帅小伙子；可不，他是长得不赖。他的脸面有点往前凸，鼻子弯而突出，一副极其灵敏——而且知道自己灵敏的神情，他这张脸是让人看着挺舒服。可是这张脸没能讨阿尔贝蒂娜的喜欢。这也可能是她自己的问题，是这帮少女苛刻、冷漠，对小圈子以外的人都很粗鲁的缘故。稍后我给他们做介绍时，阿尔贝蒂娜对布洛克的反感有增无减。布洛克属于这样一个阶层，他们一方面常常取笑上流社会，一方面又充分尊重一个双手白净的人所该有的良好举止，他们在两者之间采取一种很特殊的妥协态度，它有别于上流社会的做派，却又是一种特别让人讨厌的社交虚礼。当他被介绍给别人时，他鞠躬如仪，脸上既带着怀疑的浅笑，又显出夸张的敬意，要是对方是位男士，他在说“幸会，先生”的当口，那声音仿佛既是在嘲笑自己所说的话，同时又意识到说这话表明了自己不是粗人。他在与人相识的第一秒钟里，对习俗的礼仪采取一种既遵守又取笑的态度（就好比在元旦那天说“祝您新年快乐，万事如意”），尔后他就会带着机敏而狡黠的神情“说几句风趣话”，其实往往也说得很坦诚，可是阿尔贝蒂娜觉得让她“神经受不了”。那天我告诉她他叫布洛克的时候，她大声说：

“我敢打赌，他准是个犹太佬。他们就喜欢装模作样。”

接下去，布洛克又有事惹阿尔贝蒂娜不高兴了。他跟许多书呆子一样，不肯把简单的事情用简单的话说出来。挺简单的事情，他偏要先找一个很讲究的修饰词，然后引申发挥。这让阿尔贝蒂娜感到讨厌，她不大喜欢人家多管她的事，不喜欢扭伤脚歇着时听布洛克说这种话：“别看她坐在长椅上，她可是分身有术啊，随便哪个高尔夫球场和网球场，她无所不在。”这只不过是文学语言，可是阿尔贝蒂娜因为原来总说自己动不了，谢绝人家的邀请，现在布洛克这么一说，她心想倒不便那么说了，所以这个说这番浑话的小子，她只觉得他的嘴脸、嗓音都叫人嫌恶。

我和阿尔贝蒂娜分手时，说好下次再一起出来散步。我刚才和她说了话，可我不知道她有没有听进去，不知道我的话是否就像石子扔进了无底的深渊。一般而言，当我们对某个人说话时，这个人往往会从自身出发，赋予我们的话某种意义，而那是跟我们赋予这些话的意义颇为不同的，这种情况在现实生活中是屡见不鲜的。可要是我们发现面前的这个人（比如说，我对阿尔贝蒂娜）的教育情况一无所知，既不了解她爱好些什么，读些什么书，也不了解她的处世原则，那么，我们就无法知道我们的话在她身上到底有没有反应，那反应是不是会比动物稍稍强一些——我们对着动物说话，毕竟还是能让它们听懂点儿的。所以对我来说，要设法跟阿尔贝蒂娜沟通，即使不说是不可能，那也是结果未卜的事情吧，要不是跟驯马一样艰难，就是跟养蜂或种玫瑰一样轻松。

几个钟头以前，我以为阿尔贝蒂娜只会远远地跟我打招呼。可刚才我俩分手的时候，我们已经制订了一个出游的计划。我在心里对自己说，下次见到阿尔贝蒂娜，一定要更大胆些，我预先想好了要对她说些什么话，甚至（既然在我的印象中，她想必是很轻佻的）连怎么向她求欢也都想好了。可是人的思想，就像植物，就像细胞，就像化学元素一样，是要受环境影响的，这种思想一旦沉浸其中就会改变的环境，就是真实的情景，就是新的氛围。我重又见到阿尔贝蒂娜的时候，有她在场的这个情景，使我变得不一样了，我对她说的完全不是事先想好的那些话。尔后，我又想起了她那发红的太阳穴，暗自在想，不知阿尔贝蒂娜是否更喜欢一种她知道并无所图的献殷勤。她的有些目光和笑容，都让我感到很不自在。它们既有可能意味着作风轻浮，但也有可能是一个天性活泼、心地坦荡的少女略微有些傻乎乎的快活心情的流露。同一个表情，正如同一个句子，可能有多种不同的含义，看着她的脸，我踌躇着不知怎么办，正如面对一份艰涩的希腊文翻译试卷。

这一次，我们几乎是劈面遇到了那个高个子姑娘安德蕾，也就是从主审法官头上跳过去的那个少女；阿尔贝蒂娜只好把我介绍给安德蕾。她的这位女友眼睛异常明亮，给人的感觉就如在一个光线很暗的套间里，从一扇敞开的房门突然走进了一个充满阳光、泛着海水绿莹莹反光的房间。

五位男士从我们面前走过，我到巴尔贝克后常看见他们，总在心里琢磨他们是什么人。

“他们算不上老克勒，”阿尔贝蒂娜带着不屑的神情讥嘲地对我说，“那个染头发、戴黄手套的小老头，风度还不错吧，他是巴尔贝克的牙医，好人一个；那个胖子是市长，不是那个矮胖子，那是舞蹈教师，他对我们有气，因为上次我们在游乐场里吵吵嚷嚷，弄坏椅子，还想拉掉地毯跳舞，所以我们舞跳得再好，他也不肯让我们得奖。牙医是个好好先生，我本该跟他打个招呼，气气那个舞蹈教师，可是不行，还有参议长圣克洛瓦先生和他们在一起呢，他出身名门，这家人支持共和派，完全是冲着钱；正派人谁也不愿再跟他打招呼了。他认识我姨父，因为他们都在市政府里，不过我们家的其他人全都不理他。那个穿风衣的瘦子是乐队指挥。怎么，您不认识他！他太棒了。您没听过他指挥的《乡村骑士》？哦！我觉得那真是太美了！他今晚有场音乐会，是在市政厅里，我们可就不能去喽。在游乐场倒没关系，但在市政厅可是连基督像都摘走的，我们要是去了，安德蕾的妈妈会急得中风的。您会说，我姨父也在市政府做事。可那又怎么样呢？姨妈就不过是姨妈，我并不会因此就爱她！她整天在盘算怎么甩掉我。真正像母亲一样待我的，是我的一位女友，她跟我没有亲戚关系，所以她这么做就更不容易了，我也像爱母亲一样地爱她。我会给您看她的照片的。”

高尔夫球冠军、巴卡拉牌高手奥克达夫走过来和我们聊了一会儿天。我还以为在我俩之间找到了一点渊源呢，因为我在交谈中听说他和维尔迪兰家沾点亲，而且他们还挺喜欢他。可是他说起著名的星期三接待日时，一脸不屑的神气，还说维尔迪兰先生不懂什么场合要穿常礼服，哪天在音乐厅碰到这么个乡村公证人似的穿上装、打领带的先生，他可不想听见他冲着自己喊：“你好啊，小家伙。”那真太丢人了。

后来奥克达夫走了，不一会儿安德蕾又来了，但她一路上没跟我说过一句话，到了自己屋前就进去了。我挺不想就这么跟她分手的，我提醒阿尔贝蒂娜注意她这位女友对我态度很冷淡，同时自己又想起阿尔贝蒂娜要让我和她们接近似乎挺困难，埃尔斯蒂尔想帮我介绍的那第一天似乎也碰了壁，这么想着，我心里就更觉得怅然若失了。正在这时，有几个少女走过，她们是昂布勒萨克家的小姐，我向她们欠身致意，阿尔贝蒂娜也跟她们打招呼。

我心想，我在阿尔贝蒂娜面前的处境，也许会因此有所改善了。那几位小姐是德·维尔巴里西斯夫人一位亲戚的女儿，这位亲戚也认识德·卢森堡公主。德·昂布勒萨克夫妇在巴尔贝克有一幢小别墅，他们非常富有，但是生活非常简朴，丈夫永远穿着同一件上装，妻子总是穿一条深颜色的长裙。他俩每回见到外婆，总是鞠躬行礼，礼数非常周到，但也仅此而已。几个女儿都很漂亮，衣着比较雅致一些，但那是一种城市风格，而不是海滩风格的雅致。她们身穿长长的裙子，头戴宽大的帽子，跟阿尔贝蒂娜相比之下仿佛属于另一个人种。阿尔贝蒂娜对她们的情况非常了解。

“噢！您认识昂布勒萨克家的小姑娘？嗯，您认识的人还挺时髦的。不过，她们家的人都很简朴，”她说这话的口气，仿佛二者之间有矛盾似的，“她们人挺和气，可是家教严得很，不许她们去游乐场，其实主要还是怕她们跟我们接触，因为我们太野了。她们讨您喜欢吗？当然，您说不准。她们都是些傻妞儿。不过这或许也挺招人爱怜的。要是您喜欢这样的傻妞儿，您可就称心如意喽。看来她们还是能招人喜欢的，这不，有个妞儿不是跟德·圣卢侯爵订婚了嘛。有个做妹妹的也爱上了这个年轻人，伤心得不得了。不过我不行，她们那种说话不动嘴唇的样子，我瞧着就来气。她们的穿着打扮也挺可笑。居然穿着绸裙打高尔夫！她们小小年纪，却自以为比那些真正懂得怎么穿衣打扮的女士还高明。瞧，埃尔斯蒂尔夫人来了，她可是个打扮得体的女人。”

我回答说，我觉得她的穿着很简单。阿尔贝蒂娜听了哈哈大笑。

“没错，是很简单，但是让人看着很舒服，为了您说的这种简单，她可花了好多好多钱呢。”

埃尔斯蒂尔夫人的长裙，落在一个对穿着打扮缺乏不尚虚饰的鉴赏力的人的眼里，那真是可惜了。在下就是这么个人。而照阿尔贝蒂娜对我的说法，埃尔斯蒂尔在这方面有极高的品位。我根本不知道，他的画室里摆得满满当当的那些雅致而简单的物件，都是他多年来朝思暮想的宝贝，他关注它们历次售卖的行情，了解它们的收藏情况，直到有朝一日他攒够了钱，能把它们买下为止。不过这种事情，阿尔贝蒂娜也像我一样一无所知，并没能告诉我些什么。说到穿着打扮，她出于少女爱俏的本能，还可能出于少女的一种怅惘的心理状态——她因为穷，没法儿像有钱人那样穿着打扮，但也因此能更无私地欣赏她们身上的优雅之处，总之她完全能告诉我埃尔斯蒂尔到底如何高雅，如何挑剔，以至于觉得没一个女人懂得怎么着装，在他眼里，展示女性的身段，搭配雅致的色彩，就是天大的事情，所以他不惜花大价钱为妻子定做阳伞、帽子和大衣，这些东西，他教会了阿尔贝蒂娜领略它们的迷人之处。可是对一个没有鉴赏能力的人来说，他未必会比我多看出点什么来。再说，阿尔贝蒂娜画过一点画，虽说照她自己的说法，她没有这方面的才能。但是她对埃尔斯蒂尔非常钦佩，由于经常看到而且听他给她讲解，她对他的画作相当熟悉，这与她对《乡村骑士》的热衷形成了反差。其实这正是因为（尽管当时还不怎么看得出来）她非常聪明，她有时会说些蠢话，那不能怪她，而要怪周围的环境，怪她的年龄。埃尔斯蒂尔对她的影响是积极而又有限的。在阿尔贝蒂娜身上，智力各种形态的发展是不平衡的。她对绘画的鉴赏力，似乎并不在衣着打扮和种种事关风雅的智力形态之下，但对音乐的鉴赏力可就远远地落在后面了。

能做难事的未必能做易事，所以尽管阿尔贝蒂娜了解昂布勒萨克家的情况，可我觉着她见到我跟那几位小姐打招呼以后，仍然不怎么想让我认识她的女友们。

“您这么看重她们，是您的人好。不过真的不用这么在乎她们，不值得。对您这样一个有身价的人来说，这些小丫头片子算得了什么呀？安德蕾还算聪明吧。她是个好姑娘，就是有点想入非非。其余那几个可真是笨到家了。”

跟阿尔贝蒂娜分手以后，想到圣卢把他已经订婚的事瞒着我，而且居然还要一面结婚，一面仍跟情妇藕断丝连，我突然感到心里很不是滋味。

过了没几天，我还是被介绍跟安德蕾认识了，她和我聊了好一会儿，我趁这工夫对她说，我很想第二天再跟她见面，可是她回答我说不行，因为她母亲身体很不好，她不想让母亲一个人待在家里。两天以后，我去看埃尔斯蒂尔，他告诉我安德蕾对我很有好感；我回答他说：“是我从第一天起就对她很有好感，我请求她第二天再见个面，可她说不行。”

“对，我知道，她对我说了，”埃尔斯蒂尔对我说，“她感到挺遗憾，可她已经答应人家到一个十里开外的地方去野餐，她得坐四轮大马车去，订了座就不能退了。”

按说，既然安德蕾跟我完全不熟，她这么说个谎算不了什么事情，可是我在心里对自己说，一个居然干得出这种事情的人，我根本不该再跟她来往。她这一次既然能这么干，她就还能干成百上千次。你每年都要去跟一个朋友见面，开头几次他没能赴约，说是着了凉，下一次再约，他又会说感冒了，还是去不了。说来说去，永远是同一个理由，可他还以为自己是随机应变，理由很充足呢。

安德蕾跟我说她得在家陪母亲的那天过后，一天早上，我远远瞧见阿尔贝蒂娜在玩儿，手里的细绳把一个怪兮兮的玩意儿往上颠，她那模样看上去有点像乔托《偶像崇拜》画上的人物；这种名叫扯铃的玩意儿早就没人玩儿了，日后评论家们站在这样一幅玩扯铃少女的画像跟前，着实可以像面对竞技场小教堂那幅寓意画一样，对她手里的玩意儿发一通宏论呢。我和阿尔贝蒂娜一起随意走走。过了不一会儿，她们那位穿得有点寒酸、神情挺严峻的女友，就是头一天安德蕾从那个老先生头上跳过去时，在一旁粗声粗气地冷笑着说“可怜的老头儿，让人看着就惹气”的姑娘，走过来对阿尔贝蒂娜说：“早上好，我没打扰你们吧？”

她嫌帽子碍事，把它摘了没戴，一头秀发有如可爱迷人却又叫不上名字来的花草，精巧优美地覆在额上。阿尔贝蒂娜也许是看不惯她不戴帽子光着头的模样，没搭理她，冷冰冰的一声不响，可尽管这样，这个姑娘还是跟着我们。阿尔贝蒂娜有时候让她走在自己边上，有时候又跟我一起走，把她甩在后面，所以一路上她始终跟我拉开一段距离。我只好当着她的面，请阿尔贝蒂娜把我介绍给她。阿尔贝蒂娜说我名字的那一刹那，只见那张在她说“可怜的老头儿，叫人看着就惹气”时曾让我感到那么无情的脸上，在那双蓝色的眼眸里，漾起真挚而多情的笑容，她朝我伸出手来。她的头发金灿灿的，而且浑身上下都闪着金光；虽然她的脸颊是玫瑰色的，眼眸是蓝色的，但是就像依然映满朝霞的天空一样，到处都有金色的光芒在闪烁发亮。

我心头一热，暗暗对自己说，这个姑娘若是爱上了一个人，会像孩子那般羞涩；阿尔贝蒂娜那么无礼，可她还是留了下来，她是为我，为了对我的爱，才留下来和我们在一起的；她终于能有机会用含着笑意的目光向我表白，她对别人有多绝情，对我就有多温柔，这想必使她感到很高兴。大概早在我们还不相识的时候，她就在海滩上注意到我，从那时起就想着我了；也许她嘲笑那位老先生就是为了引起我的注意，而正是由于没法儿认识我，她才在后面那段日子里神情那么忧郁。那时，傍晚我经常从酒店的房间望见她在海滩上散步，说不定她就是在盼着遇到我呢。现在，阿尔贝蒂娜在场正如当时那帮少女在场一样，让她感到拘束，尽管阿尔贝蒂娜始终给她看面色，她还是紧随我们不放，当然是指望阿尔贝蒂娜走开以后，她可以和我订下一次约会的时间，到那时她可以瞒过家里和女友，在望弥撒前或打高尔夫后到一个安全的地点去跟我约会。由于安德蕾很讨厌她，两人关系不好，我想见她就更难了。“她那种可怕的口是心非，两面三刀，”安德蕾对我说，“她一而再、再而三对我使的那些卑劣伎俩，我已经忍让很久了。看在其他人的分上，我一忍再忍。可是有一天，我终于忍无可忍了。”她告诉我那个女孩怎么在背后说她的坏话，那的确会给安德蕾带来很坏的后果。

吉赛尔看着我的目光情意绵绵，可是有阿尔贝蒂娜在旁边，她没法儿说什么。阿尔贝蒂娜执意插在我俩中间，对她爱理不理，甚至干脆不回答她的话，最后她只好走了。我责备阿尔贝蒂娜太不友好了。

“我要教训教训她，让她不敢放肆。她不是个坏女孩，可是让人厌烦。用不着她到处管闲事。又没人要她来，她干吗老是缠住我们？她要再不走，过五分钟我就要轰她走了。再说，我讨厌她那头发的样子，真难看。”我在阿尔贝蒂娜这么对我说话的当口，注视着她的双颊，心里在想不知道它们会有多香、多甜：这一天她并不鲜丽，光滑的脸蛋红红的，略带一点紫色，仿佛有些花瓣上蒙着一层蜡霜的玫瑰那般，给人腻滑的感觉。我爱这双脸颊，就像有人爱某个品种的花儿那样，爱得一往情深、如痴如醉。

“我没注意。”我回答她说。

“我看您挺注意啊，简直是要给她画像似的，”她对我说，其实现在明明是我在深情地注视着她，可这并没能让她变得温和一些，“可我觉得她未必会讨您喜欢。她一点儿也不会调情。您敢情是喜欢会调情的姑娘吧。反正她也不能再来缠我们，我也用不着撵她走了。她马上就要回巴黎了。”

“您的那些女友和她一起去吗？”

“不，就她一个，她和Miss[1]一起去，因为她要考试，得好好准备准备，可怜的小丫头。这不是闹着玩儿的，我可有数呢。冷不丁就会碰上个怪题目，真是防不胜防。我有个女友就碰上过这么个题目：‘叙述一场您目击的交通事故’。算她运气。我还认识一个女孩，她抽到的论述题（先口头，后书面）叫：‘在阿尔塞斯特和菲兰特两人中间，您喜欢要谁做朋友？’这种问题我可回答不了！首先，别的且不说，这样的问题根本不该拿来问女孩子。女孩只有和别的女孩要好的，哪有要她们跟男人做朋友的道理？（这句话不啻告诉我，要想加入她们那一伙可是难而又难的，我听了心里直哆嗦。）话说回来，就算这个问题是向年轻男士提的，你说人家有什么好说的呢？好些家长写信给《高卢人报》，抱怨诸如此类的题目太为难人了。最不像话的是一本获奖学生优秀作文选里，有两篇获奖作文都是做这个题目，而且观点截然相反，一切都取决于考官。有个考官一心想看到学生说菲兰特是个

1　英文：家庭女教师。

溜须拍马的骗子，另一个认为阿尔塞斯特自有他值得赞美之处，但他脾气太坏，要找朋友，还得找菲兰特。连老师意见都不统一，您叫那些可怜的学生说什么好呢？这还不算，考题变得一年比一年难。吉赛尔不开后门恐怕是难过这一关喽。”

我回到酒店，外婆不在，我等她等了好久；最后，她总算回来了，我跟她说我临时想出门去兜兜风，求她让我离开四十八小时。和她一起吃了午饭以后，我要了一辆车，吩咐去火车站。吉赛尔看见我去，想必不会感到很意外；我们只要在冬西埃尔换了车，去巴黎的列车上就有过道，在那儿，等Miss打盹儿的时候，我就可以把吉赛尔带到没人看见的角落去，跟她约定我回巴黎以后咱俩再见面，我会尽快回巴黎的。根据她的意愿，我会把她一直送到冈城或埃夫勒，然后乘下一趟车回来。可是，倘若她知道我一直在她和那些少女中间犹豫不决，对她和阿尔贝蒂娜心猿意马，还放不下那个亮眼睛的姑娘和萝丝蒙德，她会作何想法呢？既然吉赛尔和我彼此相爱，两情相悦，我一定会感到内疚。不过，我可以很真诚地向她保证，我不再喜欢阿尔贝蒂娜了。这天早上，她走过去和吉赛尔说话的时候，差不多完全是背朝着我。我瞧见她那赌气垂下的脑袋上，后脑的头发跟别处不同，颜色更黑，亮晶晶的仿佛刚出水似的。我想到的是一只落汤鸡，这样的头发依稀让我在阿尔贝蒂娜身上看到了另一个人，一个跟我至今为止看到的微紫的脸蛋、神秘的眼神完全不同的少女。有一个瞬间，我瞥见的只是她后脑勺上闪着亮光的头发，后来我眼前浮现的，也始终是这幅图景。我们的记忆就像一个商店，它的橱窗里摆放着某个人的照片，这一次是这一张，下一次是另一张。一般情况下，只有最近的那张才会在我们脑海中保持一段时间的印象。

车夫扬鞭策马，我耳边回旋着从吉赛尔甜甜的微笑和伸给我的那只手派生出来的表示感激、充满柔情的话语：这是因为我正处在一个还没有恋爱，而又渴望恋爱的人生阶段，我心里不仅怀着女性躯体的美的理想——诸位已经看到，我从每个远远见到的过路的少女身上，都会认出这种理想中的美，但那些少女得跟我离得相当远，免得她们朦胧的身影与这种认同之间产生矛盾——而且萦绕着一个女性的心灵之美，那是一位即将来爱我，即将来把我从儿时就深深印在脑海中的爱情喜剧演给我看的少女的心灵，是她随时准备化为肉身的心灵。我一直觉得，每个少女只要外形符合这个角色的要求，都会愿意来演这出爱情喜剧的。在这出喜剧中，无论我招来首演或重演这个角色的新“星”是谁，剧情、剧本，甚至台词都是一仍其旧的。

虽然阿尔贝蒂娜不热心介绍，过了几天，我还是认识了第一天见到的那帮少女，除了吉赛尔，她们全都留在巴尔贝克（至于吉赛尔，那天由于在火车站前花了许多时间才停好车，加上火车时刻表有所变动，我没赶上五分钟前开出的那趟火车，再说，我已经不再想着她了），应我的要求，她们又介绍我认识了另外两三个少女。就这样，一位介绍我跟另一位少女认识的少女，给我带来了跟那位新认识的少女分享欢乐的憧憬，而最近认识的那位少女，就好比我们通过另一个品种的玫瑰得到的许多品种中的一种玫瑰。认识一个不同品种的愉悦，让我在这一串花儿中间，从一个花冠到一个花冠溯源而上，回向让我得到欢乐的那个花儿，感激之情中夹杂着期待新的欢乐的向往。很快我就整天和这些少女泡在一起了。

唉！最鲜艳的花儿上，也有难以觉察的黑点，在有经验的人眼里，随着今天尽情绽放的花儿的干燥、结实的过程，那黑点就是花籽注定的永恒形态。我们兴致勃勃地用目光追随一艘小船，它犹如清晨海面漾起的涟漪，看上去纹丝不动，优美如画，这是因为大海非常平静，我们感觉不到它的潮涌。当我们注视人的脸时，总觉得它是不变的，这是因为它的演变非常非常缓慢，我们根本觉察不到。可是，只要瞧瞧那些少女身旁的母亲或姨妈，就可以明白一张本来就不怎么漂亮的脸，在固有引力的作用下，经历不到三十年的时间以后，到了目光呆滞，整张脸沉到视平线之下，再也感受不到光线的那一天，会变得多么不堪入目。我知道，正如在那些自以为完全挣脱了种族局限的人身上，犹太爱国主义或世代相传的基督教观念是根深蒂固、不可抗拒的，在阿尔贝蒂娜、萝丝蒙德、安德蕾这些绽放的玫瑰花里面，连她们自己也不知晓，潜伏着一个硕大的鼻子、一张凸出的嘴和一副发福臃肿的身板，到了时候就会冒将出来。它们平时躲在幕后，准备着在最后一刻出人意料、一锤定音地登台亮相，那情况就跟什么德雷福斯主义、教权主义、民族英雄主义或中世纪英雄主义完全一样，时机一到，它们便会骤然从一个人先前的本性中跳将出来。这个人按照这一本性思考、生活、长大成人，直至死亡，连自己也无从将这本性跟被误认为它的那些各别的动机区分开来。即使在精神层面上，我们受自然规律制约的程度，也远远超过我们的想象、我们的思想，就像某种隐花植物或者什么禾本科植物一样，先天就具有某些被我们误认为选择而来的特点。可是我们往往执着于一些次要的观念，找不到那个根源（犹太种族，法国家庭，等等），而一切观念自然都来自这个只有在适当时候才会显露的根源。也许，尽管有些观念看上去像是深思的结果，有些毛病又是不讲卫生引起的，但正如蝶形花冠植物的形态取决于种子一样，我们处世的观念也好，致命的疾病也好，都来自我们的家族。

我在巴尔贝克海滩的这些老妇人身上，犹如在一株会先后进入不同成熟期的植物身上，看到了坚硬的籽实，松弛的块茎，我的女友们有一天也会像她们一样的。可那又怎么样呢？眼下，还是开花的时节。所以德·维尔巴里西斯夫人邀我去兜风时，我总会找个托词说没空。埃尔斯蒂尔的画室，我也只在新交的女友陪我同往时才去。我答应过圣卢去冬西埃尔，可我现在都抽不出一个下午的空去那儿看看他。社交场的聚会，严肃的谈话，甚至朋友间的闲聊，虽说都要占去我和这些少女外出的时间，但是对我而言，它们的效果就好比人家在午餐时间不是把你带去用餐，而是让你去瞧一本照相簿。那些让我们觉得和他们待在一起挺开心的年长或年轻的男士、老年或中年的女士，我们对他们的认识都是平面的、单薄的，因为我们仅仅是靠视觉去感知他们的；而对我们看到的年轻女性来说，视觉只不过是其他各种感官感觉的代表；其他那些感官会一个接着一个，去寻觅各种各样嗅觉的、触觉的、味觉的感受，它们体验这些感受，甚至用不着手和嘴去帮忙；这些感官靠着欲念所擅长的转换技巧和综合才能，得以让脸颊或胸脯的秀色还原成抚摸、品味和偷尝禁果的快感，赋予这些少女蜂蜜一般稠厚的质感。这样的情形，我们在玫瑰花圃流连忘返，或在葡萄园里贪婪地望着一串串葡萄时都曾经有过。

虽然坏天气吓不倒阿尔贝蒂娜，我们有时会见到她穿着雨衣，骑自行车在大雨中疾驰，但是下雨天我们一般还是整天都泡在游乐场里，碰到这种日子要我别去那儿，那对我来说可比什么都难受。我非常看不起那几位从不去游乐场的德·昂布勒萨克小姐。我乐滋滋地帮着女友们作弄舞蹈老师。我们经常挨游乐场老板或狐假虎威的雇员们的骂，因为我的女友们，包括安德蕾在内，从来不肯好好地从衣帽间走进演艺厅，非得兴致勃勃地跳过一排排椅子，然后伸开双臂保持平衡，姿势优美地跳到地板上，嘴里还唱着歌，把种种本领一股脑儿融入了青春的活力之中，就好比各种文学体裁尚未区分的古代的那些诗人，在一首史诗中把农谚融入了神学教谕。而正因为安德蕾也这样做，我头一天还以为她是个狂野的姑娘呢，后来才知道她很柔弱，也很聪明，而且这一年身体很不好。但她正处于这样的年龄，宁可不顾自己的健康状况，也要由着性子疯玩儿，旁人瞧着她那开心的模样，根本看不出那是个羸弱的病人还是精力充沛的健康人。

第一天见到安德蕾，我觉得她冷冰冰的，其实她远远要比阿尔贝蒂娜敏感、多情、细腻，她对阿尔贝蒂娜温存而体贴，像个大姐姐。她到游乐场坐在我的身边，会拒绝——这就是她与阿尔贝蒂娜的不同之处——在场男舞伴的邀舞，碰到我很累的日子，她甚至会不去游乐场，到酒店来陪我。她表达自己对我的友情、对阿尔贝蒂娜的友情，有着细微的差别，这表明了她对内心情感的感受特别细腻，其中的一部分原因可能就是她柔弱的身体状况。她总是笑盈盈地宽容阿尔贝蒂娜的任性，而阿尔贝蒂娜凡是碰到外出游玩儿的机会，决不会放过，她总要把那种兴高采烈的情绪完全表现出来，整个儿就是一股孩子气，她可不会像安德蕾这样，义无反顾地留下来陪我聊天……要是说定去高尔夫球场吃茶点的时间快到了，而安德蕾还和我坐着聊天，阿尔贝蒂娜就会打点停当，走过来对安德蕾说：

“喂，安德蕾，你还在磨蹭什么呢？你又不是不知道，我们要去高尔夫球场喝茶的。”

“我不去了，留下来陪他说说话。”安德蕾指着我答道。

“可你知道，迪里欧太太是请了你的。”阿尔贝蒂娜大声叫道，仿佛安德蕾想留下来陪我的真实原因，是她不知道人家请了她似的。

“行了，小姑娘，瞧你那傻样。”安德蕾回答说。

阿尔贝蒂娜没再多说什么，生怕我们让她也留下来。她摇着头说：“你爱怎么着就怎么着吧。”那口气像是对一个作死作活的病人在说话，“我可要走了，我看哪，你的表准是慢了。”说着，她撒腿就跑。

“她挺可爱，就是有点作。”安德蕾含笑目送女友远去，这笑容中既有爱抚，也有微微的批评。

如果说在爱玩儿这一点上，阿尔贝蒂娜跟吉尔贝特有点相像，那是因为在我相继爱上的姑娘之间，存在着某种相似之处，尽管在每个人身上都有所变化，但这种相似之处与我们既定的气质攸关，因为这些姑娘都是我们的气质选定的，在选择的过程中把所有那些对我们来说并非同时既对立又互补，也就是说并不能既满足我们的感官需要又折磨我们心灵的姑娘，都一一排除在外了。这些女子作为我们气质的产物，是我们的感觉的图像、倒置的投影和“底片”。因此，小说家在描写小说主人公的经历时，尽可以把他们的一次次恋爱写得几乎一模一样，读者并不觉得他是在重复自己，而始终感到他是在创作，其中的原因就是，旨在孕育一个新真理的重复，远比装模作样地出新更为有力。他还应该注意到，坠入爱河的人的性格中，有一种会因进入新的生活天地，进入人生的另一个领域而显露出来的变异迹象。倘若他在描绘小说中其他人物性格的同时，对他心爱的那个女人没有这样做，那他或许就又阐明了一个真理。我们了解与我们不相干的人的性格，可是对一个跟我们的生命融合在一起，很快就要跟我们永不分离的人儿，我们怎么能够把握她的性格呢？我们对自己心爱的女人的好奇心，是从比智力更远的地方萌生的，在上述的过程中它已经超越了这个女人的性格，把它撂在后面了。即使我们可以停留在那上面，我们也未必愿意这样做。让我们怀揣不安的研究对象，比性格特征更要紧，这些特征犹如细小的菱形表皮，千变万化的组合构成了花容玉貌的肌肤。而我们直觉的放射线穿透了它们，最后形成的图像已不再是表现某一张脸，而是代表着骨架暗淡而令人痛苦的普遍性。

安德蕾非常有钱，阿尔贝蒂娜却是个穷孤儿，所以安德蕾总是很慷慨地让阿尔贝蒂娜分享她的奢侈品。至于她对吉赛尔的感情，那倒并非完全如我先前想象的那样。这不，我们不久就有了这位大学生的消息，她给阿尔贝蒂娜来了封信，把她旅途的情况和平安到达的消息，告诉了这帮子女友，信上还请大家原谅她出于疏懒，没给其他人写信。让我感到惊讶的是，阿尔贝蒂娜手里拿着这封信给大家看的时候，我原以为跟吉赛尔不共戴天的安德蕾竟然说：“我明儿就给她写信，要不然，等她先来信可就有的等喽，她这人呀，漫不经心惯了。”说完还转向我加了一句：“您想必不会觉得她很了不起，可她是个非常正派的姑娘，我真的很喜欢她。”我得出的结论是，安德蕾跟人闹别扭，不会持续很久。

我们要骑自行车去悬崖或乡间。只要不是下雨天，我总是提前一小时就精心打扮。倘若弗朗索瓦兹没把衣服准备好，我就会嘟嘟哝哝埋怨她。

不过，即使在巴黎，自尊心得到满足时谦卑而又可爱的这个弗朗索瓦兹，一旦听到有人挑她毛病，也会火冒三丈，骄傲地挺起她那开始被岁月压弯的腰板。自尊心是弗朗索瓦兹一生中最重要的原动力，因而她的满足感和好脾气，是跟别人要她做的事的难度成正比的。她在巴尔贝克所要做的事，简直是小菜一碟，所以她差不多总是显出一副怏怏不乐的神情，碰上我要去会那些女友，抱怨帽子没有刷过，或者领带弄乱了的当口，她的无名火就会猛地直蹿上来，神色间透出一副讥讽的倨傲表情。平时干活儿再怎么累，她也不会在意，可是只要我一说上衣没放好，她就忙不迭地给自己开脱，不是说早就费心“把它给藏在柜子里了，要不准得沾上灰尘”，就是给自己摆功，抱怨说自己上巴尔贝克来也不知算是度的哪门子假，换了别人早就受不了喽。“我真不明白，怎么可以把自己的东西弄得这么乱七八糟。就是神仙也要摸不着头脑的嘛。”

或者，她干脆摆出一副女王的嘴脸，向我投来怒气冲冲的目光，缄口不语；但一等到她在身后关上门，进了走廊，走廊里顿时响起她的声音，我猜想那是些骂人的话，但它们就像剧中人物上场前在边幕旁说的头几句台词，叫人没法儿听清楚。当我准备跟这些女友外出时，即使没什么问题，即使她心情挺好，她也非要摆出那副讨厌的模样不可。其中的原因是，平时我感到有一种需要，想跟人说说这些少女的时候，我在弗朗索瓦兹面前说过一些开玩笑的话，现在她搬出这些玩笑话，做出有事要告诉我的样子。其实，如果事实真像她说的那样，我肯定比她知道得更清楚。可是情况不是那样，弗朗索瓦兹只是把我的意思给弄拧了。每个人都有自己的性格，她也一样；没有人会像一条笔直的路，那些曲里拐弯而又无法回避的路径，会令我们感到吃惊，这些弯路其他人根本看不见，可我们是注定要硬着头皮去走的。每当我准备就绪时，“帽子不见了”“见鬼，安德蕾”“见鬼，阿尔贝蒂娜”这样的话，总会让我被弗朗索瓦兹牵着鼻子在那些弯弯曲曲、匪夷所思的小路上转来转去，迟迟动不了身。甚至当我要她准备夹英国干酪和生菜的三明治，再去买些蛋挞的时候，情况也是如此。蛋挞我是准备下午和那些姑娘一起在悬崖上当点心的，可弗朗索瓦兹发话了：“她们忒小气了，也该大家轮流买买嘛。”她的那种带有返祖色彩的贪婪和外省做派的粗俗，在这句话中暴露无遗。在她眼里，死去的欧拉莉那分裂的灵魂，仿佛在我的这帮子女友可爱的躯体上找到了比圣埃洛瓦更亲切的化身[1]。我听着这些非难，怒火中烧地感到自己遇上了这么一个地方，打这儿开始，弗朗索瓦兹的性格这条熟悉的乡间小路，变得无法通行了，幸好，这样的时间不长。上衣找到了，三明治也准备好了，我便去找阿尔贝蒂娜、安德蕾、萝丝蒙德，有时还有别人，我们或步行或骑车，出发上路。

要在从前，我也许会更喜欢在天气不好时出去兜风。那时候，我一心在巴尔贝克寻找“辛梅里安人的故乡”，在我的印象中这儿本该是经年不见阳光的地方，如今洗海水浴的游客闯入这片雾气缭绕的古老地区，带来他们平庸的夏天，不啻一种僭越。但是时过境迁，过去曾经轻慢鄙夷、不屑一顾的事情，不光晒太阳，甚至赛船、赛马，我现在都非常热衷，这跟我以前向往

1　第一卷第一部中提到，欧拉莉的保护神sancta Eulalia（圣欧拉莉）在勃艮第变成了圣埃洛瓦，那是个男人的名字，所以神父对欧拉莉打趣说：“您瞧瞧，您死了以后人家要把您当成男人喽。”

波涛汹涌的大海出于同一个原因，那就是它们都与一种美学观念联系在一起。我有时候和女友们去看埃尔斯蒂尔，凡有这些少女在场，他最喜欢拿给我们看的，就是几张画游艇上漂亮女士的速写，还有一幅以巴尔贝克附近赛场为背景的画作。我起先腼腆地向埃尔斯蒂尔承认，我不大喜欢这些场合的聚会。

“您错了，”他对我说，“那真是太美了，也太奇妙了。您先瞧瞧遛马场上的这个人，这个全场瞩目的骑师，颜色鲜艳的绸上衣让他的脸显得灰暗而阴郁，他和在他控制下侧转的骏马完全融成了一体，画出他这些训练有素的专业动作，画出他和马衣在赛马场上形成的亮点，那该多么有趣啊！在赛马场这个充满光影变化的巨大空间中，一切都变了样，满眼都是这样的光影，真让人感到惊叹！女人在那儿会变得多么漂亮！开幕式更令人激动，优雅迷人的女宾们置身在荷兰风味的湿润的光线中，你甚至能感觉到海水刺骨的寒气在阳光中升腾。在这样一种想必来自海滨的潮湿的光线中乘车前来，把望远镜架在眼睛上的这些女性，是我以前从没见过的。哦！我真想把它表现出来；我从赛马场归来，就像疯了似的，心里充满着工作的欲望！”

游艇盛会比赛马更叫他着迷。我明白，赛船表演，身着盛装的女宾沐浴在海滨赛马场海蓝色的光线之中的体育表演，对现代艺术家来说，是一个有趣的题材，一个堪与委罗内塞或卡尔帕乔最爱描绘的节日庆典相比的极好题材。我把这个想法告诉了他。

“这个比较很贴切，”埃尔斯蒂尔对我说，“因为他们作画的那座城市里，这些庆典多多少少都和水有关。这些斯蒂尔未必肯不过，当时的舟艇之美，往往在于它们的厚重，在于它们的复杂。那儿也有水上比武，通常是为招待某位使节举行的，卡尔帕乔在《圣女厄休尔的传说》中画过这种场面。那些船都很厚实，建造得像城堡，看上去仿佛是威尼斯城中的小威尼斯，俨然都是一座座水城。当它们停靠在铺着深红锦缎和波斯挂毯的浮桥旁边的时候，船上满是身着樱桃红织锦或绿色花缎的女客，近旁那些镶嵌着各色大理石的阳台上，另有一些女客俯身在观看，她们长裙的黑袖上开着白色袖衩，上面缀满珍珠或是镶着镂空花边。一眼看去，不知道哪儿是陆地的尽头，哪儿是海洋的开端，看不清那是宫殿抑或已然就是船只，是快帆船、帆桨大木船，还是威尼斯大公的彩船。”

埃尔斯蒂尔为我们描绘的服饰细节，还有那些豪华的场景，阿尔贝蒂娜聚精会神地听得津津有味。

“哦！我真想瞧瞧您给我说的这些镂空花边，威尼斯的针钩花边太漂亮了，”她大声说，“我真想去威尼斯！”

“也许过不了多久，”埃尔斯蒂尔对她说，“您就可以看到她们穿的这些精美绝伦的衣料了。以前我们只在威尼斯画家的画上见过它们，即使在教堂的珍藏中，有时甚至在拍卖场上也能看见这么一种两种，那可真是凤毛麟角，少而又少了。但据说有位威尼斯的艺术家，名叫福迪尼，发现了它们的制作奥秘，不出几年工夫，这儿的女士们就可以穿着威尼斯专为它的名媛淑女设计的东方色调的锦缎衣饰，或外出散步，或待在家里了。不过，我不知道我会不会喜欢这个，也不知道这种服饰对如今的女性来说，是否有些过时了——即使是在看赛船表演时出个风头，因为要说现代的游船，那可跟威尼斯作为‘亚得里亚海女王’的时代不可同日而语了。一艘游艇，游艇上的设施，游艇上的人的穿着打扮，它们最大的魅力就在于跟大海相称的简洁明快，我太爱大海了！说实话，跟委罗内塞乃至卡尔帕乔时代的服装式样相比，我还是更喜欢如今的式样。我们这些游艇，尤其是中号的——我不喜欢大号的，那太像游船，这就好比帽子，得讲究个分寸——美就美在整齐划一、简洁明畅，那种在阴天显得蓝莹莹的灰色调，有一种奶油般的朦胧之美。艇上的舱室应该看上去像个小小的咖啡座。游艇上女士的打扮也是这样；最动人的，正是那些素雅的清一色雪白的装束，或棉布，或细麻布，或宽条，或斜纹，它们在大海蓝天的背景上，有如一片白帆那么让人眼前一亮。懂得怎么穿衣打扮的女人，其实是很少的，不过有些人确实是妙不可言，莱娅小姐在赛马场上戴一顶小白帽，撑一把小白伞，真是迷人极了。要能得到这把小白伞，让我花多少钱我都愿意。”

我很想知道这把小白伞跟别的阳伞有什么不一样的地方，阿尔贝蒂娜比我更想知道，不过那是出于别的原因，出于女人爱美的天性。可是正如弗朗索瓦兹说做雪花酥“有诀窍”一样，那伞的差别原来就在于裁剪。

“它又小又圆，”埃尔斯蒂尔说，“就像中国阳伞。”

我援引几位女士的阳伞作为例子，可是它全然不是那种样子。埃尔斯蒂尔觉得那些伞都很难看。他是个非常挑剔而又趣味高雅的人，在四分之三的女人穿着戴着，而他觉得其丑无比的东西，与一件让他喜欢得着迷，一件跟我有时觉得奢华会使人变得乏味的观点相左、激起他“尽力画得像它们一样美”的欲望的漂亮物件之间，那种看似微不足道的差别，到了他眼里就变得意义极其重大。

“瞧，这儿有位姑娘已经明白那帽子和阳伞是怎么回事了。”埃尔斯蒂尔指着阿尔贝蒂娜对我说。阿尔贝蒂娜的眼睛里闪着贪欲的光芒。

“我真希望自己有钱买个游艇！”她对画家说，“到时候怎么装修，我会请教您的。我要驾着游艇尽情游玩儿！到考斯去看赛船表演，那有多美啊！我还要买辆汽车！跟汽车相配的女装，您觉得漂亮吗？”

“不漂亮，”埃尔斯蒂尔回答说，“不过以后会漂亮的。时装设计师，出色的实在不多。卡洛，尽管他花边用得多了些，杜塞、谢吕依、巴甘有时候也还可以。剩下的都是蹩脚货色。”

“照这么说，一件卡洛店里的女装，跟一家普通裁缝店里做的衣裳，差别很大吗？”我问阿尔贝蒂娜。

“大了去了，小傻瓜，”她回答我说，“哦！对不起。只不过，唉！别的店里卖三百法郎的衣服，他们店里要卖两千法郎。可东西就是不一样，当然，换了不识货的人，看上去也差不多。”

“说得一点不错，”埃尔斯蒂尔说，“或者不妨说，就像兰斯大教堂的一尊雕像和圣奥古斯丁教堂的一尊雕像之间的差别一样大吧。嘿，说到大教堂。”他特地对着我说，因为我们那天聊到这件事情时，这些姑娘并不在场，何况，她们对这种事儿压根儿就不会有兴趣，“我那天不是跟您说巴尔贝克教堂就像一座悬崖，一座由当地的石头垒成的大坝吗？现在反过来，”他指着一幅水彩画对我说，“您看看这座悬崖（这幅画是在离这儿不远的克勒尼埃画的），您看，这些棱角分明而又妩媚动人的岩石，不是会让人想起大教堂嘛。”

果然，它们看上去就像巨大的粉红色的墙拱。但是被酷热的阳光染红的这座石拱，仿佛在已经饮吞半个大海的酷热的烘烤下消融挥发，化为尘埃，在画布上几乎呈现气态的形体。在这似乎摧毁了现实世界的强光下，现实世界集中到了那些暗淡而透明的影子上，通过对比，这些影子给人以一种更为强烈、更为真切的具有生命力的印象：幽灵。它们中的大部分为求阴凉，逃离灼热的外海，躲在岩石下面避开阳光；另一些像海豚似的慢悠悠地游着水，紧挨移动着的船舷，在白茫茫的水面上，它们油亮发蓝的躯体使船体显得很高大。也许，正是它们身上透露出来的对凉爽的渴望，才使我更真切地感受到了那一天的炎热，我情不自禁地大声说，没去过克勒尼埃真是太遗憾了。

阿尔贝蒂娜和安德蕾一定说那地方我去过不止一百次。这样说来，当初我一定似乎浑然不知，不曾想到克勒尼埃的景观竟可以激发起如此强烈的美感——那不是我至今为止一直在巴尔贝克的悬崖上寻找的纯天然的美，而是一种建筑之美。当我和德·维尔巴里西斯夫人一起坐马车出去兜风，一心想领略暴风雨王国的风光时，我们往往只是从树林的间隙中远远地望见大海，我感觉不到大海的真实，感觉不到它在流动，感觉不到它充满生机，足以让人相信它真能掀起惊涛骇浪，我想欣赏的也许就是裹在冬日雾气下的静止的大海，我根本不可能想象，此刻让我心驰神往的竟是化作一片迷蒙的白雾，既无稠度也无色彩的大海。然而这大海，埃尔斯蒂尔就如同那些在被炎热凝住的小船上遐想的游客一样，对它的魅力心领神会，因而得以把难以觉察的海水的回流，把美妙的时刻的律动，都表现在画布上；你瞧着这幅神奇的画作，会在霎时间变得心中充满爱恋，一心只想跑遍整个世界，去寻回逝去的时日，寻回它那转瞬即逝的沉睡的美。

所以，如果说在拜访埃尔斯蒂尔之前，在看到他画的那幅海景，看到画中身穿巴莱日纱或细麻布长裙，站在飘着美国国旗的游艇上的少妇，在脑海里留下一条细麻布白长裙和一面旗帜的“副本”，并马上孕育出一个仿佛从未有过，而又难以抑止的愿望，想要立刻去海边瞧瞧那些细麻布的白长裙，瞧瞧船上的那些旗帜——如果说在看到那幅画之前，我面对大海总是尽可能从视野中抹去前景中洗海水浴的人，以及船帆白得像沙滩服那般耀眼的游艇，因为我觉得它们妨碍我想象自己是在凝视早在人类出现以前就已经在展示它那神秘生命力的来自远古的波涛，在我看来，阳光灿烂的日子反而使这个多雾、多暴风雨的海岸有了普通夏日的平庸景观，给它标上了一个简单的休止记号，相当于音乐中所谓的休止符，那么现在，坏天气在我眼里成了一种灾祸，在美的世界中再也找不到它的位置：我急不可耐地想在现实世界中寻找那令我激情澎湃的东西，我一心希望天气放晴，好登上悬崖远眺埃尔斯蒂尔画上的那些蓝莹莹的影子。

以前我总认为大自然有它自身的生命力，那是先于人类的出现而存在的，是跟所有那些令我厌烦的工业成果，跟在万国博览会上也好，在女帽制作铺里也好，直到现在为止总是让我呵欠连连的那些新技术背道而驰的，所以我对它们不屑一顾，面对大海只看那些没有蒸汽船出现的水面，在心中保留大海来自远古的面貌，那是它在刚与陆地分离的时代，至少是在古希腊初期的那个时代的面貌。这样，我就可以底气十足地吟咏布洛克最喜欢的勒贡特老爹的那些诗句：

乘坐装着撞角的战船，国王扬帆出发，
率领英雄希腊的长发勇士，嘿！
前往风狂雨暴、波涛翻滚的大海。

但我现在不敢再小看那些制帽女工了，因为埃尔斯蒂尔对我说过，制帽女工们把刚做好的女帽最后拾掇一番，轻轻地摆正蝴蝶结或翎毛的优雅的动作，叫他看得入迷，他真想把这种手势画出来，正如想把骑师的姿势画出来一样（这话让阿尔贝蒂娜听得心花怒放）。可是要看制帽女工，得等我回到巴黎，要看赛马和赛船，得等我回到巴尔贝克，而且明年以前不会再举办这些比赛了。就连载着身穿细麻布白长裙的女客的游艇，也不复可见喽。

我们经常遇见布洛克的妹妹，我在她们父亲家吃过饭以后，见了她们就不能不打招呼了。我的女友们不认识她们。

“家里不许我和犹太人一起玩儿。”阿尔贝蒂娜说。

一个人即使没听全这句话，但就凭她把“犹太人”说成“肴太人”的这种腔调，他就会明白，这些布尔乔亚小姐，出身虔诚的基督徒家庭，对那些上帝的选民没有什么好感，她们大概很容易相信犹太人扼死基督徒小孩之类的事情。

“再说，您的这些女朋友实在也不怎么样。”安德蕾笑吟吟地对我说，她的笑容表明她很清楚她们不是我的朋友。

“这个种族就这德行。”阿尔贝蒂娜接口说，用的是一种行家教训人的语气。

说实话，布洛克的这几个妹妹，衣服穿得挺多却又像是半裸着身子，神情萎靡，大大咧咧，又摆阔，又邋遢，没法儿让人恭维。她们有一个表妹才十五岁，却因对莱娅小姐大为倾倒，在游乐场里传为笑柄；布洛克老爹也非常赞赏莱娅小姐的演技，但她的首要兴趣并不在男士身上。

有些日子我们在邻近的农庄餐馆吃茶点。这些农庄的庄名都挺有特色：埃戈尔，玛丽－泰蕾斯，厄朗十字架，小乐惠，加利福尼亚，玛丽－安托瓦内特。最后那个，是我们常去的。

有时候，我们不去农庄，而是攀到悬崖上去。一到上面，我们就坐在草地上，把包里的三明治、蛋糕拿出来。我的女友们喜欢吃三明治，见我只吃饰有花体糖字的巧克力蛋糕和杏挞，觉得很惊奇。其实这是因为夹英国干酪和生菜的三明治，这种陌生的新式点心，我跟它没什么可说的。而蛋糕是文质彬彬的，杏挞是多嘴饶舌的。前者有奶油的典雅，后者有水果的清新，它们早就知道贡布雷，知道吉尔贝特，不仅是贡布雷的那个吉尔贝特，而且是巴黎的那个吉尔贝特，我和她一起吃午茶时又见过它们。它们让我想起那些画着《一千零一夜》故事的装小蛋糕的碟子，弗朗索瓦兹把这些碟子端上来时，它们的题材曾经让莱奥妮姑妈看得很开心，这天是“阿拉丁和神灯”，那天是“醒来的睡者”“阿里巴巴”，或者“水手辛巴达带着他的珍宝登上巴索拉号”。我真想再看看这些碟子，可是外婆说不知道它们现在怎么样了。再说，她觉得那只不过是在当地买的挺俗气的碟子罢了。但尽管这样，这些五颜六色的图画，依稀在灰蒙蒙的贡布雷乡间闪着亮光，犹如信徒在黑黝黝的教堂里走动时，彩绘玻璃上宝石般的闪光，犹如黄昏时分在我房间里幻灯投射的亮光，犹如映衬在车站和省属铁路背景上的印度金盏花和波斯丁香，犹如姨婆那幢幽暗的外省老妇住宅里的中国古瓷瓶。

我躺在悬崖上，满眼看出去都是草地，草地上方，没有基督教教理中的七重天，而只有两重，一重颜色很深——那是大海，另一重在高处，颜色浅浅的。我们一起吃点心，倘若我还带着一件什么小玩意儿，让她们中间的某一位喜欢上了，那么欣喜就会猛地一下子充溢她们透明的脸庞，一瞬间这些脸变得通红通红，那欣喜再也抑制不住，张开嘴高声笑了出来。她们聚在我的周围；她们的面庞彼此相距不远，空气在这一张张脸之间，留出蔚蓝色的间隔，仿佛园丁在玫瑰花丛中留出空隙，好让自己穿梭其间。

带来的东西吃完了，我们就玩游戏。在这以前，我一直觉得这些游戏很无聊，像“塔楼巡哨”和“看谁先笑”之类的甚至很幼稚，可是现在，哪怕让我换一个帝国，我也不肯放弃这些游戏了；她们红扑扑的脸上洋溢着的青春的曙光，我感到在我的年纪已不复可见了，此刻这曙光照亮了她们面前的一切东西，有如某些文艺复兴前期艺术家色调明快的油画那般，把她们生命中最微末的细节全都在金色的背景上勾勒了出来。对这些少女中的大部分来说，她们红扑扑的脸掩映在清晨朦胧的红霞之中，独具个性的轮廓线条还没有凸现出来。所能看到的只是笑靥如花的鲜艳脸色，若干年后方始定型的脸部轮廓，那会儿还无法分辨。如今的脸庞，当时还全然是不确定的，至多只是与家族的某位先人有些相像——大自然以此向逝者表示敬意，作为对逝者的一种纪念。会有这样一个时刻的，到那时已没有东西再可期待，身体早就定了型，不会再有轻盈的曲线给人带来惊喜，看见依然年轻的脸庞周围变白、脱落的头发，也不会让人再生任何希望，这样的时刻很快就会到来的，霞光绚烂的早晨是短促的，要爱就爱这些花季的少女吧，这些少女的身体犹如一坨弥足珍贵的面团，还在发酵呢。她们就是一团可延展的材料，每时每刻都任凭主宰她们的瞬时印象在揉捏。你简直会觉得，她们一会儿是这个，一会儿是那个，就是些代表兴高采烈、代表少女矜持、代表温存或惊奇的小塑像，这些塑像的表情是真诚的、完整的，却又是转瞬即逝的。这种可塑性，会使一个少女对我们的亲切态度变得仪态万方，魅力无限。当然，这种亲切的态度对一个妇女来说，也是不可或缺的，我们不讨她喜欢的，或者不让我们看出我们讨她喜欢的女士，在我们眼里总有某种令人厌倦的千篇一律之处。

然而从某个年龄开始，这种亲切的态度就不再管用了，一张因生存斗争而变得粗粝，变得或好勇斗狠，或精神恍惚的脸上，再也表现不出柔和的变化了。有的——在迫使妻子服从丈夫的那种力量的持续作用下——已经不像一个女人，倒像长了一张大兵的脸；有的日复一日浸润在母亲甘愿为子女做出牺牲的氛围中，有了张使徒的脸；还有的，在历经多年的挫折和风雨过后，那张脸看上去就像个饱经风霜的老水手，唯有身上的衣裳还能显示她的性别。诚然，当我们在爱一个女人的时候，她对我们表示的眷注也还会给我们在她身边度过的时光添上几许新的魅力。但是她在我们眼里不可能是一个相继变化、前后不同的女子。她的欢愉是一个不起变化的形体的身外之物。而青春时期先于这一完全固化的阶段，因而我们在少女身旁会有一种清新的感觉，这是一种当我们看着某些事物处于不停的变化之中，不断变换着形态时的感觉，这种感觉让人想起大自然的原始元素不生不灭的永恒创造——那正是我们在海边凝望大海时的感觉。

跟这些女友一起玩“传戒指”、猜谜游戏，我牺牲的岂止是社交聚会和陪德·维尔巴里西斯夫人乘车出游呢？罗贝尔·德·圣卢好几次让人带话给我，说既然我没空到冬西埃尔去看他，他可以请二十四小时假，到巴尔贝克来看我。可我每次都写信给他，要他千万别这样做，我的借口是那天我正好要和外婆到邻近的地方去看望亲戚，所以不在巴尔贝克。等他从姑妈那儿得知那是我的什么亲戚，我说的外婆其实是谁，他大概会觉得我这人很差劲。不过，我不光是牺牲了社交的乐趣，而且牺牲了友情的乐趣，就为了能终日待在这个花园里，这也许并不算错。但凡能够做到为自己活着的人——没错，这样的人都是艺术家，而我早就死了心，知道自己做不了艺术家——都有责任这么做：而友情，对他们而言意味着免除这个责任，意味着放弃自我。就拿谈话来说吧，这是表达友情的方式，可是这种东拉西扯的闲聊是多么肤浅啊，谈话过后，我们一无所得。一个人可以把一生都花费在闲聊上，聊来聊去就是没完没了地重复一分钟就能说完的那些废话，而艺术创作不是这样，在孤独中进行艺术创作，思想始终是往前，往纵深的方向前行的。这是唯一没有对我们封闭，能让我们沿着它前进的方向，这条路走起来确实更艰难，但这是一条能让人得到正果的路。友情不仅像谈话一样毫无好处，而且还是有害的。因为，对于我们中间那些循着内省的轨迹成长起来的人来说，当他们只剩独自一人，动情地回想起朋友对他们说的话的时候，刚才和朋友一起时没法儿不感觉到的无聊，也就是始终停留在自己的表层上，而不是沿着发现之旅向纵深前进的那种感觉，会让他在友情的影响下感到自责，他会觉得那些话是很珍贵的。然而他们毕竟不像建筑物那样，可以从外面来添加砖块，他们就像大树，得靠自己的汁液来滋养下一节枝干和顶上的叶丛。当我在庆幸自己被一个像圣卢这么善良，这么聪明，这么人人愿意跟他交往的朋友引为同道、知己，当我努力让自己的心智去适应，不是去适应自己那些混沌的印象（其实我是有责任廓清这些印象的），而是去适应圣卢说过的那些话，在我重温这些话语时——或者说是在我听着那个寓于我们身上，却又不是我们自己的另一个人对我重复这些话语时，因为我们总是乐意把思考的担子卸给他去挑的——我竭力在其中寻找一种美感，它跟我在真正独处时默默追求的美很不相同，但会使罗贝尔、使我自己都变得更出色，使我的生活变得更有价值。当我在这么想、这么做的时候，我是在自欺欺人，是在中断自己沿着一条可以让我获得幸福的成长道路前进的步子。在这样一位朋友为我设计的生活中，我看似舒舒服服地避开了孤独，堂堂正正地愿意为他而牺牲自己，其实在这样的生活中，我是不可能实现自我的。

在这些少女身边，情况就完全不同了，虽然我品尝到的欢愉是自私的，但它至少不是建立在谎言的基础上，那种谎言要让我们相信我们并非绝对孤独。而且在我们和别人交谈时阻止我们承认那并不是我们在说话，其实我们是在模仿别人，所以那已经不是跟别人应该有所不同的我们自己。这一小帮少女和我之间，交谈的内容并没有什么意义，再说我们说得也很少，话头到了我这儿，常常会被长久的沉默中断。但这并不妨碍我在她们对我说话时，怀着跟凝视她们同样喜悦的心情静静地听着，从她们每个人的声音中发现一幅色彩斑斓的图卷。我欣喜地听着她们叽叽喳喳的说话声。爱意会让人善于去辨别，去区分。一个爱鸟的人，可以在树林里一下子就分辨出每一种鸟儿的不同的鸣啭声，而一般人是听不出的。一个爱少女的人，知道人声比鸟鸣更加丰富多彩。人声所能表现的音色、音调，胜过表现力最丰富的乐器。每个人将各种不同音调加以组合的方式都是不可穷尽的，正如每个人的个性都是千变万化的一样。当我和这些女友中的某一个交谈时，我就感到那幅独一无二的、归她的个性所专有的画卷，在我眼前灵巧地展现出来，凭借脸部丰富的表情，更凭借抑扬顿挫的嗓音，让我无论如何非得去看这幅画卷不可，表情也好，嗓音也好，它们都在以各自的表现方式表达同一个奇特的现实。嗓音的声线，大概也像脸孔的线条一样，尚未最后定型；脸部轮廓会变，嗓音也会变。正如婴儿有一种唾液腺，分泌的液体能帮助他们消化牛奶，而长大以后这个唾液腺就不再存在一样，在这些少女叽叽喳喳的话音中，有着成年妇女不会再有的美妙的音符。她们怀着贝利尼[1]笔下音乐小天使专心、热情的劲儿，用双唇演奏着这件音色更为丰富的乐器，而这种专心和热情也正是青春的特权。这些少女说话时热情而确信的语气，以后总有一天是会消失的。然而现在，这种语气使最简单的事情都具有了一种魅力，那可以是阿尔贝蒂娜以权威口气说出的一个文字游戏，几个年纪更小的姑娘钦慕地听着她往下说，最后实在按捺不住，疯笑就像打喷嚏那般喷将出来；那也可以是安德蕾在讲她们学校的作业。她的语气比她们做的游戏更孩子气，完全是一副小孩学大人一本正经的模样；她们说话的语调忽高忽低，犹如古希腊悲剧中的台词，那时诗歌还没有跟音乐分家，诗剧中的台词是用各种不同的音调吟诵的。但尽管如此，从这些少女的嗓音中已经可以清楚地听出，这些小姑娘人人都有自己对生活的定见，正因为这些定见是非常个性化的，所以她们会用一两个很普通的词儿来评价别人，比如说某人“她把什么都当玩笑”；说另一个人“她就爱发号施令”；说第三个人“她老是在犹豫，在观望”。我们的脸相，其实就是由习惯而定型的音容举止。大自然将我们习惯的动

1　贝利尼（Gentile Bellini，1431—1507）：意大利威尼斯画派画家。

作、姿势固定下来，有如喷发的火山将庞贝变成死城，有如林中的仙女被点化成静止的塑像。我们的音调中还包含着我们的人生哲学，也就是一个人时时处处对外界事物的看法。

当然，这些音容特征并不仅属于这些少女。它们还属于她们的父母。每个人都沐浴在比他广泛的某种氛围之中。就这一点来说，父母不仅提供了脸相和嗓音的习见形态，而且提供了某些说话的方式，某些惯用的话语。它们几乎就像语调一样不为自己所觉察，几乎就如语调同样深刻地表明了一种看待人生的观点。诚然，对少女来说，有些话父母是不会在女儿长到一定年龄，通常是在她们结婚之前，教给她们的。这些说法，他们给女儿留着呢。所以，比如说，要是有人说起埃尔斯蒂尔一位朋友的油画，留着齐腰长发的安德蕾就还不会像她母亲或结了婚的姐姐那样说什么："看来他挺有男人味儿的。"但等到她被应允去王宫的时候，她就会这么说了。阿尔贝蒂娜在初领圣体之后，说话腔调就挺像她姑妈的一位女友了："我看它准得酷毙喽。"她另外还学了一招儿，就是人家对她说什么，她总要让人重复一遍，显得好像挺感兴趣，仿佛想要形成个人的一种看法似的。要是人家说某个画家的一幅画画得很好，或者他的房子很漂亮，她就会说："啊！那幅画，很好是吗？啊！他的房子，挺漂亮是吗？"

而更常见的情况是，那种不仅让嗓音，而且让语调也透着一股乡音的外省味儿，比家族遗传的影响更为明显。当安德蕾撮紧嘴唇吐出一个低音时，她无非是让自己的声腔乐器上的那根低音弦发出一个乐音，一个跟她纯正的南方脸型极其协调的悦耳的声音。而那个一刻不停转着顽皮念头的萝丝蒙德，她那北方人的脸相和嗓音也是跟她的乡音非常匹配的。在某个外省和这位说话抑扬顿挫的少女的气质之间，我觉察到一种对话。那是对话，而不是争执。没有任何东西可以将这个少女和她的故乡分隔开来。她，也就是故乡。不过，当一个有才华的人应用这些富有地方色彩的素材，而这些素材反过来作用于他，赋予他更多的青春活力时，它们并不会削弱他的作品的个性化色彩，无论他是建筑师也好，细木工也好，音乐家也好，这种作用都会细致入微地反映出艺术家个性中最微妙的特征，因为他必须在桑利斯的磨石粗砂岩或斯特拉斯堡的粗红陶土上进行创作，因为他会保留白蜡树特殊的纹理，他会在创作时考虑到音响的来源和限制，考虑到长笛或女中音的音域。

就这样，我想了很多；可是我几乎从来不和她们谈论这些想法！跟德·维尔巴里西斯夫人或圣卢在一起，我往往会说些话显得自己很开心，而实际上并没有这么强烈的感受，离开他们时我会感到很疲惫，而在草地上躺在这些少女中间，情况正相反，丰赡的感受远非贫乏、吝惜的话语所能表达，幸福的溪流汩汩而来，溢过我一动不动的身躯，溢过我的静默，消逝在这些初绽的玫瑰花的脚下。

对一个终日在花园或葡萄园中休憩的康复病人来说，浸润在花香和果香之中的一草一木，都会使他感到恬谧和闲逸，但跟我此刻用目光在这些少女身上寻觅的色彩和芳香，跟这种最终与我融为一体的恬美相比，那就都算不了什么了。葡萄就是这样在阳光中变甜的。于是，这些简单的游戏慢慢地继续着，让我感到身心的放松，嘴边浮起恬然的笑容，同时隐隐感到一阵晕眩，直到闭上了眼睛。正如那些什么事也不做，整天躺在海边，呼吸着带咸味的海风，让皮肤晒成褐色的游人一样。

有时候，她们中间的某一位会对我特别好，让我心潮起伏，难以平静，一时间忘却了对其他少女的想望。比如有一天阿尔贝蒂娜说："谁有铅笔？"安德蕾给了她一支铅笔，萝丝蒙德给她一张纸，阿尔贝蒂娜对她们说："各位女士，我写什么你们不许看。"她把纸贴在膝头上，专心致志地写下一个个字母，然后递给我说："当心别让人看见。"我把纸打开，看见她给我写的是："我喜欢你。"

"好，不写这种傻兮兮的东西了。"她突然神情很急、很严肃地朝安德蕾和萝丝蒙德转过脸去，大声地说，"今天上午吉赛尔来了封信，我给你们看看。我真是疯了，这信搁在口袋里没拿出来，大家看了说不定都有好处的！"在吉赛尔想来，她参加中学毕业证书考试写的作文，应该给女友寄来，好让她读给大家听听。阿尔贝蒂娜早就担心作文试题会很难，没想到吉赛尔碰到的两题任选其一的题目，比阿尔贝蒂娜料想的还要难。一个题目是"索福克勒斯自冥府致拉辛，就《阿达莉》上演未获成功安慰作者"，另一个是"请在《以斯帖》首演后代德·塞维涅夫人致函德·拉法耶特夫人，表达她未能观看首演的遗憾心情"。而吉赛尔以一种想必令考官颇为感动的热忱，选了两题中更难的第一题，写得非常出色，结果得了十四分，考官一起向她表示祝贺。要不是西班牙语考砸了，说不定她还能得个优秀的总评呢。阿尔贝蒂娜立刻给我们读了吉赛尔寄给她的作文答卷的抄件，因为阿尔贝蒂娜也要参加同样的考试，她很想听听安德蕾的意见，安德蕾比她们都强，可以给她出些好点子。

"她运气真好，"阿尔贝蒂娜说，"她在这儿法语老师就叫她准备过这个题目。"

吉赛尔代索福克勒斯写给拉辛的信，是这样的：

亲爱的朋友：

请恕我冒昧给您写信，我虽至今无缘与您相识，但由您的新剧《阿达莉》可以看出您曾充分研究过拙作，不知然否？您不仅为剧中主角和其他主要角色写了诗句的台词，而且为合唱队也写了——请允许我毫不夸张地对您说——非常出色的诗句唱词，合唱在希腊悲剧演出中据说还是效果不错的，但用在法国戏剧演出中确实是一种创举。再则，您的才情是如此敏锐，如此刻意求工，如此迷人，如此细腻，如此优雅，堪称炉火纯青，令人可敬可贺。您笔下的阿达莉、若阿德，其高度是您的对手高乃依所无法企及的。您的人物写得很雄浑，剧中的情节简洁而有力。此剧并不以爱情作为主线，为此我向您表示诚挚的敬意。最有名的格言也未必一定有理，下面即是一例：

动情地描绘激情是通往心灵的捷径。

您向我们表明了，洋溢在您的合唱中的宗教感情，照样是通往心灵的捷径。公众也许会感到困惑，但真正的行家是会给您公正评价的。我谨向您表示衷心的祝贺，亲爱的同行，并致以崇高的敬意。

阿尔贝蒂娜在念这封信的时候，眼睛里一直闪着光。念完以后她嚷着说：“她准是抄来的。我不相信吉赛尔写得出这样的作文。还引用诗句呢！她是从哪儿抄来的？”

接下去阿尔贝蒂娜换了惊羡对象，钦慕之情却有增无减，由于惊羡，也由于持续的专注，她“眼睛瞪得都要掉下来了”，因为这时是她们之中年纪最长、懂得最多的安德蕾在发表高见，她先是不无揶揄地说到吉赛尔的作文，然后用一种没能掩饰住骨子里的严肃的轻率的口气，说了她会怎么来写这封信。

“算是不错啦，”她对阿尔贝蒂娜说，“但如果我是你，人家给我出了这么个题目，这是很有可能的，因为他们经常出这个题目，这时候我可不会这样写。我告诉你我会怎么写。首先，假定我是吉赛尔，我不会拿起笔来就写，我会另外拿张纸写个提纲。一上来，提出问题，阐述主题；接下去在展开部分罗列几种观点。最后是评价，引语，结论。这样，有了个总体思路，写起来就有底了。从阐述主题开始，或者蒂蒂娜，既然这是一封信，如果你愿意，也不妨说从进入本题开始，吉赛尔就犯浑了。索福克勒斯给一个17世纪的人写信，他不该写‘亲爱的朋友’。”

“可不是，”阿尔贝蒂娜兴冲冲地大声说，“她应该让他写上‘亲爱的拉辛’，那就好多了。”

“不，”安德蕾用略带嘲弄的口气说，“她应该写：‘先生’。信的结尾，她也该比如这么写：‘在此，先生（至多是亲爱的先生），请允许我向您表示诚挚的敬意，您谦卑的仆人某某。’还有，吉赛尔说《阿达莉》中用合唱队是个创举。她忘了《以斯帖》和另外两个不大有名的悲剧，可那两个剧本今年老师刚好讲过，提一下它们正所谓投其所好，过关也就没问题了。那是罗贝尔·加尼埃的《犹太女人》和蒙克莱蒂安的《饶命》。”安德蕾说这两个剧名时微微一笑，这个相当优雅的笑容，没能掩饰住其中包含的宽厚的优越感。

阿尔贝蒂娜忍不住大声说："安德蕾，你真是叫绝了。你得把这两个剧名给我写下来。你信不？没准我运气好，也会碰上这道题，说不定还是口试呢，我马上把它们唰唰一写，保准出彩。"可是后来每当阿尔贝蒂娜要安德蕾再把那两个剧名说一遍，好让她记下来的时候，这位博学的女友都装出忘记的样子，说是想不起来了。

"其次，"安德蕾接着往下说，口气里有一丝难以觉察的看不起这些比她幼稚的同学，但又庆幸自己受她们钦羡的意味，对自己准备运用的作文写法，其实她看得比指望她们领悟到的妙处更了不起，"索福克勒斯在冥界应该消息很灵通，所以他应该知道《阿达莉》首演时的观众不是一般公众，而是太阳王[1]和他的几位宠臣。吉赛尔说内行评价很高，这一点说得还真不错，不过说得还不够。索福克勒斯已经到了冥界，完全可能具有先知的本领，所以完全不妨让他按伏尔泰的话，说《阿达莉》将不仅是'拉辛的杰作，而且是人类智慧的杰作'。"

阿尔贝蒂娜全神贯注地听着这些话。她的眼眸闪闪发亮。萝丝蒙德偏偏在这当口提议做游戏，阿尔贝蒂娜气不打一处来地断然拒绝。

"最后，"安德蕾依然以那种冷冷的，随便的，略带一点揶揄而又非常肯定的口气说，"要是吉赛尔先能把她要阐述的观点都不慌不忙地记下来，她也许就能想到像我这样，指出索福克勒斯剧中合唱的宗教感情是和拉辛有所不同的。我要借索福克勒斯之口表达这样的意见，就是虽然拉辛剧中的合唱像希腊悲剧中一

1 指路易十四。

样带有宗教感情的印记，但是他们信奉的并非相同的神灵。若阿德的神，跟索福克勒斯的神毫无关系。这样一来，在论点展开完毕以后，就很自然地可以用这样的结语：'信仰不同又何妨？'不过索福克勒斯也许会有顾虑，未必敢这么说。他生怕伤害拉辛的宗教感情，说不定宁可就拉辛在王家港学校的老师们说上几句，对这个后生小子的诗艺之高明称赞一通。"

阿尔贝蒂娜听得又是佩服，又是聚精会神，身上一阵阵发热，头上冒出一颗颗汗珠。安德蕾脸上，始终是那副带着笑意的纨绔少女的冷漠神情。"要是再引用几位著名评论家的评论意见，那也不错啊。"她在大家开始做游戏之前说。

"对，"阿尔贝蒂娜回应说，"人家也这么跟我说来着。通常最值得推崇的，嗯，是圣勃夫和梅尔莱的评论吧？"

"你说得一点不错，"安德蕾说，不过，不管阿尔贝蒂娜怎么央求，她就是不肯把刚才那两个剧名写给她，"梅尔莱和圣勃夫都不赖。不过德尔图和加斯克－德福塞[1]是非提不可的。"

这当口，我在想着阿尔贝蒂娜从拍纸簿上撕下递给我的那张小纸片："我喜欢你。"一小时过后，沿着回巴尔贝克的小路下山（对我而言，这条路稍许太陡了些）时，我在心里对自己说："我这辈子最爱的人，大概就是阿尔贝蒂娜了。"

通常让我们觉着自己在恋爱的种种迹象，比如我在酒店里吩咐任何人来都别叫醒我，唯独这些少女除外，又比如等待她们（无论来的是谁）时的心跳，以及有些天由于找不到理发师给我理发，只好蓬头垢面地出现在阿尔贝蒂娜、萝丝蒙德或安德

1 梅尔莱、德尔图和加斯克－德福塞，都是在19世纪下半叶编写过中学教材的文学评论家。

蕾面前时的气恼。这些迹象所表明的状态（它们会因这个或那个少女而交替出现）当然不同于我们所说的爱情，正如人类生命不同于植虫类动物的生命，这种动物的生存方式，或者不妨说个性吧，是分散在不同的机体上的。博物学告诉我们，这样的一种动物构造是可以观察到的，而对我们的生命（它毕竟更进化了些）来说，以往不曾想到，而此刻必须经受（即使随后可能会脱离）的种种状况，其现实性也照样是可以证实的：我这种把爱同时分配在多个少女身上的状况，也正是如此。说分配，不如说共有，因为在大多数情形下，使我感到无比美妙，感到与世界上任何其他东西都不一样，而且开始对我变得弥足珍贵，以致期盼第二天重见成了生活中具有最大欢悦的东西，其实是这些少女的全体，是在海风吹拂的绿草地上和我一起度过悬崖上这些下午的这一群少女。我躺在那片草地上，周围是阿尔贝蒂娜、萝丝蒙德、安德蕾引得我遐想联翩的脸庞，可我没法儿说出她们中间是谁使这些地方变得对我如此珍贵，也没法儿说出我最想爱的是谁。一场爱情的开头就跟结尾一样，我们这时并没有把爱情专注于某个对象，爱情开始前的欲望（以及爱情过后留下的回忆）挟着感官的快感，在诱惑王国中游荡，其中的种种诱惑都是可以相互替换的——有时候纯粹是生理上的、美食的、住所的诱惑——它们相互之间相当和谐，爱情面对其中任何一种诱惑都不会感到不自在。而且，我对她们还没因见惯而感到厌烦，每次和她们在一起，望着她们的时候，我都能——这么说吧，都能感到内心深处的一种惊异。

看来，引起这种惊异的部分原因，是我们关注的对象此时向我们展示了新的面貌。但是，每个女性的多样性，她的脸和身体的线条（一旦我们不在她的身边，这些线条就很少会出现在我们专横跋扈而又头脑简单的记忆之中）的丰富性，也起着至关重要的作用。因为记忆会选取某个给过我们强烈印象的特点，把它隔离开来，加以夸张，把一个我们觉得长得挺高的女人在心里描绘成身材高得出奇，或者把一个看上去脸色红嫩的金发姑娘描绘成纯粹的“粉红与金色的和谐”。而等到再次见到这个女子时，与先前那个特点相互平衡，而当时被遗忘的所有特点，全都纷乱繁杂地突现出来，降低了身高，吞没了脸颊的红晕，用其他种种特点替换了我们特地去寻找的那个特点，这种种特点，我们记得当初也曾注意到过，但没想到现在重见会使我们感到如此意外。我们记得那是一只孔雀，迎上前去一看，却是一朵牡丹。这种不可避免的惊讶，并不是孤立的；在它旁边，有另一种由差异产生的惊讶，那并不是记忆的因袭与现实之间的差异，而是我们上次见到的那个人和今天换了一个角度出现在我们面前，显示出一种新的姿态的这个人之间的差异。人类的脸，其实很像东方多神教神谱中诸神的脸，那一张张脸并置在不同的面上，我们没法儿同时看到它们。

但是在大多数情形下，我们之所以惊讶，是因为我们所关注的对象为我们提供的是同一个面貌。我们需要做出极大的努力，才能将我们自身之外的其他人或物向我们提供的那一切——即使只是一种水果的味道——复制出来，所以我们刚有了一个印象，就会不知不觉地沿着记忆的斜坡往下滑，尽管自己并没意识到，但不多一会儿就已经远离了刚才感觉到的东西。我们已经想不起它们了，因为我们所说的“记起某个人”，其实正是忘记这个人的过程。但只要我们眼睛还看得见，那么当遗忘的面容出现在面前，我们认出了它的时候，我们势必会校正轮廓线条的偏差，于是一个接一个源源不断而来，使每天跟这些美丽的少女在海边的约会对我来说变得有益而放松的惊讶，也就不仅因新的发现，而且因回忆而萌生了。何况，每当我想到她们对我意味着什么（那从来都不会跟我的预想完全一样，总会使我对下一次相会的期望跟上一次的不同，却跟最近这次见面仍使我心潮难平的回忆很相像），我就感到心情很激动，所以读者想必会明白，每次散步都在使我的思绪猛然改变方向，而且全然不是沿着我孤身一人在房间里静心设想的那个方向。当我回酒店而去，那些撩拨我心弦的话语依然如蜂鸣般久久回荡在耳畔的时候，当初设想的那个方向完全被遗忘，被废弃了。一个不再为我们所见的人，就是一个勾销了的人；而他的再度出现，则是不同于上一次出现——且不说是以前每一次的出现——的一个新品种。其中主要的品种，至少有两种。倘若我们记得的是一道锐利的目光，一种放肆的做派，那么下一次使我们感到惊异，或者说唯一给我们留下深刻印象的，势必就是一副没精打采的模样，一副迷惘迟滞的神态，就是这些在上一次的记忆中忽略了的东西。正是这种情形，使我们在将回忆与新的现实做对比时，感到失望或惊异，让我们觉着现实所做的修正似乎在提醒我们：你记错了。上次忽略的面容，也因此成为这次给人印象最强烈的、最真实的、最精确地修正过的素材，供我们遐想和回忆。我们心想下回见到的，准是懒洋洋、圆乎乎的身影，迷惘而迟滞的表情。可是到了下一回，锐利的目光，尖尖的鼻子，抿紧的嘴唇，又会来校正我们的意愿跟这个意愿自许的对象之间的差距。当然，让我如此执着的那些最初的，纯然是外表特征的，每次与这些女友相遇都会重温的印象，并不仅与她们脸部的轮廓线条有关，读者想必已经看到，我对她们的嗓音同样也很敏感，说不定它还更让我感到困惑（因为嗓音不仅让我想到跟面容一样独特而性感的一些表面，而且让我依稀看到了一个无底的深渊，其中充满着无法实现的吻的诱惑），她们每个人的嗓音犹如一件小乐器独有的乐音，它的音色充分体现了她的特征，而且只有她才能发出这样的乐音。这样的嗓音抑扬顿挫勾勒出动人心弦的声线，当我在业已将它忘怀之后重又认出它的时候，每次我都感到非常惊讶。因而，我在每次和这些少女见面时，为求完全准确而不得不进行的校正，就使我不仅像一个调音师或声乐教师，而且像一个制图员。

这些少女在我心中漾起各不相同的情感波，其中每一种都对其他波的传播进行抵制，这些不同的波在一段时间以来相互抵消，达成了一种胶着的平衡，而当有一天下午大家玩传戒指游戏[1]的时候，平衡终于打破，向阿尔贝蒂娜倾斜了过去。那天是在悬崖上的一片小树林里玩游戏，玩这个游戏需要人多一些，于是这帮少女又叫上了几个不属于她们这帮的人。我站的位置正好在两个外来的姑娘中间，我妒羡地看着阿尔贝蒂娜旁边的那个小伙子，心想我要是站在他的位置，就可以趁这机会碰碰她的手，这样的说不定可以让我走得很远的机会，是可遇而不可求的。即便也许什么结果也没有，光碰碰阿尔贝蒂娜的手，已经让我感到甘美无比。并不是我从没见过比阿尔贝蒂娜更美的手。就在她的这

1　玩传戒指游戏（furet）时，一人站在中央，其他人围成圆圈站立或转圈，手里同执一根细绳，将串在细绳上的一枚戒指依次传递而尽量不让中间那人知晓。中间那人称为“白鼬（furet）”，他若在戒指停留在某人面前时逮住此人，此人就得替换他继续充当“白鼬”。

帮女友中间，安德蕾的手修长而细腻得多，而且仿佛自有一种特殊的生命，既听命于少女，又是相对独立的。这双手常会如同高贵的猎兔犬那样，懒洋洋地置身于她跟前，做着漫长的梦，手指节一伸，它们就会猛地伸展开身躯。就为这个缘故，埃尔斯蒂尔画了好几张这双手的习作。在一张习作上，安德蕾正凑在炉火跟前暖这双手，它们在炉火的亮光中，如同两片秋叶那般有着半透明的金黄色。阿尔贝蒂娜的手稍稍胖一些，跟她握手时，她会先松着手让人握，尔后猛地顶住对方的握力，给人一种很奇特的感觉。阿尔贝蒂娜的手按在我手上时，我会有一种近乎性感的甜蜜感觉。这种按压会让我觉得仿佛融入了她的身体，进入了她的感官最隐秘的部位，她粗嘎的笑声也给我同样的感觉，这种笑声有如嗓音沙哑的私语或某些喊声，充满挑逗的意味。她属于这样的女性，跟她握手是一种巨大的乐趣，会让你感激社会文明将shake-hand[1]纳入允许青年男女初次相见时采用的礼仪规范。倘若有什么别的不近人情的礼仪，用其他动作来代替握手，那我大概就只能成天心痒痒地看着阿尔贝蒂娜这双不可触摸的手无可奈何了——这种想知道握手是什么滋味的好奇心，是跟想知道她的脸颊是什么滋味的好奇心一样强烈的。不过，倘若在做游戏时我就站在她旁边，能把她的手久久地握住的话，我想到的并不仅是这样的快乐本身：我想到的是，许久以来一直不好意思说出口的爱意的表白，终于可以在捏紧她的手时吐露出来了；而她也更容易回应我，只要也捏一下我的手，就可以表明她接受这爱意了；多么美妙的默契，多么带有感官刺激快感的开端啊！像这样在她身边待

1 英文：握手。

上几分钟，我的爱情就能取得自从认识她以来的空前的进展。我意识到这样的时刻不会长久，很快就要结束，因为我们当然不会老是玩这种小小的游戏，那么等这游戏一结束，一切就都晚了，我再也没法儿去捏她的手了。

我故意让戒指停在我手里。我站到圈子中央，戒指继续传递时，我装出不在意的样子，暗中用眼角盯着这枚戒指，就等它传到那个小伙子手上。阿尔贝蒂娜站在他旁边，拼命地大声笑着，游戏的激动和欢乐，使她满脸升起红晕。

“我们不正是在美丽的树林里吗？”安德蕾指着周围的小树对我说，笑盈盈的目光正对着我，似乎超越在这些做游戏的伙伴之上，仿佛这儿只有我们俩很默契地分身于游戏之外，饶有诗意地评论着它。心思细腻的她甚至还唱起了歌（尽管她看上去并不很想这么做）：

> 树林里的白鼬从这儿穿过，女士们，
> 美丽树林里的白鼬啊，从这儿穿过

正如去特里亚农的游人非得举办一个路易十六式的庆典，或者到了作曲家写出一首歌的地方，非得让人唱一下这首歌才觉得过瘾一样。

倘若我有闲工夫来想一下的话，我一定会发现她这么做的优雅之处。可是当时我的心思不在这上面。参加游戏的男孩女孩都挺惊讶，我居然这么笨，一直截不住戒指。我望着阿尔贝蒂娜，她是那么美，那么毫不在意，那么兴高采烈，我使的这个小小的伎俩，她是猜也猜不到的（要不然她一定会生气），只等我在算讨好的那人手里截住戒指，我就会出其不意地站在她的边上了。大家都玩得很起劲，阿尔贝蒂娜的长发散了开来，一绺一绺地搭在脸颊上，暗褐色的鬈发衬托得脸色更加红润。

“您的秀发可以和劳拉·狄安娜、艾莱诺尔·德·居叶纳，还有她那位让夏多布里昂倾心的后裔媲美。您要经常让头发披下来一点。”我常这么凑在她耳边说，这样我就可以跟她挨得近一些。

说时迟，那时快，只见戒指传到了阿尔贝蒂娜旁边的那个小伙子手里。我纵身扑过去，一下掰开他的手，把戒指抓在手里；他被罚换下我，站到圈子中央，我替换他的位置，站在阿尔贝蒂娜旁边。不多几分钟之前，我看着那个小伙子的手在细绳上滑动，时时触到阿尔贝蒂娜的手，心里对他很嫉妒。现在轮到我了，我却腼腆得不敢去尝试，也激动得无法去品味这种接触，我只觉得心跳得很快，心头充满痛苦。

有一会儿，阿尔贝蒂娜带着一副心照不宣的神情，把胖乎乎、红扑扑的脸向我凑过来，装出好像戒指在她手里的样子，想骗过那个白鼬，让他不去注意戒指正在传递的那一边。我马上明白了，阿尔贝蒂娜这种心照不宣的眼神是冲着这个花招儿而来的，可是当我瞧见她的眼睛里闪过这种全然由玩游戏的需要而激起的秘密的、心照不宣的目光时，我的心不由得怦然而动，这种我俩之间从未有过，而此刻让我感到有了盼头的目光，我实在觉得它太甜美了。这个想法使我很激动，我觉得阿尔贝蒂娜的手轻轻按了我一下，她的手指温柔地抚摩着我的手指，与此同时我还看见她对我眨眨眼睛，但很当心地不让别人觉察。蓦然间，种种以前意识不到的希望涌到了眼前：

“她是趁玩游戏的机会，让我感觉到她喜欢我。”我心花怒放地想道。正在这时，却听得阿尔贝蒂娜气冲冲地对我说：

“快拿住呀，我传给你这么长时间了。”

我难过得脑子里一片茫然，松手放开了绳子。白鼬看到了戒指，朝它冲了过去，我只得又回到圈子里去，沮丧地瞧着这群玩得疯疯癫癫的伙伴继续把我围在中间，姑娘们都在取笑我，我虽然并不想笑，但为了回应她们，只好勉强笑着。

阿尔贝蒂娜却不停地说：“老这么心不在焉的，弄得别人也玩不好，干脆就别玩嘛。安德蕾，下次再玩儿别唤他，不然我就不来。”

安德蕾不受游戏的影响，唱着那首《美丽树林》，萝丝蒙德想学她的样，也跟着唱，但唱得一点也没自信。安德蕾想换个话题，为阿尔贝蒂娜的责备转个圜，她对我说道：

“克勒尼埃离这儿很近，您不是一直想去看看吗？来，我带您去，沿着一条小路走就到了，让这些丫头留在这儿疯吧。”

看到安德蕾对我这么好，我一路上把自己觉着值得让阿尔贝蒂娜爱的地方，一五一十都告诉了她。她对我说，她也很喜欢阿尔贝蒂娜，觉得她很可爱；不过，我把阿尔贝蒂娜说得那么好，她看上去好像并不怎么高兴。

突然，童年的温馨回忆涌上心头，我在低洼的小路上停住了脚步。从那些边缘呈细齿状、闪闪发亮地探到路边的树叶，我认出了一丛山楂树，可惜，春天过后花儿都凋零了。四周飘浮着往昔的五月星期天午后的气息，那些蕴含着早已忘怀的信仰和过失的气息。我真想攫住这些气息。我停了一会儿，善解人意的安德蕾走了开去，让我独自和山楂树交谈片刻。

我向它们探询花儿的情况，那些山楂花挺像冒失、爱俏而又虔诚的快活少女。

“那些小姐早就走了。”叶丛对我说。说不定它们在想，我自称是她们的好朋友，怎么看上去好像并不了解她们的脾性呢。是好朋友，可是尽管当初信誓旦旦，我毕竟已经有好多年没见到她们了。然而，正如吉尔贝特是我初恋的姑娘，她们是我初恋的花儿呀。

“是的，我知道，她们六月中旬就要走了，”我回答说，“但能见见她们在这儿住过的地方，我也很高兴。她们到贡布雷我的卧室来看过我，是我生病那会儿，母亲带她们来的。在五月，我们每个星期六晚上都会在教堂见面。她们在这儿也会去教堂吗？”

“哦！当然！荒漠圣德尼教堂可看重这些小姐呢，那是离这儿最近的教区。”

“那么现也能见到她们吗？”

“哦！明年五月以前是见不到啰。”

“到时候她们肯定在那儿？”

“年年如此。”

“我就是不知道我能不能找到地方。”

“肯定能！这些小姐天性活泼，生来爱笑，只有在唱圣歌的时候才静下来，所以您准能找到她们，而且，从小径那头您就能闻出她们的香味。”

我赶上安德蕾，又对她说阿尔贝蒂娜怎么怎么好。我觉得我既然说了一遍又一遍，她不会不把我的话讲给阿尔贝蒂娜听的。可是我后来从没听说阿尔贝蒂娜知道这些话。比起阿尔贝蒂娜来，安德蕾确实更善解人意，举止也更优雅；她能用目光、话语和行动，巧妙地让人感到高兴，她能把脑子里闪过的、会伤害对方的念头忍住不说出来，她能牺牲（而且做出一副样子，仿佛那不是牺牲似的）一个小时的游戏，甚至一个上午、一场花园聚会，来待在一位伤心的朋友身边，以此向他或她表明她把纯朴的友情看得比无聊的娱乐为重，这些地方无不体现出她惯常的优雅。但是当你对她稍稍了解得更多一点，你会感到，她其实就像一个怯懦的人为了掩饰心中的恐惧，特地做出一副很英勇的样子，这种勇敢往往更容易为人称道；你还会感到，她不时通过优雅的举止、细腻的感觉，以及让人觉着她是可以信赖的朋友的高尚意愿所表现出来的这种善良，其实根本不是她的天性中所固有的。

她对我说了好些动听的话儿，说阿尔贝蒂娜会和我好的，我觉得她一定会全心全意促成我俩的好事。然而，也许是碰巧，有些在她不过是举手之劳，能撮合我和阿尔贝蒂娜的小事，从来不见安德蕾去做一下。而且我觉得我为让阿尔贝蒂娜爱上我而做的那些努力，即使没有促使安德蕾背后搞些小动作来坏我好事，至少也让她心里憋着一股怒气，尽管她把这股怒气藏掖得很好，而且说不定时时想靠自己的高雅去驱散它。安德蕾的体贴入微，阿尔贝蒂娜是不可能做到的，不过我吃不准安德蕾内心是不是真有这么善良，这一点我后来在阿尔贝蒂娜身上是可以肯定的。

看着阿尔贝蒂娜那么热衷于无聊的琐事，安德蕾总是很温存地表现出一种宽容的态度，对她说话的口气，对她微笑的神态，都让人觉着她是她的朋友，而且，她的行事也的确够朋友。我眼见她日复一日就为让这位穷朋友开心，花费的心思不比一个廷臣为邀得君主宠幸而花费的心思来得少，而自己从中得不到半点好处。人家在她面前怜悯阿尔贝蒂娜的贫穷时，她的温和，她那伤感而甜蜜的话语，都让她看上去非常迷人，她为这个穷朋友操的心，要比为一个富朋友操的心多一千倍。可要是有人表示，阿尔贝蒂娜可能并不像大家所说的那么穷，一抹隐约可见的乌云就会罩在安德蕾的眉宇之间，让她看上去心情很坏。要是有人竟然还要说什么阿尔贝蒂娜也许并不像大家所想的那么难以出嫁，她就会悻悻然加以反驳，再三地说："没门儿，她就是嫁不出去！这我知道，我正伤着脑筋呢！"

对我来说，这些少女中从不把人家说的不中听的话搬给我听的，也唯有她安德蕾；而且，即便是我告诉她人家怎么怎么说，她也好像不相信似的，或者是做一番解释，让那些话变得不那么刺痛我；这些优点放在一起，就叫人情练达。这是某些人所特有的，这样的人看到我们要去决斗，会称赞我们，同时不忘加上一句，说其实不这么做也行，好让我们在自己眼里又添加几分勇气——我们并不是非这么做不可的嘛。与此相反的是有些人遇到同样的情形，开口就是："您肯定讨厌去跟人决斗，可话又说回来了，这口气您怎么咽得下，您不这么做又能怎么着呢？"凡事总有人说好，有人说坏，可要是做朋友的老在我们面前，把人家说我们的坏话唠叨个没完，那么他那副得意，或者至少是漠然的态度就表明了，他在对我们说这些话的时候，觉得事情反正不关他的痛痒，一针扎下去也好，一刀剜下去也好，对他来说犹如扎在或剜在一个稻草人身上。另一些朋友则不然，这是些人情练达的朋友，听到什么不中听的话，或者觉着我们行事有什么不当的地方，他们都会瞒着不告诉我们，这种本事表明他们是惯于藏藏掖掖的。要是他们确实没往坏处想，要是人家说我们的话让他们像我们自己一样难过，那么他们那样做并没有什么不妥。我心想安德蕾就是这种情况，但我不能完全肯定。

我们出了小树林，沿着很少有人来的纵横交错的小路往前走，这些小路安德蕾挺熟的。“瞧，”她忽然对我说，“这就是您的克勒尼埃，您运气真好，今天的天气、光线，都跟埃尔斯蒂尔画画的那天一模一样。”但我还是愁眉不展，刚才玩游戏时，一下子从满怀希望的巅峰跌了下来，让我沮丧不已。要不然，我想必会欣喜地发现我脚下就是让埃尔斯蒂尔那么向往、那么惊艳的海中仙女。她们藏身在岩石之间，避开灼热的阳光，身上仿佛罩着一层有如列奥纳多[1]画中那么美的深色上光油彩。这些轻灵敏捷、可爱的精灵，悄没声息地栖身在岩石间，光线稍有抖动，便闪身躲进岩石后面的洞穴，而阳光的威胁一过，即刻现身在礁石和海藻丛边。阳光在悬崖和褪去色泽的海面上碎成斑斑点点，她们寂然不动而又轻盈婀娜的身影，有如在守护着岩石和海藻的休憩，浪花中不时会闪现她们凝脂般的肌肤和深色眼眸中警觉的目光。

我俩去找其他少女一起回巴尔贝克。我现在知道自己爱的是阿尔贝蒂娜；但是，唉，我不想让她知道。因为自从在香榭丽舍公园跟吉尔贝特一起玩耍以来，虽然我相继爱上的姑娘都是大同小异的，我的爱情观却发生了很大变化。对着心上人把柔情向她表白，向她倾诉，我已经不再觉得是爱情最主要的、必不可少的场景；就连爱情本身，也不再是外在的现实，而只是一种主观的

1　指列奥纳多·达·芬奇。

愉悦了。而且我觉得，阿尔贝蒂娜只有在她不知晓我感到愉悦的情况下，才会继续努力为我提供这样的愉悦。

一路上，阿尔贝蒂娜的形象湮没在从其他少女身上发出的光芒之中，对我而言她并非唯一的存在了。但是，正如在白天的日光下，月亮仅仅是形状有些特别、大小固定不变的一朵小小的白云，而一旦日光隐没，月华就会泻下它的全部清辉。同样，当我回到酒店之时，阿尔贝蒂娜的形象从我心中升腾而起，散发出光辉。我的房间仿佛一下子变成新的了。诚然，它早就不再是第一晚那个充满敌意的房间了。我们总是不知疲倦地变换着我们周围的环境；久而久之，习惯成了自然，感觉就不再那么灵敏了，色彩、空间和气味中让我们感到不自在的有害成分渐渐地被筛除了。这不再是仍然左右着我的感觉（当然并非让我感到痛苦，而是给我带来喜悦）的那个房间，不再是储存明朗的日子，犹如在一半高度反映着海蓝色阳光的游泳池那样的房间，一时间，一艘帆船迅疾的身影，有如一股热气腾腾而又触摸不到的白色气雾，倏然而过遮蔽了阳光；这也不再是那些如画的夜晚纯粹具有审美意义的房间；这是我住了这么久却一直不曾见过的那个房间哟。现在我刚睁大眼睛重新审视这个房间，而这一次，我是用爱情这个自私的观点在审视它。我心想，这面倾斜的漂亮镜子，还有这些镶着玻璃的精致的书橱，都会让阿尔贝蒂娜来看我时对我有个好印象。这个房间不再是我逃往海滩和里弗贝尔之前歇个脚的中转点，它在我的眼里重又变得真实、可贵、焕然一新了，因为，我是以阿尔贝蒂娜的眼光在观看、欣赏每件家具。

玩猜戒指游戏的几天过后，我们外出散步走得太远了，在梅恩镇上看到停着两辆小型“桶罐”车，知道这下可以赶回去吃晚饭了，大家不由得喜出望外。我正因为对阿尔贝蒂娜爱得非常热切，所以先后提议请萝丝蒙德和安德蕾跟我坐一辆车，却没邀请阿尔贝蒂娜；然后，尽管我仍说让安德蕾或萝丝蒙德陪我，但又找了一大堆说辞，时间啦，路线啦，外套啦，绕来绕去，最后弄得大家一齐说我应该和阿尔贝蒂娜坐一辆车，我装得不很情愿地接受了她。可是，问题在于爱情是要求一个人全身心投入的，所以正如一次聊天不足以促成一场爱情，阿尔贝蒂娜尽管一路上始终都那么可爱，但当我把她送回家，我在感到幸福的同时，比上车前更渴望和她在一起了，而刚才和她一起待在车上的那段时光，在我看来只是今后生活的一支序曲，本身并没有多么重要。然而这毕竟是第一次，自有一种今生再难寻觅的魅力。至今为止，我还没有向阿尔贝蒂娜要求过什么。她也许能想到我想要什么，但她既然不能很肯定，当然就会设想我并没有什么预定的目标，只是想跟她保持一种普通的关系，她从中品味到的想必是一种朦朦胧胧的，充满期待中的惊喜的美妙感觉——这正是浪漫情调。

下一个星期，我不去找阿尔贝蒂娜，做出喜欢安德蕾的样子。爱情刚开始时，我们总想在心上人眼里仍然是个她有可能爱上的陌生人，但我们需要她，我们需要触动的还不是她的身体，而是她的注意，她的心。你在一封信中夹进一句怨尤的话，也许能让一个冷漠的姑娘转而求你待她体贴些，可是当爱情遵循自身必然的逻辑，将我们纳入齿轮装置的啮合运行系统以后，我们就既不能不爱，也不能被爱了。

只要别的少女去看午后的演出，我就单独和安德蕾在一起，因为我知道她会欣然为我牺牲这场演出。而且，即使她心里不情愿，出于道德意义上的高雅，她也会做出这样的牺牲，以免让人家，乃至让自己觉得她对一种多少有些世俗的娱乐看得太重。于是安德蕾几乎每天傍晚都和我在一起，我这样做并不是想引起阿尔贝蒂娜的嫉妒，而是希望到我告诉阿尔贝蒂娜我爱的是她，而不是安德蕾的那会儿，我能在她的眼里抬高点身价，至少不至于跌份儿。我也没告诉安德蕾，怕她去讲给阿尔贝蒂娜听。和安德蕾说起阿尔贝蒂娜时，我故作冷淡，安德蕾也许并没上我的当，可她装出来的轻信让我信以为真了。她做出相信我对阿尔贝蒂娜无所谓的样子，表示希望阿尔贝蒂娜能跟我完美结合。其实可能正相反，她既不相信我的无所谓，也不希望我和阿尔贝蒂娜走到一起。当我对她说我没把她的女友放在心上的时候，我心里只想着一件事，就是怎么跟蓬当夫人搭上关系，这位夫人正在巴尔贝克附近小住几天，阿尔贝蒂娜近日可能会去她那儿住上两三天。自然，我没让安德蕾看出我的心思，我跟她说起阿尔贝蒂娜的家族时，用的是一种漫不经心的口气。安德蕾的回答挺明确的，看不出她对我有半点怀疑。可我不明白，为什么有一天她会突然冲我冒出这么一句话来呢："我正好瞧见阿尔贝蒂娜的姨妈了。"诚然，她没对我说："我明白了您那些看似随口说说的话里，到底是什么意思，您一心想的就是跟阿尔贝蒂娜的姨妈拉关系。"看来正是由于安德蕾脑子里有这么一个念头，觉得还是别让我知道她的想法为好，所以她才会说出"正好"这么个词来。它就跟某些眼神、某些动作一样，虽然这些眼神、动作并不具有一种直接诉诸对方智力判断的逻辑推理形式。但是它们能让对方理解它们真正的含义，这就像人类的语言在电话中先转化成电流，然后再转化成语音，让对方听明白一样。我为了从安德蕾的脑子里抹去我对蓬当夫人感兴趣的念头，我提起这位夫人时，不仅做出心不在焉的样子，而且摆出恶语相向的架势；我说以前曾经领教过这类疯婆子，但愿再也别碰见她们才好。但实际上，我想方设法要跟她见面。

我央求埃尔斯蒂尔（但没把这事告诉任何人）在蓬当夫人面前提起我，设法让我跟她见上一面。他答应让我跟她认识，不过对我的请求感到大惑不解，因为在他眼里，她是一个可鄙的，爱耍阴谋的，既没有趣味又私心极重的女人。我心想，要是我去见了蓬当夫人，安德蕾早晚会知道的，那还不如我先跟她讲一声呢。

“有些事儿，你越是想躲，越是躲不过，”我对她说，“我最讨厌见到蓬当夫人，可我就是躲不过，埃尔斯蒂尔这次请我偏偏也请了她。”

“我早就料到了。”安德蕾大声嚷道，语气酸溜溜的，因怨愤而圆睁的那双怒目，直勾勾地望着不知什么无形的东西。安德蕾的这句话，还不足以构成如下这段条理分明的陈述：“我很清楚，您爱阿尔贝蒂娜，削尖了脑袋要钻到她的家族里去。”但它正是这一想法的碎屑，想法是让我撞了一下，安德蕾不由自主冒出来的，而碎屑虽不成形，是可以重新拼合的。就像“正好”一样，这句话有它的言外之意。也就是说，这样的话会引得我们（尽管它没有直接肯定什么事情）器重或小看某个人，甚至跟此人不和。

既然安德蕾不相信我对阿尔贝蒂娜的家族不感兴趣的说法，这就表明在她心目中我是爱阿尔贝蒂娜的，而且很可能她为此感到很不高兴。

我和阿尔贝蒂娜的约会，安德蕾往往都在场。也有时候我要单独跟阿尔贝蒂娜见面，焦躁不安地等待着这样的日子，可结果它们并没有给我带来任何有确切意义的东西，它们并非我以为会对下一天产生直接影响的重大日子，往后的日子跟它们并不相干。日子就这样一天天地过去，有如海中的浪涛，一浪方起，旋即有下一浪顶了上来。

离玩传戒指游戏那天差不多有一个月了。有人告诉我说，阿尔贝蒂娜要到蓬当夫人那儿去住两天，她动身前得在大酒店里睡一夜，这样第二天一早就可以直接乘公共马车去赶头班火车，不会打扰她寄居的人家的女友了。我跟安德蕾谈起这件事。

“我根本不相信，”安德蕾满脸不高兴地回答我说，“再说，这对您也没什么好处，阿尔贝蒂娜一个人住在酒店里，肯定不愿意您去见她。那不合规矩。”她在后面这句话里，用上了她近来很喜欢用的一个说法，那意思就是“那事是做不得的”。“我对您说这些，是因为我了解阿尔贝蒂娜的想法。不过，您去不去见她，关我什么事？我才不在乎呢。”

这时奥克达夫来了，他兴致勃勃地告诉安德蕾昨天他打高尔夫打了多少杆。然后阿尔贝蒂娜也来了，她边散步，边拨弄着手里的扯铃，犹如修女拨弄着胸前的念珠。亏得有这扯铃，她可以独自玩上几个小时不觉得闷得慌。她一来，那淘气的鼻尖就出现在我眼前，这几天我想到她时，把这鼻尖给忽略了；黑色的秀发下面，挺直的前额与我印象中模糊不清的形象恰成对比——这已经不是第一回了，而额头之白皙则让我过目难忘。阿尔贝蒂娜从记忆的尘埃中显现出来，置身在我面前。

高尔夫球能让人习惯于独处的乐趣。扯铃的乐趣肯定也是如此。阿尔贝蒂娜遇上我们以后，一面和我们聊天，一面仍在玩扯铃，就像一个妇人见有女友来拜访她了，仍不放下手上钩针的活儿。

“听说德·维尔巴里西斯夫人向您父亲提抗议来着，”她对奥克达夫说［我从这声“听说”里，听出了一种唯有阿尔贝蒂娜才有的语调；每当我察觉到自己把它们给忘了的同时，我总会在这样的语调背后依稀见到阿尔贝蒂娜那种果敢而法国味儿很浓的脸部表情。即使蒙住眼睛，我也从这样的语调里（一如从她的鼻尖里）准确无误地认出她的某些非常生动而略带外省意味的特点来。就这一点而言，这种语调和她的鼻尖是不相上下，可以互相代替的；而她的语音，不妨说就像日后的可视电话里所能听见的语音：在声音里清楚地显现出了视觉形象］，“她不单写给您父亲，同时还给巴尔贝克市长写了信，要他不许人家再在大堤上玩扯铃，有人把球打在她脸上了。”

“是的，我听说了抗议这档事。这真可笑。这儿的消遣已经够少的了。”

安德蕾刚才始终没有插话，她不认识德·维尔巴里西斯夫人；其实阿尔贝蒂娜和奥克达夫也不认识这位夫人。

“我不明白这位夫人干吗要小题大做，”安德蕾还是开了腔，“德·康布梅尔老夫人也给球打到过，人家什么也没说。”

“我来给您解释一下其中的差别，”奥克达夫擦了一根火柴，一本正经地说，“在我看来，德·康布梅尔夫人是位上层社会的贵妇人，而德·维尔巴里西斯夫人是个不择手段向上爬的野心家。你们今天下午去不去打高尔夫？”说完他便走了，安德蕾也走了。

我独自留下和阿尔贝蒂娜在一起。“您瞧，”她对我说，

“我按您喜欢的样子做了头发，瞧我这绺头发。没人知道我这是为了谁。姨妈准要取笑我，可我也不会把原因告诉她。”

我从侧面望着阿尔贝蒂娜的双颊，它们通常都有些苍白，但现在望去，血色很好的脸颊显得容光焕发，让我想起某些冬日早晨的光彩，阳光照在半壁岩石上，染成玫瑰色的花岗岩散发着欢悦的气息。阿尔贝蒂娜的脸颊此刻让我感受到的欢悦，强烈得无以复加，但它唤起的并不是散步的欲望，而是接吻的欲望。我问她，听说她要在酒店住一晚，是不是真有此事。

“对，”她对我说，“我今晚住您那个酒店，因为有些感冒，我在开晚饭以前就会上床。您可以到我床边来看我吃晚饭，然后您爱玩儿什么，我们就玩儿什么。倘若您明天早上到火车站去送我，我当然也会很高兴，不过我怕人家会觉得很可笑，我不是说安德蕾，她是聪明人，可别的去送我的姑娘会笑话我们的。要是有人告诉了我姨妈，那就麻烦了。不过今儿傍晚我们可以在一起。这个嘛，姨妈不会知道的。我去跟安德蕾说声再见。待会儿见。您早点来，我们可以多玩儿一会儿。”她笑盈盈地这么说。

听了她说的这些话，我仿佛又回到了很久以前，回到了我爱上吉尔贝特以前，那时候，我觉得爱情是一个不仅外在，而且可以成为现实存在的实体。我在香榭丽舍公园见到的吉尔贝特，是跟我独处时心中所想的那个吉尔贝特不相同的另一个姑娘。然而此刻，在这个实实在在的阿尔贝蒂娜，在这个我天天见到，一直以为她充满布尔乔亚的偏见而且对她姨妈无话不说的阿尔贝蒂娜身上，突然一下子成了想象中的那个阿尔贝蒂娜，那个我还不认识她时，一直以为她在偷偷看我的，瞧着我走过仿佛很不情愿回去的阿尔贝蒂娜。

我和外婆一起去吃晚饭，觉得自己心里藏着一个她不知道的秘密。同样，对阿尔贝蒂娜来说，明天她的女友和她在一起时，不会知道我和她之间的新情况，蓬当夫人吻外甥女额头的时候，也不会知道她俩中间还有一个我。外甥女的头发梳成这样，虽然她对谁也不说，但完全是为了讨我喜欢，讨我这么个直到现在还一直羡慕蓬当夫人的人的喜欢。而我羡慕她，只是因为她和阿尔贝蒂娜有相同的亲戚，外甥女为谁戴孝她也为谁戴孝，外甥女要走的亲戚家她也有来往；然而，现在我明白了，我在阿尔贝蒂娜心目中的位置比她姨妈更重要。她人在姨妈身边，心里想的却是我。待会儿会发生什么事情，我不太清楚。但是，这个酒店，这个夜晚，在我眼里都不再是空荡荡的，它们蕴含着我的幸福。

我按铃唤来电梯，上楼去阿尔贝蒂娜住的靠山谷一侧的房间。就连坐到电梯里的凳子上去这样细小的动作，都让我感到心里甜滋滋的，因为现在的每件小事，都跟我内心的爱情息息相关；电梯靠它上升的缆绳，出电梯后还要走的几级台阶，在我眼中成了欢悦物化而成的轮系和阶梯。我只要在过道上再走两三步，就到里面有着那无比珍贵而又实实在在的粉色胴体的房间了——这个即将发生一些美妙的事情的房间，过后仍会保持常态，在一个不晓内情的人眼里就跟别的房间没什么两样；对里面发生的事情，它是三缄其口的见证，是审慎精细的知情者，是誓死捍卫我的欢乐的忠诚卫士。从楼梯平台到阿尔贝蒂娜房间的这几步路，任何人都不能阻止我走的这几步路，我走得快乐而谨慎，我犹如进入了一个全新的环境，在我边上缓缓移动让我通过的仿佛就是幸福本身。与此同时，心头涌起一种很陌生的手握至高无上权力的感觉，似乎一份理应由我继承的产业终于要到手了。

随即我突然想到，我何必心存疑虑呢，她不是让我在她上床以后去嘛。事情很明白，我高兴得直想跳起来；半道碰上弗朗索瓦兹，差点儿没撞到她身上去。我两眼放光，朝阿尔贝蒂娜的房间跑去。

只见阿尔贝蒂娜躺在床上，脖颈露在外面，白色的衬衣改变了脸部的比例，由于躺着，或者由于感冒，由于刚吃晚饭，脸上血色很好，看上去又红又嫩；我心想，这张几小时前跟我并排挨在大堤上的娇嫩的脸蛋，我终于要尝到它的滋味了。她为让我高兴，把那两条乌黑、卷曲的长辫松开了，其中一条从上到下垂在脸颊上。她笑盈盈地望着我。在她边上的窗子里，山谷映辉着清亮的月光。瞧见阿尔贝蒂娜裸露的脖颈、红嫣嫣的双颊，我真的是如痴如醉（也就是说，现实世界在我眼里不是存在于自然界，而是存在于我几乎无法控制的感情湍流之中了），这一瞧，把我内心翻腾的浩茫无际、强健无比的生命力，与相比之下脆弱而微不足道的宇宙生命力之间的平衡给打破了。从窗前望见的傍着山谷的大海，梅恩镇最近几座悬崖上如乳峰般隆起的峰巅，月亮尚未升至天顶的夜空，这一切都仿佛变得比羽毛还轻，我感觉得到在上下眼睑间变大变坚实，准备在它柔嫩的表面上承受别的负担，准备举起世界上所有崇山峻岭的眼球，把这一切都轻轻地托了起来。眼球一如星球，远处地平线上的苍穹也不足以装满它。大自然所能带给我的生命显得那么渺小，海风与鼓荡在胸间的深长的呼吸相比，显得那么短促。我朝阿尔贝蒂娜俯下身去想吻她。倘若死神选在此刻向我袭来，我会毫不在意，或者更确切地说，我觉得它不可能奈何得了我，因为我的生命并不在我自身之外，而在我自身之中；倘若有个哲学家发表宏论，断言有一天，即便是很遥远的某一天，我将会死去，而大自然永恒的力量将会在我死后继续存在，我在大自然神力的脚下只是一粒芥子而已，在我身后还会有这些圆圆隆起的悬崖，还会有这大海，有这月光，有这夜空，那我准会朝他投去怜悯的一笑！这怎么可能呢，这个世界怎么会比我存在得更长久呢？要知道我并没有迷失在它之中，而是它被紧闭在我心中，紧闭在我这颗远远没有被装满的心中，而当我感觉到有些地方已经挤满了别的珍宝的时候，我就不屑一顾地将天空、大海和悬崖甩到一个角落里去了。

“住手，我要拉铃了！”阿尔贝蒂娜见我要扑上去吻她，大声喊道。但我心想，一个姑娘叫一个小伙子悄悄来看她，还安排得不让她姨妈知道，不会是无缘无故的。再说，对一个懂得抓住机会的人来说，放开胆子就意味着成功。在处于亢奋状态的我的眼里，阿尔贝蒂娜被内心热情点燃，犹如被彻夜长明的小灯照亮的圆圆的脸，就像一个亮晶晶旋转着的球，充满了立体感，仿佛有一场令人头晕目眩的旋风在原地打转，把米开朗琪罗的那些雕像都转动了起来。这个从未品尝过的红红的果子，我马上就要闻到它的芳香，尝到它的滋味了。我听到一个急促、持续而刺耳的声音。阿尔贝蒂娜使足了劲在拉铃。

我一直以为，我对阿尔贝蒂娜的爱情，不是建立在企盼肉体占有的基础上的。这一晚上的体验，不仅让我明白这种占有是不可能的，而且从当初第一天在海滩上就认定阿尔贝蒂娜是个放荡的姑娘，到后来历经了介于放荡与贞洁两者之间的种种假设，现在我终于得出了肯定的结论，她是个玉洁冰清的姑娘。一星期后，她从姨妈那儿回来，冷冷地对我说：“我原谅您了；让您那么难过，我很抱歉。不过您以后可千万别这样了。”跟布洛克跟我说的任何女人都能搞到手的情况大相径庭，倒像我认识的不是一个活生生的女孩子，而是一个蜡制的娃娃似的。渐渐地，我摆脱了想要深入她的生活，追随她去她度过童年时代的故乡，让她教我爱上体育运动等等的念头；心心念念要知道她对这件或那件事情有什么想法的好奇心，在有了我不能吻她的意识以后，就慢慢地消失了。对爱情的向往，我原以为跟占有阿尔贝蒂娜的企盼是两回事，但实际上这种向往一旦没有这种企盼来滋养，很快就舍阿尔贝蒂娜而去了。从那以后，向往的目标无拘无束地转到了——视某天哪个少女让我感到特别迷人，尤其视我觉得她爱上我的可能性，或者说机会而定——阿尔贝蒂娜的这个或那个女友身上，首先就是安德蕾。不过，要是没有阿尔贝蒂娜的存在，在接下来的那些日子里，也许我未必会从安德蕾对我表示的情意中品味到越来越浓的乐趣。我在阿尔贝蒂娜那儿碰钉子的事儿，她没有告诉任何人。像阿尔贝蒂娜这样的漂亮姑娘，从很小的时候开始，就由于她们的美貌，尤其由于她们的活泼开朗，由于一种始终让人感到相当神秘，也许源自她们充沛的活力（没有受到大自然如此垂青的人，往往会到这样的源头活水来觅水解渴）的魅力，经常——在家中，在朋友之间，在社交圈里——要比美色、财富胜过她们的姑娘更招人喜欢。像她这样的姑娘，还没到恋爱的年龄（到了那个年龄就更其如此），人家就会向她们索取比她们自己要求的东西多的多，甚至她们无法给予的东西。从孩提时代起，阿尔贝蒂娜就总会有四五个小伙伴是她的崇拜者，安德蕾就是其中的一个，尽管她各方面都比阿尔贝蒂娜出色，而且自己也知道这一点（阿尔贝蒂娜完全于无意间所产生的这种吸引力，也许正是这个少女帮形成的基础）。这种吸引力的影响，甚至远及那些相对来说较为显赫的阶层，如果要跳孔雀舞，男伴会来邀请阿尔贝蒂娜，宁愿把一位出身较高的姑娘冷落在一旁。于是，虽然她没有一点嫁妆，生活状态很差，要靠蓬当先生接济，而据说这位先生又不是个善良之辈，一心想甩掉外甥女这个包袱。但是不仅有人请她吃晚饭，而且有人邀请她住在自己家里。这些邀请阿尔贝蒂娜的人，在圣卢眼里想必是俗不可耐的，然而在萝丝蒙德或安德蕾的母亲眼里——她们都挺有钱，但都不认识这些人——可是不得了的大人物。阿尔贝蒂娜每年都在一位法兰西银行董事、某大型铁路公司总经理的家里住上几个星期。这位金融家的妻子常常接待重要宾客，却从未告诉过安德蕾的母亲哪天是她的接待日，安德蕾的母亲觉得这位夫人很无礼，却照样渴望了解那府邸里发生的每件事情。因此，她每年都要安德蕾邀请阿尔贝蒂娜到她们的别墅去，因为据她说，为一个没法儿去旅游，姨妈又不怎么照顾她的女孩提供一个处所，让她在海滨小住一段日子，这叫善举；安德蕾的母亲或许并没指望银行董事和他妻子得知她和女儿如此疼爱阿尔贝蒂娜，就会对她母女俩心生好感；她当然也不可能指望心地又好、人又机灵的阿尔贝蒂娜会去求董事夫人邀请她，或者至少邀请安德蕾参加银行家的花园晚会。然而每晚的餐桌上，她总是一面摆出一副不屑的模样，一面心里乐滋滋地听着阿尔贝蒂娜把自己在银行家府邸里的所见所闻，包括在那儿见到了哪些宾客（她对这些宾客不是见过就是听说过）一五一十地告诉她。尽管安德蕾的母亲神情高傲而漫不经心地努着嘴向阿尔贝蒂娜发问之际，想到自己只能以如此方式认识这些先生女士，换句话说就是无缘结识他们（按她的说法就是“神交已久”），心头也会掠过一丝忧郁，但好在她只消对管家说一句：“您去跟厨师说一下，豌豆可不够嫩哟。”心头就能释然，心绪就能重回“现实的生活”，她对自己的社会地位也就不会有什么疑虑和不安了。此话一说，她就又找回自己了。她打定主意要让安德蕾嫁一个不仅门第高，而且很有钱的男人，那样安德蕾就也能有一名厨师、两名车夫了。这才是硬道理，才是实实在在的地位。不过，就安德蕾的母亲而言，眼见阿尔贝蒂娜在银行董事的宅邸里和某某夫人共进晚餐，那位夫人甚至邀请阿尔贝蒂娜冬天去做客，还是让她对阿尔贝蒂娜不免生出几分刮目相看的意思。当然，与之并行不悖的是对这个姑娘贫穷的怜悯乃至轻蔑，而蓬当先生的易帜反水、归附政府——风传他居然还是巴拿马分子——更使这种轻蔑有增无减。不过，要是有人当着她的面露出觉得阿尔贝蒂娜出身低贱的意思，她仍然会仗义执言，以一种不屑的口气对人家说：“没这事，姑娘家出身好着呢，人家姓西莫内，只有一个n。”

自然，这一切都发生在那个金钱起着至关重要作用的阶层里，在这个阶层里，天生丽质可以让人邀请你，但不会让人娶你，阿尔贝蒂娜虽说享有叫人另眼相看的殊荣，但这并不能弥补她的贫穷，她绝对不可能从中获益，攀上一门“还过得去”的婚事。但阿尔贝蒂娜这样“出风头”，即便不能带来成就婚姻的希望，还是激起了某些心怀鬼胎的母亲的妒忌，她们看着银行董事夫人和安德蕾母亲这两位她们自己无缘结识的夫人，居然把阿尔贝蒂娜当作“自家的孩子”那么加以接待，真是气不打一处来。于是她们到她们和这两位夫人共同的朋友面前去说，这两位夫人要是知道阿尔贝蒂娜的所作所为，一定会非常气愤。这不，东家请阿尔贝蒂娜去做客，无意间当着她的面说了些私房话，她到了西家（反之亦然）就把东家的是非一五一十搬出来嚼舌头，全然不想当事人一旦得知自己的无数小秘密泄露在外，心里会有多么不受用。这些妒意浓浓的婆娘说这些话，意在让人去传话，挑起阿尔贝蒂娜和她的保护人之间的不睦。可是，正如常见的情形一样，让人传话这一招儿丝毫没有奏效。如此行事明显不怀好意，这一点谁都看得出来，结果使出这一招儿的那些婆娘，反而落得个让人小觑的下场。安德蕾的母亲对阿尔贝蒂娜的看法非常坚定，丝毫不会动摇。在她眼里，阿尔贝蒂娜是个只知道想方设法讨人喜欢的“可怜的孩子”。

虽然阿尔贝蒂娜如此受欢迎似乎并没有什么实际效果，但还是在安德蕾的这位女友身上烙上了一种大家都乐于跟他们交往的人所特有的性格印记，这样的人从不需要主动跟人结交（出于类似的原因，这种性格在社会另一端，亦即在高雅的女性身上也可以看到），而且他们非但不去炫耀，还要隐瞒自己的成功。阿尔贝蒂娜从来不说某人“他很想见我”，说到任何人她都是满怀诚意，仿佛不是人家在追她，而是她在找人家。倘若有人提起一个几分钟前提出约会被她拒绝，因而恼羞成怒骂了她的小伙子，她非但不会趁机当众炫耀自己或责怪人家，而且会称赞他说：“这小伙子挺客气的！”她甚至对自己这么讨人喜欢感到了烦恼，因为这样就势必会有人感到不高兴，而她生来就喜欢让人感到高兴。

她喜欢让人感到高兴，甚至到了宁可说谎的地步——这原是某些功利主义者和某些名利兼收的成功人士专用的手段。不过这种不真诚，在绝大部分人身上都以雏形的状态存在着，其表现就是每做一件事情，总不会专用此事来取悦一个人。举例来说，假如阿尔贝蒂娜的姨妈要外甥女陪她去参加一个不大有意思的聚会，那么按说阿尔贝蒂娜去了也就够了，让姨妈感到高兴，她心里应该是坦然的。可是，看到女主人的接待那么热忱，她就忍不住对人家说，她早就想来拜访，所以特地趁这个机会央求姨妈带她一起来了。事情还不止于此：阿尔贝蒂娜的一个女友也参加了这次聚会，她心情非常忧郁。阿尔贝蒂娜对她说："我不愿撇下你一个人孤零零的，我想有我在你身边，你会好一些。要是你不喜欢这个聚会，愿意和我到别的地方去，我一定陪你去，哪儿都行，只要你能开心一点就好。"（不过，她这确实也是说的真话。）

而有时候，口头上说说的目的，能把真正的目的给毁了。有一次阿尔贝蒂娜为一个女友去向某一位夫人说项。到了这位好心、热情的夫人府上，她不由得又使出了一举多得的招数，做出一副似乎她是因为自己很想见见这位夫人才来的样子，觉得这样会更亲热些。这位夫人见阿尔贝蒂娜走了这么多路特意来看她，真是感动万分。阿尔贝蒂娜看到这位夫人动了感情，也就越发喜欢她了。只是问题来了：她谎称自己是出于情谊而来的，而且感到这么说了自己很快乐，所以她生怕要是替女友提出请这位夫人帮忙，人家会对自己这份确实很真诚的感情有所怀疑。这位夫人会以为阿尔贝蒂娜是为此而来的，这没错，但她会因此得出结论，认为阿尔贝蒂娜乐于见到她并不是没有功利色彩的，这是不对的。于是阿尔贝蒂娜没替女友说情就告辞了，这就好比一些男士为赢得一位女士的青睐，对她大献殷勤、体贴备至，结果为了保持这份体贴的高尚性，那些表示爱慕的话反倒说不出口了。

在另一些情形下，并不能说真实的目的毁在了附带的、事后设想的目的手里。但是前者与后者实在是相互对立的，所以那位听了阿尔贝蒂娜表明其中一个目的而大受感动的夫人，一旦知道另一个目的，她的欣悦立时就会变成深深的痛苦。下面的这个故事，虽说旨趣相去甚远，但有助于我们对诸如此类的矛盾有进一步的了解。从这个性质迥然不同的例子中我们可以看到，在层出不穷、各种各样的生活场景里，那样的矛盾是屡见不鲜的。且说有个做丈夫的，将情妇安顿在自己驻防的城市里。他妻子留在巴黎，对丈夫的情况有所耳闻，心里挺难过，写给丈夫的信里颇多怨尤之意。刚好那情妇有事得去巴黎待一天。那个丈夫经不住情妇软磨硬缠，答应陪她一起去，为此请了一天假。可是因为他是个好人，伤害妻子也让他心里不好受，到了巴黎他便去妻子那儿，流着真诚的眼泪对她说，看了她的信他心乱如麻，所以想办法溜了出来，为的就是安慰她、拥吻她。就这样，他找到了一个办法，用一次旅行同时向情妇和妻子证明了他的爱情。但是，倘若做妻子的知晓了他来巴黎的真正原因，她的欢乐肯定会变成痛苦，除非在她看来，不管怎么说，能见到这个负心汉就是值得欣慰的，为此她宁可蒙受他的谎言给她带来的伤害。

在我看来，一以贯之实行一举多得主义的人中间，德·诺布瓦先生得算一个。他常常出面调解朋友间的矛盾，因此素有乐于助人的美称。而他的行事方式，不仅要让求他说项的一方感到他是在帮忙，而且要让另一方感到他并不是应对方之请，而是出于考虑到他这一方的利益，才出面来调解的，所以事先就有了个好印象，觉得自己面前的这位真是最热心助人的朋友。就这样，他周旋于双方之间，用行话来说，叫里外两面光，他的威信绝无受损之虞，他从中帮的那点忙，并非付出自己的信誉，而是从某个角度增添自己的声望。另一方面，他帮的每一个忙，看上去总是对双方都有利的，因而“热心朋友”的名声越来越响——不仅热心，而且成效显著。他每次出面，从不白费力气，总是马到成功，赢得双方当事人的一片谢忱。包含在这种热心里的双重性，尽管任何人都不会愿意承认，但它确实是德·诺布瓦先生的一个重要的性格特征。在部里他常常利用我父亲，同时还要让我父亲相信他是在为他效力，我父亲相当天真，居然信以为真。

阿尔贝蒂娜讨人欢喜的程度，连她自己都没想到，她在人家面前根本无须再事张扬，所以她对那晚我在她床前的那幕场景始终守口如瓶，要是换了个丑姑娘，那就巴不得闹得全世界都知道了。不过，她在那幕场景中为什么会那样表现，我也始终不得其解。关于她守身如玉的这一假设（阿尔贝蒂娜如此粗暴地拒绝我吻她，不肯让我得到她，我首先就把它们归结为这一假设，而且这跟我对她为人善良、本质上很老实的基本看法也是相吻合的），我翻来覆去揣度了好几次。这一假设，跟我第一天见到阿尔贝蒂娜时所做的假设是截然相反的！在那以后又发生了那么些事情，让我感到她对我的情意（那是一种温柔的情意，有时甚至是不安的，惊慌的，对我喜欢安德蕾充满嫉妒的），这种情意从四面八方涌来，把她为躲开我使劲拉铃的形象围在中间。她干吗要叫我晚上到床边去陪她？她干吗要对我说那么多温情脉脉的话呢？既然您拒绝把一个如此简单的快乐给一个朋友，既然那对您来说不是一种快乐，那么您何必要见到他，何必要担心他撇下您去爱您的女友，又何必要讨他喜欢，情意绵绵地对他说没人会知道他晚上来陪她呢？我毕竟无法相信阿尔贝蒂娜真的会这么冰清玉洁，于是我转念想，她这么急巴巴地拉铃，会不会是一种拿捏呢。比如说她觉得自己身上有股味儿，怕我会不喜欢闻到，或者会不会是由于胆怯呢，比如说因为不懂情爱到底是怎么回事，生怕接吻会把我的神经衰弱传染给她。

她肯定在为扫我的兴感到歉疚，送了我一支烫金的铅笔。有的人就是会做出这种可爱的反常行为来，明明是被你的热情所打动了，却偏偏不肯答允把你的热情所要求的东西给你，而要为你做点别的什么事情：本可以为小说家说几句好话的评论家不写评论，却请小说家吃饭，公爵夫人不肯带攀她高枝的年轻人一起去剧场，却在某个自己不去看戏的晚上把包厢交给他。这些人本来可以简简单单就把事情做了，或者干脆什么也不做就行，可是他们为顾忌所累，往往会做些不在点子上的事儿！我对阿尔贝蒂娜说，她送我这支铅笔，让我很高兴，不过她睡在酒店里的那个晚上要是让我抱抱她，我会更高兴的。

“那会让我多幸福啊！这在您有什么要紧呢？我一直觉得挺奇怪，您干吗不肯。”

“让我觉得奇怪的，”她回答说，“是这居然让您觉得奇怪。真不知道您以前都见识过什么样的女孩子，我这么做居然会让您感到吃惊。”

“我很抱歉惹您生气了，可是，就是现在，我也没法儿对您说我觉得自己错了。在我看来，这事儿根本没什么要紧的，我不明白一个姑娘既然那么容易叫人开心，那干吗不肯那么做呢。当然，”我想起了她和她的女友们是怎样羞辱那个跟女演员莱娅相好的姑娘的，觉得她们的道德观念也不无道理，“我也不是说一个姑娘可以随便什么事都做，无所谓道德不道德。这不，您那天跟我说的巴尔贝克那个小姑娘，她跟一个女演员之间的关系，我就觉得很下流，下流得让人不禁会想，这大概是那姑娘的对头编造出来，不是真的事儿。我觉得这事儿未必会有，不可能有。可是，只不过让一个男朋友抱抱，即使再有点什么，又有什么关系呢？您不是说过我是您的朋友吗……”

“您是我的朋友，不过在您以前我有过别的朋友，我认识一些小伙子，我可以肯定地说，他们同样对我满怀友情。可是，他们没人敢做这种事情。他们怕挨我的巴掌。再说他们可能根本就没想到这上面去，大家都是好伙伴，就那么大大方方地、很友好地握握手；谁也不会说要抱抱之类的话，可大家照样是挺好的朋友呀。行了，要是您还看重我的友情的话，您应该感到高兴才是，我要不是挺喜欢您，怎么会原谅您呢？不过我知道您并不在乎我。说实话，您喜欢的是安德蕾对吗？其实您也有道理，她比我和气得多，确实挺迷人的！唉！你们男人哪！”

尽管近来我感到很失望，但阿尔贝蒂娜这番坦诚的话，还是让我对她肃然起敬，并对她有了一种非常美好的印象。这一印象，也许日后会给我带来影响重大、令人烦恼的后果，因为那种近乎家人的感情（注定要贯穿我对阿尔贝蒂娜的爱始终的道德内核），就是由这一印象开始形成的。这样的一种感情，弄不好就会成为巨大痛苦的根源。因为，你之所以会为一个女人真的感到很痛苦，前提就是你完全信任她了。目前，我对她道德上的敬重，以及我对她的友谊，都还只是雏形，还只是我心间的一块留茬儿砖，这块砖迟早是要换掉的。这个雏形本身，对我的幸福是构不成威胁的——要是它就这么留着不变大，就像在下一年，尤其是我这第一次巴尔贝克之旅的最后几个星期里那样无声无息的话。它好比是寄居在我心间的一个客人，对待这种客人，说到底，最谨慎的做法是把他们撵走，但若是让他们留在那儿，不去招惹他们，那么暂时也不会有什么事情，他们在一个陌生的心灵中毕竟是软弱而孤立的，因而不会对这个心灵造成什么伤害。

我的遐想，现在又可以自由翱翔，随便落在阿尔贝蒂娜的这个或那个女友身上了，它首先落在了安德蕾身上，我很清楚，安德蕾对我的种种情意，阿尔贝蒂娜都会知道的——要不是这样，这种种情意还未必会让我如此动心呢。诚然，长久以来我一直装作更喜欢安德蕾，这就为我在好些方面——平时交谈的习惯也好，倾诉衷肠的习惯也好——提供了现成的爱情素材，所缺的只是还得加上一份真感情，现在既然我的心恢复了自由，我应该可以这么做了。但是，真要让我去爱安德蕾也难哪，她实在太聪明、太神经质、太病态、太像我了。虽然阿尔贝蒂娜现在让我感到太空虚，安德蕾却又似乎装得太满，而且里面的东西我都已经熟悉得发腻了。第一天在海堤上见到她时，我以为她是哪个赛车手的情妇，沉浸在对体育的热爱之中，可是后来安德蕾对我说，她锻炼，是因为这是医生给她开的治疗神经衰弱和食欲不振的处方，其实她最喜欢的消遣是翻译乔治·艾略特的小说。关于安德蕾是怎么个人，我一上来就看错了，由此而来的失望，当然对我来说也算不了什么。不过，像这样的错误有个特点，那就是虽然它们并不妨碍爱情的诞生，而且非要到爱情已经无可改变之时，它们才会被发现是错误，但是从一开始它们就已经是痛苦的根源了。这样的错误——它们可能跟我对安德蕾犯的错误并不相同，甚至完全是情况相反的——之所以会出现（在安德蕾的情形下尤其如此），原因往往在于一个人初次跟人见面时，神态、举止会按他或她所想要让人看到的，而不是他或她本来的样子充分表现出来，从而让对方产生一种错觉。这种外表，这种做作和模仿，这种博得对方（无论那是好人还是坏人）赞美的愿望，反正还得加上矫饰的话语和肢体语言。有时候，玩世不恭、残忍暴戾只是一种表象，正如有些善行、有些慷慨之举细看之下都有猫腻一样。正因如此，我们常常会发现某个以慈善著称的人物，其实是个沽名钓誉的吝啬鬼，而某个对自己的恶习不加掩饰、大肆渲染，被我们当作一个梅萨琳娜的姑娘，原来是个脑筋过于偏执的老实女孩。我原以为安德蕾是个健康而单纯的姑娘，可是她只是一个想要得到健康的女孩，也许就像许多在她看来已经得到健康的人一样——其实他们也未必健康，正如一个脸上红彤彤，身穿白色法兰绒上衣的肥胖的关节炎患者未必是大力士。在有些情形下，当我们发现自己所爱的、看上去很健康的那个姑娘，其实是个病人，这样的病人的所谓健康是依靠别人的，正如有些星体是靠别的星体反光，正如有些身体可以通过电流那样，这时候我们的幸福自然是要打折扣的。

但不管怎么说，安德蕾就跟萝丝蒙德和吉赛尔一样，甚至比她们有过之而无不及，她毕竟是阿尔贝蒂娜的好朋友，终日和她生活在一起，模仿她的一举一动，以致第一天见到她们时，我一开始都分不清她们谁是谁。这些少女犹如茎秆长长的玫瑰花，映衬着大海的背景是她们最美的时候，而她们在我眼里始终就像我还不认识她们的那会儿一样，相互是连成一气、分割不开的，那会儿随便见到她们中间的哪一个，我都会很激动，因为我知道，这一帮子少女离这儿不远了。即便现在，见到其中一个少女也会让我感到欣喜，因为这就意味着（究竟能到什么程度，我可不知道了）其他的少女随后也会来，我也能见到，哪怕她们这天不来，我也能跟她说起她们，而且知道她一定会告诉她们我来过海滩。

如今我感到的，已经不仅是最初那些日子里的吸引力，而是一种真真切切的初起的爱意了，这份爱意在所有这些姑娘之间彷徨，其中的任何一个，都可以很自然地替代另一个。最使我感到忧伤的，不是被我喜欢的姑娘甩掉，而是我会立刻爱上甩掉我的那个姑娘，因为我会把影影绰绰飘游在所有这些少女中间的忧伤和梦想，全都集中在这个姑娘身上。在这种情形下，我也会在看到她的时候，情不自禁地怀念起她的所有那些女友（尽管在她们眼里我很快就会变得一无可取之处）——就只为我曾经对她们怀有政治家或演员对公众所怀有的那种集体之爱。我知道，那些一直受到公众厚爱的政治家和演员，一旦遭到公众的抛弃，是会感到非常失落，无以自处的。这样的厚爱，我没能从阿尔贝蒂娜那儿得到，但只要晚上分手时有哪个姑娘对我说了一句什么话，或者使了一个暧昧的眼色，我心中顿时又会升起被爱的希望，就为这一句话、一个眼神，我的欲念会整整一天都围着她转。

在她们之间游荡的这种欲念，变得愈来愈带有感官的愉悦感了，原因是这些多变的脸庞上，轮廓线条相对固定下来，我已经可以从中看出依然可塑的、仍在浮动（因而还会变化）的容貌来了。这一张张脸之间的差别，看来并不在于面长面短的差别，这些少女的脸虽说彼此并不相像，但说不定倒是几乎可以相互叠合的。不过我们对脸相的认知，毕竟不是数学的推演。首先，认知的第一步并不是量度各个部分，它的出发点是一种印象，一种总体的印象。以安德蕾为例，含情脉脉的眼睛细细弯弯，好像跟纤细的鼻子连在一起，有如画出一条简洁的曲线，以便分在双眸中的优雅笑意，能在一条线上得以延续。她的头发中间也有一条细细的头路，又柔又深，犹如风儿吹过沙地留下的沟痕。这想必是遗传，她母亲的满头白发也像风儿吹过的雪地，随着地势的起伏，这儿隆起一些，那儿陷下一些。

当然，跟安德蕾秀气的格局相比，萝丝蒙德的鼻子就显得特别开阔，犹如一座高塔坐落在坚实的底座上。虽然一个表情就足以使我们相信，一些细微的区别之间存在着巨大的差异——一个细微的特点，就能形成一种绝其独特的表情，显示一种个性——但是就这些少女的脸庞而言，它们之所以各不相同，并不仅是由于一根细小的线条、一个独特的表情的缘故。在我这些女友的脸庞中间，肤色起着更重要的区分作用，先不说别的，肤色为这些脸庞定下了基调，丰富多变，各显其美，比如萝丝蒙德给我的感觉——满满当当的淡黄的玫瑰色中，犹自闪烁着眼眸蓝绿色的光芒——跟安德蕾的感觉——白皙的双颊在黑发的映衬下，透出一种冷峻的高雅——就是截然不同的，我从中感受到的愉悦，就好比先后在阳光明媚的海滨凝视一株天竺葵和在夜晚观赏一枝茶花那般，是有所不同的。而这种区分作用，尤其表现在一旦加入了颜色这个新的因素，各个块面之间的比例关系就完全改变，脸部线条的那些细微的差别也就随之成倍地放大了，在这里，颜色不仅是肤色的给予者，而且是大大小小块面的重要生成者，或至少是调节者。结果，这些本来相差并不太远的脸庞，由于有的在红棕色的头发映衬下透出玫瑰红的肤色，有的则显出颇有气质的苍白肤色，因而长的长，宽的宽，变得完全不一样了。这就好比俄罗斯芭蕾舞剧中的那些道具，有时候在明亮的光线下细看，会发现它们只不过是些普通的纸垫圈。但巴克斯特凭借他的天才，时而给它们打上肉色的灯光，时而让整个场景沉浸在溶溶的月色中，于是一座宫殿的正面镶上了绿松石，或是一座花园中绽开了色彩柔和的孟加拉玫瑰。我们对脸相的认知就是这样的，我们是以画家的身份，而不是以测量员的身份在量度它。

阿尔贝蒂娜的情形，也跟她的女友们一样。有些日子里，面容消瘦，脸色发暗，神情阴郁，一道半透明的紫色斜垂至眼睛深处，犹如有时在海面上见到的景象，她给人的印象仿佛是在忍受被放逐的哀伤。另一些日子里，她的脸比平日更光滑，发亮的脸面粘捕住欲念，不让这欲念跑得更远；但偶尔从侧面望去，见到那有如蒙着一层白蜡般的双颊透着红晕，我还是会禁不住想要去吻她，亲近一下这平时难得一见的特别的脸色。有时候，幸福也会使她的双颊漾起流动的亮光，这时皮肤仿佛成了朦胧的流质，容让那亮光有如深邃的目光一样从中经过，而皮肤看上去跟眼睛有着相同的质地，只是颜色不同罢了。有时候，当你不经意间瞧见这张长满雀斑的脸上闪动着两个蓝莹莹的圆点，你在那一瞬间的印象是瞥见了一枚金翅鸟蛋或一块乳白色的玛瑙，那上面仅有两处是精心加工、打磨过的，在棕色的璞玉上，两个眼眸如同一只粉蓝色蝴蝶半透明的双翅那般闪闪发亮，眼肌成了镜子，让我们产生一种幻觉，仿佛我们在这儿，比在身体的任何其他部位都更接近心灵。不过在大多数情形下，她的脸色会更红润些，情绪也会更活跃些；有时候脸还是白白的，只有鼻子尖是粉红色的，纤巧得有如一只调皮小猫的鼻尖，叫人忍不住想去抚玩一下；有时候双颊光滑极了，目光落在上面都会打滑，仿佛那就是细密画小盒的粉红釉面，黑色的秀发堆叠在上面，犹如开启一半的盒盖，使它显得分外精巧，分外具有私密性。双颊的颜色偶尔也会变成兔子花那样的淡紫色，有时当太阳晒得很厉害，或者她在发烧的时候（这时她给人以体质羸弱的印象，使我的欲念沦为某种跟性欲更接近的东西，并使她的目光传达出某种更邪乎、更不健康的东西），她的双颊甚至会变成某些玫瑰那红得发黑的绛紫色。

每个这样的阿尔贝蒂娜都是不同的，就如舞台上的舞蹈演员，她的色泽、姿态、个性，都在随着灯光的变幻而转换。也许正因为这个时期我在阿尔贝蒂娜的身上看到的角色是多变的，所以后来我养成了习惯，但凡在这许多阿尔贝蒂娜中间想定了一个，自己也就变成了另一个人：或嫉妒，或冷漠，或欲火中烧，或郁郁寡欢，或狂热激动。这种变化，不仅跟偶然重现的回忆有关，而且跟从不同角度看同一个回忆时的信任度有关。这一点是我们永远绕不开的，在大多数情形下，所谓的信任度在我们不知不觉中充斥着我们的心灵，而对我们的幸福来说，它们比站在我们面前的那个人重要得多，因为我们是透过信任度才看到这个人的，这个人的重要性是由它们赋予的。为准确起见，也许我应该给后来想起阿尔贝蒂娜时的每个我，都取一个不同的名称；我还应该给始终以不同的模样出现在我面前的每个阿尔贝蒂娜，也各取一个不同的名称，她变着模样，就如大海——我还是就统称大海吧，这样更方便一些——变幻着形态，而她有如又一个海中仙女，出现在这又一个大海的背景上。但也许——正如故事开头先要说那天天气如何一样，不过毕竟比那实用得多——尤其应该给我在不同日子里见到阿尔贝蒂娜时的不同思绪，也分别取不同的名称，这样的思绪左右着我的心情，形成一种氛围，我们见到的每个人的外貌，有如大海的景观一样，取决于几乎难以看见的大片云层，云层的凝聚、浮动、扩散和飞逝，赋予一切事物以不同的色彩——正如那天傍晚，埃尔斯蒂尔停下脚步和那些少女交谈

（但没把我介绍给她们）的时候，他驱散了一片乌云，这些少女离我们而去时，她们在我眼里骤然变得那么美丽——几天过后跟她们相识时，云层重又形成，遮蔽住她们的光亮，滞留在她们和我的眼睛之间，雾也似的轻柔，有如维吉尔笔下的琉科忒亚[1]。

自从这些少女的话语在某种程度上向我指明了观察她们的脸的方式以来，对我来说，她们每个人的脸庞想必已经起了很大的变化。我可以通过提问，按我的设计来引导她们说出种种不同的话来，这样一来那些话语的意思就更清楚了，这很像科学家在做实验时，用反证法来证实他的假设。远远看去优美而神秘的人和事，只要拉近了看，就会明白它们原来既不神秘又不优美。这不失为解决人生问题的一种办法。在众多的生活态度中，这是可供选择的一种。这种生活态度或许并不怎么值得称道，但是它能让我们抱着比较平静的心情来度过这一生，而且去面对——既然它能让我们无所留恋，能让我们相信自己已经得到了最好的东西，而所谓最好，也并不就怎么样——终将来临的死亡。

我原来以为这些少女的头脑里，装着对贞洁的蔑视和对每日逢场作戏的艳遇的记忆，现在我觉得，那儿装的是一些挺有道理的做人的原则，它们可能会有所动摇，但毕竟已经帮助这些在布尔乔亚的生活环境里接受它们的女孩一路走来，始终不曾偏离正道。而倘若一个人从一开始就走错了路，哪怕起因只是一些琐事，那么当你发现当初的假设错了，或者你的记忆出了毛病，你想要找到流言蜚语的源头，弄明白最初是在哪儿出岔子的时候，你很可能在发现错误的同时，不是以真理去取代谬误，而是以另一个错误去取代前一

1　琉科忒亚：即希腊神话中底比斯王阿塔玛斯的第二个妻子伊诺。她生有两个儿子，其中一个被丈夫杀死。她和另一个儿子逃走时坠海而死，成为海中女神。

个错误。就这些少女的生活方式和她们的待人接物而言，当我和她们亲密无间的交谈时，我从她们脸上看到的全然是一片天真无邪。但也说不定我过于轻率，仓促之间看走了眼，她们脸上毕竟没有写着天真无邪这几个字，就如我第一次去看拉贝玛演出时，节目单上并没有写着朱尔·费里这几个字一样，不过那天我还是口气很肯定地对德·诺布瓦先生说，开场小戏十有八九是朱尔·费里写的。

既然我们的头脑会在有关某人的记忆中，把不能直接用于我们和此人的日常交往的那部分记忆抹去（当这种交往带有些许爱情的色彩，而这爱情又是从未得到满足，永远停留在对下一刻的憧憬之中的时候，情形也是如此，甚至会更明显），那么对于我这帮女友中的任何一位来说，我最后一次见到她的脸庞，怎么能不是我唯一留在记忆中的脸庞呢？我们的头脑听任时日之链逝去，只是牢牢地抓住最后那一节，制作这一节的金属，往往已经跟隐没在黑夜里，消失在我们的人生之旅中的那些链节不一样了，对这最后的一个链节而言，只有我们眼下所在的地方才是真实的。我最初的那些印象，已经变得那么遥远，在我的回忆中再也没有什么内容足以维系它们，阻止它们日复一日地蜕变走样了。我和这些少女一起聊天、吃茶点、玩游戏，在这漫长的时间里，我都记不起她们就是当初在海滩上鱼贯而行的那几个冷漠而撩人，有如壁画上见到的女孩了。

地理学家、考古学家把我们带到卡吕普索[1]的小岛，为我们发

1　卡吕普索：希腊神话中的人物。奥德修斯从特洛伊回国时，在长久的漂泊之后登上卡吕普索所住的俄古癸亚岛。卡吕普索想和他结为夫妇，甚至答应他可以长生不老，但奥德修斯不为所动。

掘出弥诺斯的宫殿[1]。可是，卡吕普索只不过是个普通的女子，弥诺斯只不过是个普通的国王，并不是什么神祇。历史告诉我们，即使这些神话人物实有其人，他们的是非功过也往往跟传说中同名人物的所作所为大相径庭。我在最初那些日子里构建起来的有关大海的优美神话，也就这样烟消云散了。可是我毕竟不能忘记那段美好的时光，我以前心向往之，而又以为不可企及的东西，曾经在那段时间里变得那么亲切，那么触手可及。在跟我们一开始就觉得不可爱的人打交道时，即使最终多少也能感到几分勉强的乐趣，但对方刻意隐瞒自己缺点的那种作假的感觉，是始终摆脱不了的。而在我和阿尔贝蒂娜及其女友的交往中，作为友情基础的发自内心的愉快，始终有着一股馨香，这种馨香是无论你怎么折腾，也无法让硬生生摘下的水果、尚未在阳光下成熟的葡萄拥有的。她们一度曾是我眼中妙不可言的尤物，这就在不知不觉中使我和她们之间极为普通的关系有了某些神奇的因素，或者更确切地说，使这种关系就此变得不普通了。我的欲念如饥似渴地寻找她们目光中的含义，如今这些目光熟悉了我，对我在微笑。但是在第一天，当它们和我的目光相遇时，它们有如来自另一个世界的光芒；我的欲念无所不在而又无微不至地将色彩和芳香洒向那些仰卧在悬崖上的少女肉色的肌肤，她们毫不拘礼地把三明治递给我，或者一起玩猜谜游戏，当我在下午时分躺在那儿，就像要从现实生活中追寻古代高古余韵的画家那样，把一个正在剪趾甲的女人画成气度高贵的《拔刺者》，或者像鲁本斯那样，

1　弥诺斯是希腊神话中的克里特王，宙斯和欧罗巴的儿子。1900年起，英国考古学家阿瑟·伊文思爵士在克里特岛上发掘出克诺索斯古城。其中王宫遗址规模宏大壮观，说明克诺索斯曾是一座文化古都。宫殿结构复杂，令人联想希腊神话中弥诺斯所建迷宫。

把他认识的女人画成女神，来构思古代神话场景的时候。我望着这些散布在周围草地上，类型各不相同的棕发和金发少女美丽的肢体，日常生活给这些躯体装满的平庸内容，或许并不会就此清空，我也并没有着意去想她们仙女般的出身，然而我像赫拉克勒斯或忒勒玛科斯一样，仿佛正在水中仙女之间嬉戏。

随后举行音乐会的日子结束了，天气转坏了，我的这些女友都离开了巴尔贝克，她们并不像燕子那样是在同一天，但都是在同一个星期里走的。最先走的是阿尔贝蒂娜，她说走就走，当时也好，过后也好，她的女友们谁也不明白她为什么要那样仓促地回巴黎，那儿既没有功课，也没有消遣在等着她。“她什么也没说，就那么走了。”弗朗索瓦兹抱怨说，其实她心里巴不得我们早点离开这儿。她嫌我们在酒店雇员和经理面前嘴不够紧；酒店雇员人数已经减少，但还是留下了一些伺候寥寥无几的少许客人，那个经理照她的说法是个“亏空经理”。确实，酒店很快就会关门，里面的客人早就走得差不多了；酒店里从没这么舒服过。经理可并不这么认为；他沿着寒气冷入骨髓、已无侍者应门的厅堂，在过道上来回踱步，身穿崭新的常礼服，脸上被理发师仔细地拾掇过，乏味的脸容看上去像是一种肉与油的混合体，一分肉，三分化妆品，领带换得很勤（比起保证供暖和保留人员来，穿着考究毕竟所费不多，这就好比一个人已经无力为慈善事业捐款一万法郎，但给邮局送电报的人一百苏小费，在他还是小菜一碟）。他那模样，仿佛是在一片虚无中巡行，想靠自己这身行头，让酒店的淡季萧条显得只是暂时的景象，他给人的感觉，就像君王的幽灵在昔日王宫的废墟上游荡。最让他揪心的是，本地的铁路因乘客锐减而停运，要到来年春天才恢复运行。

“这儿缺的就是交通手段。”他这么说。

虽然账上出现了亏损，他心目中今后几年的发展规划仍然是非常宏伟的。只要一说到旅馆业，他决计忘不了用一套漂亮的辞令来展望一下宏图。

“虽说餐厅里人员配备很整齐，可我还是人手不够，”他说，“跑腿的侍者还是缺了点儿；你们看着，明年我会有一个非常棒的团队。”眼下，巴尔贝克的邮路中断，他只得派人去取信，有时还用小马车运送旅客。我常常要求坐在车夫边上，这样，不论天气好坏，我都能出去转转，就像在贡布雷的冬天一样。

但有时候风狂雨骤，外婆和我待在已经停业的游乐场空荡荡的房间里，犹如在狂风大作的天气里，待在轮船的底舱，就如在远渡重洋的船上一样，每天总会有某个我们跟他或她共同相处了三个月却彼此并不熟悉的人来到我们身旁。雷恩法院的首席院长，卡昂法院的主审法官，一位美国太太和她的几个女儿，先后过来和我们搭话，想方设法打发这漫长的时间，或者露一手显显本领，教我们玩儿一种牌戏，请我们喝茶、弹曲子，或者约好一个时间一起聚聚，一起安排一些消遣活动。目的只有一个，就是让我们开心，而开心，就是别老想着自己有多烦闷，就是相互帮助度过烦闷的时光。终于，在我们逗留巴尔贝克的最后这段时间里，他们和我们之间结下了友谊，可是下一天他们就相继离去，这份友情也就中断了。

我甚至结识了那个很有钱的年轻人，还有他那两个贵族朋友当中的一个，以及又回来住了几天的女演员；那个小圈子里只剩这三位，另一个朋友已经回巴黎了。他们邀请我去他们的餐馆一起吃晚饭。我相信他们听到我说不去了吧，心里一定挺高兴。当然他们邀请我时是非常客气的——其实也就是那个有钱小伙子在邀请，因为另外两位都是他的客人。陪他同去的另一个小伙子莫里斯·德·沃代蒙侯爵出身望族，所以女演员问我是不是愿意去的时候，本能地觉得这样说是在抬举我：

“这会让莫里斯很高兴的。”

在大堂里又碰见他们仨时，有钱的小伙子有意侧过身子，所以是德·沃代蒙先生对我说：

“您不肯赏脸一起吃个晚饭吗？”

总的来说，我没有好好利用在巴尔贝克的时间，这叫我更想下次再来了。我觉得在这儿待的时间好像太短了。可我的那些朋友并不这么想，他们写信问我是不是打算在巴尔贝克定居了。瞧见他们无奈地把巴尔贝克这个地名写在信封上，正如我的窗户既不是朝向田野，也不是朝向街道，而是朝向浩瀚的大海，晚上入睡前回荡在耳边的浪涛声，让我如同一叶小舟那般，将自己的睡梦托付给这大海。我不由得产生了一种幻觉，仿佛这贴近的涛声把大海的壮美，在不知不觉之中印入了我的脑际，有如睡梦中学会的功课一般。

酒店经理对我说，明年他可以给我们留出更好的房间，可是我挺喜欢现在的这个房间，走进去已经闻不出香根草的气味，我的思绪起先在这个房间里难以展开，后来却异常饱满地充斥其间，以致我回到巴黎，睡在原来那间天花板比较低的卧室里时，还非得对它做一番反向的处理不可。

是得离开巴尔贝克了，在这个没有壁炉和取暖设备的酒店里，寒风淫雨让人有了萧瑟之感。再说，最后这几个星期差不多已经被我置之脑后了。当我想起巴尔贝克时，眼前浮现的几乎永远是那些晴朗的夏日，我因为下午要跟阿尔贝蒂娜和她的女友一起出去，外婆遵照医嘱，非要我早上在拉上窗帘的房间里躺着不可。经理特地关照，在我这一层楼不许弄出声响，并亲自督察命令是否执行。光线太强，我吩咐把房间里那副第一晚对我满怀敌意的紫色窗帘尽量拉上。为了不让光线透进来，弗朗索瓦兹每晚都把毯子、印花红桌布和杂七杂八拼凑起来的布料用别针别在窗帘上，可还是没法儿遮得严严实实，仍然会有光线透进来，在地毯上洒下银莲花花瓣似的红红的光影，我有时会情不自禁地把赤裸的脚踩在这光影上。

朝着窗户的那面墙半明半暗，一个金色的圆柱无所依傍地竖立着，有如在旷野中引领希伯来人前进的光柱[1]。

我重又躺下，一动不动，仅靠想象去品味游戏、海水浴和步行所有这一切在上午的阳光下可以享受的欢乐，我的心因欣喜而猛烈跳动，有如一部开足马力却又无法移动的机器，只能原地打转来卸却速度。

我看不见那些少女，但我知道她们在大堤上，在翻卷而上的海浪跟前行进，逢到天气暂时放晴，可以在大海远处蓝莹莹的浪尖之间望见里弗贝尔小城，这座小城矗立在波涛之上，犹如一座意大利小镇，每个细部都在阳光下勾勒得很清楚。我没看见这些女友，但是（当报贩，也就是弗朗索瓦兹所说的那些“吃报纸饭的主儿”的叫卖声，洗海水浴的游客和孩子们玩耍时发出的叫喊声，如同海鸟的鸣叫那般，为轻轻碎成浪花的波涛打着节拍，一齐向着我的房间里而来的时候）我悬想着她们的倩影，谛听着她

1　参见《旧约·出埃及记》第13章。

们的笑声——它们犹如涅瑞伊得斯的笑声，被柔和的浪涛裹着，传到我的耳畔。

“我们来过，”那天晚上阿尔贝蒂娜对我说，“想看看您是不是会下来。可是您的窗板一直关着，音乐会的时候也没打开。”

确实，十点钟那会儿，乐声在我窗下轰然响起。在海水涨潮时，海水会趁着乐器演奏的间隙源源不断地涌来，席卷而上的海浪仿佛在把小提琴的乐声裹进它晶莹的浪头，把泡沫溅在某种海底音乐时断时续的回声之上。

我不耐烦地等着给我把衣服送来，好让我穿起来。正午的钟声响起，弗朗索瓦兹总算来了。一连几个月，在我原来想象成暴雨不断、浓雾弥漫，因而令我心向往之的这个巴尔贝克，晴朗的天空明亮清澈，从不变色，所以弗朗索瓦兹来开窗的时候，我总是十拿九稳地等着瞧见折射到外墙上的一方阳光，它那恒定的颜色并不像一个夏日标志那么令人感动，倒像一件匠气很重的彩釉工艺品，色泽有些暗淡。弗朗索瓦兹取下窗帘上的别针，去掉布料，拉开窗帘，露出的夏日犹如一尊华丽的千年木乃伊，死寂而邈远，我家这位老女仆只是小心翼翼地除去了裹在它身上的衣料，让它在显身前，沉浸在金色袍子馥郁的香气之中。

（本卷完）

《在少女花影下》故事梗概

第一部　在斯万夫人身旁

两种性格的分别转向。斯万成了奥黛特的丈夫，当初把显贵的请柬藏在袋里的他，如今把不值一提的交情拿出来显摆（003）；戈达尔教授显出冷若冰霜的神情，与他如今的地位更为相称（006）。

德·诺布瓦侯爵。德·诺布瓦侯爵为共和派政府效力，证明让大部分人相互靠拢的，并非观点的一致，而是精神上的契合（008）。他对我父亲的情谊（008）；母亲体谅他的老派谈吐，赞叹他礼貌之周全和回信之迅速（009）。他第一次来我家吃晚饭，那天下午由于他的斡旋，我获准去看拉贝玛的演出（011）。还有更好的事：他说服我父亲不再反对我搞文学（012）。

拉贝玛的演出。去看拉贝玛在《菲德尔》中演出的愉悦，单是剧名就让这位女演员变得魅力四射（014）。我担心自己会生病，担心违拗妈妈的心意去看戏，相对于寻求属于另一个世界的人生真谛而言，会突然显得很渺小，因为那是一个比我生活其中

的世界更为真实的世界（015）。我的失望（018）。弗朗索瓦兹在厨艺上的天赋（018）。剧场幕启前我心中的欢乐（020）。为缺乏教养的观众担心（021）。拉贝玛上场（021）。听她念台词时的失望（022）。观众的热情（023）。

与德·诺布瓦侯爵共进晚餐。德·诺布瓦侯爵以他特有的方式和我谈起文学，让我明白自己跟文学是无缘的（025）。他向父亲推荐几个投资方向（027）。他看了我的散文诗后一言不发（028）。我承认对拉贝玛的演出感到失望（030）。诺布瓦对她的赞扬让我感到我没有失望（031）。弗朗索瓦兹的冻汁牛肉配胡萝卜（032）。菠萝块菰沙拉（033）。对迪奥多兹二世陛下访问巴黎（033）以及沃古贝尔为促成两国修好的努力（034）的评价。去巴尔贝克度假的计划，按诺布瓦的说法，巴尔贝克的教堂“既然到了那地方，还是值得一看的”（039）。诺布瓦对斯万夫妇的评价；他解释斯万为何会娶奥黛特（040）。一些补充的解释（042）。斯万夫人和巴黎伯爵（047）。诺布瓦严词批评贝戈特的作品和我的散文诗（048）。我很沮丧（050）。贝戈特的道德操守令人生疑（051）。诺布瓦觉得吉尔贝特挺可爱（052）。诺布瓦为何从不在斯万夫人面前提起我（055）。

晚饭过后。看到报上盛赞拉贝玛，我脱口喊道：“她真是个了不起的艺术家！”（056）父亲接受了我的文学志愿，认为我的爱好不会再改变，这使我觉得自己置身于时间之中，受它制约了（058）。父母评论诺布瓦的来访（059）。弗朗索瓦兹的烹饪诀窍（061）。她对巴黎餐馆的评价（061）。

吉尔贝特重返香榭丽舍公园。我在新年走亲戚。希望跟吉尔贝特建立一种新的友谊（062）。这一希望来自虚荣心（063）。

老人的感觉（064）。想到拉贝玛时的惆怅。我们的愿望会相互干扰（065）。加布里埃尔设计的宫殿式建筑（065）。我想不起吉尔贝特的模样了（066）。吉尔贝特又到香榭丽舍公园来了。她的父母“看不上”我（067）。我给斯万写了封长信，他反而对我更有敌意（067）。香榭丽舍公园小亭的霉味（068）。“侯爵夫人”（069）。与吉尔贝特充满身体快感的夺信之争（070）。阿道夫叔公在贡布雷的小房间让我想起公园小亭的霉味（071）。我病倒了。但想到和吉尔贝特在一起的快乐，我鼓起劲儿往香榭丽舍而去（072）。外婆在我呼吸困难的症状发作时所起的作用（073）。戈达尔的处方（074）。家里不许我再去香榭丽舍公园（076）。

我和斯万家交往日渐密切。吉尔贝特的来信（076）。事关爱情时，理性的法则不起作用，而是由魔法在操纵（078）。布洛克怎样为挣面子而吹牛，惹得戈达尔决意要做诺布瓦没肯为我做的事，到斯万夫人面前去提到我（079）。我熟悉了斯万家的那些房间（079）。斯万对我很和蔼（081）。吉尔贝特的信纸（081）。斯万家的东西都是出色的：他家的楼梯（082）。吉尔贝特的城堡模样的蛋糕；我的茶（083）。斯万夫人从那边厅里过来，和我们聊天（084）；她夸赞我家的老保姆（弗朗索瓦兹）（085）。在圣所的中心（086）：斯万的书房；斯万夫人的梳洗室（086）。斯万夫人最喜欢用的说法（088）。妻子接待客人之多令斯万感到头疼；吉尔贝特的口没遮拦（088）。蓬当夫人的外甥女，出名的阿尔贝蒂娜（090）。斯万怎样在显摆他的新交情的同时，身上仍保持着盖尔芒特家族的才智（091）。在我母亲眼里，斯万夫人的交友方式犹如征战。“过路人，去告诉斯巴达！”里的过路人（093）。社会犹如千变万化的万花筒，标准不断变化（095）。德雷福斯事件还没发生，鲁福斯爵士和伊斯拉埃尔夫人在上层社会的地位还很显赫（096）。奥黛特对上层社交界的无知（097）。斯万的视而不见（098）。奥黛特为什么不见容于圣日耳曼社交圈（098）。斯万去拜访那些人家，不仅出于文人、艺术家的雅趣，也出于社会学的好奇心；他在搭配社交花束——奥黛特称之为组合（100）。斯万已经不再嫉妒奥黛特了，但嫉妒的惯性依然还在（102）。他爱上了另一个女人，心头又升起旧日的焦虑，但他不想去激起奥黛特的妒意（104）。

跟斯万夫妇一起外出。斯万夫妇允许我和他们一起外出（104）。去他们家吃午饭的憧憬让我激动难抑（105）。在小客厅等候。斯万对我态度亲切。他妻子的到来（106）。斯万夫妇家让我感到神秘（107）。斯万夫人为我弹凡特伊的奏鸣曲（108）。艺术珍品一上来并不会把最美的东西展现给你（109）。杰作是怎样为自己创造后世的（109）。奏鸣曲让斯万回想起当年在叶丛下听到的小乐句（112）。布拉丹夫人在动物园："我是黑佬，你就是白佬！"（115）吉尔贝特的种种优点。"您是她身边的红人！"（116）斯万的宅邸怎样不仅让我的想象，而且也让斯万的想象与现实叠合在一起（118）。我的记忆使斯万家很不协调的客厅显得颇为和谐（119）。物件的魅力（119）。在动物园走在斯万夫人身边，我心里很得意（120）。玛蒂尔德公主：她眼中的泰纳和缪塞（122）。斯万的不耐烦（123）。公主受邀出席残废军人院的典礼（123）。斯万夫人以为布洛克叫莫勒尔（124）。路易亲王要到俄国去从军（124）。公主的嫣然一笑（124）。冬天其他的消遣（125）。吉尔贝特出人意外的薄情（126）。

与贝戈特共进午餐。斯万夫人邀请我共进午餐，宾客有十六位之多（126）。府邸总管递给我一个信封，我不知该怎么办（127）。听到来客中有贝戈特的名字，我吓了一跳。一代宗师白胡子长者的形象，连同他的作品之美，化作一缕轻烟，眼前是个留着黑黑的山羊胡子、鼻子像蜗牛壳的矮胖子（127）。名字是任性的画家（129）。我对大作家是否真有原创性产生怀疑。插在纽孔里的康乃馨和鱼子酱（129）。贝戈特奇特的嗓音，一开始让我觉得跟他的笔调很不一致。这个贝戈特不同于自诩贝戈特风格的模仿者：大作家笔下的文句之美，是无法预料的（130）。我后来怎样通过一种转换，领悟到贝戈特说话的基调是与其文体一致的（133）。贝戈特强调某些字眼的发音方式；类似的强调，在他的作品中更为显著（133）。这种方式，对应着他在散文中的遣词造句方式（133）。如同一架飞机，天才必须把水平速度转换成升力（135）。贝戈特在文学上的鉴赏口味（137）。他如何欣赏自己的作品（138）。他对地位比他低的人的尊重（138）。他的丑行；作家对道德问题给出的答案。公众比以前更了解作家的私生活（139）。六世纪那位可爱的菲德尔（142）。贝戈特评论《菲德尔》的“迷人的小册子”（142）。贝戈特听任我说自己的观剧印象（143）。诺布瓦是个“头脑简单的老头”（144）。斯万对我来了气（145）。斯万先生和夫人的两种性格体现在吉尔贝特身上，时而显得坦诚，时而显得狡狯（149）。有我在场，“谈话档次就高了”（150）。是否存在一种领悟力，天下人之于它，犹如同寓一所的房客之于寓所？（151）回家途中，贝戈特和我谈起我的身体（152）。“我没有什么思考的乐趣”（152）。贝戈特给我推荐迪·布尔邦大夫。他说自己朋友的坏话（154）。是什么原因让斯万费心把我介绍给贝戈特的？（155）我父母的反应令我沮丧

（156）。他俩态度骤然改变（158）。

我怎样暂停跟吉尔贝特交往，经受了怎样的痛苦。斯万夫人的客厅。我为什么不请吉尔贝特上我们家来（158）。布洛克对爱情的看法。他带我去的打炮屋（159）。“拉谢尔当从主”。莱奥妮姑妈的家具（161）。我为什么一拖再拖，不能定下心来写作（164）。爱情中有一种永恒的痛苦（166）。我最后一次去看吉尔贝特。她母亲不许她去跳舞。彼此之间的不理解（167）：我下决心不再去看她。暴风雨接着忧伤而来（169）。高傲与痛苦之间艰难的平衡。我决定第二天去斯万夫妇家（172）。我冲总管发无名火（173）。由于始终存有看到痛苦结束的指望，痛苦更加剧了（174）。我决意不和吉尔贝特见面，趁她不在的时候去拜访斯万夫人，感觉到吉尔贝特对我的看法会因此有所改变。我的希望一仍其旧（175）。斯万夫人的“室内花园”（177）；她的“下午茶”；她的花儿；一个senza rigore 的沙龙（178）；菊花（179）。社交场的谈话：蓬当夫人，戈达尔夫人；说话不饶人的阿尔贝蒂娜（182）。斯万探头进来；德·阿格里让特亲王（185）。奥黛特羡慕维尔迪兰夫人的虚无艺术（187）。维尔迪兰夫人在奥黛特的客厅里（187）。蓬当夫人为收到维尔迪兰府上星期三聚会的邀请兴奋不已。又一轮闲聊（189）。戈达尔教授的痴迷（193）。

与吉尔贝特分手给我带来一系列的烦恼。遗忘时快时慢的进展。我仍然决意不跟吉尔贝特来往（195）。元旦格外痛苦。我们的感情被对方反弹回来，却被误认为对方的感情（195）。我等待吉尔贝特来信（196）。自己身上爱恋吉尔贝特的那个我，处于慢性自杀的境地。我们始终超脱于具体对象之外（199）。时间的弹性（200）。第三者笨拙的介入，让我对吉尔贝特的矜持无法奏效

（201）。我模糊地预感到，等到我的良苦用心起作用的那一天，我就真的会不在乎吉尔贝特了（202）。斯万夫人的客厅：远东风格面对十八世纪的进逼，步步败退（203）。绉纱浴袍（204）。奥黛特脸部表情的变化，造成一种青春永驻的印象（205）。在斯万眼里，她仍是博蒂切利画中的人物（205）。时尚和女性轮廓的演变。斯万夫人的优雅（206）。遗忘不如痛苦的爱情那样折磨人（209）。我突然决定去看吉尔贝特（211）。我卖掉了莱奥妮姑妈给我的中国花瓶，却瞥见吉尔贝特和一个年轻男子并肩走在香榭丽舍大道上（212）。幸福有一种心理上的不可能性（213）。想象力冲击我的记忆，突破吉尔贝特给我留下的不快场景，勾勒出充满希望的蓝图（215）。我拒绝参加一个晚宴，因为阿尔贝蒂娜说好要去（215）。回忆唤起的忧伤，比对一个人的不停思念引起的忧伤更痛彻肺腑（216）。当幸福终于来临时，它已不是我们向往的那个幸福；我们自己变了（218）。一场梦让我明白吉尔贝特的不诚恳仍然在刺痛我的心。我把她的反感解释成生活对我的一种惩罚（219）。重归宁静（220）。闪烁其辞地把我不肯见她说成神秘的误会："生活可以把我们分开"（222）。想到我俩往日的爱情，不禁泪如雨下（223）。

斯万夫人的优雅和美貌。斯万夫人的裘皮衣服；绣球花勾起我对贡布雷的思乡之情（224）。斯万夫人星期天在布洛涅树林散步（225）；崇拜者追随着她；她的装束仪规（225）。财富构成的壁垒（228）。斯万夫人令人目眩的美（229）。向她致意的人们（229）。充满诗意的感觉会久久留在心间（231）。

第二部　地方与地名：地方

旅行和抵达巴尔贝克。两年以后，我和外婆一起去巴尔贝克。我对吉尔贝特时断时续地感到无所谓（235）。遗忘，让我们记忆中最美好的部分复活的必要条件（236）。习惯的相互矛盾的效果（237）。旅行特有的乐趣（237）。火车站，美妙而又悲情四伏的所在（238）。我的身体提出异议。外婆对这次旅行有怎样的看法（239）。我这是第一次真正离开母亲（242）。弗朗索瓦兹的帽子和大衣（242）。也许就差那么一点靠学习可以获得的知识。雷古卢斯的例子（244）。外婆同意让我喝点白兰地（245）。在火车上。我读塞维涅夫人的《书信集》；“陀思妥耶夫斯基意趣”（248）。火车上的夜晚。日出（249）。卖牛奶咖啡的姑娘；她永远不会出现在我愈来愈快奔去的生活中（250）。巴尔贝克老城：有教堂，也有雕像；可我为什么会感到失望呢（253）。当地铁路沿线的车站（256）。

抵达巴尔贝克海滨。大酒店的经理（258）。孤独感：酒店的常客，小城的街道（259）。电梯侍者（260）。房间里的物件因我们的关注而各就各位，又因习惯而俨然一一隐去（262）。外婆的便裙；她的脸向我敞开广袤的心田；敲击板壁（264）。早晨恬适的时刻；对睡在陌生房间里的恐惧（266）。对未来的担忧，即使那时比现在更幸福（267）。

在大酒店最初的日子。德·斯代马里亚小姐。大海映在书橱玻璃上；光影的变幻。餐厅里的风：外婆引来一片责骂声

（269）。常来酒店的要人；大洋洲的国王；衣着华丽、装腔作势的年轻人（272）。成为讽刺挖苦对象的有钱老妇人（德·维尔巴里西斯夫人）（275）。德·斯代马里亚先生和小姐；他们的傲慢（277）。一个时髦的女演员、她的情人和两位贵族躲着大家抱成一团。酒店这个大鱼缸。这四位高雅的男女吃晚饭的小餐馆（278）。我想引起勒格朗丹姐夫的注意，还想赢得大洋洲小岛国王、衣着华丽的年轻人以及那些当地名人的好感（280）。德·斯代马里亚先生的轻视尤其使我感到难过，他女儿那种来自世系概念的魅力，因其无法接近而越发令人渴慕（282）。我欣喜地得知有钱的老妇人就是德·维尔巴里西斯夫人；可是外婆执意不肯与女友相认（282）。当地名人有关康布尔梅夫妇的闲谈（286）。德·斯代马里亚小姐的特别之处；我梦想在一个富有浪漫情调的风景胜地占有她（288）。首席律师一刻不停地把酒店领班埃梅的名字挂在嘴上（290）。好几家大酒店的总经理（290）。弗朗索瓦兹是怎样结交朋友，影响我们的日常起居的（292）。

德·维尔巴里西斯夫人。乘马车兜风。德·维尔巴里西斯夫人和我外婆终于搭上话。巴尔贝克，地球的尽头（294）。埃梅和弗朗索瓦兹不同的态度（295）。德·维尔巴里西斯夫人觉得德·塞维涅夫人不够自然（297）。她当年非常迷人（298）。德·卢森堡公主。她把我们当作可爱的小动物（300）。德·维尔巴里西斯夫人知道我父亲和德·诺布瓦先生在西班牙旅行途中的情况（301）。当地名人的又一轮闲谈（303）。布尔乔亚和圣日耳曼区人士是怎样看待对方的（304）。

跟德·维尔巴里西斯夫人乘马车出游。面貌各不相同的大海（304）。出游的准备。苹果花的乳白色花冠。从叶丛间望见的大海（307）。德·维尔巴里西斯夫人是个很有品位的女人；她的自由主义色彩；她效法圣伯夫，按就近见过那些作家的人的说法来评价他们（310）。我好奇地想知道，那些从我身旁经过的漂亮姑娘心里在想些什么。由于没法停车，我越发觉得她们非常美。有人送来一封信：只是贝戈特的信而已（315）。卡克镇覆满常春藤的教堂。美丽的钓鱼姑娘：我感到她以后会想起我的（318）。于迪梅尼尔的三棵树。是梦？是来自遥远记忆的场景？还是误读的回忆？看着它们远去时的悲伤（320）。回程的小路（323）。德·维尔巴里西斯夫人眼中的十九世纪大作家。她说的轶事：德·纳穆尔公爵，大块头德·拉罗什富科公爵夫人（325）。外婆一个劲儿对我说德·维尔巴里西斯夫人有多么好。“没有你我没法活。”她的忧虑，比我自己的忧虑更让我揪心（331）。

罗贝尔·德·圣卢。布洛克。德·夏尔吕男爵。德·维尔巴里西斯夫人的侄孙：罗贝尔·德·圣卢。他冷冰冰的态度使我伤心（334）。德·维尔巴里西斯夫人把我介绍给他，无意间让我再一次领教他的傲慢无礼。他的热情表现，让我重新解释他跟人打招呼的方式（337）。我发现了一个与我原先的想象完全不同的知识分子圣卢，他说起父亲时口气中有一点轻蔑的意味（338）。圣卢以其自然的态度，征服了我外婆；他对我殷勤体贴（340）。友谊的魅力（341）。

排犹主义者：布洛克。巴尔贝克的犹太人领地（345）。布洛克的读音错误。他说我想攀高枝（346）。缺点之花样繁多，亦如优点之无所不在一样令人惊叹。每个人都专门有一个神祇遮掩他的缺点（348）。布洛克不像样的举止和没准头的谈吐；他也会待人非常好（352）。他想结交圣卢。布洛克老爹的体视镜（355）。

圣卢对我说起他的舅舅巴拉梅德（358）。有个男人老是偷看我，我把他当作到酒店来行骗的家伙。他就是圣卢的舅舅德·夏尔吕男爵。德·维尔巴里西斯夫人原来是盖尔芒特家的人（360）。德·夏尔吕男爵名称的渊源。我认出他就是当年在当松镇的小路上盯着我看的那个男人（364）。外婆让德·夏尔吕先生给迷住了。他邀请我去他姑妈那儿喝茶（365）。他奇怪的态度（368）。德·夏尔吕先生的眼睛。他对小白脸的仇恨（370）。外婆觉得他身上有女性的细腻。他的文学趣味。对伊斯拉埃尔夫妇的抨击（372）。他来我房间，给我拿来一本贝戈特的书，然后第二天又来拿了回去，而且莫名其妙地训了我一通（376）。

*老布洛克先生的家宴。圣卢和他的情妇。*我和圣卢一起去布洛克家吃晚饭。儿时的崇拜（378）。布洛克老爹怎样认识名人，尤其是贝戈特。他在子女眼中是个出众的人物（381）。加纳什俱乐部。布洛克老爹抨击他舅舅尼西姆·贝尔纳先生。那位先生对圣卢说了番蠢话（384）。布洛克老爹的慷慨。小布洛克的一句不合时宜的话。他在环城列车上遇到过斯万夫人（388）。弗朗索瓦兹见到布洛克时的失望；她没想到圣卢是共和主义者（392）。圣卢的偏见（393）。他受惠于情妇；她如何厌恶他；圣卢甘愿为她作出的牺牲。她在圣卢的姑妈家朗诵剧本。圣卢的痛苦（395）。外婆换上漂亮衣服准备拍照；她好像在躲着我（399）。

*那群少女的出现。里弗贝尔的晚餐。*我对美的憧憬。五六个少女，有如一群海鸥……她们与众不同的穿着（401）。她们的自如，来自身体的极度放松和对旁人发自内心的睥睨（403）。她们身上散发出一种变幻不居的、浑然一体的、持续往前移动的美。她们因此聚拢在一起（404）。“可怜的老头儿，让人看着

就惹气”（406）。最初的辨认：一个眼睛明亮而含笑，胖乎乎的腮帮没什么光泽，头戴黑色马球帽的姑娘（阿尔贝蒂娜）。我和她的目光交会。占有她的欲望（407）。这个棕发姑娘并非我的最爱：吉尔贝特的类型仍然是我最钟情的（409）。海滩的生活环境让这些少女占了便宜。这是我从所有的幸福中挑选出来的幸福（411）。开电梯侍者说的话（414）。西莫内的名字（416）。小山的景色。从窗口望见的大海景象（417）。我心绪不宁，杂念难去（419）。日落（419）。我不知道这几个少女哪一个是西莫内小姐（422）。

里弗贝尔的晚餐。我忘记了控制饮食的医嘱。星球般的圆桌间的和谐格局。愉悦的感觉（425）。喝下午茶的长廊，餐馆的大厅（428）。我全然抛开了对危险的惧怕。醉酒在几小时内成全了主观唯心主义（431）。圣卢很受周围女性的青睐（432）。晚餐后的梦。艰难的醒来：它向我展示了一种新生活。一直混同于其他回忆的某一回忆突然脱颖而出（435）。

这些少女当年的一张照片，稚气的脸容让我意识到她们的变化有多大（438）。

与埃尔斯蒂尔相会。画家的画室。他认识阿尔贝蒂娜和她的女友们。里弗贝尔餐馆里孤独的用餐者——大名鼎鼎的画家埃尔斯蒂尔。圣卢和我给他写了个便条。他请我去看他的画室。他为什么选择孤独的生活状态（441）。我与一个戴黑色马球帽的少女擦肩而过。阿尔贝蒂娜映衬在大海上的身影，现在仍浮现在我眼前（445）。我渴望进入的小世界（446）。我不了解她们的生活习惯。我不专爱她们中的哪一个，我爱她们每个人。我们爱上一个女人，就是将我们的一种精神状态投射到她身上（449）。

我去参观埃尔斯蒂尔的画室（450）。理智怎样介入并纠正我的印象。埃尔斯蒂尔的隐喻：卡克迪伊港（451）。埃尔斯蒂尔在艺术上的创新：他按事物呈现在他面前的面目来作画，摒弃所有智力的观念（455）。巴尔贝克教堂的正门（457）。雕像，柱头（457）。更多的幻想能治愈幻想的病症（460）。埃尔斯蒂尔认识阿尔贝蒂娜和她的女友（461）。西莫内的名字中只有一个n。阿尔贝蒂娜的无数形象（462）。我在这帮少女中间犹豫不决，也许这种犹豫造成了我日后对阿尔贝蒂娜的爱的间歇性（463）。埃尔斯蒂尔只是我和这些少女中间必不可少的中介而已（464）。萨克丽邦小姐的肖像（465）。埃尔斯蒂尔夫人。生活之美是步入老境的艺术家的庇护所（467）。自尊心会使我撇开自己的天性（471）。“我真想去卡克迪伊！”（472）我错过一个结识这些少女的机会（474）。信念的转变。真实的阿尔贝蒂娜和一系列想象中的阿尔贝蒂娜（475）。萨克丽邦小姐就是奥黛特。画家的作画方式，使一幅画因其模特儿的着装而得以传世（480）。比施先生就是埃尔斯蒂尔。埃尔斯蒂尔像一个真正的大师那样待我（483）。得以认识这些少女的可能性，使我心头感到宁静（485）。

*圣卢的离去。我认识阿尔贝蒂娜，随后又认识了她的女友*们。外婆把普鲁东的信稿送给圣卢。圣卢离开我们去冬西埃尔。不知分寸的布洛克。圣卢的来信（486）。

静物之美（489）。埃尔斯蒂尔家的聚会。意愿补偿理智和情感的缺失。阿尔贝蒂娜的新面貌。我被介绍给她：我觉得她有点局促不安，而且很斯文（490）。我又想起那些不同的阿尔贝蒂娜（493）。阿尔贝蒂娜在大堤上和我说话：我认出了她那种粗鄙的语调和少女帮的做派。美人痣（493）。“我打得真臭”

（499）。布洛克在阿尔贝蒂娜眼里是个长得挺帅，但让人恶心的小伙子（501）。阿尔贝蒂娜和我制定出游计划。阿尔贝蒂娜的闲聊，她的隐情。安德蕾对我很冷淡（503）。圣卢和昂布勒萨克家的小姐订了婚。阿尔贝蒂娜的聪明之处（506）。安德蕾对我说谎（508）。我怎样解释吉赛尔的态度。阿尔贝蒂娜对她很不友好。对吉赛尔的爱情憧憬：我不喜欢阿尔贝蒂娜了（509）。正当花季的少女；今后她们会怎样？我整天和这些少女泡在一起（513）。安德蕾宁愿留下来陪我聊天。我相继爱上的姑娘有相似之处（517）。弗朗索瓦兹性格上的奇特之处（519）。我学会了在晴朗的日子欣赏巴尔贝克；赛马，赛船。福迪尼的衣料。阿尔贝蒂娜对豪华生活的向往（521）。克勒尼埃的水彩速写。我今后怎样看海（524）。布洛克的妹妹们（527）。在悬崖上吃点心；我为什么喜欢吃蛋糕，不吃三明治（528）。和这些少女一起玩游戏。这些少女给我不断变换形态的感觉（529）。友情意味着放弃自我：艺术家有责任为自己而生活（531）。我在这些少女身旁品尝到的欢愉：爱意让人善于去辨别，去区分；然而，每个人都沐浴在比他广泛的某种氛围之中；这些少女说的话（532）。吉赛尔的作文：索福克勒斯写给拉辛的信（536）。博学的安德蕾作了中肯的评价（538）。同时爱几个少女，我所迷恋的首先是爱的欲望（541）。记忆和感觉：当我们再也见不到某人时，这个人就完了（542）。

我还是最喜欢阿尔贝蒂娜。被拒绝的吻。胶着的平衡打破，向阿尔贝蒂娜倾斜过去：传戒指游戏；安德蕾和阿尔贝蒂娜的手（544）。阿尔贝蒂娜的小花招；我心不在焉，阿尔贝蒂娜冲我发火（546）。和安德蕾一起去克勒尼埃：山楂花对我说的话（548）。我怀疑安德蕾内心是否善良（550）。克勒尼埃；现在我知道，我爱的是阿尔贝蒂娜；回到巴尔贝克，我用爱情这个自私的观点来审视房间（552）。我不去找阿尔贝蒂娜，装出喜欢安德蕾的样子（554）。安德蕾说的“正好”（555）。我想要认识蓬当夫人（556）。阿尔贝蒂娜要到大酒店来过一夜（557）。高尔夫和扯铃。奥克达夫认为德·维尔巴里西斯夫人是个“不择手段向上爬的人”（557）。阿尔贝蒂娜要我傍晚到她房间去陪陪她。真实的阿尔贝蒂娜在想象中的阿尔贝蒂娜身上体现出来（559）。我看到阿尔贝蒂娜躺在床上。我如痴如醉。我的吻被拒绝了（561）。

这些少女在我心目中变成了什么模样。巴尔贝克假期的结束。夏日的回忆。我的向往舍阿尔贝蒂娜而去。她的吸引力，她的讨人喜欢：因此她对我在她床前的那幕场景守口如瓶（563）。那晚她为什么要叫我去？烫金的铅笔（569）。她的坦诚让我对她肃然起敬；我的爱情的道德内核（571）。关于安德蕾，我看错了：我原以为是个健康而单纯的姑娘的安德蕾，跟我太像了（572）。我对这些少女的爱仍是共有的；但她们的脸部线条相对固定下来了（574）。不同的阿尔贝蒂娜创造同样多的不同的我（577）。冷酷而放荡的少女在我眼中变成了天真无邪的布尔乔亚女孩。然而在我和她们的关系中，仍有些许神奇的东西（578）。

坏天气的来临。阿尔贝蒂娜突然离去（581）。酒店变得空荡荡了。经理的不高兴和他的计划（581）。下雨的日子：新交（582）。重返巴尔贝克、仍住同一个房间的心愿（583）。

夏日的回忆：晴朗季节的光线，那些女友都在大堤上，而我却还躺着，弗朗索瓦兹拉开了窗帘（584）。